معمای هویدا

معمای هویدا

دکتر عباس میلانی

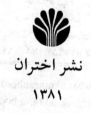

نشر اختران

۱۳۸۱

میلانی، عباس
معمای هویدا/ عباس میلانی.-تهران: نشر اختران ۱۳۸۰.
۵۷۶ ص. [۲۵] ص. تصویر؛ مصور، نمونه، عکس.
فهرستنویسی بر اساس اطلاعات فیپا.
چاپ اول ۱۳۸۰ با همکاری انتشارات آتیه.
کتابنامه: ص. [۵۵۱] - ۵۷۶.
چاپ دوازدهم: ۱۳۸۱:
۱. هویدا، امیر عباس، ۱۲۹۸-۱۳۵۸ - سرگذشتنامه. ۲. نخست وزیران -- ایران -- سرگذشتنامه. ۳. ایران -- تاریخ -- پهلوی، ۱۳۲۰ - ۱۳۵۷.
۴. ایران -- تاریخ -- انقلاب اسلامی، ۱۳۵۷، الف. عنوان.
۹ م ۹ ه/ DSR ۱۴۸۶ ۹۵۵/۰۸۲۴۰۹۲
۱۳۸۰
کتابخانه ملی ایران ۱۷۷۹۴/۸۰ - ۸۰م

نشر اختران

معمای هویدا

نویسنده: عباس میلانی
ناشر: اختران
چاپ‌اول: اردیبهشت ۱۳۸۰
چاپ دوازدهم : پاییز ۱۳۸۱
شمارگان: ۵۵۰۰ نسخه
چاپ: فرشیوه
صحافی: ایران هنر
مرکز پخش: خیابان انقلاب، بازارچه کتاب، کتاب اختران
تلفن: ۶۴۶۲۲۸۲ - ۶۹۵۳۰۷۱ فاکس: ۶۴۱۱۴۲۹

http://www.akhtaranbook.com
E-mail:info@akhtaranbook.com
ISBN 964-93170-7-4

به نور چشم عزیزم
حمید میلانی

فهرست مطالب

پیش‌گفتار راوی بر روایت فارسی کتاب

خاطره می‌گوید: «چنین کردم.» غرور می‌گوید: «ممکن نیست چنین کرده باشم». بالاخره خاطره چاره‌ای جز تسلیم ندارد.

فردریک نیچه

معمای هویدا را حدود شش سال پیش آغاز کردم. محرک اولیه‌ام نامه‌ای از دبیران دائرةالمعارف ایرانیکا بود. می‌خواستند مقاله‌ای در باب زندگی امیر عباس هویدا بنویسم. می‌گفتند ۲۵۰۰ کلمه حیات و مماتش را کفایت می‌کند. دعوتشان را با اشتیاق پذیرفتم. احساس می‌کردم کاری است آسان و مهم. با خود می‌گفتم هویدا شخصیتی سخت سرشناس بود. سیزده سال بر صندلی صدارت تکیه زد. چند وچون زندگی‌اش، دوران زندانش، حتی نحوه‌ی مرگش، همه زیر ذره‌بین مطبوعات ایران و جهان بود. به‌علاوه، می‌دانستم که دو طرح تاریخ شفاهی، یکی در دانشگاه هاروارد و دیگری در بنیاد مطالعات ایران، در جریان اند. می‌دانستم که خاطرات بسیاری از شخصیت‌های مهم دوران پهلوی را آن جا به ضبط و ثبت رسانده‌اند. به‌علاوه، چون دوران نخست‌وزیری هویدا همزمان با روزگاری بود که من نیز به عنوان یکی از مخالفان رژیم شاه، گوشه‌چشمی به عالم سیاست ایران داشتم،[1] پس گمان داشتم که هویدا را هم خوب می‌شناسم. هزار ویک نکته و شایعه در موردش شنیده بودم. می‌گفتم چند ماهی کاوش در مطبوعات و خاطرات و آثار تحقیقی آن دوران شناخت شخصیت هویدا و مقاله‌ای ۲۵۰۰ کلمه‌ای را کفایت می‌کند. اما فرضیاتم همه غلط از آب درآمد. هرچه بیشتر کاویدم، بیشتر دریافتم که هویدا را نمی‌شناسم. متوجه شدم که هویدای واقعی با

هویدای خیال من اشتراک چندانی ندارد. دوّمی حتی کاریکاتور خوب اوّلی هم نبود.

به تدریج به این نتیجه رسیدم که نه‌تنها او، بلکه همه‌ی شخصیت‌های مهم سیاسی روزگارمان را از زوایایی گاه مخدوش و محدود و اغلب مغرض و مغلوط شناخته‌ایم. روایتمان از تاریخ را اغلب کسانی شکل بخشیده‌اند که واقعیات را تخته‌بند منافع حزبی و اقتصادی یا سوق‌الجیشی کرده بودند. از یکسو، در عرصه‌ی نظری، خوانده بودم که «خواندن» و «نوشتن» تاریخ هردو، به‌رغم ظاهر ساده‌ی هریک، پدیده‌هایی پیچیده‌اند و با بافت و ساخت قدرت زمان پیوندی تنگاتنگ دارند. می‌دانستم که «بی‌طرفی کامل» در عرصه‌ی تاریخ‌نگاری، و نیز هنگام خواندنِ تاریخ، وهمی بیش نیست. به علاوه، مطمئن بودم که وقتی پای شناخت ایران و «شرق» به میان می‌آید، تمایلات دانسته و ندانسته‌ی آن‌چه مجازاً «شرقشناسی»اش می‌خوانند ـ یعنی جریانی که شرق را تحقیر و تخفیف و غرب را تمجید و تجلیل می‌کند ـ حضور و نفوذی مزمن و مضر پیدا می‌کند. به این نتیجه رسیدم که باید تاریخ‌مان را از نو بخوانیم و بسنجیم. پذیرفتم که به نوعی خانه‌تکانی تاریخی محتاجیم. به نظرم رسید که فرضیات و گمان‌ها و جزمیّات پیشین را وا باید گذاشت و شناخت هرکس را باید از نو با پیروی از روش پیشنهادی دکارت بیاغازیم. او می‌گفت در جستجوی روش علمی، لازم دانستم که همه‌ی فرضیات پیشین را نادیده و نپذیرفته بگیرم، و در همه چیز شک کنم جز در وجود ذهنیتی شکاک. ما نیز در ارزیابی ذهن و زندگی هرکس باید، به گمانم، با این فرض شروع کنیم که هیچ‌چیز قابل اعتنا و اعتمادی درباره‌اش نمی‌دانیم. باید این فرض را بپذیریم که دانسته‌ها و شنیده‌های پیشین‌مان شاید به قصد گمراهی‌مان بوده و تنها با ذهنی پالوده از رسوبات گذشته می‌توان به گرته‌ای از حقیقت دست یافت.

سوای این واقعیات مهم، عوامل پیچیده و گاه دیرپای دیگری نیز کار تدوین زندگی‌نامه‌ی یک شخصیت ایرانی را دشوار می‌کند. از سویی شبح

توطئه‌انگار، همه‌ی تحولات سیاسی جامعه‌مان را به دسیسه‌های معدودی «توطئه گر» تأویل می‌کند و در نتیجه، نقش فرد را در تعیین تحولات تاریخی به پشیزی نمی‌گیرد. در وادی توطئه، فرد نقشی جز آلت فعل توطئه گران ندارد. به علاوه، کدام شخصیت ایرانی را سراغ می‌توان کرد که هستی و اندیشه و مرگش در هاله‌ای از شایعات پوشیده نباشد. هیچ زندگی‌نامه‌نویس جدّی‌یی نمی‌تواند هزارتوی این شایعات را یکسره نادیده بگیرد. در عین حال، کندوکاو در سایه‌روشن‌های این هزارتو، به‌راحتی می‌تواند زندگی‌نامه‌نویس را به دن‌کیشوتی بدل کند که واقعیتِ هستی‌ی شخصیت مورد سنجش را وامی‌گذارد و در عوض در پی اوهام و اشباح می‌گردد.

درواقع، آن‌چه در اساس به شیوع شایعه و رواج نظریه‌ی توطئه کمک می‌کند، خود یکی دیگر از موانع راه زندگی‌نامه‌نویسی در ایران است. شبح شایعه و گمان توطئه هردو فرزندان ناخلف عصر بی‌خبری‌اند. هرچه اطلاعات محدودتر، آرشیوها نایاب‌تر و بسته‌تر، و هرچه آزادی اندیشه و قلم در جامعه منقادتر اند، این دو فرزند ناخلف هم رایج‌تر اند. استبداد سیاسی انسان‌ها را از درون و برون تحقیر می‌کند، و تنها انسان‌هایی به غایت تحقیر شده عنان تاریخ و سرنوشت خویش را در کف نیروهای «بیرونی» و «برتر» می‌گذارند. تنها پادزهر واقعی‌ی شایعه و توطئه چیزی جز آزادی اطلاعات و اندیشه از یک سو و جامعه‌ای خود بنیاد و متکی به خود از سویی دیگر نیست.

علاوه بر این موانع معرفتی، برخی دشواری‌های نهادین نیز کار زندگی‌نامه‌نویسی در ایران را دشوارتر می‌کند. وقتی می‌بینم که محققان غربی، امروزه به میزان مالیاتی هم که شکسپیر در سال می‌پرداخت دسترسی دارند،[۲] وقتی می‌خوانم که تدی روزولت نه‌تنها ده‌ها مجلد یادداشت‌های روزانه که حدود چهل هزار نامه از خود بجا گذاشت، وقتی در عین حال درمی‌یابم که بیست سال پس از انقراض حکومت پهلوی، متن صورت جلسات هیئت دولت هویدا در دسترس محققان نیست، وقتی می‌شنوم که حتی

مطبوعات آن دوران هم در کتابخانه‌ها تخته‌بند قواعد دست و پا گیرند، آن گاه، به الهام از فروید و از سر مَجاز، «عقده‌ی آرشیو» به جانِ عقلم می‌افتد.

شکی نباید داشت که تاریخ جبّاری در ایرانِ دیروز کار محقق امروزی را دشوار می‌کند. اهل سیاست و قلم، از بیم داغ و درفش دولتیان، نامه‌ها و یادداشت‌های خصوصی، و گاه حتی اسناد و مدارک عمومی را، یا نیست می‌کنند، یا چنان پنهان‌شان می‌دارند که عملاً به نابودی‌شان می‌انجامد. نه تنها سنت آرشیوداری در ایران مهجور بوده، بلکه خاطره‌نویسی، حفظ یادداشت‌های روزانه، حتی زندگی‌نامه‌نویسی نقّاد هم هیچ‌کدام چندان محلی از اعراب نداشت.[۳] بدتر از همه این که حکام وقت، خاطره‌ی تاریخی و یاد گذشته را اغلب بالقوه خطرناک و ضدحکومت خویش می‌دانستند. هر جبار تازه به دوران رسیده‌ای می‌خواست همه‌ی نشانه‌های ادوار گذشته را نیست کند. این سودای ویرانگری به ساختمان‌های تاریخی محدود نمی‌شد. اسناد و اوراق و دفتر و دیوان را هم دربر می‌گرفت.

خصم دیگر زندگی نامه‌نویسی کسوف فردگرایی است. بسیارند محققانی که درباب تحقیر و تخفیف فرد و فردیت در تاریخ و فرهنگ ایران نوشته‌اند. ولی زندگی‌نامه، به عنوان یک نوع ادبی، بر شالوده‌ی فردگرایی استوار است. نقطه‌ی عزیمتش این باور است که ویژگی‌ها و کژتابی‌ها و نقاط قدرت و ضعف فردی نزد بازیگران تاریخ، جزئی اساسی از فرایند تحولات تاریخی‌اند. همان طور که در سنت نقاشی ما، طرح چهره‌ی انسان چندان رواجی ندارد، در سنت روایی ما هم زندگی‌نامه هرگز رونقی نداشته است.[۴]

به روایتی می‌توان گفت که زندگی‌نامه و رمان همزاد یکدیگرند. موفق‌ترین زندگی‌نامه‌ها را کسانی می‌نویسند که می‌توانند شگردهای روایی، نحوه‌ی پرداخت و پرورش شخصیت، فضاآفرینی و کشش قصه‌ای رمان را با دقت و درایت و ایجاز و انصاف مورخی محقق درآمیزند و از ترکیب‌شان، روایتی بیافرینند که در ملتقای فرد و تاریخ شکل می‌گیرد و با تأکید بر

خصوصیات و سایه‌روشن‌های فرد، تحولات کلی تاریخ را برملا می‌کند. نشان می‌دهد که انسان‌ها هریک در آن واحد ملاط و معمار زمان خویش‌اند؛ وام‌دار و وام‌گذار و ذهن و عین تاریخ اند؛ آئینه و آئینه‌دار دوران اند.

همان طور که پیدایش رمان بدون پذیرش تکثرگرایی‌ی فلسفی میّسر نیست، رواج زندگی‌نامه‌نویسی نقاد هم تنها بر همین بنیاد فلسفی‌ی تکثرگرا شدنی است؛ یعنی بر شالوده‌ی به‌ظاهر لغزان حقایق متکاثر و فردی. به همین خاطر، منادیان حقیقت مطلق ـ چه متولّی این حقیقت را حزب بدانند، چه شاه، چه غیره ـ همه خصم تکثرِ حقیقت، و به طریق اولیٰ، دشمن زندگی‌نامه‌ی نقاداند. از اندیشه‌ی تک‌بُنی فلسفی، و از ایمان به حقیقت مطلق، قاعدتاً قدیس‌نامه پدید می‌آید، نه زندگی‌نامه. همان طور که تنها بر پرپایه‌ی شالوده‌ی به ظاهر لغزانِ تکثرگرایی‌ی سیاسی می‌توان جامعه‌ی مدنی استوار و دمکراسی پایداری پی‌ریخت، بدون پذیرفتن کثرت‌گرایی فلسفی نیز نمی‌توان زندگی‌نامه‌نویسی را، به‌سان یک نوع ادبی رواج داد. به دیگر سخن، اگر بپذیریم که جبّاری به رواج نظریه‌ی توطئه می‌انجامد و نوع روایی مطلوب آن قدیس‌نامه است، آن گاه می‌توان گفت که از دمکراسی‌ی سیاسی و تکثر سیاسی هم زندگی‌نامه‌ی نقاد می‌زاید.

به‌رغم این همه دشواری، وقتی دریافتم که هویدای واقعی با آن‌چه در خیال داشتم تفاوت‌هایی اساسی داشت، برآن شدم که در کنار تدوین مقاله‌ی دایرةالمعارف، کتابی درباره‌ی زندگی‌اش بنویسم. می‌دانستم که تنها با تکیه به تفصیل کتاب می‌توان حق مطلب زندگی‌اش را ادا کرد. مرادم نه تکذیب او، نه تأییدش بود. شیوه‌ی کارم در اصل ساده ولی در عمل دشوار از آب درآمد. می‌خواستم حقیقت زندگی‌اش را، بی‌پروا از پیش‌داوری‌های خودم، یا قضاوت‌های رایج جامعه‌ی ایران، یا دلبستگی‌ها و دلزدگی‌های دوستان و دشمنانش، بشناسم و بازگو کنم. مبنای اصلی کارم را بر اسناد رسمی آرشیوهای دولتی قرار دادم. هرگاه در موردی، سند معتبری وجود نداشت، یا

اسناد مهم هنوز علنی نشده بود، به مصاحبه با شخصیت‌های آن دوران و نیز به دو تاریخ شفاهی موجود تکیه کردم. با بیش از ۱۳۰ نفر از دوستان و دشمنان، اقوام و همکاران هویدا مصاحبه کردم. در تعیینِ کسانی که طرف گفتگویم بودند تنها یک معیار به کار بردم. هرکس حرفی درباره‌ی هویدا داشت و حاضر به صحبت بود، من هم مشتاق شنیدن حرف‌هایش بودم. هیچ‌کس را صرفاً به لحاظ سوابق سیاسی‌اش ـ چه در تثبیت رژیم شاه، چه در مبارزه علیه آن ـ حذف نکردم.

برخی از مصاحبه‌ها از طریق تلفن صورت گرفت. بسیاری دیگر را در محل کار یا سکونت افرادِ مورد مصاحبه انجام دادم. شماری از آنها در پاریس و لندن، بعضی در بروکسل، عده‌ای در لوس‌انجلس و تعداد قابل ملاحظه‌ای در واشنگتن بودند. چندین بار به این شهرها سفر کردم. چون از هیچ بنیاد و مرکز و فردی کمک مالی برای این طرح دریافت نکردم، و چون مخارج این سفرها از عهده‌ی توان مالی من خارج بود، ناچار برای بیش وکم تمام سفرها، منتظر دعوت دانشگاه یا یکی از گروه‌های فرهنگی ایران می‌ماندم، و وقتی به کمک این مراکز به یکی از این شهرها سفر می‌کردم، آن‌گاه چندروزی بیشتر آن جا می‌ماندم و کار تحقیقاتم را انجام می‌دادم.

البته بر خلاف گمانم، کار مصاحبه با مصدرانِ کار رژیم پهلوی چندان آسان نبود. از سویی، برخی از کسانی که هم‌دوره و همکار و کارمند هویدا بودند حاضر نشدند درباره‌ی او به جدّ سخنی بگویند. بعضی سودای رجعت به قدرت داشتند. نگران بودند هرچه بگویند به کار صعود سیاسی‌شان زیان خواهد رساند. بعضی دیگر به گذشته‌ی سیاسی من، به عنوان مخالف شاه، اعتراض داشتند. باور نمی‌کردند که غرضم از این کتاب تخطئه یا توجیه رژیم شاه نیست. فکر می‌کردند حتماً کاسه‌ای زیر نیم‌کاسه هست و به همین خاطر از همکاری احتراز می‌جستند. حتی بودند کسانی که در عین داشتن داعیه لیبرالیسم و تساهل، نه‌تنها خود از همکاری امتناع می‌کردند، بلکه دیگران را

نیز از کمک به من منع می‌داشتند. گروه دیگری مطالب جالب و گاه تکان‌دهنده‌ای می‌گفتند، ولی شرط می‌کردند که حرفشان را بی‌ذکر نام و مأخذ نقل کنم. ولی شرط من هم این بود که هیچ مطلب بی‌مأخذ و هیچ قول دست‌دوّمی به کتاب راه نخواهد یافت. به همین خاطر، هرگز داستان‌های این راویان بی‌نام، و بی‌جرأت، وسوسه‌ام نکرد.

در عین حال می‌دانستم که خاطره‌ی انسان‌ها، فی‌نفسه، سخت خطاپذیر است. می‌دانستم که به خصوص وقتی پای مسائل و منافع سیاسی به میان می‌آید، وسوسه و امکان خطا هم دوچندان می‌شود. همواره به یادداشتم که بسیاری از وقایعی که در این‌جا از قول راویان نقل شده، به بیست تا چهل سال پیش تعلق دارد. به همین خاطر، از اوان کار اصل را بر این گذاشتم که هیچ حرف مهمی را، بدون تأیید آن از سوی منبع مستقل دوّمی در کتاب نقل نکنم. برای جلوگیری از اطنابِ حتی بیشتر در ذکر منابع و مأخذ کتاب، در آن جا بجز موارد استثنایی، از شرح منبع دوّم احتراز جستم. در معدود مواردی که مثلاً یکی از دو طرفِ گفتگو درگذشته بود و سند و مدرکی درباره آن دیدار هم یافتنی نبود، چاره‌ای جز استناد به قول یک نفر نداشتم. در این موارد هم از اصلی ساده پیروی کردم. اگر بقیه مطالبی که این شخص نقل کرده بود درست از آب درمی‌آمد، یعنی اگر می‌شد او را راوی‌ی ثقه‌ای محسوب کرد، آن‌گاه قول او را حتی بی‌آن‌که سند و شاهد دیگری برایش سراغ کرده باشم، در کتاب نقل کردم. تنها زمانی که آرشیوهای داخلی و خارجی همه در اختیار محققان قرار گیرد می‌توان به یقین گفت که آیا اعتمادم در این انگشت‌شمار موارد بجا بود یا بی‌جا.

زندگی هیچ شخصیتی در خلأ تاریخی جریان پیدا نمی‌کند. تاریخ و شرایط اجتماعی بستر تحولات زندگی یک‌یک انسان‌ها است. به همین خاطر، گرچه بند ناف زندگی‌نامه به تاریخ بسته است، اما در عین حال زندگی‌نامه تاریخ هم نیست. این واقعیت در مورد **معمای هویدا** نیز صدق می‌کند. این

کتاب تاریخ اجتماعی دوران پهلوی نیست. غرضم ارزیابی نهایی از چند وچون سیاست‌های نوسازی و دستاوردهای اقتصادی آن دوران هم نبود. هدفم صرفاً تدوین روایتی از زندگی امیرعباس هویدا بود. تاریخ رژیم پهلوی صرفاً به‌سان پس‌زمینه‌ی این زندگی محل بحث و اعتنا بود.

گرچه نفس نوشتن کاری است که در تنهایی و خلوت صورت می‌پذیرد، وگرچه بار مسئولیت هر روایت به عهده‌ی روای، و در مورد **معمای هویدا** به عهده‌ی من است، اما نوشتن در عین حال کاری است اجتماعی. هیچ روایت و کتابی را نمی‌توان بدون همکاری خیل عظیمی از انسان‌های دیگر نوشت. متن انگلیسی‌ی **معمای هویدا** نیز از این قاعده مستثنی نبود و در تدوین آنها از کمک دوستان متعددی بهره جستم.

قبل از هرکس باید از دوست عزیزم، پرویز شوکت، تشکر کنم. دِین من و این کتاب به او و محبت‌هایش به‌راستی به کلام و قلم نمی‌آید. روزها در کتابخانه‌های مختلف می‌گشت و نوشته‌های هویدا، یا مقالاتی درباره‌ی او را سراغ می‌گرفت. گرچه سال‌ها در عالم سیاست فعّال بود، اما جنم واقعی او محققی تیزبین و نکته‌سنج است و سخا و صفای وجودش حدی نمی‌شناسد. در عین حال، اهل انصاف است. نقطه‌ی پرگار لحن روایت من را اغلب سنجه‌های سیاسی و اخلاقی او تشکیل می‌داد.

زندگی‌نامه‌نویسان اغلب از بلیه‌ی خویشاوندان شخصیتی که در باره‌اش می‌نویسند شِکوه‌ها دارند. می‌گویند هریک از این خویشان چه بسا که خود را متولی میراث آن مرحوم می‌داند و کوچک‌ترین نقد و ایراد را هم بر این میراث برنمی‌تابد. اما بخت بلندم این بود که خویشاوندان هویدا، در عین همکاری بی‌دریغ، از سعه‌ی صدری ستودنی برخوردار بودند. دکتر فرشته انشاء نه‌تنها اسناد و مدارک مهمی را که در دست داشت در اختیارم گذاشت، بلکه با صبر و حوصله‌ای تمام به پرسش‌های متعدد من درباب دیدارهایش با هویدا در زندان پاسخ گفت.

اما بهترین مصداق این سعه‌ی صدر در سلوک فریدون هویدا بود. در پنج سالی که در آن بی‌اغراق صدها ساعت با او گفتگو کردم، او همواره با صداقتی تمام هرآن‌چه را می‌دانست می‌گفت. گاه حتی آدرس مخالفان هویدا را برایم سراغ می‌کرد و تأکید داشت که حتماً روایت آنها را هم بشنوم. مهم‌تر از همه این که در طول این سال‌ها حتی یک بار، به تلویح یا تصریح، تلاشی در تعیین محتوای روایت من و یا شکل بخشیدن یا تغییر دادن لحن کتاب انجام نداد. او که خود نویسنده‌ای پرآوازه، منتقدی خوشنام، نظریه‌پردازی خوش‌فکر و از بنیانگذاران مجله سینمایی معتبر **کایه دو سینما** (Cahiers du Cinema) است، قدر و حرمت کلام را می‌داند. از کمک دریغ نداشت و بارها می‌گفت در بیست سال اخیر، «دیوار سکوت» مرموزی هر نوع بحث وگفتگو در مورد برادرش را ناممکن کرده بود. معتقد بود نه نظام اسلامی در ایران، نه طرفداران سلطنت در خارج رغبتی به بحث درباره‌ی زندگی و مرگ هویدا ندارند. می‌گفت هردو گروه سکوت را مرجح می‌دانند. تأکید داشت که تنها امیدش این است که این «دیوار سکوت» شکسته شود.

چند وچون کمک‌های او به کار تدوین این کتاب را می‌توان در ماجرای عکس‌ها سراغ گرفت. روزی در منزل جدیدش در ایالت ویرجینیا به دیدارش رفتم. می‌خواستم چند عکس برادرش را از او به وام بگیرم. آلبوم‌های خانوادگی‌اش را روی میز نهارخوری گذاشته بود. تابلوهایی از سپهری و محصص بر یک دیوار، و تصویر خوش‌رنگ خود او، که به دست آندی وارهول کشیده شده بود، بر دیوار دیگر جلوه می‌کرد. به تورق در آلبوم‌ها پرداختم. یکی دو صفحه‌ی اوّل پر از عکس‌های خانوادگی بود. ناگهان به صفحه‌ای رسیدم که در آن عکسی از فریدون و امیرعباس دیده می‌شد. تصویری رنگ باخته بود که در نتیجه‌ی گذشت سال‌ها به زردی می‌زد. فریدون ظاهراً شش ساله و امیر ده ساله بود، اولی روی صندلی چوبین کوچکی نشسته بود و دوّمی، با حالتی پر مهر، کنار صندلی ایستاده بود و دست برادرش

را در دست داشت. پرسیدم که آیا این یکی را می‌توانم در کتاب استفاده کنم. پرسشم هنوز تمام نشده بود که دیدم صفحه‌ی سیاه خاک خورده‌ی آلبوم را به حرکتی تند و سریع، از دیگر اوراق جدا کرد و آن را در گوشه‌ای گذاشت. تا وقتی که مرور آلبوم‌ها را تمام کردم، با حدود سی صفحه‌ی دیگر نیز همین کار را کرده بود. به راستی می‌توانم گفت که دوستی با این مرد فرزانه و بلندنظر، یکی از بهترین پاداش‌های من در نوشتن **معمای هویدا** بود.

از **معمای هویدا** دوستان دیگری نیز عایدم شد. در آغاز تحقیقاتم با سیروس غنی گفتگو کردم. می‌دانستم دست‌کم زمانی یکی از مشاوران نزدیک هویدا بوده است. به تدریج دریافتم که انسانی است به غایت فرهیخته و پرمحبت. حافظه‌ای حیرت‌آور دارد. جزئیات ماجراهای ادبی، تاریخی و سیاسی با دقتی کم‌نظیر در ذهنش نقش بسته‌اند. نه‌تنها تاریخ سینما را خوب می‌شناسد، بلکه همان قدر با شکسپیر مأنوس است که با نمونه‌های درخشان خط فارسی در ادوار مختلف. او تمام متن **معمای هویدا** را دوبار خواند. هر بار با دقت و وسواس محققی فاضل، و با حساسیتی که به عنوان یک وکیل فرهیخته به ظرافت کلام دارد، و بالاخره با تکیه به اطلاعات به غایت گسترده‌اش در مورد تاریخ معاصر ایران، متن را از نظر گذراند و هزار و یک نکته‌ی کوچک و بزرگ در اصلاح و تدقیق متن به نظرش رسید. اثر درخشان اخیرش، **ایران، برآمدن رضاخان و برافتادن قاجار و نقش انگلیسی‌ها**[5] تجسم کامل دقت محققانه و وسعت اطلاعات تاریخی‌ی اوست و به راحتی می‌توان آن را به عنوان یکی از مهم‌ترین آثار تاریخی‌ی چندسال اخیر برشمرد و ستود.

ابراهیم گلستان نیز از سر لطف متن کامل کتاب را خواند و نظراتی در اصلاح آن پیشنهاد کرد. او که نویسنده‌ای پرآوازه و فاضل است و صراحت کلامش شهره‌ی خاص و عام، نه‌تنها در پنجاه سال اخیر در کانون تحولات روشنفکری‌ی جامعه ایران بود، بلکه هویدا را هم از نزدیک می‌شناخت و چند

وچـــون کـــارش را در عرصه‌های مـختلف اداری و سـیاسی دیـده بـود.
یادداشت‌های مفصل و دقیق درباره‌ی کتاب تدارک دید و لغزش‌های متعددی
را که به متن راه یافته بود گوشزد کرد.

هیچ‌کس به اندازه‌ی احمد قریشی در تسهیل کار گفتگوهای این کتاب مؤثر
نبود. شکی ندارم که مهم‌ترین مصاحبه‌های این کتاب تنها به برکت حسن‌نظر او
و توصیه‌های او میسر شد. سعه‌ی صدر و پایداری او در دوستی را می‌توان از
جمله در این واقعیت سراغ کرد که در دو سال اخیر، برخی از دوستان نزدیک
او، از کمک به من منعش می‌کردند و او با این همه در این کار لحظه‌ای تردید
روا نداشت و از هیچ کمکی دریغ نکرد.

برادران و خواهرم، طبق معمول، تکیه‌گاه اصلی من در این کار بـودند.
برادر بزرگم، حسین، که از بخت بد اندکی پس از چاپ روایت انگلیسی کتاب،
و در حالی که تنها پنجاه و هفت سال داشت، به سکته‌ی قلبی درگذشت، در
تمام مراحل تدوین و تدارک این کتاب، یاری همراه بود. در همه‌ی سفرهایم
به اروپا، از لحظه‌ای که وارد فرودگاه می‌شدم، تا لحظه‌ای که به قصد ترک آن
دیار، به فرودگاه می‌رفتم، همراهم بود. در بخش اعظم مصاحبه‌ها حضور
داشت و سعی تمام برای شناخت جزئیات زندگی هویدا به خرج می‌داد. دریغ
که اجل مهلتش نداد و روایت فارسی را هرگز ندید.

برادر دیگرم حسن، صاحب صنعت است و به رغم مشغله‌های فـراوان،
لطف کرد و متن کتاب را خواند. نکاتی در تصحیح آن گفت. او از آغاز از
مشوقان اصلی من در این کار بود. به علاوه عمری است محبت‌های بی‌کران او
رکن رکین زندگی‌ام بوده و دینم به او را به چند عبارت بیان نمی‌توان کرد.

خواهرم فرزانه هم مرا همواره به همدلی‌ها و دلداری‌ها و راهـنمایی‌های
فاضلانه و خواهرانه‌ی خود مستظهر کرده است. همزاد معنوی و کوه احـدم
بوده و هست. همه‌ی کتاب را دست‌کم یک بار خواند. بسیاری از بخش‌های آن
را، به محض آن که به پایانشان رسانده و محتاج بازخوانی فوری و اصلاحشان

بودم، برایش از راه دور، از پشت گوشی‌ی تلفن خواندم و همواره، برحسب مألوف، از کمک و راهنمایی و تشویق بی‌دریغ خودداری نورزید. او که خود محققی نکته‌سنج و کمال‌طلب است، همه‌ی درایت فاضلانه خود را در خدمت تکمیل این کتاب گذاشت.

برادرم محسن، که استاد علوم سیاسی است و در زمینه‌ی مسایل سیاسی ایران معاصر تخصص دارد، با صبر و حوصله‌ی تمام، و نیز با روحیه‌ای سرشار از محبت و نکته‌دانی و طنز، نه‌تنها متن کتاب را یک بار خواند و نظراتی در اصلاح آن در اختیارم گذاشت، بلکه در عین حال بخش‌های متعددی از آن را نیز از راه تلفن شنید و هربار تشویق برادرانه را با تنقید محققانه درمی‌آمیخت.

شماری از دوستان و همکاران دانشگاهی متن کتاب را خواندند و هریک اصلاحاتی پیشنهاد کردند. از آن جمله‌اند:

> پروانـد آبـراهـامیان، عـلی عـلیخانی، ایـرج آریـانپور، احمداشرف، فـخرالدیـن عـظیمی، ایـرج بـاقرزاده، اردوان داوران، دیک دیویس، کسری فردوس، علی فردوسی، محسن قریب، هرمز حکمت، داریوش همایون، حبیب لاجـوردی، کوین ماکسول، حسنعلی مهران، فرخ نجم‌آبادی، بهمن صدر، ایروینگ شنیدرمن و فرخ شهابی.

معمای هویدا را در آغاز به انگلیسی نوشتم. در عین حال، از همان آغاز آرزو داشتم که به فارسی نیز نشر پیدا کند. گرچه دوستانی از سر لطف پیشنهاد کردند که ترجمه‌ی کتاب را به عهده گیرند، به سه دلیل می‌خواستم روایت فارسی را خود تدارک کنم. از سویی می‌دانستم که دستیابی به بسیاری از اسناد فارسی‌ی مورد استناد در کتاب قاعدتاً برای هر مترجمی دشوار خواهد بود و چه‌بسا که چاره‌ای جز ترجمه‌ی ترجمه انگلیسی من از این اسناد نخواهد داشت. دوّم این که از زمانی که کتاب نخست به انگلیسی چاپ شد تا زمانی که

روایت فارسی آماده چاپ شد، اسناد و مدارک تازه‌ای در باب زندگی و زمان هویدا به دستم رسید. به علاوه، برخی از دوستان و منتقدان، نکات ناروشن یا خطاهایی را در متن انگلیسی سراغ کرده بودند که در این جا، در حد بضاعتم، در اصلاح این لغزش‌ها کوشیده‌ام. سوّم این که، در متن انگلیسی گاه تشریح و توضیح نکاتی برای خوانندگان انگلیسی زبان لازم بود که برای ایرانیان چیزی جز توضیح واضحات نمی‌بود. همه‌ی این نکات را از روایت فارسی حذف کرده‌ام.

چاپ روایت فارسی بدون مراحم و حسن‌نظر دوست فاضلم بهرام معلمی میّسر نبود.

محمد باتمانقلیچ، طبق معمول، درایت و صبر و حسن سلیقه‌ی خود را در خدمت کار چاپ روایتی هرچه منقح‌تر و زیباتر از این کتاب گذاشت. نه‌تنها اصل انگلیسی، که روایت فارسی هم بدون همدلی و همکاری او تحقق‌پذیر نبود.

عباس میلانی

ژانویه ۲۰۰۱

۰۱/۰۱/۰۱

فصل اول

پل حسرت

بر پل حسرت
کاخی در یکسو و زندانی در سوی دیگر
بایرون

همه عمر، کتاب مأمن و مأوایش بود؛ گریزگاهی فارغ از مشغله‌های زندگی روزمره. در روزگار آزادی، تاریخ نقشه‌ای بود که به‌مددش آب‌های پرمخاطره‌ی آنچه را که جهان «بیزانسی»[1] ی سیاست ایران نامیده بود، درمی‌نوردید. اما دربند، به‌خصوص از روزی که زندانی انقلاب اسلامی شده بود، گذشته چراغ راه آینده‌اش می‌نمود.

هشتم فروردین ماه ۱۳۵۸ بود. حدود شش ماه از آغاز دوران زندان هویدا می‌گذشت. هفدهم آبان ۱۳۵۷، شاه به امید تطمیع موج فزاینده‌ی انقلاب، به بازداشت هویدا فرمان داد. اما آن موج تطمیع‌پذیر نبود. دیری نپایید که در ۲۶ دی ماه ۱۳۵۷ شاه و خاندان سلطنتی از ایران گریختند. امید واقع‌بینانه‌ی بازگشتی هم در کار نبود. در عین این که بسیاری از مایملک شخصی خویش، ازجمله سگ سلطنتی را، با هواپیما به همراه بردند، اما هویدا را که به مدت سیزده سال نخست‌وزیر معتمد شاه بود، در ایران واگذاشتند.

صبح روز بیست و دوم بهمن موج انقلاب سرانجام به ساحل پیروزی رسید. در هرج و مرج گریزناپذیر ساعت‌های نخست انقلاب، هویدا در زندان شاهانه تنها ماند. زندانبانانش جملگی اعضای سازمان منفور ساواک بودند و از

بیم جان خود گریختند. اما هویدا فرار نکرد. در عوض به جای پذیرش مخاطرات بالقوه‌ی فرار بر آن شد که خود را به فاتحان انقلاب تسلیم کند. وقتی آب‌ها از آسیاب افتاد معلوم شد که هویدا از بخت بدش، بالاترین مقام رژیم سابق است که به دست انقلابیون اسلامی افتاده است. پنج نخست‌وزیر دیگر ـ علی امینی، جعفر شریف‌امامی، جمشید آموزگار، غلامرضا ازهاری و شاپور بختیار ـ جملگی در آستانه‌ی پیروزی انقلاب از ایران گریخته بودند.

هویدا اکثر ایام محبس را صرف مطالعه می‌کرد. اما در آن روز سرد پاییزی مصاحبه، تنها نسخه‌ای طلاکوب از قرآن در کنار تشک سلولش به چشم می‌خورد.[۲] قرآن را نه برای ارشاد معنوی و سلوک روحی که برای تدارک دفاعیات خود در دادگاه می‌خواست. گمانش آن بود که در یک دادگاه علنی و البته طبق موازین اسلامی محاکمه خواهد شد.[۳]

در زندان، گاه رمان پلیسی می‌خواند. از جوانی خواننده‌ی مشتاق و مستمر این گونه آثار بود. دلبستگی‌اش بیشتر به نوشته‌هایی بود که به سیاق داشیل هامت و ریموند چاندلر نوشته شده بود و در فرانسه، تحت مجموعه‌ای به نام «سری نوار»* چاپ می‌شد.[۴] در عین حال، از دختر خاله‌اش، دکتر فرشته انشاء، کتاب‌هایی درباره‌ی انقلاب فرانسه و چین خواسته بود. حال دیگر «ترور انقلابی» ی خوف‌انگیزی که وصفش را در آن کتاب‌ها می‌خواند، قهری که همواره سخت حق‌به‌جانب و کینه‌توز بود و انعطاف نمی‌پذیرفت، صرفاً مقوله‌ای مجرد و تاریخی نبود. از لحظه‌ی سرنوشت‌سازی که خود را تحویل مسئولین انقلاب اسلامی داده بود، همین قهر، این بار به ردایی اسلامی، زندگی روزمره‌اش را شکل می‌داد و بر آن سایه‌ای لرزآور می‌انداخت.

در ایام خوش گذشته، هویدا همواره گلی ارکیده به یقه‌ی کتش می‌زد. خیاطش « فرانچسکو اسمالتو»ی ایتالیایی بود، او خیاط شاه هم بود. اما هویدا قاعدتاً می‌دانست که شاه از «عقده‌ی خود بزرگ بینی بیمارگونه»[5] رنج می‌برد،

---

* Serie Noir

او می‌دانست که وی نخست وزیری را برنمی‌تابد که از گلیم خود پای فراتر بگذارد. ناچار هویدا هم در مورد هویت خیاط خود جانب احتیاط را رعایت می‌کرد.[۶] در مقابل، در انتخاب کراوات‌های رنگارنگش احتیاط را یک‌سره وا می‌گذاشت و اغلب رنگ هر یک با رنگ ارکیده‌ای که آن روز به کتش زده بود، همخوانی داشت.

اما در آن روز فروردین از ناز و نعمت‌های گذشته دیگر نشانی نبود. سرش دیگر به طاسی می‌زد، کلاهی لبه‌دار و تیره بر سر داشت و طره‌ای از موی سفید و آشفته‌اش از گوشه و کنار کلاه بیرون زده بود. پیراهن چروکیده‌ی تیره رنگی بر تن و شلواری از همین جنس و رنگ به پا داشت. ژاکتی زرد رنگ و مندرس پیراهنش را پنهان می‌کرد. جوراب سفید ورزشی‌ی ساق کوتاهی به پا داشت و لاجرم وقتی می‌نشست استخوان ساق پایش یک‌سره آشکار می‌شد. عصایش در کنار تشک بود. استفاده‌اش از عصا به سال **۱۳۴۳** برمی‌گشت. در آن زمان، در حادثه‌ی اتومبیلی، استخوان زانو و لگن خاصره‌اش صدمه دیده بود.[۷] اما حتی پس از پایان دوران نقاهت هم استفاده از عصا را وانگذاشت. در جهانِ اغلب شکاک و بدبین سیاسی‌ی ایران[۸]، برخی می‌گفتند استفاده‌ی هویدا از عصا نه از سر ضرورت که نوعی ادا و اطوار است.[۹] ولی طبیبان معتقد بودند هویدا بعد از حادثه، همواره بیمناک از کف دادن تعادلش است و عصا را هم به همین خاطر به کار می‌گرفت.

منتقدانش می‌گفتند هویدا همواره نگران مقامش در تاریخ بود. می‌دانست که در تاریخ معاصر ایران، نخست وزیران سرشناس هر کدام به علامتی مشخص شده بوده‌اند. یکی کلاه سیلندری بر سر می‌گذاشت، دیگری را به عینک مخصوص پنسی‌اش می‌شناختند، آن سوّمی پتو و پیژامه را علامت ممیز صدارت خود کرده بود. عصا و گل ارکیده و پیپ هم نشانه‌های ویژه‌ی هویدا بودند.[۱۰] اما در زندان جمهوری اسلامی، این علایم دیگر هیچ کدام محلی از اعراب نداشت. او که ضعیف و دلزده بود، به عصایش نیاز داشت تا به

مددش قامت خود را همواره افراشته، گاه حتی سرکش، نگاه دارد.

دو هفته‌ی آخر اسفند و اول فروردین را هویدا در زندان قصر گذرانده بود. پیش از آن، چند روزی در مدرسه‌ی رفاه بازداشت بود. بعد از پیروزی‌ی انقلاب این مدرسه برای مدتی اقامتگاه موقت آیت‌الله خمینی بود و به همین خاطر به مرکز انقلاب بدل شده بود. مدرسه را در اواسط دهه‌ی چهل تأسیس کرده بودند و از آن چون پایگاهی برای تعلیمات مذهبی، و دژی در برابر آموزش و پرورش عرفی‌ی دوران پهلوی بهره بردند. علی اکبر هاشمی رفسنجانی و [آیت‌الله] علی خامنه‌ای از جمله بنیانگذاران مدرسه بودند و کار این موسسه درست در سال ۱۳۴۷، یعنی سه سال بعد از روزی آغاز شد که شاه برای نخستین بار هویدا را به نخست وزیری برگمارد.[۱۱]

مدرسه در جوار دو ساختمان مهم دیگر قرار داشت که هر یک از اهمیت تاریخی و نمادین ویژه‌ای برخوردار بود. می‌توان ادعا کرد که این همجواری از طنز و کرشمه‌ی تاریخی هم خالی نبود. در یک‌سو مجلس شورا بود و در سوی دیگر مسجد سپهسالار. یکی نماد انقلاب مشروطه بود و گرایشِ عرفی در عرصه‌ی سیاست ارمغان همین انقلاب بود. در سال ۱۳۴۴، دوست نزدیک هویدا، حسنعلی منصور، در مقابل درِ همین مجلس به ضرب گلوله‌ی ضاربین مسلمان از پای درآمد. منصور در آن زمان نخست وزیر ایران بود و با مرگش دوران صدارت هویدا آغاز شد. هفت‌تیری که در قتل منصور به کار رفت توسط هاشمی رفسنجانی تأمین و تدارک شده بود.[۱۲]

آن سوی مجلس، مسجد سپهسالار بر پا بود، که از بااهمیت‌ترین اماکن مقدسه‌ی تهران به شمار می‌رفت. پنجاه سالی می‌شد که مهم‌ترین مراسم سوگواری و مجالس ختم بزرگان سیاسی، نظامی و گاه علمی و ادبی مملکت در همین مسجد برگزار شده بود. مسجد از موقوفات سپهسالار، دایی‌ی مادر هویدا، یعنی افسر الملوک، بود. به همین خاطر، افسر الملوک، به عنوان یکی از متولیان این موقوفه، ماهانه حدود صد تومان از عایدات مسجد دریافت

می‌کرد.۱۳

با برافتادن رژیم پهلوی، ساختمان مجلس هم متروک جلوه می‌کرد. البته به رغم قانون اساسی‌ی ایران، در دو دهه‌ی آخر سلطنت شاه، مجلس به آلت فعل بی‌اختیار فرامین سلطنتی بدل شده بود. به دیگر سخن، از جوهر و هسته‌ی قانونی‌ی مجلس، پوسته‌ای میان تهی بیش باقی نمانده بود. در آستانه‌ی انقلاب، مرکز ثقل سیاسی‌ی مملکت به مدرسه‌ی رفاه منتقل شد. بیست سالی بود که همین مدرسه، آرام و بی سر و صدا، در سایه‌ی همسایگان پر شوکتش، مشغول فعالیت بود و دانش آموزان برگزیده‌اش را با درس‌ها و تعلیمات مذهبی تعلیم و تربیت می‌کرد. در ساعت‌های اوّل پیروزی انقلاب، مردم رهبران برجسته‌ی رژیم سابق را از گوشه و کنار شهر بازداشت می‌کردند و به مدرسه رفاه می‌بردند و چون هدیه‌ای آنان را تحویل رهبران جدید می‌دادند. در چشم انداز فراخ تاریخی، این صفحه یادآور نقش‌های دو هزار و پانصد ساله‌ی دیوارهای تخت جمشید بود. آنجا رعایا هر یک هدیه و پیش کشی تقدیم پادشاهان می‌کنند. در هر حال وجود این زندانیان در مدرسه رفاه و در کنار آیت الله خمینی، همجواری غریبی میان فاتح و مغلوب پدید آورده بود.

آیت‌الله خمینی در اطاقی مجاور حیاط مدرسه سکنیٰ داشت. زندانیان را در بخش دیگر ساختمان، درست روبه‌روی مسکن آیت‌الله، حبس می‌کردند. در هفته‌های تب آلود اوّل انقلاب، حیاط مدرسه پیوسته پر از خیل عظیمی از مردم بود. دسته دسته داخل حیاط می‌شدند؛ به صدایی بلند و رسا، شعارهایی در مدح نظام جدید و ذم رژیم سابق می‌دادند، و پس از مکثی کوتاه، جای خود را به گروه بعدی می‌سپردند. قاعدتاً شکی نباید داشت که این نمایش دایمی، این شعارهای پر از خشم و تهدیدآمیز لرزه بر اندام زندانیان می‌انداخت.

در همان ساعت‌های پر هرج و مرج و بیم‌آور نخست انقلاب، هویدا با دو تن از چهره‌های مهم رژیم جدید دیدار کرد. لحظاتی پیش از این دیدار،

آیت‌الله خمینی فرزندش احمد و یکی از مشاورانش، ابوالحسن بنی صدر ، را احضار کرده بود. گفته بود: «شنیده‌ام مردم بعضی از این زندانی‌ها را کتک زده‌اند.» آن گاه از این دو خواسته بود که به نیابت از او، به دیدار زندانیان بروند و از قول او بگویند که «اسلام چنین وحشی‌گری‌ها را مجاز نمی‌داند. از این پس با شما به عدالت رفتار خواهد شد. آسوده باشید که بر طبق موازین اسلام محاکمه خواهید شد.»[۱۴]

دو نماینده‌ی برگزیده‌ی آیت الله خمینی، نخست به اطاقی وارد شدند که تا چندی پیش کلاس درس بود و بعد از انقلاب به محبس برخی از امیران ارتش شاهنشاهی بدل شده بود. برخی از زندانیان، به وعده وعیدهای بنی صدر و سید احمد خمینی اعتنایی نکردند. در کردارشان حتی نوعی سرکشی به چشم می‌خورد. بعضی دیگر، به گریه و زاری افتادند. سالار جاف هم از جمله زندانیان این اطاق بود. به همکاری با ساواک شهرت داشت. حتی می‌گفتند صندلی‌ی وکالتش را مدیون همین همکاری، به ویژه در منطقه‌ی کردستان، بود. اما این بار با لحنی پر طنز و تقدیر پرست، در جواب نمایندگان رهبر انقلاب گفت: « مدّت‌ها نوبت ما بود که بچاپیم. حالا نوبت اینها است».[۱۵]

پس از گفتگویی مختصر با این زندانیان، بنی‌صدر و سید احمد خمینی راهی‌ی اطاقی در آن‌سوی راهرو شدند. امیر عباس هویدا تنها زندانی‌ی این اطاق بود. او بی‌شک مهم‌ترین زندانی‌ی رژیم جدید به شمار می‌رفت، و سلول انفرادی‌اش نشانی از این منزلت ناخواسته بود. یک تخت نظامی در یک گوشه‌ی اطاق، و یک میز فلزی کوچک فیلی رنگ در گوشه‌ی دیگر به چشم می‌خورد. روی میز پرچم سه رنگ کوچک ایران دیده می‌شد، اما نشان شیر و خورشید را که تمثیلی از عظمت ایران پیش از اسلام، و از اواسط سده‌ی سیزدهم شمسی نماد سلطنت ایران بود، از وسط پرچم قلوه کن کرده بودند. تنها پنجره‌ی اطاق که به حیاط باز می‌شد، قفل بود و شیشه‌های آن را روزنامه‌های کهنه آن هم به شکلی شلخته پوشانده بودند.[۱۷]

وقتی بنی صدر و احمد خمینی وارد اطاق شدند، هویدا مشغول مطالعه بود. به گمان بنی صدر، حالتی سخت موقر و متین داشت.[18] حتی فارغ بال جلوه می‌کرد. هویدا همواره انسانی سخت مبادی آداب بود و این بار نیز، آن‌چنان که سیاق مألوفش بود، با احترام تمام با دو تازه وارد روبه‌رو شد. هر دو را از زمانی می‌شناخت که او خود در کانون قدرت بود و آن دو، چهره‌هایی حاشیه‌ای در جنبش مخالفان رژیم به شمار می‌رفتند. در سال ۱۳۴۴، اندکی پس از آغاز دوران صدارتش، به احمد خمینی جوان کمک کرده بود تا پاسپورتی دریافت کند و به پدر تبعیدی‌اش بپیوندد. رابطه‌اش با بنی صدر حتی قدیمی‌تر بود و به سال ۱۳۳۸ برمی‌گشت. در آن روزها هویدا در شرکت نفت کار می‌کرد و بنی‌صدر از رهبران جنبش دانشجویی ضد شاه بود.[۱۹]

یکی از رازهای بقای هویدا، آمادگی‌اش برای کمک به دیگران بود. لطفش شامل حال بسیاری شده بود و بسیاری از این افراد خود را وام‌دار او می‌دانستند.[۲۰] برخی از اعضای خاندان سلطنتی هم در سلک این وام‌داران بودند. حتی بعضی از مخالفان، پیشتر از خان پر کرم هویدا بهره‌ای برده بودند. آیا محبت‌های دیروز، می‌توانست امروز جانش را نجات دهد؟ آیا این واقعیت که به روایت برادرش «سالانه حدود ۱۱ میلیون دلار» از بودجه‌ی محرمانه‌ی دولت را تنها به یک بخش از مخالفین پرداخته بود، امروز ضامن سلامتش می‌توانست شد؟[۲۱]

بنی صدر که چندان اهل تمجید از دیگران نیست، از نخستین دیدارش با هویدا و از شخصیت او به نیکی‌ی فراوان یاد می‌کند. می‌گوید: «به نظرم آدم شریفی بود؛ قصد خیر داشت؛ انتقاد هم خوب تحمل می‌کرد. معمولاً در انتقاد از او، و از رژیم شاه همه حرفهایم را بی‌پروا می‌زدم. با لبخندی به حرفهایم گوش می‌داد. چندین بار برای دوستانی که به چنگ ساواک افتاده بودند از او کمک خواستم و معمولاً هرچه از دستش برمی‌آمد می‌کرد. کم کم از او خوشم

آمد. مسأله‌ی اصلی‌اش این بود که دین نداشت. با این حال، وقتی که برای ادامه‌ی تحصیل از ایران خارج می‌شدم، تنها مقام رژیم پهلوی که برای خداحافظی به دیدارش رفتم، هم او بود.»[۲۲]

حال اندکی کمتر از بیست سال بعد، ملاقاتی تازه، اما این بار در زندان، دست داده بود. گفتگوهاشان نخست با کنایه و شوخی در باب کتابی آغاز شد که هویدا، در لحظه‌ی ورود بنی صدر، در دست داشت. اثری بود به نام **روح، پدیده‌ای ناشناخته**، به قلم «ژان شارون». روایتی نوگنوسی پیرامون فقر معنوی حیات انسان متجدد. در عین حال، کتاب نوید می‌داد که هزاره‌ی نو، معنویتی تازه به ارمغان خواهد آورد. بنی صدر به طنزی تلخ از هویدا پرسید: «آیا برای خواندن این نوع کتاب‌ها دیگر دیر نیست؟» هویدا به جواب گفت: «هرگز برای خواندن هیچ چیز دیر نیست.» آن گاه گفتگو جدّی تر شد و آن دو وعده‌های تسکین بخش آیت الله خمینی را تکرار کردند.[۲۳]

برای بسیاری از زندانیان، این کلماتِ تسکین بخش، سخت زود گذر و ناپایدار از آب درآمد. در فاصله‌ی کمتر از یک هفته، بیست و پنج نفر از زندانیان، که اغلب هم از امرای ارتش بودند، در پشت‌بام مدرسه‌ی رفاه به جوخه اعدام سپرده شدند. دور اوّل اعدام‌ها تنها چند ساعت پس از ملاقات احمد خمینی و بنی صدر با زندانیان صورت گرفت و طی آن چهار امیر ارتش ـ نعمت الله نصیری، رضا ناجی، مهدی رحیمی و منوچهر خسروداد ـ جان باختند. دادگاهِ هرکدام، چند دقیقه‌ای بیش نپاییده بود و هر چهار نفر را «مفسد فی الارض» خواندند. در شبانگاه این دور اوّل اعدام‌ها، تیترهای درشت و تصاویری خون آلود از اجسادی تیر خورده، با چهره‌هایی تهی از حیات، صفحه‌ی اوّل روزنامه‌ی **کیهان** را پر می‌کرد. روز بعد، بیست و یک نفر دیگر طعمه‌ی جوخه‌های اعدام شدند و موجی تازه از تصاویر تکان دهنده، چهره‌هایی در چنبر مرگ، بدن‌هایی کژ و معوج، بخش عمده‌ی صفحات روزنامه‌ها را به‌خود تخصیص می‌داد.[۲۴] وقتی از منظری امروزی به آن

تصاویر شنیع مرگ زده باز می‌نگریم، وقتی می‌بینیم چاپ آنها تا چه حدّ در آن روزها در روزنامه‌های رسمی رایج شده بود، آن گاه به گمانم در می‌یابیم که حضورشان در واقع تمثیلی گویا و غم‌انگیز از موجی به شمار می‌آمد که «قهر انقلابی» به راه انداخته بود. آن روزها، متاسفانه بیش و کم تمامی‌ی نیروهای مذهبی و غیر مذهبی جامعه، حتی بسیاری از شخصیت‌ها و سازمان های میانه رو، این اعدام‌ها را به‌سان نشانی از عدالتِ برحق و قاطعانه‌ی انقلابی ستودند. دیری نپایید که البته خود نیز قربانی موج تازه‌ای از این قهر شدند.

در این دادگاه‌ها نه هیأت منصفه‌ای در کار بود، نه وکیل مدافعی. حق استیناف هم محلی از اعراب نداشت. می‌گفتند دادگاه‌های انقلابی خطا ناپذیرند. آنان را که «مفسد فی الارض» می‌شناختند، بی لحظه‌ای تأخیر به جوخه‌ی مرگ می‌سپردند. وقتی مطبوعات غربی کار این دادگاه‌ها و موج اعدام‌ها را به باد انتقاد گرفتند، آیت الله خمینی پاسخی داد که در آنِ واحد هم سرکش بود و هم نشان می‌داد که نزد او آن‌چه در بیش و کم همه‌ی جهان، مراحل متعارف روال رسیدگی قانونی به جرایم شناخته می‌شود، چندان محل اعتنا نیست. می‌گفت پیروزی انقلابِ ما خود مهم‌ترین مدرک گناه این زندانیان است. می‌گفت تنها قدم لازم برای دادگاه، «احراز هویت» این متهمان است. می‌گفت گناهی است نابخشودنی اگر بگذاریم اینان حتی برای لحظه‌ای به حیات گناه آلودشان ادامه دهند.[۲۵]

بنی‌صدر که آن روزها در نشریات گوناگون، از «عدل اسلامی» دادِ سخن می‌داد، خبر اعدام‌ها را نخست از رادیو شنید. هویدا هم در آن روزها در مدرسه‌ی رفاه بود و بی‌گمان صدای خوف‌انگیز جوخه‌های اعدام را می‌شنید.[۲۶] بنی صدر می‌گوید به محض شنیدن خبر اعدام ها برای رویارویی با مرشد و مرادش، به مدرسه‌ی رفاه بازگشت. از سال‌ها پیش رابطه‌ی پر مهری با آیت الله خمینی داشت و این نخستین برخورد تندشان بود. بنی صدر، در حالی‌که هنوز پس از بیست سال، ته رنگی از تلخ‌کامی در لحن صدایش باقی

بود، می‌گفت: «باور نمی‌کردم پیرمرد به آسانی خلاف واقع را به من بگوید».[۲۷] در فاصله‌ی کمتر از یک سال از آغاز اعدام‌ها، رابطه‌ی این دو حتی تیره‌تر شد. سرانجام رهبر هفتاد ساله‌ی انقلاب بنی صدر جوان را از مقامش به عنوان نخستین رئیس جمهور منتخب ملّت ایران، برکنار کرد. بنی صدر از بیم جان از ایران گریخت.*

هویدا چون پسر مرد قدرتمندی بود و این «پدر» علیه فرزند خویش برخاست. «پدر» هویدا شاه** بود. هویدا چندین بار شاه را «پدر تاج‌دار» خطاب کرده بود. در اسطوره‌ی ادیپِ غرب، پسر سرانجام پدر را می‌کشد. شاید پدرکشی، تمثیل تاریخی بهایی است که جوامع باید برای ترقی بپردازند. در مقابل، در داستانِ ازلی‌ی مهم‌ترین اسطوره‌ی ایرانی، این پدر، یعنی رستم است که پسرش سهراب را به قتل می‌رساند. بسیاری از منتقدان ادبی و فرهنگی، داستان رستم و سهراب راکلید رمز تاریخ ایران دانسته‌اند. می‌گویند این داستان تمثیلی است از پیروزی پدر سالاری، از تفوق نظامی که در آن

---

* بنی صدر کماکان در غربت است. همراه خانواده‌اش در خانه‌ای نسبتاً کوچک، در شهر ورسای، از حومه‌های پاریس زندگی می‌کند. خانه‌اش تحت محافظت شدید ژاندارم‌های فرانسوی است. قبل از این که اجازه‌ی ورود پیدا کنم، ژاندارمی در لباس رزم، مسلسل به دست، بدن و دفترچه‌ی یادداشتم را به دقت تفتیش کرد. ژاندارم مسلح دیگری، در دو قدمی مراقب ماجرا بود. اطاقی که در آن بنی صدر را ملاقات کردم، در طبقه‌ی اوّل ساختمان بود و به نوعی، بخش بیرونی به حساب می‌آمد و دفتر کار بنی صدر هم آن جا بود. طبقه دوم در حکم اندرونی و محل مسکونی او و خانواده‌اش بود. بنی صدر کت و شلواری خاکستری رنگ بر تن داشت. طبق معمول، که در عکس‌هایش هم دیده می‌شود، کتش کمی گشاد می‌نمود. بلوز زرد رنگی به تن داشت و جورابش همرنگ بلوزش بود. لبخند معروفش را که جدی جلوه می‌کرد و انگار برگوشه‌ی لبانش نقر شده، کماکان بر چهره داشت. اطاق ملاقات ساده و بی‌تکلف بود. یک کاناپه و سه مبل کوچک، همه کهنه و کارکرده، تنها اسباب اطاق را تشکیل می‌دادند. فرش ماشینی نخ نمایی که برگرته‌ی قالی‌های ایرانی بافته شده بود، زمین را می‌پوشاند. دیوارها همه برهنه بود. اما لبه بخاری دیواری را بیتی از حافظ، به خطی خوش، تزئین می‌کرد و نوید می‌داد که «ایام غم نخواهد ماند».

** همان‌طور که در فصل ششم همین کتاب خواهید دید، عبدالله انتظام هم برای هویدا نقش پدر داشت.

پدران، به نیت تثبیت قدرت خود، پسرانشان را نیست می‌کنند.[۲۸] دیک دِیویس در بحثی پرمایه پیرامون شاهنامه نشان داده که پسر کشی از جمله مایه‌های مکرر این شاهکار ادب فارسی است.[۲۹] به‌این ترتیب، شاه که «پدر تاج‌دار» ملتش می‌خواندند، حاضر شد هویدا را قربانی کند.

اما در آن روز نخستین اعدام‌ها در مدرسه‌ی رفاه، بنی صدر به مصاف پدر انقلاب رفت و از کم و کیف اعدام‌ها و چگونگی کار دادگاه آن چهار امیر مقتول جویا شد. به روایت بنی صدر، پاسخ آیت الله خمینی حیرت‌آور بود. می‌گفت اعدام‌ها ضروری‌اند چون گروه‌های دست چپی در شهر اعلامیه‌هایی دال بر وجود توافق‌هایی محرمانه میان دولت اسلامی و دولت آمریکا پخش کرده‌اند. چپی‌ها مدعی شده بودند که دولت آمریکا در مقابل قول به رسمیت شناختن رژیم جدید، خواسته است که دولت اسلامی هم امنیت و سلامت صد نفر از سران رژیم پهلوی را تضمین کند.[۳۰] از قضا، در اسنادی که اخیراً از سوی دولت آمریکا منتشر شده، شواهدی غیر مستقیم دال بر وجود یک توافق ضمنی سراغ می‌توان کرد. در یکی از این اسناد آمده که: «در ۲۷ ژانویه [۱۹۷۹]، [آیت الله] خمینی پیامی محرمانه به دولت آمریکا فرستاد و در آن پیشنهاد کرد که برای جلوگیری از فاجعه، آمریکا از ارتش ایران و بختیار بخواهد که از دخالت در امور سیاسی ایران دست بردارند. [آیت الله] خمینی نه تنها مداخلات این دو را نامشروع خوانده بود، بلکه هر دو را به خاطر بستن فرودگاه، که در نتیجه‌ی آن بازگشت [آیت الله] خمینی به ایران نامیسر شده بود، نکوهیده بود. [آیت الله] خمینی پیام خود را با ذکر این نکته به پایان برد که ترجیح می‌دهد راه حل مسالمت آمیزی برای مساله پیدا کند.»* به هر حال، به‌گفته‌ی آیت الله، اعدام‌ها برای تکذیب این شایعات ضرورت پیدا کرده بود. به‌علاوه آیت الله خمینی گفته بود که شب قبل، وقتی تیمسار نصیری را در

---

* برای متن این سند، ر.ک. به:

US Dep of State. "the evolution of US-Iranian Relation", NSA, No. 3556, 63.

تلویزیون نشان داده بودند، او با حرکات دست، برای عمّال ساواک پیام محرمانه فرستاده و دستور آغاز مبارزات تروریستی علیه نظام جدید را صادر کرده بود.[۳۱]

اندکی پس از این گفتگو، در نتیجه‌ی فشارهای بین المللی و نیز تلاش‌های مهدی بازرگان،نخست وزیر دولت موقت، کار دادگاه‌های انقلاب متوقف شد. دولت نوید داد که از این پس، فعالیت‌های دادگاه بر اساس دستور العمل‌هایی جدید استوار خواهد شد.[۳۲] محاکمه‌ی هویدا نیز بدین سان به تعویق افتاد. به نظر می‌رسید که بخت یارش شده بود. جانش، دست کم برای مدّتی، نجات یافته بود.

وقتی پس از چند روز او را از مدرسه‌ی رفاه به زندان قصر منتقل کردند، خانواده او این تحولات رابه فال نیک گرفتند.[۳۳] حتی دل خوش کردند که او شاید از این مهلکه جان سالم به در برد.

ریشه‌های تاریخی‌ی غریبی هویدا را به محبس جدیدش وصل می‌کرد و او قاعدتاً دست کم از برخی از ابعاد آن نیک آگاه بود. نام زندان قصر، بر خلاف ظاهر، دینی به کافکا نداشت. وجه تسمیه‌اش واقعیتی تاریخی دارد. شاهان قاجار آن را در سده‌ی سیزدهم به عنوان تفرجگاهی تابستانی بنا کرده بودند. قاجاریه به مدّت ۱۲۸ سال بر ایران حکومت کردند و سرانجام در شهریور ۱۳۰۴، افسری پرجذبه از صف قزاقان که رضاخان نام داشت، بساط دودمانشان را برانداخت. رضاخان خود را پس از چندی شاه اعلام کرد و دودمان پهلوی را پی‌ریخت. در این کار، آن‌چنان که از کتاب پر بار سیروس غنی برمی‌آید، انگلیسی‌ها، با بی رغبتی تمام، هم‌پیمان و مددکار او شدند.

در اوایل سلطنت رضاشاه، قصر به زندان بدل شد. طولی نکشید که با ساختن بناهای جدید، قصر تجسم کامل معماری ناهمخوان و ناهنجار از آب درآمد. سردرهای زیبا و گچ کاری‌های مذهّب آن را سال‌ها بی توجهی از رونق و جلا انداخته بود. راهروهای قدیمی‌اش با آجرهایی خوش رنگ

مفروش بود. حوض شکیلی، چون دانه‌ای جواهر، در دل باغ می‌نشست و اینها همه از روزگار پر عشرت گذشته‌ی این ساختمان حکایت می‌کرد. در مقابل، بخش‌های جدیدش یکسره از زیبایی تهی بود. تنها برای جا دادن امواج تازه‌ای از مجرمان و مخالفان رژیم رضاشاه، بنا شده بود. این دو وجه متباینِ ساختمان‌های قصر با یکدیگر تضاد و تعارضی چشم‌گیر داشتند. به‌علاوه، بعضی از زندانبانان امروز هویدا تا دیروز خود زندانی قصر بودند.

عصر روزی سرد در اوایل فروردین ۱۳۵۸ بود. یک هفته از نوروز می‌گذشت. ناگهان در سلول انفرادی هویدا در زندان قصر باز شد. شش نفر در آستانه‌ی در ایستاده بودند. دو نفرشان خبرنگاران فرانسوی بودند؛ یکی ژان لو رویریه* نام داشت و دیگری کریستین اُکرانت**. کار دوربین و فیلم برداری را فرانسوی دیگری به نام ژان کلود لویا*** به عهده داشت. خانم ایرانی جوانی به نام لادن برومند مترجم گروه بود. به‌علاوه، رئیس زندان و دادستان انقلاب هم همراه گروه بودند. اُکرانت کوشیده بود این دو مقام دولتی را از شرکت در مصاحبه بر حذر دارد. گفته بود حضور آنان خلاف نص صریح قرار داد ژنو است. اما تذکرات اُکرانت آن دو مقام را متقاعد نکرد. در عین حال، برای اُکرانت هم انجام این مصاحبه در حکم مهم‌ترین موفقیت حرفه‌ی روزنامه نگاری‌اش بود. دل نداشت که جزئیات دست و پا گیر قانونی از چنین کامیابی بازش دارد.[۳۴]

در حقیقت، تلاش او و همکارانش برای انجام این مصاحبه از حدود سه هفته پیش آغاز شده بود. به تهران آمده بودند تا فیلمی مستند درباره‌ی انقلاب تهیه کنند. به قول اُکرانت می‌خواستند فیلمی بسازند که در آن «از اندیشه‌های قالبی و پیش داوری‌های رایج غربی» نشانی نتوان یافت.[۳۵] بنا بود فیلم را بر محور مصاحبه با هویدا استوار کنند. اما جمله‌ی تلاش‌هایشان در این راه بی ثمر ماند.[۳۶] مردان قدرت همه بر این قول بودند که انجام چنین مصاحبه‌ای

---

* Jean-Loup Reverier ** Christine Ockrent *** Jean-Claud Loyat

یک‌سره نامیسر است. گویا تنها کسی که قول همکاری داد بنی صدر بود.[۳۷]

با اتکا به قول او، خبرنگاران فرانسوی راهی‌ی زندان قصر شدند. از بازرسی بدنی‌ی اوّل که نزدیک در ورودی زندان صورت گرفت با موفقیت گذشتند. تازه وارد صحن حیاط زندان شده بودند که ناگهان چند نگهبان، مسلسل کلاشینکف به دست، با لحنی تهدید آمیز به سراغشان آمدند؛ گفتند حق مصاحبه ندارند و آنان را از محوطه‌ی زندان بیرون راندند. آن روزها تهران شهری انقلاب زده بود و به سان دیگر شهرهای انقلابی، قدرت مرکزی در کار نبود. هر کس به شرط آن که مسلسلی داشت، می‌توانست فرامین بالاترین مقامات سیاسی کشور را هم نادیده بگیرد.

حتی در هشتم فروردین، یعنی بار دوّمی که خبرنگاران فرانسوی به زندان مراجعه کردند، کماکان در آغاز با مخالفت و مقاومت برخی نگهبانان روبه‌رو شدند. این دسته، مخالف هرگونه مصاحبه با هویدا بودند. این بار، به‌اصرار خبرنگاران، بالاخره با دفتر کار بنی‌صدر تماس برقرار شد و پس از مذاکرات و گفتگوهایی مفصل، و پس از بازرسی بدنی مجدد، گروه فرانسوی، همراه دادستان و رئیس زندان وارد سلول هویدا شدند.

رئیس زندان حاج مهدی عراقی بود. به خاطر نقشش در ترور منصور در سال ۱۳۴۴، چهارده سال را در زندان گذرانده بود. بارها به روزنامه نگاران یادآوری می‌کرد که او هم روزی زندانی سیاسی بوده است. دادستان وقت دادگاه انقلاب که همراه گروه وارد اطاق شد، حاج آقا هادی هادوی نام داشت. صورتش را بیماری پوستی‌ی ظاهراً خطرناکی پر لک و پیس کرده بود[۳۸] و در نظر مخالفانش به او هیأتی خوف انگیز می‌داد. بعد از ترک زندان، خبرنگاران فرانسوی با خود از شباهت هادوی به فوکیه تانویل صحبت کردند که از خوف‌انگیزترین دادستان‌های دادگاه‌های خشن و خون‌بار انقلاب فرانسه بود.[۳۹]

هویدا که حتی در زندان هم مبادی آداب بود، به یک یک اعضای گروه

شش نفری به زبان های فرانسه و فارسی سلام و خوش آمد گفت. اُکرانت، بر سبیل مقدمه، گفت: «ما خبرنگاران فرانسوی هستیم. اجازه گرفته‌ایم با شما مصاحبه کنیم. در فرانسه خیلی‌ها نگران وضع شما هستند.» لبخند تلخی بر لبان هویدا نقش بست و گفت: «فرانسه... پس در فرانسه هنوز مرا از یاد نبرده‌اند.»[۴۰]

طولی نکشید که مراجعین همه روی زمین سلول کوچک مستطیل شکل هویدا، در بند بیمارستان زندان قصر، مستقر شدند. اما پیش از آغاز مصاحبه، قواعد کار مورد مذاکره قرار گرفت. دادستان و زندان‌بان مایل نبودند زندانی و روزنامه‌نگاران به طور مستقیم و به زبان فرانسه گفتگو کنند. آنها اصولاً به روزنامه‌نگاران خارجی اعتمادی نداشتند. مطبوعات غربی را بخشی از دولت‌های غربی، و عامل طرح‌های شیطانی و خطرناک این دولت‌ها می‌دانستند. نگران بودند که در مصاحبه‌ای به زبان فرانسه، چه بسا که پیام‌هایی سری میان هویدا و هواداران غربی‌اش ردوبدل می‌توانست شد. هیچ کدامشان کلمه‌ای فرانسه نمی‌دانست و همین واقعیت بر نگرانی‌شان می‌افزود. به علاوه آنها از همان آغاز هم با نفس این مصاحبه مخالف بودند. گمان داشتند حتماً کاسه‌ای زیر نیم‌کاسه هست، وگرنه چرا هیچ روزنامه‌نگار خارجی در روزگار پیشین، وقتی خود آنها زندانی بودند، رغبتی به ملاقاتشان نشان نداده بود.[۴۱]

البته مشکل کار فقط ناآشنایی دادستان و زندانبان با زبان فرانسه نبود. دو خبرنگاری که در لحظه‌ی تاریخی‌ی سخت مهمی از سوی تلویزیون فرانسه به ایران گسیل شده بودند، نیز هیچ کدام کلمه‌ای فارسی نمی‌دانستند.[۴۲] سنت فرستادن این گونه روزنامه‌نگاران به کشورهای جهان سوم را باید مصداق بارز نوعی نخوت استعماری دانست. برای رفع ضعف زبانی خبرنگاران، و نیز برای دفع سوءظن مقامات جمهوری اسلامی، قرار شد که مصاحبه اساساً به زبان فارسی صورت گیرد. در عین حال، دو روزنامه‌نگار حق داشتند پرسش‌های خود را به زبان فرانسه مطرح کنند. در نوار ویدئویی‌ی این مصاحبه، پچ‌پچ دائمی و اغلب نامفهوم مترجم را همواره در پس‌زمینه می‌توان شنید. همین

صداهای ناروشن به نوار فضایی پررمز و راز و حتی خوف‌انگیز می‌بخشد.*

اما قول و قرارها همه غیرعملی از آب درآمد. لادن بـرومند مـترجـمی حرفه‌ای نبود. شش ماه پیش با ژان لو رویریه آشنا شده بود و در روز هشتم فروردین وقتی خبرنگاران فرانسوی نتوانستند مترجمی حرفه‌ای برای مصاحبه با هویدا سراغ کنند، از لادن کمک طلبیدند. اما اهمیت تاریخی‌ی مصاحبه، سایه‌ی مسلسل‌ها، سیل زندانیانی که در حیاط زندان پرسه مـی‌زدند، تـلاش برخی از آنها برای کسب اجازه‌ی اسـتفاده از دسـتشویی، و بـالاخره بـوی ناخوشایند عرقی که در هوا موج می‌زد همه دست به‌دست هم داد و به دلهره‌ی مترجم افزود.[۴۳] هنوز عبارت اول مصاحبه را ترجمه نکرده بود که هویدا به سبک کارش ایراد گرفت. گفت: «این قضیه جدی است. ترجمه‌ها باید خیلی دقیق باشد.»[۴۴] آن‌گاه اعلام کرد که تنها در صورتی حاضر به ادامه‌ی مصاحبه

---

* ماه‌ها در جستجوی نوار این مصاحبه بودم. سرانجام دوستی آن را برحسب تصادف، در قسمت پایانی نواری به نام «شعله‌های ایران» یافت. از جلد نوار چنین برمی‌آمد که فیلم مستندی است که به‌دستور دولت ایران تهیه شده و شامل گـزیده‌هایی است از مـراسـم جشـن‌های بـزرگداشت دو هزاروپانصدمین سال سلطنت در ایران. گوینده‌ی نوار ارسن ولز است که البته دیگر در غروب دوران پربار فعالیت‌های هنری‌اش بود و سال‌ها با «همشهری کین» و آن قصر رؤیایی xanadu دیگر فاصله داشت. بلافاصله پس از پایان صحنه‌های جشن، برای چند لحظه سکوت و تاریکی بر نوار ظاهر شد و آن‌گاه یکی از گویندگان تلویزیون فرانسه آغاز گزارش ویژه‌ی اُکرانت و مصاحبه با هویدا را به اطلاع بینندگان رساند. از همجواری این دو فیلم ناهمگون، که یکـی شـاه را در اوج شـوکت و دیگری نخست وزیرش را در حضیض ذلت نشان می‌داد حیرت کردم. به شرکت تولیدکننده‌ی فیلم زنگی زدم. می‌خواستم بپرسم که آیا در تدارک این نوار نقشه‌ای زیرکانه در کار بوده و آیا به راستی طنزی تلخ مرادشان بوده است. خانمی که تلفن را پاسخ داد بلافاصله از سوآل من مشکوک شد. پرسید: «چرا می‌خواهید بدانید؟» گفتم در تدارک نگارش کتابی هستم، و ظاهراً این واقعیت صرفاً مایه شک و تردید بیشترش شد. نام و شماره‌ی تلفنم را گرفت و گفت مسئول این کار با من تماس خواهد گرفت. یک هفته گذشت و خبری نشد. دوباره زنگ زدم. این بار مردی جواب داد. گفت: «این‌جا مسئول منم.» سؤالم را تکرار کردم. بی‌لحظه‌ای مکث جواب داد: «نه آقا، برنامه‌ای در کار نبود. آخر نوار جشن‌ها، کمی جای خالی داشتیم. کسی توصیه کرد این جای خالی را با نوار مصاحبه پر کنیم.» انگار حتی در این زمینه نیز هویدا را چرخ پنجمی بیش نینگاشته بودند.

خواهد بود که او خود بتواند به فرانسه سخن بگوید.

آیا امید داشت که از این راه اروپایی‌ها را تحت‌تأثیر روانی و سلاست فرانسه‌ی خود قرار دهد و همدلی‌شان را به کف آورد؟ آیا می‌خواست با ظرافت‌های زبانی، پیامی به دوستانش در خارج از کشور بفرستد؟ آیا به راستی نگران دقت ترجمه‌ی آن خانم جوان بود؟ قاعدتاً دیگر هرگز پاسخ دقیق این پرسش‌ها را نخواهیم دانست. اما در یک نکته شکی نیست: با رویت خبرنگاران خارجی، بارقه‌ای از امید در چشمانش ظاهر شد. شاید حتی با خود می‌گفت که حق همیشه با او بود که گمان داشت دوستان با نفوذش در آمریکا و اروپا تنهایش نخواهند گذاشت و سرنوشتش را در کف منجی تازه‌ای در ایران رها نخواهند کرد.

اما پیش از آن که دوربین خبرنگاران به کار بیفتد، آن بارقه‌ی امید یکسره از میان رفته بود. انگار دوباره غم و یأس به جانش افتاد. قاعدتاً لحن اولین سوآل اُکرانت و نیز حضور مقامات نظام اسلامی، که یکی از آنها جزو سوءقصدکنندگان به دوست هویدا، حسنعلی منصور، بود به این روح غمزده‌ی تازه کمک می‌کرد. در نخستین نمای دوربین از چهره‌ی هویدا، حتی پیش از آن که کلامی به زبان بیاورد، حال و هوایش، و نگاهش همه حکایت از اضطراب و نگرانی داشت.

در نوار مصاحبه، می‌بینیم که او بر تشک خود، میان دیوار زندان از یکسو و جمع خبرنگاران و مقامات نظام تازه از سویی دیگر، در کنجی خمیده است. سر به درون گردن فرو کشیده و دستان خود را روی زانوهایش گذاشته و انگشتان دو دستش را در هم تنیده است. حتی از جوانی، در چشمان گودافتاده‌ی او حالتی از افسردگی، ترکیبی از طنز و تسلیم، مشهود بود. از جمله کسانی بود که شکل و شمایل صورتشان از چند وچون شخصیت‌شان نشان دارد. اما در آن روز سرد بهاری، استخوان‌های چهره‌ی او، پیشانی‌اش، ابروان پرپشتش، و چشمان مه آلودش همه به نظر به پیری زودرس دچار

بودند. هم شلوار چروکیده و هم ژاکت کرکی که به تن داشت تنگ می‌نمود. اگر در گذشته، کت و شلوارهای خوش‌دوخت خیاطش، چاقی‌اش را که از گرفتاری‌های مزمن زندگی‌اش بود پنهان می‌کرد، این بار، لباس‌های تنگ و چروکیده‌اش این چاقی را برجسته‌تر جلوه می‌داد.

هویدا که در همه حال جانب ادب را رعایت می‌کرد، این‌بار، در طول گفتگو با اُکرانت نه تنها با بی‌اعتنایی کلاه کپی‌اش را بر سر داشت، بلکه دو پایش را هم در عین بی‌احترامی و سرکشی دراز کرده بود. صورتش که در گذشته به چهره‌ی پوکربازی قهار می‌مانست، این بار حالت مضطرب و عصبانی‌ی شکاری به دام افتاده را پیدا کرده بود. بارها در پاسخ پرسش‌های اُکرانت، سر به حیرت و اعتراض تکان می‌داد. انگار تنها دقایقی بعد از ورود اُکرانت به زندان، هویدا دریافته بود که این خبرنگار فرانسوی به قصد کمک به او به دیدارش نیامده است.

حالات جسمی هویدا، حرکات صورتش، همه بعدها موضوع بحث و جنجال شد. حتی موقعیت دو دستش هم معما بود. در نوار مصاحبه می‌بینیم که او هشت انگشت دستانش را در هم تنیده و دو شستش را در هوا می‌چرخاند. معمولاً این حالت و حرکت را نشانی از اضطراب می‌دانند. اما گویا در زبان رازگونه فراماسونری، این نوع حرکت شست، نشانه از حالتی اضطراری و نوعی طلب کمک است.[۴۶] هویدا بی‌گمان عضو یک لژ فراماسونی بود و در ایران فراماسونری را ستون پنجم استعمار انگلستان می‌دانند. وابستگی هویدا به این گروه، همان طور که خواهیم دید، موضوع جنجال‌هایی فراوان شد. شاید هرگز ندانیم که آیا هویدا به راستی با حرکات انگشتانش، می‌خواست از برادران ماسونی خود کمک بطلبد یا خیر. ولی در این نکته شکی نباید داشت که هویدا در طول مصاحبه، از هر فرصتی استفاده کرد تا دلزدگی و تنفرش را از خبرنگار فرانسوی‌ای که به سلولش آمده بود، عریان کند.

به محض آن که دوربین کار فیلم‌برداری را آغاز کرد، اُکرانت هم روند

مصاحبه را به انحصار کامل خود درآورد. به حملات گزنده‌ای علیه رژیم گذشته دست زد. حتی نگذاشت خبرنگار دیگر یک سوآل هم طرح کند. در تمام طول نوار هیچ نشانی از این همکار بی‌نوا به چشم نمی‌خورد. اُکرانت مصاحبه را با طرح این پرسش آغاز کرد که «آیا گمان نمی‌کنید سرنوشت شما را باید تمثیلی از ماهیت رژیم سابق دانست؟» هویدا با نگاهی خشم‌آلود سری تکان داد. اندکی سکوت کرد. قاعدتاً امید داشت که بتواند در پاسخ سوآلی مناسب‌تر، از وضعیت بد خود در زندان بگوید. سکوتش را لحظه‌ای دیگر ادامه داد و سپس با عصبانیت گفت: «مگر وضع مرا نمی‌بینی؟ این چه جور سوآلی است؟» البته لحن سوآل اُکرانت بیشتر به یک بازجو نسب می‌برد تا یک روزنامه‌نگار. این لحن نه تنها آن روز هویدا را تکان داد، بلکه سه هفته بعد، هنگامی که نوار مصاحبه سرانجام در فرانسه نشان داده شد، جنجالی برانگیخت.

در طول سیزده سال صدارتش، هویدا رابطه‌ی پیچیده‌ای با رسانه‌های همگانی‌ی غربی برقرار کرده بود. گرچه شاه اغلب به ظاهر و در گفتار به غرب می‌توپید، اما او و رژیمش نسبت به هر اشاره و هر کلام مطبوعات غربی حساسیتی حیرت‌آور داشتند.[۴۷] هویدا از نوعی جلای جهان‌وطنی برخوردار بود؛ به چند زبان مختلف تسلط داشت؛ به داشتن اندیشه‌های لیبرالی شهرت یافته و حضور ذهن و سلوک نرم و پرانعطافش شهره بود. به علاوه، از بگومگوهای زیرکانه با خبرنگاران هم لذت می‌برد. در بسیاری از موارد ناچار بود از پرونده‌ی رژیم در زمینه حقوق بشر دفاع کند. گر چه کار چندان دلپذیری نبود، اما او در این عرصه، «تزئین ویترین»[۴۸] رژیم بود. وظیفه‌اش را با ولعی تمام انجام می‌داد. پرسش‌های مربوط به آزادی بیان و خفقان در ایران را اغلب به مدد احکامی کلی و توخالی در باب فقدان دمکراسی واقعی در غرب پاسخ می‌گفت. بارها این قولِ سخت قالبی‌ی شاه را تکرار می‌کرد که نظام سیاسی ایران از سرشتی ویژه برخوردار است. شاه بارها گفته بود

معیارهای متعارف حقوق بشر در برابر سنت دیرین عشق و وفاداری مردم ایران به مقام سلطنت رنگ می‌بازد. هویدا هم، به تأسی از شاه، اغلب به رغم آن‌چه در خلوت می‌گفت و می‌دانست، در جلوت فقدان حقوق بشر در ایران را انکار می‌کرد. اما در آن روز سرد بهاری، کارها از لونی دیگر بود. این بار او خود به راستی قربانی سیاست نقض حقوق بشر نظام اسلامی شده بود. به حق می‌توانست از حقوق پایمال شده‌ی خویشتن سخن گوید. اما، گویی اُکرانت عزم جزم کرده بود که چنین فرصتی در اختیار هویدا نگذارد. به جای طرح سوآل، سودای حمله به فساد رژیم سابق را در سرداشت. بیشتر راغب بود که موارد نقض حقوق بشر را برشمرَد و ابعاد استبداد شاه مخلوع را بازگو کند.

اندکی قساوت و ته‌رنگی از خشونت، هر دو جزئی جداناپذیر از جوهر کار یک خبرنگار (و یک زندگی نامه‌نویس)اند. اما آن روز اُکرانت آشکارا مرز مقدسی را خدشه‌دار کرد. منتقدانش می‌گفتند که او به جای گزارش خبر، خود منبع و موضوع خبر شده؛ می‌گفتند او آلت فعل توجیه ترور انقلابی شده است؛ **فیگارو**ی پاریس حتی او را به «همدستی با قاتلان» متهم کرد.[۴۹]

هویدا در برابر حملات اُکرانت گاه سکوتی پرمعنا اختیار می‌کرد و زمانی با حرکت دست و صورتش دلزدگی خود را نشان می‌داد. می‌گفت به عنوان نخست‌وزیر، قدرت واقعی‌ی چندانی نداشت و لاجرم تنها بخشی از بار اشتباهات رژیم سابق بر دوش اوست. اُکرانت پرسید که آیا او در دوران صدارتش، از فعالیت‌های ساواک چیزی می‌دانست و آیا از وجود شکنجه در زندان و از شمار زندانیان سیاسی مطلع بود. هویدا جواب داد که ساواک یکسره از حیطه‌ی قدرت او خارج بود. اُکرانت زیر بار نرفت پرسید: «آیا منظور شما این است که نخست‌وزیر مسئول پلیس امنیتی نبود؟» هویدا دوباره چند لحظه‌ای سکوت اختیار کرد. سرانجام گفت: «شما از وضع واقعی سیاست در ایران خبر ندارید.» آن گاه به لحنی قاطع‌تر افزود: «برخی عرصه‌ها، اختصاصی‌ی شاه بود. من در آنها نقشی نداشتم. ساواک یکی از این عرصه‌ها

بود.»[50]

در طول مصاحبه اُکرانت، چندین بار کوشید هویدا را به انتقاد از شاه وادارد. اما هویدا، به‌رغم آن‌که نیک می‌دانست چنین انتقادی حکام جدید را سخت خوش خواهد آمد، هرگز تمکین نکرد.

اُکرانت پرسید: «فکر می‌کنید که چرا شاه دستور بازداشت شما را داد؟»

هویدا به لحنی سرد و بی‌اعتنا گفت: «از خود او بپرسید.»

اُکرانت ول‌کن نبود: «آیا شما فکر می‌کنید از قربانیان رژیم سابقید؟»

بعد از مکثی طولانی، پس از آن که مدتی از دوربین روی گرداند و به دیوار رنگ‌باخته‌ی زندان خیره شد، زندانی سرانجام به صدا آمد و گفت: «من درباره‌ی خودم اصولاً این طور فکر نمی‌کنم. من تنها زندانی نیستم. این بند پر از همکاران سابق من است.»

اُکرانت بار دیگر حمله آورد: «اما مگر کسی جز شاه دستور بازداشت شما را صادر کرد؟»

تنها در پاسخ همین پرسش بود که هویدا مطلبی گفت که آن را می‌توان نقد و ایرادی بر نظام گذشته دانست. گفت: «شاید می‌خواستند از من به عنوان قربانی استفاده کنند.»

انگار هر پرسش تازه‌ای که به دل‌شکستگی و استیصال هویدا می‌افزود اُکرانت را هم جانی تازه می‌داد. پرسید آیا در رژیمی که او خادمش بود، خبرنگاران به زندانیان سیاسی دسترسی داشتند؟ می‌خواست بداند که آیا در آن روزها، در سلول‌های زندان تلویزیون بود؟ هویدا در پاسخ گفت که صلیب سرخ و عفو بین‌المللی به همت او از زندان‌های ایران دیدن کردند. گفت هم او بود که رضایت شاه را برای تحقق این کار جلب کرد.[51] اما اُکرانت ناگهان میان حرف هویدا پرید و پیش از آن که زندانی بتواند پاسخ محتاطانه‌ی خود را به پایان برساند، پرسش تازه‌ای طرح کرد. سرانجام هویدا یکسره دلزده شد. انگار به ناگهان دریافت که همه‌ی رقابت‌ها و زدوبندهایی که چنین مصاحبه‌ای

را میسر کرده، همه‌ی نیروهایی که علیه او صف بسته‌اند، و بالاخره بی‌پروایی این خبرنگار فرانسوی که گویی با دشمنان وی هم صف و هم‌پیمان شده است، همه یکسره از ید قدرت او خارج‌اند. دوباره لحظه‌ای سکوت کرد آن‌گاه به لحنی پرخشم و پراضطراب گفت: «به نظرم قربانی بهتر است سکوت اختیار کند.»

فصل دوم

برزخ بیروت

شتر گران‌ترین بارها را بر دوش می‌کشد

گرگ در سکوت می‌میرد.

بایرون

امیرعباس هویدا در تهران زاده شد. گر چه تهران در آن روزها داعیه‌ی
مدنیت و شهر داشت و از سال ۱۱۶۵[1] هم به‌پایتخت ایران برگزیده شده بود،
ولی در واقع دهی ورم کرده بیش نبود. امیرعباس در زمستان سال ۱۲۹۸،
«قبل از آفتاب یک روز سرد زمستانی که برف همه جا را فرا گرفته بود» به دنیا
آمد. خانواده‌اش از سویی به اشرافیتی از سکه افتاده نسب می‌برد، و از سویی
دیگر از صف طبقه‌ی متوسط نسبتاً مرفه بود. روز تولد امیرعباس، «برف همه
جا را فرا گرفته بود.»[2] البته در باره هیچ کدام از این موارد، سند رسمی معتبری
در اختیار نداریم. آنچه را می‌دانیم مدیون این واقعیت‌ایم که مادربزرگ
هویدا سال و فصل ـ و نه روز ـ تولد او را «پشت قرآن در صفحه سفید قبل از
سوره‌ی فاتحه‌الکتاب» نوشته بود. در ایران آن دوران، هنوز کسی شناسنامه
نداشت. معمولاً، تنها مدرک تولد هر کس همان چند سطری بود که پشت جلد
نسخه‌ای از قرآن به همت خانواده‌ی نوزاد به قلم می‌آمد. به علاوه، در آن
روزها کمتر کسی نام خانوادگی داشت. مردم را اکثراً تنها به نام اولشان
می‌شناختند. گاهی هم لقبی یدک این نام بود. نسب اشرافی، پیشه، القاب
مرحمتی یا ابتیاعی، محل تولد، وگاه حتی وصفی از نقایص جسمانی شخص

به عنوان لقبش به کار می‌رفت. شش سال پس از تولد هویدا، قانون سجل احوال در ایران تصویب شد.[۳] پدر هویدا، که در آن زمان به عین‌الملک شهرت داشت، نام خانوادگی‌ی هویدا را برگزید. دست کم از یک‌سو نامی بی‌مسمیٰ بود. به عبارت دیگر، گرچه شخصیت و اندیشه‌های او ـ و نیز بعدها آن‌چه به پسرش امیرعباس مربوط می‌شد ـ به پیچیدگی و رازگونگی شهرت داشت، اما او برای خود نامی برگزید که از آشکاری و هویدایی حکایت می‌کرد.

تولد هویدا همزمان با سالی بحرانی در تاریخ معاصر ایران بود. انقلاب مشروطه منادی تجدد بود. اما پس از چندی به جنگ داخلی و هرج و مرج اجتماعی انجامید. دولت مرکزی سخت ضعیف بود و نیروهای مرکزگریز، که حضورشان گویی همواره جزئی از جوهر تاریخ ایران بود و پس از انقلاب ۱۹۱۷ در روسیه به حمایت و تشویق دولت شوروی نیز مستظهر شده بودند، تمامیت ارضی ایران را به خطر انداخته بودند.

حتی به نظر می‌رسید که طبیعت هم با ایران و پایتختش سر عناد دارد. سی سال بود که گاه بیماری وبا به جان ساکنان شهر تهران می‌افتاد. زمانی سال وبا و مشمشه بود و گاه بیماری خطرناکی موسوم به آنفلوانزای اسپانیایی بیداد می‌کرد. در سال‌های بعد از جنگ اول، جهان شاهد گسترش حیرت‌آور این بیماری بود که نزدیک به بیست میلیون انسان را نابود کرد. در تهران هم حدود سی‌هزار نفر قربانی این مرض مهلک و مرموز شدند.

دولت استعمارگر انگلستان که در سده‌های نوزدهم و بیستم میلادی، همواره وبال تاریخ ایران بود، انقلاب اکتبر را بهانه کرد و بر آن شد که سیطره‌اش را بر ایران مستحکم‌تر کند. در اجرای این سیاست، مأموران انگلیسی به سه نفر از متنفذترین سیاستمداران ایران رشوه دادند و آنان را به امضای قرارداد ننگین ۱۹۱۹ ترغیب کردند.* بر اساس این قرارداد، ایران عملاً به یکی از مستعمرات انگلیس بدل می‌شد. تنها در نتیجه‌ی مبارزات

---

* یکی از سه رشوه‌خوار، پدربزرگ همسر آتی امیرعباس هویدا بود.

طیفی گسترده از نیروهای ملی ایرانی، تلاش انگلیس ناکام ماند و قرارداد لغو شد.

در سال ۱۲۹۸ احمدشاه قاجار کماکان بر تخت سلطنت تکیه زده بود. وی واپسین سلطان سلسله قاجار در ایران از آب درآمد و گویی از همان آغاز نیز به اکراه تمام مقام سلطنت را پذیرفته بود. انگار هیجان بورس‌ها و کازینوهای اروپا و نیز تجملات هتل مونترو در سوئیس را بر کار حکومت بر مملکتی پریشان و از هم گسیخته ترجیح می‌داد. پس از ماجرای قرارداد ۱۹۱۹، اندیشه‌ی ایجاد یک نظام جمهوری در ایران رواجی ناگهانی یافت. رضاخان که در آن زمان وزیر جنگ بود و پس از چندی به نخست‌وزیری مقتدر و محبوب بدل شد، نامزد اصلی‌ی مقام ریاست جمهوری بود.*

در همین سال ۱۲۹۸، رضاخان صاحب پسری شد که محمدرضا نام گرفت. سرنوشت هویدا بالمآل با شخصیت و سرنوشت همین فرزند رضاخان گره خورد.

در سال ۱۲۹۸، جمعیت تهران حدود دویست هزار نفر بود. شهر دوازده دروازه داشت. برخی سخت زیبا و مذهّب و بعضی دیگر ساده و بی‌تجمل بودند. پدربزرگ هویدا خانه‌ای در نزدیکی یکی از همین دروازه‌ها داشت.[۴] در آن روزها، تهران خندق هم داشت و این بداعت حاصل یکی از سفرهای پرخرج ناصرالدین شاه به اروپا بود. آن جا سلطان صاحب قران از شهری

---

* چندی پیش از آن که رضاخان سلسله‌ی قاجار را براندازد و خود را پادشاه اعلان کند، به فکر ایجاد نظام جمهوری در ایران افتاد. طرفه آن که در آن زمان، روحانیون بیش از همه با این اندیشه مخالف بودند. در نامه‌ای که به سال ۱۳۰۲ نوشته شده و به خط خود رضاخان است، آشکارا تمایلش به نظام جمهوری را سراغ می‌توان کرد. آن جا او به امرای ارتش که زیر فرمانش بودند، حکم می‌کند که حتی‌الامکان مجلس را زیر فشار بگذارند و از آن بخواهند که ایران را جمهوری اعلان کند. در عین حال از مفاد نامه چنین برمی‌آید که او خود را نامزد اصلی احراز پست ریاست جمهوری می‌داند. ر.ک. **پهلوی‌ها**، ویرایش و گردآوری فرهاد رستمی، تهران، ۱۳۷۸، ص ۴-۱۰۳.

دیدار کرد که در قرون وسطی بنا شده بود و به رسم مألوف آن روزگار، دیواری و خندقی داشت.[۵] قبله عالم را آن منظر خوش آمد و به محض رجعت به میهن، فرمان داد تا دیواری و خندقی مشابه آنچه دیده بود گرد پایتخت ایران بنا کنند.[۶] اما تهران شهری است بی‌آب. پشت به کوههای سر به فلک کشیده و رو به پهندشت کویری خشک و لم‌یزرع دارد. حاصل این شد که آن خندق هرگز آبی به خود ندید. وقتی هویدا چشم به جهان گشود، خندق سلطانی هم پاتوق بنگی‌ها، چرسی‌ها، مطربان، قوادان و فواحش بود.[۷]

در سال ۱۳۰۵، ویتا ساکویل وست* به تهران آمد. او ازجمله اعضای مهم گروه پرآوازه بلومبری** بود و با ویرجینا ولف هم سروسری داشت. به تهران که رسید دروازه‌های شهر باعث حیرتش شد. دریافت که ورود به شهر در گرو رخصت دروازه‌بانان است. خاطرات سفرش به ایران را در کتابی بس زیبا به قلم آورد. در آن ردپای رمانتیسم و نگاه ویژه‌اش به شرق فراوان است. با عشق و شوری حیرت‌آور از ایران و طبیعتش می‌نویسد. اما وصفش از تهران از هر گونه تکلف و تحسین خالی است. می‌گوید: «تهران، به استثنای بازارش، عاری از هر گونه زیبایی است. شهری است کثیف، با خیابان‌هایی کثیف و پر از زباله و سگانی ولگرد، درشکه‌هایی فرسوده با اسبانی محتضر، و چند ساختمان به ظاهر مجلل و خیل عظیمی از خانه‌های نیمه مخروبه.»[۸]

هر شب، با غروب آفتاب، خیابان‌های تهران به قرق لوطیان و الواط شهر درمی‌آمد. مردم هم از بیم این الواط، و نیز از بیم کلاشی‌های ماموران دولت، در طول شب به خیابان‌های شهر پا نمی‌گذاشتند.

در سال ۱۲۹۸، تهران دانشگاهی نداشت. دارالفنون که در زمان صدارت امیرکبیر تأسیس شده بود، و مدرسه عالی علوم سیاسی، که در آستانه‌ی سده‌ی جدید میلادی تأسیس شد، تنها مراکز آموزش عالی پایتخت به شمار می‌رفتند.[۹] دارالفنون در حقیقت نوعی پلی‌تکنیک بود که در آن مقدمات

---

* Vita Sackville-west   ** Bloo Mb Burry

طب، مهندسی، علوم پایه و زبان‌های خارجی تدریس می‌شد؛ مدرسه‌ی عالی علوم سیاسی هم نطفه‌ی نخستین دانشکده‌ی حقوق و علوم سیاسی کشور بود. بسیاری از روحانیون آن زمان با تأسیس این دو نهاد عرفی مخالف بودند؛ می‌دانستند که تأسیس این گونه مراکز، قدرت انحصاری روحانیون را در عرصه‌های مهم آموزشی و قضایی به مخاطره خواهد انداخت.

در سال ۱۲۹۸ شمار پایتخت نشینانی که حتی یک بار هم داخل اتومبیلی نشسته باشند انگشت شمار بود. وسایل نقلیه‌ی اصلی مردم اسب، الاغ، قاطر و درشکه بود. درست در همان سال پلیس شهر تهران آیین‌نامه‌ای صادر کرد که در آن برای نخستین‌بار، مقرر می‌شد که از آن پس تنها کسانی می‌توانند در شهر رانندگی کنند که پیشتر گواهی نامه‌ای از پلیس دریافت کرده باشند. در این اعلامیه در عین حال دستورالعمل‌هایی در باب حق تقدم عابرین، درشکه‌ها، قاطرها و اتومبیل‌ها صادر شد.[۱۰] قطار هم در آن زمان از نوادر روزگار بود. خط کوتاهی میان تهران و شاه عبدالعظیم (شهر ری)، که آن هم از تحفه‌های سفر ناصرالدین شاه به فرنگ بود، تنها راه‌آهن کشور به شمار می‌رفت.

مردم تهران از قطار دل خوشی نداشتند. آن را «ماشین دودی» می‌خواندند و گرچه از چند و چون حرکتش در حیرت بودند، اما گاه نیز با خشونتی تمام نسبت به آن واکنش نشان می‌دادند. وقتی عابری، از سر تصادف، زیر چرخ یکی از این قطارها رفت، دولت ناگزیر شد کار همه‌ی قطارها را تعطیل کند. حتی پیش از این حادثه نیز کلوخ‌اندازی به سوی قطارهای در حال حرکت، از جمله اسباب تفنن اصلی کودکان شهر تهران بود. بیست‌و دو سال طول کشید تا سرانجام راه‌آهن سرتاسری ایران تأسیس شد و آب‌های خلیج‌فارس را به سواحل دریای خزر پیوند داد.

در آن روزها، حتی دوچرخه هم از غرایب روزگار به حساب می‌آمد. گویا یکی دو سال پیش از تولد هویدا، روزی دو پسربچه انگلیسی، در یکی از میادین شهر تهران به دوچرخه سواری پرداختند. ناگهان خیل عظیمی از مردم

برای مشاهده‌ی آن منظره‌ی حیرت‌آور گرد آمدند.[۱۱] برخی از سالمندان جمع می‌گفتند پسرانِ سوار بر چرخ از جمله نشانه‌های آخر زمان‌اند. می‌گفتند ظهور امام غایب را بشارت می‌دهند. در همان سال‌ها بود که هویدا در باغ منزل مادربزرگش، در نزدیکی یکی از دروازه‌های شهر، سه چرخه‌سواری یاد گرفت. می‌گفت: «سه چرخه هم تازه در تهران پیدا شده بود.»[۱۲]

امیرعباس فرزند ارشد خانواده بود. پدر و مادرش حدود یک سال پیش از تولدش ازدواج کرده بودند. تصمیمات مربوط به ازدواج را خانواده‌های عروس و داماد گرفته بودند. مادرش افسرالملوک از فرزندان خاندان قاجار بود. از نَسَبش البته جز نام چیزی نداشت. اشراف‌زاده‌ای تنگدست بود. شاهزاده‌ای فقیر؛ یکی از ده‌ها هزار تخم‌وترکه‌ی قجر.

افسرالملوک نوه‌ی عزت‌الدوله، تنها خواهر تنی ناصرالدین شاه بود. وقتی عزت‌الدوله سیزده سال داشت، به فرمان ناصرالدین شاه با امیرکبیر ازدواج کرد. امیر در آن زمان پنجاه سال داشت و به فرمان شاه، همسر خویش را طلاق گفت و با عروس نوباوه‌اش وصلت کرد.[۱۳] طبعاً نه صدراعظم نواندیش و نسبتاً مقتدر، و نه عزت‌الدوله‌ی سیزده ساله، جرأت نداشتند از فرمان شاه مستبد سرپیچی کنند.

از این مرحمت ملوکانه دیری نگذشته بود که امیرکبیر به فرمان شاه به قتل رسید. سوای امیرکبیر، عزت‌الدوله چهار بار دیگر ازدواج کرد. مادر هویدا ثمره‌ی سومین ازدواج او بود. این بار شوهرش یحیی‌خان مشیرالدوله نام داشت که برای مدتی وزیر امور خارجه ایران شد. عزت‌الدوله بر این گمان بود که شوهر سومش هم به دستور شاه کشته شده است. تنها تفاوت با ماجرای امیرکبیر نحوه‌ی قتل بود. میرزاتقی خان را رگ زدند و یحیی‌خان را «قهوه قجر» خوراندند که از جمله آلات قتاله‌ی محبوب خاندان جلیل قاجار بود.[۱۴]

پدر افسرالملوک از خانواده‌ای بود که به روشنفکری شهرت داشت. پدربزرگش، ناصرالسلطنه، در زمره‌ی درباریان بود و به خاطر عقاید

عرفی‌اش، «کُفری» خوانده می‌شد. پدرش، سلیمان خان ادیب‌السلطنه، مردی خوش فکر و از منادیان سرسخت تجدد و از طرفداران پروپا قرص فرانسه بود. او نیز، مانند بخش اعظم ایرانیان روشنفکر آن نسل، گمان داشت که انقلاب فرانسه تجسم پیشرفت و نور امید رستگاری بشریت است. البته دلبستگی سلیمان خان به فرانسه حتی بیشتر از هم‌نسلانش بود و بیش‌وکم به یک افسانه می‌مانست. از سویی اصرار داشت که هر سه دخترش درس بخوانند. تأکید داشت که هر کدام نواختن یک آلت موسیقی را نیز فراگیرد. افسرالملوک گیتار می‌زد و خواهرش، ملکه صبا، پیانو. به علاوه، سلیمان خان از فرزندانش می‌خواست که هر شب، قبل از خواب، سرود ملی فرانسه (یعنی مارسیز) را به صدایی بلند بخوانند.[۱۵]

البته به رغم سنت روشنفکری در خانواده‌ی پدری افسرالملوک، وقتی پای ازدواج به میان آمد، سنت بر تجدد چیره شد و هر سه دختر پا در جای مادربزرگ خود، عزت‌الدوله، گذاشتند. افسرالملوک پانزده ساله بود که خانواده‌اش او را به ازدواج با مردی چهل‌ساله واداشت. به اقتضای سنت آن زمان، او نیز قبل از شب عروسی، تنها یک بار همسر آینده‌ی خود را دیده بود. هرگز هم در درستی تصمیم خانواده‌اش شکی روا نداشت. در عین حال، شواهدی نشان می‌دهد که بعد از ازدواج او نه تنها برای شوهرش احترام فراوانی قایل می‌شد، بلکه به روایتی حتی مِهر او را نیز به دل گرفت. قاعدتاً هرگز به احساسات واقعی او نسبت به شوهرش پی نمی‌توانیم برد. برای زنان ایرانی نسل او، بحث وگفتگو درباره‌ی مسائل زناشویی نابرازنده و جلف می‌نمود. گرچه شوهر افسرالملوک زمانی درگذشت که خودش سی‌وشش ساله بود، و گرچه او خود هشتاد سال عمر کرد، ولی وی هرگز همسر دیگری اختیار نکرد. به علاوه، تا آن جا که می‌دانیم، هرگز هم از شوهرش جز به نیکی یاد نمی‌کرد.[۱۶]

عین‌الملک مردی اخمو بود. علائق و عواطفش را به راحتی نشان نمی‌داد.

در عین حال، خودخور بود و از خودراضی. گاه هم به افسردگی دچار می‌شد. سلوک و جذبه‌ی یک کارمند بداخلاق آلمانی را داشت. در بیش‌وکم تمام تصاویری که از او بجا مانده، نگاه سخت‌گیر و نافذش را از پس عینک فلزی لبه‌ی باریکی می‌بینیم. حالت چشمانش حکایت از شخصیتی یکسره جدی داشت که انگار لحظه‌ای شوخی و ولنگاری را برنمی‌تابید. امیرعباس او را مردی می‌دانست که هم کم می‌گفت و هم کم عواطف خود را نشان می‌داد. اما به گمان فرزند دیگرش، فریدون، عین‌الملک تجسم کامل همان شخصیت پدرسالاری است که در اساطیر ایرانی نقشی اساسی به عهده دارد. به قول فریدون، هر وقت عین‌الملک در منزل بود، ترس و لرز هم در هوا موج می‌زد. کردارش به سانِ اربابی سخت‌گیر بود.

در هنگام ازدواج، عین‌الملک روشنفکری تمام عیار بود. فرهنگ بین‌النهرین را، که بیروت تجسم و تمثیلی از آن بود، نیک می‌شناخت. به سان شمار قابل ملاحظه‌ای از سیاستمداران پرنفوذ سده‌ی بیست ایران، او نیز در مدرسه‌ی آمریکایی‌های بیروت تعلیم دیده بود. همان جا زبان‌های عربی، انگلیسی و فرانسه را آموخت. ترکیبی غریب از آثار گوناگون ـ از نوشته‌های خلیل جبران گرفته تا رمان‌های باسمه‌ای فرانسوی میشل زواگو ـ را به فارسی برگرداند.

گرچه عین‌الملک خود از طبقه‌ی متوسط بود، اما توانست به مدد تیزبینی و درایت خود به خانواده‌های اشرافی ایران راه یابد. پس از پایان تحصیلاتش در بیروت، راهی‌ی پاریس شد. آن جا جعفرقلی سردار اسعد را، که خود از چهره‌های جالب انقلاب مشروطیت بود، ملاقات کرد. پس از چندی، معلم فرزندان اسعد شد. او هم به عین‌الملک دلبستگی پیدا کرد و به نشان همین علاقه، از احمد شاه خواست که معلم جوان را لقب عین‌الملک عطا کند. سردار اسعد اهل ادب بود. به توصیه‌ی هم او بود که عین‌الملک برخی از داستان‌های

دنباله‌دار و پرخواننده‌ی پانسن دوتاریل* را که شخصیت مرموز روکامبول قهرمان اصلی‌اش بود، به فارسی برگرداند.[۱۷] این ترجمه‌ها به اندازه‌ی اصل فرانسوی‌شان خواننده و محبوبیت داشت.

ظاهراً سفر عین‌الملک به پاریس نتیجه‌ی اختلافی بود که با پدرش، میرزا رضا، پیدا کرده بود. میرزا رضا از حواریون عباس افندی بود. از زمانی که در سوم خرداد ۱۲۲۳، محمدعلی باب خود را همان «قائم معهود» خواند، پیروانش در ایران اغلب تحت تعقیب و آزار بوده‌اند.[۱۸] در نتیجه، تاریخ این کیش جدید، و هویت پیروان آن، به هزارتویی پررمز و راز بدل شد.[۱۹] موضع انعطاف‌ناپذیر روحانیون شیعه علیه این کیش جدید، تاکید ایشان بر این موضوع که باب و مذهبش چیزی جز ابزار استعمار انگلیس و توطئه‌های صهیونیستی نیستند، همه دست به دست هم داد و بهایی‌ها را به قوم سرگردان سیاست معاصر ایران بدل کرد. به علاوه، بهایی بودن به برچسبی سیاسی تبدیل شد که اثبات یا انکار آن هر دو سخت دشوار می‌نمود و به همین خاطر، گه گاه به عنوان حربه‌ای سیاسی علیه این یا آن شخصیت به کار می‌رفت.

شکی نیست که جد پدری هویدا، میرزا رضا، بهایی بود. شواهدی چند حاکی از آنند که عین‌الملک نیز، دست‌کم در جوانی، از پیروان عباس افندی بوده است. یادداشتی کوتاه از افندی به پیروانش، که نسخه‌ای از آن را در همین کتاب سراغ می‌توان گرفت، سندی است قابل اعتبار و اعتماد در باب چند و چون رابطه‌ی عین‌الملک با بهائیت.[۲۰] در این یادداشت افندی، که در آن زمان در تبعید بود و در اکرا به سر می‌برد، از دوستانش در تهران می‌خواهد که برای عین‌الملک کاری دست‌وپا کنند. می‌نویسد: «در خصوص جناب میرزا حبیب‌الله این سلیل آقا رضای جلیل است. هرقسم باشد، همتی نمایند با سایر یاران که بلکه انشاءالله مسئولیتی از برای او مهیا گردد ولو در سایر ولایات یا خارج از مملکت، در نظر من این مساله اهمیتی دارد نظر به محبتی که به آقا

---

* Ponson Du Terrail

رضا دارم.»*

* * *

امیرعباس هویدا دو ساله بود که پدرش به سِمَت سرکنسول ایران در دمشق منصوب شد. امروزه فاصله‌ی میان تهران و دمشق را می‌توان با هواپیما ظرف دو ساعت پیمود. اما در سال ۱۳۰۰، عین‌الملک و خانواده‌اش همین فاصله را در ظرف سه ماه طی کردند. به گفته‌ی هویدا، داستان این سفر «شباهتی تام به داستان‌های هزارویک شب» داشت.[۲۱]

خانواده‌ی هویدا، همراه وسایل منزلشان، با یک گاری از تهران به سواحل خلیج فارس رفتند. از آن جا باکشتی نخست خود را به بمبئی و سپس به یکی از بنادر دریای مدیترانه رساندند. از قضا سر از قاهره درآوردند. پس از اقامتی کوتاه در آن شهر، و پس از گذار از کانال سوئز، ماشینی دربست اجاره کردند تا آنها را به دمشق برساند.[۲۲] صحرا در آن روزها جاده و علایم راهنما نداشت. تی.ای.لورنس، معروف به لورنس عربستان هم که در همان روزها در همین صحرا سفر می‌کرد، آن جا را «دریایی بی‌نشان از شن» نامیده بود. راننده‌ی عرب زبان خانواده‌ی هویدا، گه گاه در میان شن‌زارها توقف می‌کرد، از ماشین پیاده می‌شد، گوش بر شن‌های صحرا می‌خواباند و به مدد اصوات رمزآلودی که می‌شنید، راه خود را از آن پهندشت بالقوه خطرناک بازمی‌جست.

در زمان این سفر، هویدا دو ساله بود. جزئیات مسافرت در ذهنش جز خاطره‌ای گنگ و مبهم نبود و ناچار به خاطرات مادرش متکی شد. می‌نویسد:

---

* وقتی آقای فواد میثاقی شنید که کتابی درباره‌ی زندگی هویدا در دست تهیه دارم، با من تماس گرفت و از سر محبت نسخه‌ای از این نامه را در اختیارم گذاشت. در همین حال وعده کرد که منبع سند را، که می‌گفت از مهم‌ترین کتب بهائیت است، بعدها در اختیارم خواهد گذاشت. متأسفانه چندی پس از ارسال این نامه، به بیماری سرطان درگذشت. عین دستخط را در کتاب آورده‌ام چون مأخذ نامه بر من روشن نیست.

«تصاویر زندگی سنین اولیه‌ی کودکی‌ام در نظر محو است. گاه این تصاویر با داستان‌های مادرم درباره‌ی زمان کودکی مخلوط می‌شود و من نمی‌توانم درست اینها را از هم جدا کنم و یادمانده‌های شخصی خود را از آن بیرون بکشم.» این اشتراک خاطره‌ها میان هویدا و مادرش را می‌توان از سویی تمثیلی از رابطه‌ی عاطفی، یا وابستگی عمیق هویدا به مادرش دانست. در عین حال تجسم تصویری‌ی این وابستگی را می‌توان در عکسی سراغ کرد که در دوازده سالگی‌ی هویدا گرفته شده بود. در تصویر، هویدا و برادرش فریدون را در کنار مادرشان می‌بینیم. گر چه فریدون یکسره جدا و مستقل از مادرش ایستاده، اما امیرعباس انگار به مادرش تکیه زده؛ حتی می‌توان گفت که به او آویخته است.

ژرفای این رابطه‌ی ادیپی، از سویی نتیجه‌ی رفتار سرد و بی‌تفاوت عین‌الملک، و از سویی دیگر پیامد ناخواسته‌ی پدیده‌ی مهاجرت بود. این واقعیت که بین مادر جوان و پرتحرک و فرزندش تنها نوزده سال فاصله‌ی سنی وجود داشت، قاعدتاً به شدت و عمق این رابطه می‌افزود. به علاوه، در آن بخش یاد ایام جوانی که وصف زندگی هویدا در بیروت و دمشق است، او از زبانی سخت حیرت‌آور بهره جسته؛ گاه لحنی غم‌زده دارد و زمانی دیگر چون گزارش پزشکی، دقیق، سرد و عاری از علقه‌های عاطفی است. از فقدان «علقه‌های عاطفی» می‌نالید. از سرشت گذرا و ناپایدار ایلاتی زندگی یک دیپلمات می‌گفت. از رنج و الم دوران کودکی‌اش یاد می‌کرد که در آن انگار همواره خانه به دوش بود. می‌گفت: «کسی که سالها به اصطلاحِ شاگرد مدرسه‌های قدیم قوز خود را از این کشور به آن کشور برده باشد، و گوشه‌ای خاک هم برای توقف و استراحت خود سراغ نکرده باشد، و شیء یا اشیائی نداشته باشد که قسمتی از خاطراتش را تشکیل دهد، چنین شخصی به راستی خود را یتیم احساس می‌کند.» اقرار می‌کرد که: «در تمام زندگی در خارج دائماً این تأثر را به همراه خود داشته‌ام که حتی یک میز، یک صندلی، یا یک

چیز دیگری را که مال خودم باشد در ید اختیار نداشته‌ام.»[۲۵] می‌گفت در دمشق، هر بار او یا برادرش فریدون می‌خواستند: «روی یک صندلی خودمان را به این طرف و آن طرف متمایل سازیم، یا روی یک میز که دلمان می‌خواست بنشینیم، صدای پدر و مادر هر دو در گوش من طنین‌انداز است که می‌گفتند آرام باشید، آرام. این میز یا این صندلی مال ما نیست. مال دولت است.»[۲۶]

در واقع، تلخی‌ی تجربه‌ی مهاجرت در دوران کودکی، و حالت خانه به دوشی در هویدا تأثیری ماندگار و مهم برجای نهاد. با خود وعده کرد که دیگر هرگز وطنش را ترک نکند. می‌گفت: «آنها که زندگی خود را برای مدت مدیدی در خارجه سپری نکرده‌اند شاید درست درک نکنند که من به راستی میل ندارم کشورم را ولو برای مدتی کوتاه، ترک کنم.»[۲۷] زمانی دیگر، بیش‌وکم عین همین عبارات را به برادر خود گفته بود. تأکید کرده بود که «دیگر حاضر نیستم دوباره در مهاجرت زندگی کنم.»[۲۸] بار و اهمیت این کلمات در آستانه‌ی انقلاب اسلامی ایران دوچندان شد. در آن زمان، هویدا چندین بار فرصت پیدا کرد که از ایران فرار کند و هرگز از این فرصت‌ها بهره نجست.

سال‌های اول مدرسه در دبستان فرانسوی‌ها در دمشق بر هویدا سخت گذشت. می‌گفت، در آن دوران «من دوستان بسیار نداشتم و در حقیقت در تنهایی به سر می‌بردم.»[۲۹] سخت‌گیری‌های پدرش، و نیز این واقعیت که اغلب در سفر بود و در زندگی فرزندش حضوری نداشت، بر تنهایی و دشواری آن سال‌ها می‌افزود. پدرش را انسانی «سخت» می‌خواند. می‌گفت: «با وجود این که نسبت به ما محبت بسیار داشت، ولی این محبت را همیشه در دل نگاه می‌داشت و ماه‌ها می‌گذشت تا محبت او را به ظاهر هم که شده ببینیم.»[۳۰] در جایی دیگر، می‌افزاید: «پدرم متمایل به خشم بود و میل نداشت که محبت خود را بنمایاند.»[۳۱]

در آن سال‌ها، عربستان سعودی که لورنس دستی در ایجادش داشت، در آتش جنگ‌های قبیله‌ای و عقیدتی می‌سوخت. آن جا نوعی تازه از سیاست خشونت‌بار رخ نموده بود. نسب این خشونت را برخی به «سلوک صحرایی» تأویل می‌کنند. وهابیان منادیان اصلی این روحیه‌ی خشونت‌بار بودند؛ روایتی تازه و یکسره بنیادگرا از اسلام را تبلیغ و ترویج می‌کردند.[۳۲] دولت ایران سعی تمام داشت که از درگیری مستقیم با حکام جدید عربستان احتراز کند. به همین خاطر، عین‌الملک را برای انجام مأموریت‌های دیپلماتیک به کرّات به آن کشور گسیل کرد.

بدین‌سان، عین‌الملک اغلب در سفر بود. در حضر هم تمام اوقاتش صرف انجام کارهای اداری می‌شد و فرصتی برای رسیدگی به مسائل خانوادگی نداشت. به همین خاطر، مسأله‌ی آموزش و پرورش فرزندان یکسره به عهده‌ی افسرالملوک بود. هویدا به لحنی پرشِکوِه درباره‌ی پدرش می‌گفت: او «جویای وضع تحصیلی ما نمی‌شد...با پدرم مدت زیادی محشور و معاشر نبودم... در آن سنین عمر که اطفال احساس می‌کنند باید بیشتر با پدر باشند و با او نزدیک‌ترند، ما پدرمان را فقط در تابستان می‌دیدیم و بس.»[۳۳]

عین‌الملک حضور و حالتی رعب‌انگیز داشت. هر وقت در منزل بود، فضا جدی‌تر و خوشی و خوشدلی کمتر می‌شد. حتی رفتار مستخدمان هم تفاوت می‌کرد. آنها با مادر هویدا رفتاری بی‌تکلف، حتی سرکش داشتند، ولی به محض آن که سروکله‌ی عین‌الملک پیدا می‌شد، خاضع و خادم می‌شدند. او سرکشی و بی‌تکلفی را برنمی‌تابید.

بحث پیرامون باورهای مذهبی سابق و لاحق پدر هم در خانواده ممنوع بود. انگار این ممنوعیت پس از مرگ او نیز ادامه داشت، چون بازتاب آن را در بخش‌های منتشر شده‌ی خاطرات هویدا نیز سراغ می‌توان کرد. آن جا هرگز سخنی از چندوچون دین و ایمان پدرش نیست. به گفته‌ی فریدون، در گفتگوهای خانوادگی، هرگز از بهائیت ذکری نمی‌شد. می‌گوید: «چهارده ساله

بودم که برای نخستین‌بار واژه‌ی «بهائی» را شنیدم. معنای آن را از دوستی جویا شدم.»[۳۴]

در عین حال، مناسک مذهبی نقشی در زندگی روزمره‌ی برادران هویدا نداشت. در واقع، یکی از نکات چشمگیر خاطرات هویدا، و نیز خاطرات برادرش، این واقعیت است که در هیچ کدام تظاهر به تدین محلی از اعراب ندارد.[۳۵]

*   *   *

دمشقی که خانواده هویدا به آن وارد شد شهری تخته‌بند التهابات بعد از جنگ و توطئه‌های استعماری بود. از حدود چهارصد سال پیش، دمشق در کنار دیگر مناطق سوریه، لبنان، اسرائیل و فلسطین امروزی همه زیر نگین سلاطین عثمانی بود. اما با شکست ترکیه در جنگ جهانی اول، امپراطوری عثمانی نیز فروپاشید و خاورمیانه به عرصه‌ی نبرد سیاسی نیروهای بزرگ بدل شد. دمشق هم از این قاعده مستثنیٰ نبود. جامعه‌ی ملل، که از قضا درست از همان سال تولد هویدا تأسیس شده بود، سوریه و لبنان را تحت قیمومت فرانسه قرار داد. حاصل این شد که هنگام ورود خانواده‌ی هویدا به دمشق، از سویی نیروهای ملی سوری علیه فرانسه می‌جنگیدند و از سوی دیگر، جنگ‌هایی میان اقلیت‌های مذهبی و قومی سوری، به خصوص میان دروزی‌ها و علوی‌ها در جریان بود. عین‌الملک خود اغلب در سفر، و از دمشق جنگ زده، به دور بود. هویدا و مادرش افسر الملوک، و نیز مادربزرگش، در حد امکان از خیابان‌های پرمخاطره‌ی شهر احتراز می‌جستند. تنها مأمن آنها چهاردیواری خانه بود.

امیرعباس چهار ساله بود که برادرش فریدون به دنیا آمد. اگر به سلوک سیاسی و عقیدتی این دو فرزند بنگریم، می‌بینیم که هر دو مصداق بارز نتایج

تحقیقات دامنه داری اند که در سال‌های اخیر در مورد تأثیر ترتیب تقدم و تأخر تولد فرزندان یک خانواده در کردار سیاسی و اجتماعی هر یک از آنان صورت پذیرفته است. مهم‌ترین تحقیقات در این زمینه از سوی فرانک سالووی * انجام گرفته است. به گمان او همین تقدم و تأخر، همین فرزند ارشد یا ته تغاری بودن، بیش از هر مؤلفه دیگر - از موضع طبقاتی گرفته تا میزان تحصیلات - سلوک سیاسی انسان‌ها را تعیین می‌کند.[۳۶] به طور مشخص، بر اساس مطالعات او، فرزندان ارشد، چون امیر عباس «بیشتر با والدین خود، و نیز با قدرت حاکم همسانی احساس می‌کنند... بلند پرواز و منظم اند و دستاوردهای زندگی نزدشان از اهمیتی ویژه برخوردار است.» در قیاس با برادر کوچک‌تر، آنها بیشتر میل «به همنوایی دارند، سنتی‌اند و به راحتی حالت دفاعی به خود می‌گیرند.» فریدون هم، مطابق پیش‌بینی‌های آماری سالووی، اندیشمندی جسور و خلاق از آب درآمد و بیش از برادرش حاضر به رویارویی با قدرت بود.

امیر عباس پنج ساله بود که پدرش عین الملک به تهران فراخوانده شد. در فاصله‌ی سال‌هایی که خانواده‌ی هویدا از ایران دور بود، اوضاع مملکت دگرگونی‌ها دیده بود. رضاخان شاه شده برد. دولت مقتدرش نه تنها پایتخت که سرتاسر مملکت را زیر نگین قدرت خود گرفته بود. رضاشاه سودای نوسازی جامعه را در سر داشت. باکش هم نبود که این تحولات را از بالا و به زور به جامعه بقبولاند.[۳۷] انگار کوشش‌هایش بر گرته‌ای از برنامه‌های بیسمارک در آلمان، میجی در ژاپن و آتاتورک در ترکیه شکل گرفته بود.

برای سفر بازگشت به ایران، خانواده‌ی هویدا راه دور و دراز سه سال پیش را برنگزید. در عوض دو ماشین فورد - که هر دو تازه به دمشق رسیده کنجکاوی و علاقه‌ی مردم را برانگیخته بودند - کرایه کردند و مستقیم به تهران بازگشتند.

---

* Frank Sulloway

در وصف تهران دوران کودکی‌اش، هویدا به دو واقعه عنایت و توجهی خاص نشان می‌دهد. نخست سفرش به مزار حضرت عبدالعظیم است. می‌گفت با مادرش به زیارت رفت و سوار ماشین دودی شد. معلوم نیست تا چه حد ذکر این واقعه تصادفی بود و تا چه حد در آن محاسبات سیاسی نیز راه یافته بود. به عبارت دیگر، آیا تذکار مجدد تعلقات مذهبی مادرش پادزهر تبلیغات کسانی بود که در آن زمان هویدا را به بهایی بودن متهم می‌کردند؟ واقعه‌ی دوم نوعی داستان گم شدگی است. می‌گفت بیش از سه ساعت در خیابان‌های شهر سرگردان بود. از واهمه‌هایش می‌گفت و از این که راه و آدرس دقیق خانه‌ی مادربزرگش را گم کرده بود. وقتی سرانجام به مدد پاسبانی به خانه بازگشت، آن پسرک کوچکی که هویدا بود، با خود وعده کرد: «از آن پس تصمیم گرفتم حرف بزرگترها را بشنوم و دیگر خودسرانه از منزل خارج نشوم.»[۳۹]

عین الملک هشت ماه در تهران ماند و آن‌گاه دوباره به پست سرکنسولی دمشق منصوب شد. این بار حوزه‌ی کارش تمام سرزمین فلسطین و نیز دفتر کنسولی ایران در بیروت را در برمی‌گرفت. تا آن زمان کنسول ایران در بیروت یک تاجر یونانی بود. می‌گفتند تجمل پرست و می‌خواره بود و سلوکش او را بیشتر به شخصیتی در یکی از رمان‌های گراهام گرین مانند می‌کرد. برای سفر به دمشق این بار خانواده‌ی هویدا به‌جای درشکه، کامیونی اجاره کرد. اسباب و اثاثیه آنها نیمی از سطح بارگیر کامیون را در بر می‌گرفت و نیم دیگر هم به مدد یک قالیچه و یک تشک و یک پشه بند به محل استراحت افسر الملوک و دو پسر و یک پرستار بدل شد. عین الملک هم در جلوی کامیون، در کنار راننده نشست.[۴۰]

بعد از چند ماه در دمشق روشن شد که کار دفتر بیروت سخت سنگین است و از راه دور اداره‌اش نمی‌توان کرد. لاجرم در سال ۱۳۰۷، وقتی امیرعباس هشت ساله بود خانواده‌اش دوباره نقل مکان کرد و این بار در خانه‌ای دو طبقه، در محله‌ی مسلمان نشین شهر بیروت سکنیٰ گزید. طبقه‌ی اول به دفتر کنسول

ایران تعلق داشت و طبقه‌ی دوم محل مسکونی خانواده شد. امیر عباس هم در مدرسه‌ی فرانسوی بیروت ثبت نام کرد؛ تشکیلاتی که به طور غیر رسمی به دولت فرانسه وابسته بود و خود را «میسیون لائیک» می‌خواند، کار اداره‌ی مدرسه را به عهده داشت. همین میسیون در تهران هم مدرسه‌ای دایر کرده بود که بعدها فرح دیبا در آن به تحصیل مشغول شد.

امیر عباس یازده سالِ مهم و تعیین کننده‌ی زندگی خود را در همین مدرسه در بیروت گذراند. همان‌گونه که از نام میسیون بر می‌آمد، برنامه درسی مدرسه فرانسوی‌ها یک سره عرفی بود. به علاوه دانش‌آموزان را غرق فرهنگ و زبان فرانسه می‌کرد. اما عین الملک مصمم بود که فرزندانش عربی هم بدانند و به همین خاطر معلمی خصوصی برای این کار استخدام کرد. به علاوه، فارسی زبان محاوره‌ی منزل هویدا بود. افسر الملوک به تعمیق شناخت فرزندانش از زبان و فرهنگ فارسی دل‌بستگی خاصی نشان می‌داد. به هر بیت شعر فارسی که فرزندانش از حفظ می‌خواندند، جایزه‌ای می‌داد. مجله‌های فارسی و موسیقی و غذای ایرانی هم جزئی همیشگی از زندگی خانوادگی هویدا بود.[۴۱]

هویدا خود اذعان داشت که در مدرسه شاگردی متوسط بود. در هیچ کلاسی مردود نشد؛ در عین حال، در هیچ کدام هم از خود برجستگی نشان نداد. تاریخ و انشاء دو رشته مورد علاقه‌اش بودند. معلمان وی اغلب در کارنامه‌های سالیانه‌اش به شکایت می‌نوشتند که او تنها در دروس مورد علاقه‌ی خود جدّیت نشان می‌دهد.

در مدرسه تنبیه بدنی هم گاه در کار بود. به گمان هویدا، اغلب معلم‌های عرب، و نه فرانسوی‌ها، به این گونه تنبیهات توسل می‌جستند. نشانه‌های گرایش‌های فرانسه‌خواهی هویدا را می‌توان از روایتش از این ماجرا سراغ کرد. می‌گفت: «مدرسه‌ی فرانسوی‌های بیروت روی سیستم صحیح فرانسه اداره می‌شد و معلمین فرانسوی با شاگردان بسیار دوستانه رفتار می‌کردند ولی متاسفانه معلمین عرب یک نوع خشونت خاصی از خود ظاهر می‌ساختند.»[۴۲]

او از روزی می‌نویسد که به دفتر یکی از ناظم‌های عرب مدرسه احضار شده بود. می‌گفت ناظم با خط کش به کف دستش زده بود و در عین حال حکم کرده بود که هویدا رو به دیوار، در حالی که یک پا را در هوا نگاه داشته، بایستد.*

در سال ۱۳۱۰، عین الملک پس از سه سال خدمت در بیروت به سمت وزیر مختار ایران در عربستان سعودی منصوب شد و تا سال ۱۳۱۴، در همان پست باقی ماند. اما ناگهان در آن سال به بازنشستگی ناچارش کردند. هنوز به سن قانونی بازنشستگی نرسیده بود و لاجرم شکی نباید داشت که در این تقاضا اجباری در کار بود. به روایت امیر عباس، تقاضای پدرش نتیجه‌ی اصلاحاتی بود که در آن زمان در وزارت امور خارجه جریان داشت. می‌گفت بر کشیدن جوانان کادر دیپلماتیک از اهداف اصلی این اصلاحات بود.[۴۳] اما فریدون هویدا در این باب نظری دیگر دارد. می‌گوید عزل پدرش نتیجه‌ی مستقیم وفاداری او به سردار اسعد بود. می‌گوید در روزگاری که سردار مغضوب رضاشاه شد، و به زندان افتاد، عین‌الملک به رغم هشدار دوستانش، و به حرمت دوستی‌اش با سردار، در زندان به دیدارش رفت و همین جسارت عزلش را کفایت می‌کرد.[۴۴]

منتقدین هویدا بازنشستگی پدرش را به عواملی دیگر تأویل می‌کنند. می‌گویند عربستان سعودی به فعالیت‌های تبلیغاتی عین‌الملک در دفاع از کیش بهائیت اعتراض کرد و عزلش نتیجه‌ی همین اعتراضات بود. بازنشستگی، به هر علت که بود، تأثیر روانی شدیدی بر عین‌الملک داشت. به علاوه، چند سالی بود که از لحاظ جسمانی نیز با دشواری‌هایی روبه‌رو شده بود. مدتی مدید مریض بود. افزون بر این بیماری، در روزگاری که در عربستان بود روزی از

---

* در روایت هویدا از این واقعه، نشان چندانی از تلخی نمی‌بینیم. در واقع، نکته‌ی جالب روایتش را باید در اشاره‌ی او به «سیستم صحیح فرانسه» سراغ کرد. بر خلاف ادعای او در واقع در دهه‌ی سی قرن بیستم، یعنی درست در زمانی‌که او را به دفتر ناظم عرب فراخوانده بودند، تنبیه بدنی در مدارس فرانسوی سخت رایج بود.

شتر افتاد و درمانش عملیات جراحی متعددی را ایجاب کرد. این عوامل همه دست به دست هم داد و عین‌الملک را، در واپسین روزهای زندگی، مردی سخت دل‌شکسته کرد. وی در بیست و پنجم اسفند ۱۳۱۴ درگذشت. در این هنگام امیرعباس هویدا هفده ساله بود.

مرگ پدر وضعیت مالی خانواده را ناگهان دگرگون کرد. ناچار شدند از منزل سه اطاق خوابه‌ای که در محل مسلمان نشین بیروت اجاره کرده بودند به آپارتمان دو اطاق خوابه‌ی کوچکی در همان محله نقل مکان کنند.[۴۵] به علاوه چاره‌ای جز مرخص کردن سه مستخدمی که پیشتر در منزل آنها کار می‌کردند نبود. ممر درآمد اصلی خانواده همان حقوق بازنشستگی عین الملک بود. بسیاری از دوستان پدر در آستانه‌ی مرگش وعده و وعیدها در باب کمک‌های مالی و بورس تحصیلی دادند. اما در عمل هیچ کدام قدمی در جهت کمک به خانواده هویدا برنداشتند.[۴۶] افسر الملوک با درایتی تمام اداره‌ی خانواده را در شرایط بحرانی جدید بر عهده گرفت. گاه از حساب پس اندازش برداشت می‌کرد، اما همواره هدفش این بود که دو فرزندش را از گزند مصائب وضعیت مالی جدیدشان مصون بدارد. به‌رغم تلاش‌های مادر، تغییراتی که در وضع اقتصادی خانواده پیدا شد، تأثیری عمیق بر روحیه‌ی امیر عباس گذاشت. به این نتیجه رسید که، در زندگی «باید همیشه آماده و مهیا برای مقابله با هرگونه پیش آمد و تحمل سختی‌ها و ناگواری‌ها شد و زندگی را بر اساس سادگی تحمل کرد و هیچ وقت برده و بنده و یا مشتاق و شیفته‌ی زندگی نشد.»[۴۷]

مرگ پدر تغییری در وضع مدرسه امیر عباس ایجاد نکرد. به تدریج به یکی از شاگردان محبوب مدرسه بدل شده بود. دوستانش می‌گفتند علائق روشنفکری فراوان دارد و سخت مبادی آداب است. گاه هم به فعالیت صنفی دانش آموزی دست می‌زد. برای چند سالی، یکی از کمونیست‌های سابقه‌دار فرانسه به نام گراند ژوان* مدیر مدرسه شد. حضورش دانش آموزان را نسبت

---

* Grand Jouan

به مسائل اجتماعی و خواست‌های جنبش چپ دلبسته ترکرد. هم او باعث شد که جنگ داخلی اسپانیا، که آن روزها نقل محافل چپی در جهان بود، به یکی از مباحث داغ مدرسه تبدیل شود. به علاوه، یکی از هم کلاسی‌های هویدا نیز در رواج دادن این‌گونه مباحث سخت مؤثر بود. او عضو سازمان جوانان حزب کمونیست فرانسه و از یکی از خانواده‌های اشرافی پر آوازه به نام دان‌دورن* بود. برخی از اعضای همین خانواده بعدها به جرم جاسوسی شهرتی سوء پیدا کردند.[۴۸]

امیرعباس و فریدون تنها ایرانیان مدرسه نبودند. آن روزها بیروت یکی از مراکز اصلی فعالیت چپی‌های مهاجر ایرانی بود. هویدا با برخی از این مهاجران دوست شد. گرچه در آن دوران هویدا آثار مارکس را می‌خواند، و گرچه برخی از این رفاقت‌ها سبب شد که تمام عمر، نزد برخی به «روشنفکر کافه نشین چپی» شهرت پیدا کند، اما هویدا هرگز مارکسیسم، یا حتی سوسیال دمکراسی را، به سان یک جهان بینی، یا مجموعه‌ای از جزمیات کامل، نپذیرفت. محرک اصلی‌اش برای مطالعه‌ی مارکس نه وسوسه‌ی توسل به اندیشه‌ای جزمی، که عطش همیشگی‌اش برای اندیشه‌های گوناگون و اشتهای سیری ناپذیرش برای کتاب بود.

در سال‌های بعد، سوای همان شهرتش به عنوان «روشنفکر کافه‌نشین چپی» تنها چیزی که از این مطالعات مارکسیستی در ذهن و زبانش باقی ماند، طنین اغلب خفیف برخی اندیشه‌های سوسیالیستی بود.

همین عطش سیری ناپذیر او را راهی‌ی سینماهای بیروت می‌کرد.** از همان روزها، به سینما علاقه‌ای ویژه داشت و این علاقه تا پایان عمرش دوام

---

* D'Andurains

** فریدون هویدا در مصاحبه‌ای (در دسامبر ۱۹۹۷) یاد آور شد که در بیروت فیلم یکی از مشغله‌های محبوب او و برادرش بود. فریدون بعدها به یکی از معتبرترین منتقدان عالم سینما بدل شد. از بنیانگذاران و همکاران اصلی مجله معروف کایه‌دو سینما Cahiers du Cinema بود.

پیدا کرد. به علاوه، بسیاری از کتاب‌هایی را که معلمان مدرسه توصیه می‌کردند، به خصوص آثار نویسندگان فرانسوی را با ولعی تمام می‌خواند. مائده‌های زمینی آندره ژید، که ترجمه‌ی فارسی آن بعدها به قلم دکتر حسن هنرمندی و نیز جلال آل‌احمد در ایران منتشر شد، از کتاب‌های محبوب آن دورانش بود. در آن کتاب بود که ژید به زبانی سخت سرکش و غیرمذهبی هستی‌ی انسان را ارج می‌گذاشت، لذت‌طلبی را می‌ستود، و بی‌پروا اعلان می‌کرد که «دیگر به گناه ایمانی ندارم.» در دوران جوانی، این کتاب همدم دائمی هویدا بود. ۵۰ وقتی بعدها در بندر بیروت، به قصد اروپا، سوار کشتی شد، تنها کتابی که همراه داشت همین مائده‌های زمینی بود.

نیچه، ارنست رنان و دی.اچ.لارنس از دیگر نویسندگانی بودند که قرائت آثارشان را معلمان مدرسه فرانسوی‌ها توصیه می‌کردند. اغلب شب‌ها، هویدا و دوستانش در آپارتمان خانواده‌ی او گردهم می‌آمدند و با قاطعیت و تب و تابی که مختص مباحث دوران جوانی است، کتاب‌های مورد مطالعه‌شان را به بحث می‌گذاشتند و معنی و پی‌آمد این آثار را در زندگی خود جستجو می‌کردند. گاه هم به بحث پیرامون مسائل سیاسی روز می‌پرداختند. می‌خواستند ایران را از دور باطل فقر و جهل بیرون بکشند. تجددخواه بودند و سودای روزی را در سر می‌پختند که ایران هم به جامعه‌ای متجدد و ترقی‌خواه تبدیل شود. بحث امکان ایجاد یک دولت یهودی در بخشی از سرزمین فلسطین هم در آن زمان سخت رایج بود. هویدا از جمله اقلیت کوچکی بود که از ایجاد چنین دولتی طرفداری می‌کرد. می‌گفت این تنها پادزهر سامی ستیزی تاریخی است. ۵۱

آندره مالرو یکی دیگر از موضوعات بحث‌های داغ دانش‌آموزان مدرسه‌ی فرانسوی‌های بیروت بود. در آن زمان، مالرو از پرآوازه‌ترین روشنفکران فرانسه به شمار می‌رفت. چند و چون زندگی‌اش در هندوچین سخت بحث انگیز شده بود. در کشاکش بحث‌هایی که روزها در مدرسه و

غروب‌ها در منزل هویدا جریان داشت، او دلبستگی خاصی به بارون کلاپیک، یکی از شخصیت‌های اصلی کتاب سرنوشت بشر نشان می‌داد.*

سرنوشت بشر مالرو مراحل نخست انقلاب چین را از منظر اندیشه‌های اگزیستانسیالیستی بر می‌رسد. بارون کلاپیک هم یکی از پیچیده‌ترین و پرتناقض‌ترین شخصیت‌های داستان است. نسب به اشرافیتی از سکه افتاده می‌برد. نه تنها جهان، که خویشتن را نیز از منظری در آن واحد تلخ و طنزآمیز می‌نگریست و می‌سنجید. می‌دانست که روزی «منجّم دربار خواهد بود» و «مرگش در لحظه‌ای فراخواهد رسید که می‌خواهد ماه را از درون مردابی بیرون بکشد.»[۵۳] سخاوتش حدی نمی‌شناخت. واپسین صد دلاری را که در جیب داشت، بر سبیل انعام، به پیشخدمت یک رستوران بخشید. با زنان رفتاری محترمانه داشت. در عین حال از ایجاد و حفظ رابطه‌ی ماندگار با آنان عاجز بود.

کردارش بیشتر نه بر اساس اصول اخلاقی که غریزی بود. در کشاکش مبارزاتی که در شانگهای جریان داشت ـ و محور اصلی سرنوشت بشر همین مبارزات است ـ همدلی او بیشتر با انقلابیون کمونیست بود. در عین حال با

---

* تدوین یک زندگی‌نامه به تلاش در جهت یافتن طرح و گرته‌ای می‌ماند که اغلب، بی‌اطلاع خودشخصی که موضوع آن زندگی‌نامه است، در پس هستی‌اش رخ می‌نماید. پیش شرط این گونه روایت، پذیرفتن این فرضیه است که هر رخداد زندگی، هر چقدر هم که بی‌ارزش بنماید، از اهمیت و معنایی برخوردار است. وقتی در گفتگوهای سرسری دبیرستانی، هویدا به آندره‌ژید یا بارون کلاپیک ابراز علاقه می‌کرد، قاعدتاً نمی‌دانست که پنجاه سال بعد، همین ابراز علاقه‌ی ساده، در دست راوی زندگی او، به رمز سرشت و سرنوشت او بدل خواهد شد. در واقع، یکی از مخاطرات زندگی‌نامه‌نویسی، به سان یک نوع ادبی، دقیقاً در همین نکته نهفته است. همین جا است که به این وسوسه دچار می‌توان شد که هیچ رخداد و هیچ گفتاری را گذرا و تصادفی ندانیم. همه چیز را معنادار بینگاریم. در حقیقت زندگی‌نامه نویسی بخشی از همان مقوله‌ای است که نیچه آن را «بیماری نظری» می‌نامد، یعنی تلاش ناکام انسان‌ها برای تقلیل جریان سیال و به غایت پیچیده‌ی هستی انسان به الگوها و ساخت‌هایی که مأنوس ذهن ما هستند. گر چه این تلاش‌ها دن کیشوت‌وار جلوه می‌کنند، اما برای درک دست‌کم بخشی از پیچیدگی‌های آن عرصه‌ی یکسره بیگانه‌ای که «انسان دیگر» است چاره‌ای جز همین تأویل‌ها و تقلیل‌ها نداریم.

مقامات پلیس، با یاغیان مسلح و با سفارتخانه‌های مختلفی که طرفدار قتل عام کمونیست‌ها به دست چان کایچک بودند نیز تماس داشت. دلال اشیای عتیقه بود. بعضی حتی مدعی بودند که قاچاق تریاک هم می‌کند. اما به گمان ژیسور* که خود خردمندترین شخصیت رمان است، بارون در دنیای خیالی‌ی خاص خود زندگی می‌کرد؛ دنیایی پر از رؤیا و دروغ؛ در یک کلام، او از بیماری «خیال‌بافی رنج می‌برد... خیال‌بافی برایش راهی برای انکار زندگی است.»[۵۴]

کلاپیک را در عین حال می‌توان یک نیست‌انگار نیز دانست. نزد او «هیچ چیز واقعیت ندارد. همه چیز رویایی بیش نیست.»[۵۵] از سویی سودای تجمل در سردارد و از سویی دیگر، میل و توانایی اندوختن ثروت را دارا نیست. تجمل پرستی‌اش بیشتر از جَنَم اپیکوری است و به کیش تملک فردی عصر جدید ربطی ندارد. رگه‌هایی از شکاکیت نیست‌انگارانه در او هست و به همین خاطر: «میل به مرگ... و سودای خود ویرانی» در او فراوان اند.[۵۶] هنگامی که شاهزاده‌ای لهستانی‌الاصل و مشکوک، هشدارش داد که اگر تا فردا شانگهای را ترک نگوید چیزی جز مرگ در انتظارش نخواهد بود، او تمام موجودی نقدی‌اش و نیز بخش اعظم وقتش را در کازینویی صرف قمار می‌کند.

به قول ژیسور، کلاپیک مردی است که «قلبی زرین دارد که در عین حال تهی است... برخلاف انسان‌های دیگر، شالوده‌ی شخصیت کلاپیک نه دلبستگی است، نه تنهایی، همه‌ی وجود او احساسات است ولاغیر.» او از نادر کسانی است که «هسته‌ی درونی»[۵۷] ندارند. سرانجام هم، فقیر و بی‌پول، لباس ملوانی به تن، از چین گریخت، در حالی‌که برخی از دوستانش در «سرسرای بزرگی که پیشتر به یک مدرسه تعلق داشت» در انتظار بودند که به «حیاطی هدایت شوند و آن جا به جوخه اعدامشان بسپرند.»[۵۸]

بی‌شک در جوهر هر انسانی، تناقض‌هایی سراغ می‌توان کرد. اما کلاپیک، مانند هویدا، از جمله نادر انسان‌هایی بود که هویتش را همین تناقض‌ها تعریف

---

* Gisor

و تعیین می‌کرد. هم گدا و هم ولخرج بود. اشراف‌زاده‌ای فقیر بود. به جهان به دیده‌ی بدبینی می‌نگریست و در آن واحد، سخت خوش‌گذران هم بود. به قول مالرو «کلاپیک از دو شخصیت مختلف تشکیل شده بود. یکی شوق زندگی داشت و دیگری سودای مرگ.»[۵۹]

در مورد هویدا نیز انگار هم در دوران جوانی هم در بقیه دوران حیاتِ یکسره سیاسی‌ی او، با دو شخصیت سخت متفاوت روبه‌رو هستیم. در بیروت در عین این که به کلاپیک و نیست‌انگاری‌اش علاقه نشان می‌داد، طرفدار سن‌ژوست هم بود، یعنی همان کسی که به «بداخلاقی و خودخواهی و تکبر» شهرت داشت و از چهره‌های خوف‌انگیز انقلاب فرانسه بود.[۶۰] هم او بود که با تشکیل دادگاهی برای رسیدگی به جرایم شاه مخالفت می‌کرد چون می‌گفت: «مستتر در نفس تشکیل چنین دادگاهی، فرضیه‌ی امکان بی‌گناهی شاه است.» او بود که می‌گفت: «برای تثبیت نظام جمهوری، قتل شاه ضروری است.»[۶۱]

به علاوه، هویدا در گفتگو با بعضی از دوستان ایرانی‌اش، از تروتسکی هم دفاع می‌کرد.[۶۲] در آن زمان دادگاه‌های شرم‌آور مسکو تازه تشکیل شده بود. بسیاری از دوستان کمونیست هویدا، و در واقع بیش‌وکم تمامی کمونیست‌های ایرانی، جانب استالین را گرفته بودند. نزد آنها تروتسکی تجسم شیطان بود.

کلاپیک و بدبینی طنزآمیزش، سن‌ژوست و ایمان خلل ناپذیرش به قدرتِ شفابخشِ خشونت، آندره ژید و کیش ستایش امیال جسمانی‌اش، و حتی تروتسکی و اندیشه‌ی انقلاب دائمش همه در یک نکته مشترک‌اند. همه رمانتیک‌اند. حتی حلقه‌ی دوستان نزدیک هویدا در مدرسه هم برای خود نامی گزیده بودند که طنین رمانتیسم تاریخی در آن موج می‌زد. آنها خود را نخبگان روشنفکری مدرسه می‌دانستند و نام «تمپلرها»* را برگزیده بودند.[۶۳] انتخابشان سخت غریب بود چون تامپلرهای سده‌ی دوازدهم، سلحشورانی پرآوازه بودند که در جنگهای صلیبی، علیه مسلمین می‌جنگیدند. به گمان

---

* Templars

برخی از محققان، همین تامپلرها را باید هسته‌ی اولیه فراماسونری دانست. برخی دیگر، معتقدند آنها را باید مایه و ملاط مهمی برای «ذهنیت ادبی عصر رمانتیک شمرد.»[۶۴] البته تامپلرهای بیروت، صرفاً در شیطنت‌های جوانی هم‌کیش و هم‌پیمان بودند.

هویدا همواره در عالم رفاقت وفادار بود. بسیاری از کسانی که در بیروت ملاقاتشان کرد تا پایان عمر دوست و رفیقش باقی ماندند. پروایی هم نداشت که این دوستی‌ها گاه به زیان خودش تمام شود. به علاوه برخی از دانش‌آموزان عرب مدرسه بعدها به صف نخبگان سیاسی جهان عرب پیوستند. به قول هویدا: «در یکی از کابینه‌های لبنان، از دوازده نفر وزیر، هفت نفر آنها از همشاگردی‌های من بودند.»[۶۵]

در میان دوستان حلقه‌ی «تامپلر»، هویدا دلبستگی خاصی به دختر زیبا و جوانی به نام رنه دومان* داشت. هر دو در اجرای یکی از نمایشنامه‌های راسین به نام Les Plaideurs نقشی داشتند. نقش کنتس پیمپوش** را رنه بر عهده داشت. نقش اصلی یعنی داندن*** را هویدا بازی می‌کرد. او قاضی پرکاری است که «پیچ و مهره‌اش در نتیجه‌ی کار زیاد کمی شل شده بود». در یکی از شبهای اجرای همین نمایش بود که هویدا شوخ‌طبعی و تیزهوشی و حاضرجوابی‌ای را که بعدها بخشی از هویت سیاسی‌اش شد، از خود نشان داد. وقتی تماشاچیان به صدایی بلند در واکنش به یکی از عبارات داندن خندیدند، هویدا که لباس پرزرق و برق قاضی بر تن داشت، چکش ریاست را بر میز خود کوبید، و اعلان کرد که «اگر حضار سکوت اختیار نکنند، چاره‌ای جز اخراجشان نخواهیم داشت.»[۶۳]

معلم تئاتر مدرسه که به قداست متون کهن ایمانی راسخ داشت، تغییر فی‌البداهه در متن نمایش راسین را نپسندید. تماشاچیان با خنده‌ی مجدد و بلند

---

* Rene Domont   ** Countess of Pimposh

*** Danden

خود نشان دادند که از ابتکار هویدا خوششان آمده است.۶۸

هویدا تا پایان عمر با رنه در مکاتبه بود. گهگاه در نامه‌هایش از نمایش راسین یاد می‌کرد و گاه حتی رنه راکنتس می‌خواند. رابطه‌ی این دو از جنبه‌ای سخت زیبا بود. در آن نشانه‌های عشقی را می‌توان سراغ کرد که هرگز علنی نشد و فرصت تحقق پیدا نکرد. وقتی در تابستان ۱۳۷۷، در بروکسل به دیدن رنه رفتم، کت و دامنی شیک و آبی‌رنگ به تن داشت. سر و صورتش را در عین سلیقه آرایش کرده بود. با شوقی تمام، ماجرای دوستی‌اش با «امیر» را شرح می‌کرد. همه‌ی وقار یک بانوی بورژوای با فرهنگ اروپایی در او مشهود بود. در چهره‌اش زیبایی و رعنایی جوانی‌اش هنوز با علایم پیری در جدال بود. معلوم بود که در جوانی، هر کس به راحتی می‌توانست به او دل ببندد.

گفتگومان گاه به فرانسه و زمانی به انگلیسی بود. اغلب عبارتی را به انگلیسی می‌آغازید، و آنگاه هیجان روایت به وجدش می‌آورد و ناگهان، ندانسته گفتارش را به زبان مادری‌ی فرانسه‌اش ادامه می‌داد.

می‌گفت اول بار هویدا را زمانی ملاقات کرد که هر دو درگیر یک اعتصاب دانش‌آموزی بودند. مدیر مدرسه یکی از دانش‌آموزان عراقی را اخراج کرده بود و هویدا و همرزمانش خواهان بازگشت آن دانش‌آموز بودند. مسئولان مدرسه سرانجام تسلیم خواست دانش‌آموزان شدند. رنه می‌گفت: «امیر پرمحبت و با تساهل و پرفضل» بود. می‌گفت کردارش «موقر و رسمی» بود. ده سال طول کشید تا سرانجام هویدا در نامه‌ای که از لندن برای او فرستاد، برای نخستین‌بار به جای «شما» او را «تو» خطاب کرد. در همین نامه، نشانه‌هایی از همان دلبستگی مکتوم‌شان را نیز سراغ می‌توان گرفت.۷۰ البته، به گفته‌ی رنه: «برای من و امیر، رفاقت مهم‌تر از عشق بود. عشق زودگذر است و هرگز عمری نمی‌پاید. رفاقت همه عمر باقی است.»۷۱

می‌گفت گفتگوهاشان اغلب گرد مسائل ادبی دور می‌زد. به افسوس

یادآور می‌شد که «امیر به راحتی می‌توانست از مولیر، بودلر یا آپولینر عباراتی از حفظ نقل کند.» از دقت همیشگی هویدا در لباس پوشیدن می‌گفت. از پیراهن سفید و کراوات سرخ و شلوار آبی‌یی می‌گفت که یونیفورم مدرسه بود. معتقد بود «وقتی امیر همین لباس را هم می‌پوشید، باز هم حال و هوایی خاص داشت». آن‌گاه، ناگهان، گویی از سر تصادف، چند کلمه از شعری به خاطرش آمد که هویدا پیش از ترک بیروت، در پشت دفترچه‌ی او نوشته بود. می‌گفت شعری از آلفرد دووینی* بود. وعده کرد که اگر دستخط هویدا را یافت، کپی‌یی از آن برایم ارسال کند.

وقتی هویدا بیروت را ترک می‌گفت، فرهنگ و زبانی که در ذهنش طنین داشت، منبع اصلی سرمایه‌های نمادین او، اشعاری که از عشق و آرزو و ناامیدی‌هایش سخن می‌گفت، شگردهای زبانی‌یی که پی‌رنگ گفتار و نوشتارهایش را شکل می‌بخشید، همه در اصل اروپایی بود. بیش‌وکم تمام کتاب‌هایی که می‌خواند به فرانسه، انگلیسی یا عربی بود. تنها در منزل، آن هم به تاکید و پافشاری مادرش، اشعاری فارسی می‌خواند تا از این راه تسلطش را بر زبان فارسی حفظ کند.

در دوران اقامتش در اروپا، روحیات غربی‌ی او بی‌شک مایه‌ی راحتی کارش بود. اما وقتی به ایران بازگشت، گرچه همین روحیات کمکش کرد تا با سرعتی حیرت‌آور به رأس هرم قدرت برسد، در عین حال، چشم اسفندیارش هم بود. مشکل بتوان بر مملکتی حکومت کرد که زبان و فرهنگش تبدیل به یک وادی بیگانه شده‌اند. همسر هویدا همین نکته را به تلخی و ایجاز کامل، به این شکل بیان می‌کند: «هویدا برای ایرانی‌ها زیاده از حد اروپایی بود.»[۷۲]

سه ماه منتظر ماندم و سرانجام نامه رنه، همراه با نسخه‌ای از دستخط هویدا رسید. چهارخطی که بر سبیل یادگاری، بر دفتر رنه نوشته بود به راستی از بابت شباهتش به زندگی خود هویدا تکان‌دهنده بود. آن چهار خط از معروف‌ترین

---

* Alfred de Vigny

اشعار دووینی، به نام «مرگ گرگ»اند.

نالیدن، زاریدن و گریستن اعمالی زبونانه اند*

دل قوی دار و در جاده‌ی سرنوشت گام بگذار

و باری راکه قرعه‌ی فال بر دوشت نهاده برگیر

و آنگاه چون من، رنج بکش و در خلوت بمیر.

---

* شعر دووینی ظاهراً به استقبال شعری از بایرن به نام «چایلد هارولد» رفته. دو خط از همین شعر مطلع این فصل است.

فصل سوم

زائر پاریس

در کوچه پس‌کوچه‌های پایتخت‌های قدیمی
همه چیز، حتی وحشت هم، حیرت‌آور است.
بودلر

نسخه‌ای از **مائده‌های زمینی** آندره ژیده به دست در شهریور ۱۳۱۷، در غروبی دم‌کرده، امیرعباس نوزده ساله، در بیروت سوار کشتی‌ای شد که او را به اروپای عالم خیالش می‌برد.

مادرش، افسرالملوک، به‌ناچار در همان منزل با او وداع گفت. آن روزها بندر بیروت در شمار محله‌های ناامن شهر بود و خانم‌ها حتی‌الامکان از رفتن به آن جا احتراز می‌کردند. مناسک مألوف خداحافظی، آن چنان که رسم خانواده‌های مسلمان بود، به اصرار مادر امیرعباس اجرا شد. افسرالملوک در آستانه‌ی در ایستاد، قرآنی به دست گرفت، و فرزندش را سه بار، در حالی‌که هر بار از سر تسلیم تعظیم می‌کرد، از زیر آن کتاب مقدس گذراند و بار سوم، مسافر جوان را واداشت تا قرآن را ببوسد و آن را بر سبیل تکریم، برچشمان خود بگذارد.[۱]

هویدا می‌نویسد: «من با چشمانی پراشک و گلوی فشرده با برادرم به قصد بندر سوار تاکسی شدیم. مادرم آرامش خود را حفظ کرده و مرا به پیروی از عقل نصیحت می‌کرد. می‌دانستم که لااقل اندوه و حُزنش به اندازه‌ی غم من است.»[۲] بدین‌سان، فریدون و امیرعباس راهی‌ی بندری شدند که در آن

روزها، پر از مسافران اروپایی و عرب، و خیل عظیمی از دستفروشان و ملوانان و حتی الواط بود. محتوای چمدان هویدا فقط دو دست کت و شلوار، چند پیراهن، چند تکه لباس زیر و وسایل اصلاح صورت بود. می‌گفت عازم اروپایی بودم که «از آن همه چیز آغاز می‌شد و همه چیز در آن پایان می‌یافت... به سوی سرزمینی می‌روم که غذای زندگی فکری من بود، در مدّت دوازده سالی که روی نیمکت‌های یک مدرسه فرانسوی به‌سر برده بودم.»[۳]

حتی کشتی‌یی که هویدا را به اروپا می‌برد، حیرت و تحسینش را برانگیخت. می‌گفت: «کشتی‌یی که در انتظارم بود متعلق بود به شرکت مسافربری ماریتیم فرانسه به نام شامپولیون. این نام دانشمندی فرانسوی است که برای اولین بار توانست خط کوفی را که در زبان فرانسه نام آن Cuneforme می‌باشد به خوبی بخواند*... در دروس مدرسه، زندگی و تقدیر او را دنبال کرده بودم... آیا این خود نشانه‌ای و اثری از تقدیر به شمار نمی‌رفت؟ سفر به اروپا. سرچشمه‌ی همه دانش‌ها، با کشتی‌یی که نام آن با علم و تاریخ پیوسته است.»[۴] در کنار این همه اوصاف سخت ستایش‌آمیز از اروپا، تنها گاه‌گاه، ته‌رنگی از چیزی در مقوله‌ی انتقاد هم سراغ می‌توان کرد. می‌گفت: «تصور می‌کردم به سوی یک اروپا که آن را مادر و دایه‌ی بشریت می‌دانستم می‌روم، اما به‌سوی خاکی مرده گام می‌نهادم، اروپایی که در شرف مرگ بود به علت کینه‌ها، عدم تفاهم‌ها و خودخواهی‌هایش.»[۵]

اگر نقشه‌ی جغرافیا را ملاک بگیریم، سفر هویدا دور و دراز بود و او را از قاره‌ای به قاره‌ی دیگر می‌برد. اما اگر عادات فکری را سنجه بدانیم، و اگر قول کلود لوی اشتراوس را بپذیریم، آن‌گاه سفرش را می‌توان گشت وگذاری در

---

* هویدا در این جا مرتکب یک اشتباه تاریخی شده. شامپولیون (۱۸۳۲-۱۷۹۰) در واقع مصرشناس فرانسوی بود که در هنگام مطالعه‌ی سنگهای رستا Rosetta رمز هیروگلیف مصری را کشف کرد. خط کوفی را سومری‌ها حدود شش هزار سال پیش تدوین کردند. کسانی چون اچ.سی.رالینسون H.C. Rawlinson و جی.اف.گروته‌فن G.F.Grotefen رمز خط کوفی را گشودند. مهم‌ترین دست‌آورد آنها ترجمه متون کوفی ایرانی بود.

سرزمینی مألوف دانست. لوی‌اشتراوس می‌گفت مسلمانان و فرانسوی‌ها در یک نکته شباهتی تام دارند. می‌گفت در هر دو: «می‌توان نوعی برخورد کتاب‌زده، نوعی روحیه‌ی ناکجاآبادی سراغ کرد. هر دو بر این قول استوارند که حل نظری یک معضل، در حکم حل [عملی] آن معضل است... هر دو تصاویری مشابه از جهان می‌آفرینند که در آن می‌توان با کاربرد زیرکانه‌ی منطق و خرد، از پس هر مشکلی برآمد.»[۶] بیروت، شاید بیش از هر شهر دیگر، تجسم سودازده‌ی آمیزش شرق و غرب و فرانسه و جهان اسلام بود. بدین‌سان، هویدا که فرزند خلف بیروت جهان وطن بود به فرانسه‌ای می‌رفت که دست‌کم به روایت اشتراوس، تنها می‌توانست برخورد کتاب‌زده‌ی او، و اندیشه‌های ناکجاآبادی التقاطی‌اش را، و نیز این گرایشش که حل نظری هر مساله را به معنای حل آن در جهان واقع بداند، دو چندان کند.[۷]

در روز دوم، سودای دیدار فرانسه بر دلهره‌های متعارفی که همزاد سفرند غلبه کرد. در عوض، نوعی حالت کشف و انتظار، نوعی امید به وصلت فکری بر او مستولی شد. بوی «بیفتک و سیب‌زمینی» در همه‌جای کشتی پخش بود. به گمان هویدا «بدین ترتیب، وجود کشور فرانسه به خوبی احساس می‌شد.»[۸]

کلمات به غایت صادقانه‌ی هویدا درباره‌ی فرهنگ فرانسه و اروپا نه تنها چشم‌انداز فکری او، بلکه وسوسه‌های نسلی از روشنفکران و سیاستمداران ایران و خاورمیانه را هم نشان می‌داد. به‌علاوه، بخشی از اهمیت کلمات هویدا را باید در این واقعیت سراغ کرد که او آنها را در زمانی که نخست‌وزیر ایران بود به قلم آورد. در نظر بسیاری از روشنفکران و سیاستمداران هم نسل هویدا، فرانسه، به‌ویژه در سال‌های پیش از جنگ جهانی دوم، تجسم تجدد و تغییر بود.[۹] تنها پادزهر خمار تاریخی ممالکی به شمار می‌رفت که به گذشته‌ای پرعظمت و مالامالِ مذهب دل خوش کرده بودند.[۱۰] در واقع، پدربزرگ مادری هویدا خود تجسم و نمونه‌ی کامل این نوع گرایشات فرانکوفیل (فرانسه دوستی) بود. خاطرات هویدا مؤید این واقعیت‌اند که او نیز، مانند پدر

بزرگش، به فرنگ دلبستگی خاصی داشت. به همین خاطر، وقتی سوار کشتی شامپولیون شد، هیجان دیدار اروپایی که سالها به ولع درباره‌اش خوانده بود، ذهنش را یکسره به خود مشغول می‌داشت.

هویدا، همراه هفت مسافر دیگر، در کابین کوچکی در بخش «درجه‌ی سه» کشتی جاگرفته بود. می‌گفت اطاقی کوچک بود که در آن «هشت تخت گذاشته بودند. چهار تا تخت روی هم، یعنی یکی بالای دیگری.» [۱۱] در بخشی دیگر از یادداشت‌ها، در همین باره می‌نویسد: «این کابین در قسمت پایین کشتی بود و بنابراین دریچه‌ای به سوی دریا نداشت و طبیعی است که بلافاصله آدم احساس ناراحتی در این فضای بسته بدون پنجره می‌کرد.» می‌پرسید: «چرا آدم خود را وابسته کند به اشیای روی زمین؟» اقرار می‌کرد که «من در زندگی‌ام، جز درجه سه نشناخته بودم. "دنیای درجه سه" به من نزدیک‌تر بود و من به آن عادت کرده بودم. زبان آن را می‌فهمیدم. این زبان دل است که همیشه برایم آشنا شد.» اگر این عبارات را به دیده‌ی تأئید بنگریم، آنان را می‌توان ته‌رنگی از نظرات مارکسیستی دوران جوانی‌اش دانست. در مقابل، اگر بخواهیم آنان را به نظر انتقادی بنگریم، آن‌گاه باید این کلمات را مصداق نوعی تظاهر و ریاکاری سیاسی دوران صدارتش بدانیم. [۱۲]

در این خاطرات، به تضادی سخت‌گویا میان واپسین تصویر هویدا از شرق و نخستین نگاهش به غرب برمی‌خوریم. اولی به غایت واقع‌بینانه و دومی یکسره خیالی است. واپسین تصویرش از مشرق، به اسکندریه تعلق دارد. از کودکان فقیری می‌نویسد که «به شکل دسته‌جمعی برای به‌دست آوردن سکه‌های پول که مسافرین درجه یک برای تفریح به آب می‌انداختند به زیر آب می‌رفتند.» می‌گفت آن صحنه او را «به یاد فیلم‌های باغ‌وحش می‌انداخت که در آن محافظ مأمور، طعمه‌هایی به داخل آب می‌انداخت، حوضچه‌ای که در آن ماهی‌ها زندگی می‌کردند و ماهی برای قاپیدن غذا از آب بیرون می‌پرید.» به گمان هویدا این همه فقر در شأن هیچ انسانی نیست؛ می‌گفت

انسانیت را یکسره نیست می‌کند. به این نتیجه رسیده بود که: «مرگ از بعضی انواع زندگی بهتر است.»[۱۳]

و آنگاه، در روز ششم، نزدیک سحر، هویدا به عرشه کشتی رفت «تا هوای تازه را بهتر استنشاق» کند. در این جاست که از نخستین تصویری که از غرب به چشمش آمده بود می‌نویسد. می‌گفت: «رفته رفته سواحل به نظرم می‌آید که بزرگ و بزرگ‌تر می‌شوند... از دور با دوربینی می‌توان به خوبی جزیره‌ی ایف را تشخیص داد. در کتاب کنت مونت کریستو از این جزیره بسیار سخن رفته است... و این داستان را چه قدر من در جوانی دوست داشتم.»[۱۴] بدین‌سان می‌بینیم که نوعی واقع‌بینی یک سویه، تصویرش را از شرق شکل می‌داد* و در مقابل، رمانتیسمی کتاب‌زده نگاهش را به غرب رنگ و جلا می‌بخشید.

در واپسین ساعت‌های این سفر هفت روزه، هویدا از این که «به زودی زود برای اولین بار پا بر خاک اروپا» خواهد نهاد به هیجان آمد. می‌خواست همراه گروهی لبنانی و سودانی و مصری، و دو دوست ایرانی‌اش، «بخت و اقبال خود را در بهره‌برداری از منابع دانش اروپا» بیازماید.[۱۵]

برای هویدا، دروازه‌ی این ارض موعود شهر مارسی بود، یعنی قدیمی‌ترین شهر فرانسه که ششصد سال پیش از میلاد مسیح به دست فنیقی‌ها تأسیس یافته بود. شب اول را در هتلی ارزان به صبح آورد و روز بعد در شهر گشت وگذاری کرد. یکی از غذاهای محلی راکه «بویی آبس» نام داشت چشید و به ذائقه‌اش سخت خوش آمد. اما او بیش از هر چیز در وسوسه‌ی پاریس بود. در اولین فرصت، ازدحام و کثافت مارسی را به قصد جلال و جبروت پاریس

---

* تصویر هویدا از اسکندریه، برای مثال، یکسره متفاوت از روایت لورنس دورل Lawrence Durrell از این شهر است. او در چهار رمان به هم پیوسته‌ی به نهایت زیبا و پراحساس، زیبایی‌ها و غرایب این شهر پررمز و راز را ابدی کرده است. برای این روایت باید به کتاب الکساندریا کوارتت Alexandria Quartet مراجعه کرد که دست‌کم یک جلد از آن به قلم شیوای احمد میرعلایی به فارسی برگردانده شده است.

پشت سر گذاشت. پاریس را حتی پیش از آن‌که ببیند دوست می‌داشت. معترف بود که در دوران جوانی و کودکی آن قدر درباره‌ی پاریس شنیده و اندیشیده بود که انگار در ذهنش اسطوره و واقعیت آن شهر، به شکلی تفکیک‌ناپذیر، در هم آمیخته بود.[۱۶]

و پاریس ناامیدش نکرد. حتی پیش از ورود قطارش به ایستگاه گاردولیون*، خانه‌های پرنور شهر، خیل اتومبیل‌هایی که در خیابان‌ها در حرکت بودند، کوچه‌های پرجنب و جوش آن، و عظمت مغازه‌های بزرگش هویدا را تحت تأثیر قرار داد. حتی ایستگاه قطار از هر آن‌چه تصور کرده بود مجلل‌تر می‌نمود. هویدا می‌گفت برای کسی چون او، «که از یک شهر نیمه دهاتی مثل بیروت می‌آید... این ایستگاه گاردولیون عظیم به نظر می‌رسید.»[۱۷]

از اوایل سده‌ی هفدهم، سفر ایرانیان به اروپا آغاز شد. بسیاری از این مسافران خاطرات و سفرنامه‌هایی از خود به جاگذاشته‌اند. در این روایات نه تنها می‌توان به اطلاعات بی‌بدیل در باب روابط ایران و غرب دست یافت، بلکه در عین حال در آنها می‌شود تطور مفهوم هویت ملی را ردیابی کرد؛ می‌توان به چگونگی شکل گرفتن «خویشتن» ایرانی، و تقابل آن با مفهوم «دیگر» غربی پی برد. در خاطرات و سفرنامه‌های نسل اول، به‌خصوص در یادداشتهای سفرای عصر صفویه، می‌توان نوعی اطمینان به خود، یا حتی به زبانی دقیق‌تر، نوعی تکبر سراغ کرد. در دوران قاجار، این روحیه به تدریج از میان رفت. در عوض، ترکیبی از حالت حیرتِ آمیخته به ارعاب جای آن نشست. در سده‌ی بیستم طرز فکر تازه‌ای پدیدار شد.

پیروان این مکتب و برخورد جدید را بر سبیل تنقید «فکلی» می‌خوانند.[۱۸] فکلی‌ها به محض اندک آشنایی سطحی با فضای اروپا، یکباره از هر آن‌چه ایرانی بود نفرت پیدا می‌کردند. می‌گفتند تنها راه رستگاری ایران، وانهادن هویت ایرانی و زبان فارسی و دربرگرفتن فرهنگ فرنگ است. این گروه را در

---

* Gare de Lyon

واقع می‌توان تبلور تمام‌عیار همان روحیه‌ی استعمارزاده‌ای دانست که وصف دقیق و پربار آن را در آثار فرانتس فانون‌وامه‌سه‌زر و رمان‌های زیبای پاتریک شاموازو* می‌شود یافت.

در این چشم‌انداز تاریخی، خاطرات سفر هویدا به اروپا از بسیاری جهات منحصر به‌فرد است. برخلاف فکلی‌ها و عشق سرسری و نسنجیده‌شان به غرب، هویدا فرهنگ اروپا را نیک می‌شناخت و در آن غوطه خورده بود. اما در عین حال، در باب اهمیت تاریخی‌ی فرهنگ غرب و نیز کم و کیف کاربرد تجربه‌ی اروپا در ایران دستخوش توهم بود، و همین توهمش گاه او را همرأی فکلی‌ها جلوه می‌داد. از سویی دیگر، هویدا برخلاف فکلی‌ها، در خاطرات و سخنرانی‌های دوران صدارتش، هرگز فرهنگ ایران و زبان فارسی را تحقیر نکرد. در واقع، در واپسین سالهای حیاتش، از سویی در جلوت، منادی نوعی ناسیونالیسم سرسخت بود و به کرات وجوه برجسته و متمایز فرهنگ ایران را می‌ستود، و از سویی دیگر، در خلوت کماکان سودای همان اروپایی را در سرداشت که در دوران مدرسه‌ی فرانسوی‌ها در بیروت در ذهنش نقش بسته بود.

شاید همین شور و سودای پاریس سبب شد که در سپتامبر ۱۹۳۸، بلیط قطار خود را گم کند. اگر بخت یارش نمی‌شد و دوستان ایرانی‌اش بلیط گم شده را در کوپه قطار نمی‌یافتند، پلیس هویدا را به جرم نداشتن بلیط جریمه می‌کرد. بالاخره هویدا و دو دوست ایرانی‌اش با تاکسی خود را به کارتیه لاتن رساندند که آن روزها کعبه‌ی آمال روشنفکران فرانسه دوست بود. آن سه یار بیروتی اطاقی در یکی از هتل‌های خیابان‌های فرعی آن محله اجاره کردند، و هنوز چمدان‌ها را باز نکرده بودند که هویدا به خیابان‌های شهر زد. می‌خواست پاریس و عظمتش را کشف کند. می‌گفت: «هر محله پاریس شخصیت جدای خود، تاریخ خود و تاریخچه مخصوص به خود را دارد.»[۱۹] در همین حال،

---

* Patrick Chamoiseau

گویی در این محله‌ها چندان هم غریبه نبود. می‌گفت: «پاریس و فرانسه را روی نیمکت‌های مدرسه متوسطه‌ی فرانسوی بیروت در فکر ما کاملاً وارد کرده بودند.»[۲۰]

لذات پاریس زودگذر بود. تنها پس از دو روز، هویدا به ترک شهر ناچار شد و به لندن رفت. ظاهراً در توضیح علل خروج سریعش از پاریس هویدا می‌خواست جنبه‌هایی از واقعیت را کتمان کند. می‌گفت: «یک سال طول خواهد کشید تا من وارد دانشگاه شوم. قصد من این است که یک سال وقتم را صرف آشنا شدن با زبان انگلیسی کنم.»[۲۱] دلایل واقعی سفرش به لندن پیچیده‌تر بود و بیشتر به شتابش در رسیدن به اروپا تأویل‌پذیر بود. در آن روزها، ورود به دانشگاه‌های فرانسه مستلزم گذراندن دیپلمی دو مرحله‌ای بود. هویدا که برای ترک بیروت روزشماری می‌کرد و در عین حال نگران بود که آغاز جنگ در اروپا سفرش به پاریس را نامیسر کند، پیش از پایان مرحله‌ی دوم دیپلم، بیروت را ترک گفت. به عبارت دیگر، عزیمتش به لندن نه برای تقویت زبان انگلیسی، که برای تکمیل مرحله‌ی دوم دیپلمش بود.[۲۲]

امیرعباس با قطار از پاریس به سوی سواحل فرانسه رفت. یک کشتی‌ی کوچک فرانسوی او را به ساحل انگلستان رساند و از آن‌جا هم به لندن رفت. در لندن در پانسیونی سکنی گزید و در انستیوی فرانسه‌ی انگلستان، واقع در محله کنزینگتون ثبت‌نام کرد. سوای فراگرفتن زبان انگلیسی و دوستی با رنه ماهو* که آن روزها معلم محبوب هویدا بود و بعدها به یکی از دوستان نزدیکش تبدیل شد و مدتی هم ریاست یونسکو را به عهده داشت، هیچ چیز لندن به ذائقه‌ی هویدا خوش نمی‌آمد. نُه ماه سختی را گذراند. البته در لندن هم، مثل بیروت، آدمی شیک‌پوش به حساب می‌آمد. در عکس‌هایی که از آن دوران به دست ما رسیده، می‌بینیم که همواره لباسی برازنده به تن دارد. گاه شاپویی به سر داشت و زمانی پاپیون می‌زد. همه عمر وسواس عجیبی

---

* Rene Maheu

درباره‌ی پیراهن‌های سفیدش داشت. به خاطر همین وسواس بود که حتی در دوران صدارتش هم هر بار که به اروپا می‌رفت، یک دو جین پیراهن سفید لانون* خریداری می‌کرد.[۲۳] گردوغبار و دوده‌های شهر لندن هویدا را عذاب می‌داد. به طنزی تلخ می‌گفت: «اگر شما پیراهن سفید به تن کنید، چند ساعت بعد سیاه می‌شود.»

هویدا در بیست و هشتم آوریل ۱۹۳۹، نامه‌ای به رنه دومان، یکی از دوستانش در حلقه‌ی «تامپلرها»، فرستاد. به گلایه نوشته بود که: «در انگلستان هوا همیشه خراب... و در لندن همیشه سرد است. خوشا به حالتان که خورشید لبنان هنوز از آن شماست...» در قسمت دیگری از همین نامه، هویدا در باب دوستان بیروتی‌اش اندکی غیبت می‌کند. در واقع همه‌ی عمر به غیبت دلبستگی خاصی داشت. سرانجام هویدا در این نامه به لحنی طناز، نکاتی در باب نقش زنان در زندگی مردان نوشته بود. می‌گفت: «ناپلئون گفته که "در هر مسأله، ردپای زن را بگیر." من می‌گویم: در هر مساله ردپای دختران جوان را بگیر. همیشه گفته‌ام که دختران جوان سری سخت مستبد دارند.»[۲۶] لحن این نامه و نیز سرشت رابطه‌ی هویدا با مخاطب، رنه، را می‌توان مصداق الگویی دانست که در طول زندگی هویدا تکرار می‌شد. او با زنان بیشتر سر دوستی داشت و کمتر اهل عشق بود. بسیاری از زنان او را در زمره‌ی دوستان خود می‌دانستند. در مقابل، اندک‌اند کسانی که هویدا را بتوان معشوقشان دانست.

هویدا در نُه ماه کلاس‌های لازم برای ورود به دانشگاه‌های فرانسه را با موفقیت گذراند. آرزوی دیرینش برای زندگی در پاریس در شرف تحقق بود. اما ناگهان بحرانی در روابط ایران و فرانسه پیدا شد. یکی از نشریات طنز پاریس کلمه‌ی فرانسه برای گربه، یعنی «شا»، را با واژه فارسی شاه جناس کرده بود و از ترکیبشان عبارتی پرطنز سکه زده بود. رضاشاه اهل این نوع شوخی‌ها نبود و به اعتراض سفیر ایران را از فرانسه احضار کرد. البته این بحران چندان

---

* Lanvin

دوام نیاورد. اما در نتیجه‌ی آن هویدا از دریافت ویـزای تـحصیل فـرانسـه محروم ماند. بروکسل و دانشگاه آزادش تنها راه نجات بود. هویدا در اواسط ژوئن ۱۹۳۹ بلیط قطاری به مقصد بروکسل گرفت. در عین حال، به این امید دلخوش می‌داشت که به محض بهبود روابط دیپلماتیک، او نیز به پـاریس بازخواهد گشت.[۲۷]

در مرز بلژیک، دریافت که گذرنامه‌اش را گم کرده است. گر چه ناباکف، به درستی، زندگی‌نامه نویسان را از تحلیل‌های باسمه‌ای روان‌کاوانه برحـذر کرده،[۲۸] با این حال نمی‌توان این نکته را ناگفته گذاشت که ماجرای « گم شدن» گذرنامه، مصداق بارز همان نوع «لغزش‌ها» و همان «فراموشی»هایی است که فروید از آن سخن رانده و آنان را برخاسته از ناخودآگاه انسان دانسته است.[۲۹] به هر حال امیرعباس را به رغم خواست‌های ناخودآگاهش، در شهر مرزی‌ی بلژیک از قطار پیاده کردند. چاره‌ای جز بازگشت به پاریس نداشت. سفارت ایران در پاریس هم در نتیجه‌ی بحران بسته بود. این امکان وجود داشت که هویدا چندماهی در پاریس سرگردان بماند. می‌گفت تنها دلخوشی‌اش در آن روز تیره، رمانی بود از آگاتاکریستی که در ایستگاه مرزی قطار خریده بود.[۳۰] اما در پاریس بخت یارش شد. گذرنامه‌اش را در قسمت «اشیای مفقوده» ایستگاه قطار یافت و بی‌تأخیر راهی بروکسل شد.

در روز ششم ماه ژوئیه ۱۹۳۹ در دانشکده عـلوم سـیاسی و اجـتماعی دانشگاه آزاد بروکسل ثبت‌نام کرد. اطاقی هم در خوابگاه دانشجویی کرایـه گرفت. رشته‌های تحصیلی‌اش را علوم سیاسی و اقتصاد تعیین کرده بود. به علاوه، در نامه‌ای خطاب به یکی از دوستانش نوشته بـود کـه مـی‌خواهـد کلاسهایی هم در رشته‌ی روزنامه‌نگاری بگذراند.[۳۱] ظاهراً ایـن انـدیشه را هـرگز دنـبال نکـرد. در کـارنامه‌ی دانشگـاهی‌اش، نشـانی از دروس روزنامه‌نگاری نیست.

هویدا، علی‌رغم آن‌که توانسته بود به آسانی در دانشگاه ثبت‌نام کند، و با

آن که به سهولت محل مناسبی برای زندگی پیدا کرده بود، دل‌خوشی از بروکسل نداشت. آن جا را شهری غمبار و دلتنگ می‌دانست. به شِکوِه می‌گفت: «در مقام مقایسه با پاریس، بروکسل بوی ولایات را می‌دهد.»[۳۳] به گمان من، هویدا آن روزها چنان غرق فرهنگ و ذهن و زبان فرانسوی بود که حتی انتقاداتش از بروکسل هم به نظرات پرطعنه‌ی فرانسوی‌ها در این زمینه شباهت داشت. نه تنها به گمانش بروکسل دهی بیش نبود، بلکه به نظرش مردم «قیافه‌هایی گرفته [دارند]... در این جا تیپ و شکل آدم‌ها فرق می‌کند. شاید بتوان گفت که مردم این جا بیشتر شبیه شمالی‌ها هستند. باید آدم کوشش خاصی بکند تا مطالب آنها را درک کند... [قیافه] تازه به دوران رسیده دارند و «بورژوا»... [هیچ چیز آنها] را تحت تأثیر قرار نمی‌دهد و روشن نمی‌کند.»[۳۳]

در دانشگاه نیز هویدا، مانند دوران دبیرستان شاگردی متوسط بود و خاطرات او، و نیز کارنامه‌ی دانشگاهی‌اش هر دو مؤید این واقعیت‌اند. او فقط سه سال در دانشگاه آزاد تحصیل کرد. تا پایان سال اول، کماکان امید داشت که هم رشته‌ی علوم سیاسی و هم اقتصاد را دنبال کند. در سال دوم، فکر رشته‌ی اقتصاد را واگذاشت. از آن پس، تمام همّش صرف علوم سیاسی شد. سال اول را با معدل «قبولی» گذراند، یعنی چیزی در حدود معدل جیم در نظام آموزشی ایران. نمرات سال دومش بهتر بود و معدلش به حد «ممتاز» یعنی حدود «ب» می‌رسید. سال سوم را، که سال آخر تحصیلش بود، با همان معدل «قبولی» به پایان رساند.[۳۴] (هویدا در زمانی که در اوج قدرت سیاسی بود به بلژیک سفر کرد و از دانشگاه آزاد بروکسل دیداری به عمل آورد. دولت ایران کمک مالی فراوانی به این مدرسه کرده بود و مقامات دانشگاه هم در مقابل جلسه‌ای برای تشکر و قدردانی از هویدا تشکیل داده بودند. رئیس دانشگاه از هویدا به عنوان یکی از دانشجویان درخشان دانشگاه نام برد. آن گاه نوبت سخنرانی هویدا شد. به لحنی پرطنز و گاه گزنده، از روزهای دانشجویی خود یاد کرد و توضیح داد که چگونه در آن روزها، در طلب نمره‌ی قبولی، دایم در پی

اساتید خود می‌دوید.).۳۵

در دانشگاه هم، مانند دوران دبیرستان، ادبیات و تاریخ درسهای محبوب هویدا به شمار می‌آمدند. بخش اعظم درسهایش در زمینه‌ی حقوق و در تاریخ عصر کهن و قرون وسطی و عصر جدید بود. چند کلاس هم در رشته «علوم استعماری» اختیار کرد که موضوع اصلی آن حکومت بلژیک در کنگو بود.

هویدا در این دوران دوستان تازه‌ای پیدا کرد و پس از چندی خوابگاه دانشگاه را ترک گفت و اطاقی در خانه‌ی یک زن پیر، مهربان و خسیس بلژیکی اجاره کرد. صاحب‌خانه تهیه‌ی سه وعده غذا را هم تقبل کرده بود. آن روزها فیلم و کتاب بخشی اساسی از زندگی هویدا را تشکیل می‌دادند. او عوالم خلاق و روشنفکری را دوست می‌داشت. در عین حال هنر یافتن و داشتن رفیق را نیک می‌دانست. بخش مهمی از ذهن تیزبین خود را برای یافتن شاخه گل و هدیه‌ی مناسب و کلمات تحسین‌آمیزی به کار می‌گرفت که می‌توانست این دوست را دلخوش و آن دیگری را تطمیع کند. در حلقه‌ی همیشه وسیع دوستانش، همواره چند نویسنده و روشنفکر هم به چشم می‌خورد. به مدد بده بستان‌های فکری با این دوستان روشنفکر حیات فکری خود را رونق و تحرک می‌بخشید. گر چه جوانی‌اش را در بحبوحه‌ی تحولات تاریخی عظیمی می‌گذراند، اما مصمم بود در مقام یک مهاجر، زندگی خوش و خلاقی برای خویش پدید آورد.

در ماه مه ۱۹۴۰ آلمان به بلژیک حمله برد و بروکسل را به اشغال درآورد. دانشگاه تعطیل شد و اغلب سکنه‌ی شهر، فرار را برقرار ترجیح دادند. حتی صاحب‌خانه‌ی هویدا هم شهر را ترک گفت و بدین‌سان همه‌ی خانه در اختیار او قرار گرفت. خدمات پستی هم به وقفه‌ای موقتی دچار شد. هم رابطه‌ی هویدا با خانواده‌اش، و هم مقرری ماهانه‌ای که مادرش می‌فرستاد قطع شد. در این بحبوحه، گر چه بی‌پول و مستأصل بود، اما پاریس کماکان وسوسه‌اش می‌کرد۳۶. با سفارت ایران در بروکسل تماس گرفت. از آنها هم مدد مالی

خواست و هم کمکی در جهت وصول ویزای فرانسه. مقامات ایران در هیچ یک از دو زمینه مفید فایده نبودند. هویدا هم ناچار «به کلی از سفارت خودمان» ناامید شد. در عوض به راه‌حلی توسل جست که سخت مخاطره‌آمیز بود و با روحیه‌ی محافظه‌کار او سازگاری نداشت.

در سیزدهم ماه مه ۱۹۴۰، یکی از دوستان ایرانی‌اش، همراه نامزدش، راهی فرانسه بود. خبر داد که می‌تواند هویدا را هم همراه خود ببرد. هویدا می‌گفت: «قبول می‌کنم... طرف ساعت دو بعدازظهر به سراغ من آمد... چند چیزی که طرف علاقه‌ام هست با خودم برداشته و به باقی اسباب‌هایم دست نزدم. برای آخرین دفعه نگاه حسرتی به کتاب‌هایم که آن قدر دوستشان دارم انداختم. این کتاب خاطرات آندره ژید است. بالاخره آن را برداشتم.»[۳۸]

هیجان و هرج و مرج جنگ، جاده‌ها را خطرناک کرده بود. چند روستای بمباران شده، صف درازی از کامیون‌های ارتشی و دفیله‌ی بی‌پایان ماشین‌هایی را پشت سر گذاشتند که از ستون فاتح ارتش نازی می‌گریختند. در یکی از روستاها، ازدحام مردم در کنار اتومبیلی آنان را نیز به توقف واداشت. جسد سوخته‌ی جوانی در گوشه‌ای افتاده بود. هویدا می‌گفت: «برای اولین بار بود که با مرگ روبه‌رو شده بودم... حالت استفراغ و گرفتگی غریبی در خود حس می‌نمودم و کلمات دردناک بودلر درباره‌ی جسد پوسیده‌ی بشر یک بار دیگر با ابهتی مخصوص در نظر من مجسم شده بود.»[۳۹]

روز سه‌شنبه ۱۴ ماه مه، پس از شبی پرالتهاب، در منزل دوستی در شهر مانس* واقع در مرز بلژیک و فرانسه، هویدا و دوستانش به قصد گردش از خانه بیرون زدند. خیابان‌ها پر از سرباز انگلیسی، فرانسوی و بلژیکی بود. مقامات پلیس شهر به هویدا و دوستانش مشکوک شدند و آنها را به کلانتری بردند. هویدا نه تنها کارت شناسایی و گذرنامه‌اش را به افسر نگهبان نشان داد، بلکه کوشید معلوماتش درباره‌ی حقوق بین‌الملل، حقوق مدنی و حقوق فردی

---

* Manz

را هم به رخ او بکشد. حتی درباره‌ی ریشه‌های انقلاب فرانسه داد سخن داد. تازگی‌ها، کلاس‌هایی در زمینه‌ی حقوق بین‌الملل، حقوق عـمومی و حـقوق مدنی دیده بود. اما افسر نگهبان به معلومات هـویدا تـوجهی نکرد و او و دوستانش را به زندان فرستاد. گر چه بازداشت هویدا چند ساعتی بیشتر نپایید، اما این نخستین تجربه‌ی او با زندان بود. ۴۰ ظرف بیست و چهار سـاعت بـر مقامات پلیس مسلم شد که اوراق هویت هویدا تقلبی نیست. او را، هـمراه دوستانش، از زندان رها کردند.

تجربه‌ی زندان دوستان هویدا را از فکر سفر به فرانسه منصرف کرد. اما هویدا عزم جزم کرده بود و روز بعد همراه دوست ایرانی دیگری، پیاده راهی پاریس شد. می‌گفت: «جاده‌ی خلوت مانس به سرحد فرانسه اکـنون شـبیه خیابان‌های یک شهر شده بود، ولی خیابانی که در آن همه‌کس به یک جهت حرکت می‌کند.» ۴۱ میان شهر و پایگاه مرزی، حدود هفتادکیلومتر فاصله بود. گهگاه چند هواپیمای بمب افکن آلمانی در آسمان ظاهر می‌شد. هویدا، همراه خیل بلژیکی‌های هراسان، در دو سوی جاده، در لابه‌لای بوته‌های سبز، مأمن و پناهگاهی می‌جست.

وقتی سرانجام به پاسگاه مرزی رسیدند، انتظارشان دیری نپایید. افسـر فرانسوی نیم نگاهی به گذرنامه‌ی هویدا انداخت و به محض آن که دیـد او ویزای ورود به فرانسه را دریافت نکرده با قاطعیت حکم کرد که چاره‌ای جز بازگشت به بروکسل ندارد. توضیحات هویدا درباره‌ی دشواری‌های دریافت ویزا در بروکسل ره به جایی نبرد. ناچار از دری دیگر وارد شد. این بار سعی کرد دل آن افسر را به‌دست آورد. برایش توضیح داد کـه «تـمام تـربیت و تحصیلات خود را مدیون فرانسوی‌ها هستم.» می‌گفت: «ملت و دولت فرانسه همیشه با ایرانی‌ها به حسن‌نظر نگاه کرده‌اند.» ۴۲ اما افسر فرانسوی به هیچ کدام از این توضیحات عنایتی نشان نداد؛ به تصریح می‌گفت تنها راه‌حل مشکل هویدا برگشت به بروکسل و دریافت ویزای فرانسه است.

چاره‌ای جز بازگشت نبود. هویدا شب را در مانس ماند و همان جا برای نخستین‌بار یکی از بمباران‌های شبانه‌ی جنگ جهانی دوم را تـجربه کـرد. می‌گفت: «من می‌لرزیدم و عرق سردی بر پیشانی خود حس میکردم.» روز بعد به بروکسل بازگشت. دوباره عزم جزم کرد که هر چه زودتر ویزای فرانسه را دریافت کند. به همان اطاق استیجاری در خانه‌ای که کماکان بی‌صاحب بود بازگشت. اما پولی در بساط نداشت. می‌گفت: «یک جوان بیست ودوساله با چهار فرانک در جیب و در یک شهر خارجی.» روز بعد از مقامات دانشگاه استمداد طلبید. کلاس‌ها همه به دستور ارتش آلمان تـعطیل بـود.۴۴ صـحن دانشگاه هم به مرکز عملیات صلیب سرخ بدل شده بود. هویدا، در نوزدهم ماه مه به عنوان راننده‌ی آمبولانس به استخدام صلیب سرخ درآمد.

مسائل مبرم مالی‌اش تازه بدین سان حل شده بود که بحرانی دیگر رخ نمود. در یک کلام، هویدا با خطر از دست دادن خانه‌ی راحت و بزرگ و مجانی‌اش روبرو شد. دوباره به سفارت ایران توسل جست و این بار برخلاف گذشته، مقامات ایرانی بانی خیر شدند. سندی رسمی، به دو زبان فرانسـه و آلمانی، در اختیار هویدا گذاشتند و در آن تصریح کردند که منزل مسکونی هویدا جزئی از سفارت ایران است. به کمک این سند، خانه از تصرف آلمان‌ها مصون ماند.۴۵

پس از چندی، کلاس‌های دانشگاه، زیر نظر گشتاپو از سرگرفته شد. زندگی هویدا هم به تدریج حالتی عادی پیداکرد. روزها هم به کلاس می‌رفت و هم در صلیب سرخ کار می‌کرد. پس از مدتی کوتاه، به جای رانندگی آمبولانس به او کاری در دایره‌ی مربوط به پناهندگان جنگی واگذار کردند. به علاوه، به دلایلی که چندان روشن نیست، به خوابگاه دانشگاه نقل مکان کرد. در کافه تریای دانشگاه غذا می‌خورد و باقی اوقاتش را با حلقه‌ی وسیع دوستانش می‌گذراند.

اما نـاگـهان حـادثه‌ای بس غیرمترقبه و بـاورنکردنی رخ داد. در روز

چهاردهم ژوئن ۱۹۴۰ پاریس سقوط کرد و به دست نازی‌ها افتاد و دل هویدا را به سختی شکست. «نه، این خبر را دیگر باور نمی‌کنم. جرأت نمی‌کنم باور کنم. نه این خبر باور نکردنی است.» می‌گفت: «فرانسه! خاک آزادی، پناه‌دهنده‌ی فراری‌ها! تو تسلیم می‌شوی؟ دست از جنگ برمی‌داری؟ همان شب با تمام دوستان فرانسوی خودم به بدبختی تو گریه کردم. زیرا من تو را همیشه دوست داشته‌ام. فرانسه عزیز، فکر من به جانب تو پرواز می‌کند. تو به زانو درآمدی ولی هنوز نام تو در فکر من با زیباترین مناظر و قشنگ‌ترین شهرها هم‌آغوش است.»[۴۶]

در همین **خاطرات**، هویدا در عین حال لحظه‌ی شنیدن خبر اشغال ایران توسط متفقین را نیز وصف می‌کند. می‌گفت: «ایران، ای ایران عزیز، تمام افکارم الساعه متوجه توست...»[۴۷] گر چه لحن روایات هویدا درباره‌ی شنیدن خبر اشغال ایران و فرانسه هر دو یکسره سرشار از احساسات و عواطف بود، اما، به گمانم، در نوع احساساتی که در هر مورد ابراز می‌کرد تفاوت‌هایی می‌توان سراغ کرد. هویدا آشکارا از شنیدن خبر شکست فرانسه، این دژ مستحکم آزادی و این خاستگاه تمدن به غم و یأس فراوان دچار شده بود. در عین حال، به این ملک مغلوب که کعبه‌ی آمال روشنفکری‌اش بود وعده‌ی وفاداری جاودانه می‌داد. در مقابل، هنگام اشاره به اشغال ایران، نقطه عزیمتش این باور بود که پای ملت فقیر و بی‌طرف ایران به یک جنگ اروپایی کشانده شده. این بار از وضع خانواده‌اش ابراز نگرانی می‌کرد. می‌گفت به‌خصوص دلشوره‌ی مادرش را داشت. در یک کلام، وابستگی‌های دوگانه‌ی هویدا به ایران و فرانسه را می‌توان در نوع زبانی سراغ گرفت که در هر مورد به کار می‌بست. اولی وابستگی فکری و آلوده به غم، و دیگری عاطفی و سرشار از ترحم بود.

هویدا در تابستان سال ۱۹۴۱ سرانجام پس از تلاش‌های مکرر ویزای لازم برای دیدار از شهر پاریس را دریافت کرد. نازی‌ها معمولاً به سفر

خارجی‌ها در سرزمین‌های اشغالی روی خوشی نشان نمی‌دادند. اما به قول هویدا، تنها استثنای این قاعده در مورد کسانی بـود کـه از تبار «آریـایی» بودند.[۴۸] می‌گفت بروکسل دیگر برایش تحمل‌ناپذیر شده بود. همه چیز، حتی لذت رقص هم جیره‌بندی بـود. سانسور مقامات آلمـانی بیداد مـی‌کرد. پاکت‌های پستی را باز می‌کردند و نامه‌ها را می‌خواندند. می‌گفت در این شرایط «به پاریس پناه بردم». البته سوای همه‌ی این عوامل، سوای دلبستگی دیرینش به پاریس، عامل جدیدی وسوسه‌ی پاریس را دو چندان مـی‌کرد. هویدا در وصف سفر پرحادثه‌اش به پاریس ـ وصفی که از قضا بیشتر به مدح و مرثیه‌ی شهری اشغال شده می‌مانست ـ ذکری از این عامل جدید نمی‌کند. با سکوتش ظاهراً می‌خواست از باز کردن جعبه‌ی پاندورایی که پـاریس بـود احتراز کند. تنها اشاراتش به این عامل جدید را می‌توان در همان دو کلمه‌ی «تبار آریایی» سراغ کرد.

وقتی فرانسه به اشغال نازی‌ها درآمد، کشورهایی چون ایران نه تنها روابط خود را با فرانسه اشغالی قطع کردند، بلکه دفاتر سفارت خود را هم در شهر پاریس بستند. ساختمان سفارت ایران در اختیار ابوالحسین سرداری* قـرار گرفت که جوان‌تـرین بـرادر افسرالمـلوک بـود. مـردی بـااستعداد، امـا جنجال‌آفرین، و در ضمن سخت مبادی آداب، و نیز انسانی پخته و جهان دیده بود. دیپلماتی حرفه‌ای بود و قبل از حمله‌ی نازی‌ها، مسئولیت امـور کنسولی سفارت ایران در پاریس را برعهده داشت. به اصطلاح رایج امروزی،

---

* می‌گویند در ایران سده‌ی بیست، «هزار فامیل» ثروت و قدرت را قبضه کرده بودند. گوشه‌ای از این واقعیت را می‌توان در این نکته سراغ گرفت که نه تنها سرداری دایی هویدا بود، بلکه سفیر وقت ایران در فرانسه هم انوشیروان سپهبدی نام داشت که شوهرخاله‌ی هویدا می‌شد. البته بـرخلاف روایت رایج در مورد «هزار فامیل»، گزارشی از سیا در سال ۱۹۷۷ مدعی است که در ایران «سده‌ی بیست، چیزی در حدود چهل فامیل در سطح ملی، ۱۵۰ تا ۲۰۰ خانواده در سطح محلی، همه مواضع قدرت را در انحصار داشته‌اند». ر.ک:

CIA. "Iran in The 1980s" NSA. No 1210.

آدم زرنگی به شمار می‌رفت. رفیق‌باز و رفیق‌یاب بود. با برخی از سران ارتش اشغالگر آلمان در پاریس از سر دوستی درآمد. آنان را به مهمانی‌های مجلل در محل سفارت دعوت می‌کرد و خاویار و شامپانی فراوان و رایگان در اختیارشان می‌گذاشت و برای تفریحشان حتی دختران جوان و زیبا را هم تدارک می‌کرد. رابطش برای تأمین این دختران یکی از زنان زیبای پاریس به نام الکساندریا بود.[۴۹] مهمان‌نوازی‌های سرداری هم برای او منشأ منفعت مالی فراوان شد و هم زندگی برخی از یهودیان پاریس را نجات داد.

در دوران جنگ، شمار قابل ملاحظه‌ای از یهودیان ایرانی در آلمان و سایر کشورهای اشغالی به سر می‌بردند. تعدادی از این یهودیان در پاریس اقامت داشتند. به محض آن که نخستین نشانه‌های قتل عام یهودیان اروپا پدیدار شد، دولت ایران کوشید نازی‌ها را متقاعد کند که یهودیان ایرانی بخشی از «قوم یهود» نیستند، چون دو هزاروپانصد سال در ایران زیسته‌اند و با فرهنگ و زبان آن کاملاً درآمیخته‌اند و یکسره ایرانی شده‌اند. این واقعیت که بسیاری از یهودیان ایران در گذرنامه‌هایشان ذکری از مذهب خود نکرده بودند، و اگر هم کرده بودند از واژه موسوی، به جای واژه‌ی یهودی بهره جسته بودند به اثبات ادعای ایران کمک می‌کرد.[۵۰] سرانجام نازی‌ها متقاعد شدند که یهودیان ایرانی «یهود» نیستند، بلکه «جزیی از یک فرقه‌ی مسلمان به شمار می‌آیند... ریشه‌هایی ایرانی، نه سامی دارند.»[۵۱] به این ترتیب، جان بیش‌وکم تمامی یهودیان ایرانی مقیم اروپا نجات پیدا کرد.

درست زمانی که در برلن «مسئولان و متخصصان امور نژادی» درگیر رسیدگی به ادعای ایران بودند، در پاریس سرداری با استفاده از روابط نزدیکش با آلمان‌ها، جان خانواده‌های یهودی ایرانی مقیم پاریس را از مرگ حتمی نجات داد. او نیز به نوبه‌ی خود مقامات آلمانی را متقاعد کرده بود که هر کس گذرنامه‌ی ایرانی دارد علی‌رغم وابستگی‌های مذهبی‌اش، شهروند ایران، و لاجرم از همه حقوق این شهروندان برخوردار است. او در نامه‌ای به

آتوآبتز*که از مقامات عالی‌رتبه‌ی نازی در فرانسه بـود، تأکیـد کـرد کـه یهودیان ایرانی به مدتی حدود دو هزاروپانصد سال، شهروندان تمام عیـار ایرانی بودند.[۵۲] به‌علاوه به ریشه‌های آریایی مشترک ایران و آلمـان اشـاره کرد. آبتز در پاسخ قول داد که یهودیان ایرانی مقیم پاریس «شامل قوانین ویژه‌ی نازی‌ها نخواهند شد.»

به علاوه، سرداری به حدود هزاروپانصد گـذرنامه‌ی ایـرانی دسترسـی داشت. وقتی در سال ۱۹۴۲، نازی‌ها بازداشت یـهودیان پـاریس را آغـاز کردند، سرداری تصمیم گرفت این گذرنامه‌ها را به نام برخی از یـهودیان غیرایرانی صادر کند. یکی دو سال بعد، نشریات ایرانی از این ماجرا خبردار شدند و به لحنی تند و انتقادآمیز، می‌پرسیدند چرا سرداری را به رغم فروش گذرنامه به «جهودان» هنوز از کار برکنار نکرده‌اند. شکی نیست که سرداری جان شماری از یهودیان را از مرگ نجات داد. در عین حال، به نظر می‌رسد که در این ماجرا در پی نفع شخصی هم بود. البته یهودیان ایرانی مقیم پاریس، برای این جنبه از فعالیت‌های او اهمیت چندانی قایل نبودند. به روایت فریدون هویدا، «در سال ۱۹۴۸ من در پاریس بودم وقتی که اعضای جامعه‌ی یهودیان ایرانی مقیم پاریس (همراه «شهروندان» جدید ایرانی) بـه دیـدن دایـی مـن [سرداری] آمدند سینی‌یی نقره، که امضای روسای جامعه‌ی یهودیان در آن نقر شده بود، بر سبیل امتنان و احترام به او هدیه کردند.»[۵۳]

با آن که هویدا در زمانی که این معاملات گذرنامه** جریان داشت چندین

---

* Otto Abetz

** ظاهراً تنها در سفارت ایران در پاریس نبود که دیپلمات‌های ایرانی گذرنامه‌های ایرانی را به شیوه سرداری به کار گرفتند. احمد توکلی که خود از دیپلمات‌های برجسته‌ی ایران بود، می‌گفت حدود ۱۵۰۰ یهودی سوری و لبنانی نیز با گذرنامه‌های ایرانی جان خود را نجات بخشیدند (احمد توکلی، **مصاحبه با نویسنده**، تامپا، فلوریدا، ۱۵ اوت ۱۹۹۹). داستان نقش دولت ایران در نجات جان یهودیان ایرانی و کمک دیپلمات‌هایی چون سرداری محتاج و مستحق مطالعاتی دقیق و دامنه‌دار است.

بار از پاریس دیدن کرده بود، در خاطرات مفصل خود پیرامون دوران جنگ هیچ اشاره‌ای به این ماجرا نمی‌کند. در عوض از وضعیت پرتحرک تئاتر در پاریس می‌نویسد و از نقش مهم حزب کمونیست فرانسه در مبارزه علیه نازی‌ها و نیز از این واقعیت که او «اغلب اوقات تنها در خیابان‌ها و کوچه‌های این شهر که در همه چیز آن یک زیبایی شاعرانه وجود دارد» گردش می‌کرد. ۵۴

هویدا، سوای تعطیلات تابستانی از هر فرصت دیگر نیز برای دیـدار از پاریس استفاده می‌کرد. علاوه بر علایق عاطفی و فکری‌اش به این شهر، در آن زمان دلیل پیش‌پا افتاده‌ی دیگری هم برای سفر به پاریس پیدا شده بود. در بروکسل، زندگی هویدا محدود، محقر و دانشجویی می‌گذشت؛ در مقابل، در پاریس روزگار به تجمل می‌گذراند و همه جور اطعمه و اشربه‌ی مـمتاز در اختیارش بود. بعد از هر سفر پاریس، چهره‌ی تازه تکیده‌اش به‌گردی و پری مألوفش باز می‌گشت. ۵۵

در سال ۱۹۴۱ هویدا تحصیلاتش را در دانشگاه آزاد بروکسل تمام کرد و لیسانسی در رشته علوم سیاسی دریافت داشت. بـه عنوان رسالـه‌ی دوره‌ی لیسانس، مقاله‌ی مفصلی در باب آثار پانائیت استراتی* (۱۹۳۵-۱۸۸۴) نوشت. استراتی نویسنده‌ای رومانی‌الاصل بود. زندگی‌اش از جهات متعدد به زندگی هویدا شباهت داشت. ۵۶ مانند هویدا فرانکوفیل بود؛ در خاورمیانه و مناطق بالکان سفرها کرده بود. زمانی وسوسه‌ی مارکسیسم داشت و به شوروی سفر کرد. هنگام بازگشت، به سیاق آندره‌ژید، که مراد فکری دیگـر هـویدا محسوب می‌شد، نقدی جانانه علیه سرشت سیاست و زندگی‌ی این ناکجاآباد نوظهور نوشت. ۵۷ هویدا نیز در جوانی بسیاری از آثار مارکسیستی را مطالعه کرده و با شماری از مارکسیست‌های ایرانی، عرب و فرانسوی دمخور بود. به اعتبار همین دو نکته، بسیاری از طرفداران پـروپاقرص شـاه هـمواره او را روشنفکری چپ‌گرا و اصلاح‌ناپذیر می‌دانستند. در مقابل، به گمان بسیاری از

---

* Panait Istrati

روشنفکران ایرانی که اغلب هم تحت تأثیر اندیشه‌های انقلابی روسی بودند، مطالعات التقاطی هویدا، دلبستگی‌اش به کسانی چون مالرو، استراتی، نیچه، و ژید، علائقش به مواهب زندگی بورژوایی، دلزدگی‌اش از انقلاب، و سرانجام آمادگی‌اش برای سازش، همه او را به یک روشنفکر فریبکار و ظاهرساز بدل می‌کرد.

هویدا پس از اتمام تحصیلات خود، در اوایل سال ۱۹۴۲، یک بار دیگر به پاریس سفر کرد. آن جا پس از وداع از «شهر نور» با «قلبی محزون»، در حالی‌که «از یک طرف ایران و از طرف دیگر پاریس» وسوسه‌اش می‌کرد، راهی بیروت شد. تابستان را آن جا در کنار مادر و برادرش گذراند.[58] در شهریور ۱۳۲۱ به ایران بازگشت و ماجراهای جنجالی دایی‌اش را پشت سرگذاشت. اما پنج سال بعد، پاریس دوباره به مرکز جنجال‌های دیپلماتیک تبدیل شد و خوراک همیشگی نشریات جنجال‌آفرین ایران بود. در سال ۱۳۲۱ هویدا به راحتی می‌توانست شایعات مربوط به سرداری را نادیده بگیرد، اما در سفر بعدیش به پاریس یکی از چهره‌های اصلی بحرانی جدید و بسیار جدی شد. عواقب این بحران تا پایان عمر تعقیبش می‌کرد.

فصل چهارم

سرزمین عجائب

کدام کشور است این جا، ای دوستان.

شکسپیر، شب دوازدهم

هویدا در سال ۱۳۲۱، پس از غیبتی بیست ساله، به ایران بازگشت. تهران شهری اشغال شده بود. البته نه تهران دیگر روستای ورم‌کرده‌ی بیست سال پیش بود، نه هویدا آن کودک دوساله‌ای که شهر را با درشکه‌ای ترک گفته بود. اما تهران زمان عزیمت هویدا دست‌کم در یک نکته به تهران ۱۳۲۱ شباهت داشت. هر دوبار شهر (و مملکت) در حال دگرگونی و تغییر بود.

در ۲۴ مرداد ۱۳۲۰، یک سال پیش از بازگشت هویدا، ایران مورد حمله‌ی نیروهای روس و انگلیس قرار گرفت. ۳۵ هزار سرباز انگلیسی، از جمله تفنگداران هندی و چرکا از جنوب و ۱۲۰ هزار سرباز ارتش سرخ از شمال به ایران حمله بردند. ارتش ایران هم از لحاظ شمار نفرات، و هم از بابت چند وچون تجهیزات، به مراتب ضعیف‌تر از دو نیروی مهاجم بود. لاجرم مقاومت چندانی نکرد و ظرف چهل وهشت ساعت از هم فروپاشید و تسلیم شد.

طرح حمله به ایران برای نخستین‌بار در دهه‌ی دوم تیر ماه سال ۱۳۲۰ در جلسه‌ی هیئت دولت انگلستان موردبحث و بررسی قرار گرفت.[۱] متفقین که شاید در پی یافتن مستمسکی برای حمله به ایران بودند، وجود شماری از شهروندان آلمان در ایران را بهانه کردند، و بی‌اعتنا به اعلان بی‌طرفی ایران،

کشور را به اشغال خود درآوردند. می‌گفتند، اشغال ایران برای پیروزی در جنگ ضروری است. از سویی می‌خواستند تسلط انگلستان بر چاه‌های نفت خلیج فارس و ایران را تضمین کنند و از سویی دیگر، پس از حمله آلمان به شوروی، ایران را شاهراه کمک نظامی به شوروی می‌دانستند. البته شمار آلمان‌ها در ایران به هزار نفر هم نمی‌رسید. به علاوه، همه تحت مراقبت شدید پلیس ایران بودند. یکی از پیامدهای اشغال ایران، و شاید یکی از انگیزه‌های اصلی آن، برکناری رضاشاه از سلطنت بود. دولت انگلستان به تدریج همبستگی خود را به رضاشاه از دست داده بود. ناسیونالیسم او با طرح‌های دولت فخیمه انگلستان در ایران و در خلیج فارس همخوانی نداشت. انگلستان هم ناچار منتظر فرصتی بود برای برانداختن رضاشاه، و جنگ مستمسک مناسب این کار شد.

انگلستان از هر فرصتی برای تحقیر رضاشاه، که مردی مغرور و رهبری مستبد و متجدد بود، بهره جست. حتی صحبت از این بود که روزگار خاندان پهلوی به سر رسیده است.[۲] اما سرانجام متفقین به خصوص روس و انگلیس رخصت دادند که محمدرضای جوان بر تخت سلطنت پدر جلوس کند. البته در تمام دوران جنگ، متفقین در عمل وجود شاه جوان را نادیده می‌گرفتند. در همه‌ی زمینه‌ها، چنین رفتار می‌کردند که انگار او وجود خارجی ندارد. برای مثال، کنفرانس تهران بدون مشورت و حتی اطلاع شاه تشکیل شد. او نیز تا پایان عمرش این بی‌احترامی را فراموش نکرد، و خاطیان را هرگز نبخشید. بدتر از همه این بود که وقتی روزولت و چرچیل و استالین به تهران رسیدند، تنها استالین به دیدار شاه رفت. در یک کلام، متفقین قَدَر قدرت بودند و شاه مترسکی بیش نبود.

دوران اشغال ایران، دوران نوآوری هنری و بحث‌های سیاسی پرباری بود. عوامل گونه‌گونی به پیدایش این دوران غنی فرهنگی و دمکراسی زودگذر کمک کرد. سانسور و خفقان سال‌های استبداد رضاشاهی، و قدر

قدرتی او، نیروهای خلاق فکری جامعه را از نفس انداخته بود. در تمام آن سال‌ها، خواست مشارکت سیاسی جمعیت شهری‌ی روزافزون ایران نادیده گرفته و سرکوب می‌شد. با سقوط رضاشاه، این نیروهای سرکوب شده جانی تازه پیدا کردند. فعالیت فکری و سیاسی و فرهنگی از رونقی بی‌سابقه برخوردار شد.[۳]

جنگ نفوذ آمریکا در ایران را نیز افزایش داد. در دو دهه‌ی نخست سده‌ی بیست، انگلستان با تمام قوا از ورود شرکت‌های آمریکایی به ایران ممانعت می‌کرد. اما در سال‌های بعد از جنگ، نفوذ روزافزون امریکا در جهان و در ایران چرچیل را نگران کرد. طنین این نگرانی را در برخی از مراسلات او با روزولت سراغ می‌توان کرد. در یکی از این نامه‌ها، روزولت به زبانی که بوی عفن تفرعن استعماری از آن به مشام می‌آمد، به نگرانی‌های چرچیل در مورد ایران اشاره کرده، می‌نویسد[۴]: «از وزارت خارجه و متخصصان نفتم خواسته‌ام که مساله نفت [ایران] را بررسی کنند، ولی خاطرجمع باشید که ما به میدان‌های نفتی شما در عراق و ایران به چشم خریداری نگاه نمی‌کنیم.» پاسخ چرچیل نیز به اندازه‌ی نامه‌ی روزولت، پر از نخوت و تکبر بود. «خیلی متشکرم که به میدان نفتی ما به چشم خریداری نگاه نمی‌کنید. اجازه بدهید من هم مقابل به‌مثل کنم و به شما اطمینان بدهم که ما هم به هیچ وجه قصد نداریم به منافع و مایملک شما در عربستان سعودی دست‌درازی کنیم.»[۵]

درحالی که روزولت و چرچیل درگیر تقسیم میدان‌های نفتی خلیج فارس بودند*، استالین هم سودای سلطه گری در سر می‌پخت. از اشغال ایران برای

---

* نامه‌های چرچیل و روزولت از یک جنبه‌ی دیگر هم جالب توجه‌اند. در پایان جنگ جهانی اوّل، انگلستان نگران بود ایران با آمریکا یا دیگر کشورهای غربی تماس برقرار کند. به همین خاطر، از همه‌ی قدرت خود استفاده کرد تا از شرکت ایران در کنفرانس ورسای ممانعت به عمل آورد. از مضمون نامه‌های چرچیل و روزولت به راحتی می‌توان دید که با پایان جنگ جهانی دوّم، کفه‌ی ترازو به نفع آمریکا دگرگون شده بود.

ایجاد یک حزب کمونیست مطیع و فرمانبردار استفاده کرد. در عین حـال، حزب جدید نگران واکنش شدید نیروهای مذهبی و محافظه کار بود، و به همین خاطر از گزیدن نام حزب کمونیست احتراز جست، و در عوض نام به ظـاهر بی‌خطر حـزب تـوده را بـرگزید. حزب تـوده بـه خـاطر انضباط تشکیلاتی‌اش، و نیز به این لحاظ که به کمک «برادر بزرگ» مستظهر بود، از رشد سریعی برخوردار شد و در سیاست ده سال آینده‌ی ایران نقشی اساسی بازی کرد. برخی از دوستان دوران بیروت هویدا، از جمله جلال میری، بـه صف اعضا یا هواداران حزب پیوستند. در سال‌های بعد، برخی از رهبران حزب توده حتی ادعا کردند که خود هویدا هم زمانی در زمره‌ی هواداران حزب بود.[۶] البته رهبران حزب تاکنون سند و مدرکی در اثبات مدعای خود ارائه نکـرده‌انـد. در هـر حـال، پس از تشکیل حـزب تـوده، انـدیشه‌های مارکسیستی به سرعت در ایران رواج یافت و بر ذهن و زبان روشنفکری جامعه مسلط شد.

در آن روزها، بخش مهمی از روحانیون نیز خواستار قرائتی تازه از اسلام بودند. می‌گفتند جنبه‌های خردستیز و منسوخ باورهای تشیع را باید وانهاد. آنها کیش گریه‌پرستی و سنت سینه‌زنی و سودای معجزه را از جنبه‌های مـنسوخ اسلام می‌دانستند. بسیاری ازاین اندیشه‌ها تحت نفوذ و ملهم از آرای متفکر و مورخ عرفی مسلک مشهور، احمد کسروی بود.[۷] اما در همان سال‌ها، روحانی نسبتاً گمنامی به رویارویی با این قرائت جدید بـرخـاست. نـامش روح‌اللـه خمینی و هدفش دفاع از ارزش‌های سنتی تشیع بـود. در عین حـال، بـرای نخستین بار نطفه‌های نـظریه‌ی ولایت فـقیه را صورت‌بندی کـرد. نـظرات روحانیون تجددخواه را خطرناک می‌دانست و درست سی وهفت سال پیش از آن هنگام که دادگاه‌های انقلاب، هویدا و هزاران نفر دیگر را به عنوان «مفسد فی‌الارض» به محاکمه کشیدند، او از «دولت اسلام» می‌خواست کـه، «بـا مقررات دینی و مذهبی همیشه همراه و این نشریات راکه بر خلاف قانون و

دین است جلوگیری کند و اشخاصی که این یاوه‌سرایی‌ها را می‌کنند در حضور هواخواهان دین اعدام کند و این فتنه‌جویان را که مفسد فی‌الارض هستند از زمین براندازد تا فتنه‌انگیزان دیگر دامن به آتش فتنه گری و تفرق کلمه نزنند و دست خیانت به مقدسات دینی دراز نکنند والسلام.»[۸]

سلوک محمدرضا شاه نیز گاه ناخواسته منادی تغییر می‌شد. پادشاه جوان انسانی خجول و از خود نامطمئن بود. از پسِ پر کردن جای پای پدر برنمی‌آمد. تمثیل گویای این رابطه‌ی دشوار را می‌توان در تصویری سراغ کرد که به سال ۱۳۰۵ تعلق داشت. در آن زمان، «پدر چهل وهشت ساله و پسرش هفت ساله بود. شاه‌بابای قوی‌جثه و قدرتمند، با چهره‌ای اخمو، دست به کمر زده بود و استوار ایستاده بود. درکنارش پسربچه‌ای ضعیف‌اندام و رنگ باخته و عصبی دیده می‌شد. حالتی مطیع و رسمی داشت. قدش به کمر پدر هم نمی‌رسید.»[۹] لباس فرزند، بی‌کم وکاست، عین لباس پدر بود. درست شانزده سال بعد از آن تصویر، پسر ناگهان بر تخت پدر جلوس کرد و ساخته‌ی این کار نبود.

رضاشاه نقاط ضعف پسرش را خوب می‌شناخت. وقتی محمدرضا، در مقام ولیعهد، از پدرش پرسید که هدف اصلی حکومتش چیست، او در جواب گفته بود که می‌خواهد حکومتی پی‌ریزی کند که بتواند پس از او هم دوام بیاورد و امورات مملکت را اداره کند. محمدرضا کلمات پدرش را نشانی از بی‌اعتمادی او به توانایی‌های خود می‌دانست. گفته‌های رضاشاه را مؤید نوعی بی‌احترامی و بی‌اعتمادی تلقی می‌کرد. می‌گفت بر من سخت گران آمد که پدرم تا این حد نسبت به توانایی‌های من بی‌اعتماد بود.[۱۰]

شاه جوان تشنه‌ی این بود که نه‌تنها متفقین، که سیاستمداران ایران نیز او را به جدّ بگیرند. در آن روزها، شاه از لحاظ سیاسی بیش وکم حاشیه‌نشین بود. قوام‌السلطنه، نخست‌وزیر مقتدر سال‌های بعد از جنگ، نقش مهمی در حاشیه‌نشین کردن شاه‌بازی کرد. شاه می‌خواست از حاشیه به مرکز برسد.

می‌خواست اهرم‌های قدرت را خود در دست بگیرد. به همین خاطر، در آن روزها، برای جلب نیرو و متحد کلماتی به زبان آورد که سایه‌ی آن بعدها بر سلطنتش سنگینی می‌کرد. در سال ۱۳۲۵، خطاب به گروهی از روحـانیون مسلمان گفت:

من خوشوقتم که می‌بینم اخیراً روح وحدتی در بین مردم پیدا شده و رفته رفته به حقوق خود آشنا شده‌اند. بیانات آقایان نیز گواه ایـن موضوع است.

آقایان بهتر می‌دانند که ایران دو دسته پادشاه داشته است. سلاطین خوب و سلاطین بد. دسته‌ی اخیر هم دو تیره بوده‌اند. آنها که بـدی کردند و آنها که موفق به بدی نشده‌اند.

به نظر من مسئولیت آن دسته که بدی کرده‌اند بیشتر متوجه ملت و مردم است که اجازه بدی به زمامداران داده‌اند زیرا ملت نباید نسبت به اعمال زمامداران خود بی‌طرف و ساکت بماند بلکه اگر دید دولت‌ها حقوق او را پایمال کرده و قوانین را نقض می‌نمایند باید قیام کند و به زمامداران اجازه ندهد که به حدود و حقوق وی تجاوز کنند.

آری ملت باید به حقوق خود آشنا باشد تا در هنگام تجاوز بتواند از آن جلوگیری کند.

یکی از وظایف عمده‌ی آقایان حجج اسلام هم بیدار کردن مردم و آشنا ساختن آنان به حقوق قانونی خویش است تا در نتیجه دولت‌ها و زمامداران نتوانند به اعمال بی‌رویه و خلاف قانون مبادرت کنند.

توفیق آقایان را در این وظیفه‌ی ملی و سعادت و خوشبختی ملت ایران را خواستارم.[۱۱]

شاید، هیچ عبارت دیگری به این اندازه در سال‌های بعد باعث عذاب شاه نشد. به علاوه، در شاه نوعی احساس خودکم‌بینی وجود داشت. در عین حال، تحقیرش از جانب متفقین و برخی از نخست‌وزیران پانزده سال اوّل حکومتش

مزید بر علت شد و بر نوع رابطه‌ای که در نیمه‌ی دوّم سلطنتش با هویدا ایجاد کرد، تأثیری ژرف گذاشت.

اگر همه‌ی این عوامل رونق فضای فکری و سیاسی مملکت را کفایت نمی‌کرد، عامل دیگری هم درکار بود، که نیل کرام کوک* نام داشت.[۱۲] وی زنی آمریکایی و با جربزه بود و به ادبیات ایران علاقه‌ای ویژه پیدا کرده بود و به خصوص به متون تصوف دلبستگی داشت. او عملاً از سوی متفقین، وزیر فرهنگ ایران و ضابط اخلاق عمومی مملکت شده بود.[۱۳] در دوران قدرتمندی او، نه‌تنها بر شمار مجلات و روزنامه‌های ایرانی افزوده شد، بلکه این نشریات در عین حال از آزادی نسبی بی‌سابقه‌ای برخوردار شدند. در آن روزها، در تهران نزدیک به دویست روزنامه منتشر می‌شد.[۱۴] و درست در اوج این تحولات بود که امیر عباس هویدا به ایران بازگشت. می‌خواست در ملتقای دلبستگی‌های فرهنگی متفاوت و متعارضی که داشت، برای خود هویتی ماندگار تدارک کند.

قبل از بازگشت به تهران، برای دیدار برادر و مادرش به بیروت رفت. از آن جا به بصره آمد و در بصره بلم کوچکی کرایه کرد و به آن وسیله به خاک ایران وارد شد. آن گاه اتوموبیلی قدیمی او را به اهواز برد. از راننده خواست که حریم مرزی ایران را نشانش دهد. می‌خواست لحظه‌ی ورود به خاک ایران را بداند. به زبانی که یادآور نویسندگان رمانتیک فرانسوی محبوبش بود، می‌گفت: «می‌خواستم در مرز لحظه‌ای توقف کنم و اشک‌های شادی و اشک‌های غم و درد خود را نثار کنم. شادی از این که کشور خود را اکنون می‌بینم. کشوری که در آن صفحات کتاب پادشاهان را از زبان فردوسی شناخته و دوست داشته بودم و اشعار آن را در میان بازوان مادرم فراگرفته بودم... و اشک‌های خود را به پای آن می‌ریزم. کشورم که در سرحدات آن نیروهای خارجی ساکنند؛ نیروهای خارجی که به عنوان فاتح در شن‌های آرام

---

* Nill Cram Cook

ایران خستگی خود را به‌در می‌کنند.»[۱۵] اما هویدا دریافت که هیچ علامت مرزی‌ای در کار نیست. او انگلیسی‌ها را مسئول این کار می‌دانست. می‌گفت، آنها «مانند ارباب در عراق و در جنوب کشورم مسلط بودند»، و «آثار حاکمیت ما را از بین برده بودند.»[۱۶]

به همین سیاق، وصفش از اهواز، نخستین شهری که در مسیرش از آن می‌گذشت سخت غم‌زده بود. نشان می‌داد تا چه حد نسبت به وضع ایران ناامید بود. می‌گفت: «اهواز در حقیقت شهر نبود، خرابه‌هایی داغ‌زده در کنار رودخانه‌ای خشک... کوچه‌هایی تنگ و کثیف، مردمی پابرهنه و ژنده و در هر گوشه‌ای گداهایی که به هر تازه‌واردی یورش می‌بردند.»[۱۷]

اما هویدا ایران آن زمان را چندان نمی‌شناخت. در شهرهای آن چون گم‌گشته‌ای سرگردان می‌گشت و حتی در تهران، که زادگاهش بود، گم شد. بیست سال پیش هم در تهران گم شده بود. آن بار کودکی بیش نبود و تازه همراه خانواده‌اش از دمشق به تهران بازگشته بود. بار اوّل، راه منزل مادربزرگش را گم کرد و به کمک پاسبانی به منزل رسید. این بار نیز محتاج راهنمایی بود. بالاخره به کمک درشکه‌ای که اسبی زار و نحیف آن را می‌کشید، به هتلی که مقصدش بود رسید. در یک کلام، هویدا در تهران سرگردان و گم‌گشته بود. اما پاریس را، حتی پیش از آن که آن جا را دیده باشد، نیک می‌شناخت.

هویدا روز بعد از ورودش به تهران با اقوامش تماس گرفت. پس از چند روز، بالاخره به منزل دایی‌اش ناصرقلی سرداری نقل‌مکان کرد. ناصرقلی برادر همان سرداری مقیم پاریس بود. هویدا در تهران دو سال مهمان منزل دایی‌اش بود. اقامت درازمدتش در این منزل را می‌توان یکی از مصادیق سبک ویژه‌ی زندگی او دانست. او بعد از مراجعت به ایران در سال **۱۳۲۱**، به‌ندرت در خانه‌ای از آن خود سکنی داشت. گرچه در واپسین سال‌های حیاتش، آپارتمان کوچکی در ساختمان ساسان تهران خریده بود، وگرچه

ویلای کوچکی هم در نزدیکی دریای خزر داشت، اما در طول سال‌های اقامتش در ایران، بخش اعظم اوقاتش را در منزل مادرش می‌گذراند.

پس از یک هفته استراحت، هویدا برای انجام خدمت وظیفه ثبت‌نام کرد. در عین حال، در ۲۲ دی ماه ۱۳۲۱، قبل از شروع خدمت، در وزارت امور خارجه هم تقاضای کار کرد. هدفش از این کار یادآور مآل‌اندیشی‌های شخصیت‌های داستان‌ها و نمایش‌های چخوف بود. می‌خواست از این راه دو سال خدمت سربازی‌اش جزو خدمات دولتی‌اش به حساب بیاید. عین تقاضای کارش به این شرح بود: «این‌جانب امیرعباس هویدا دارای شناسنامه شماره ۳۵۴۲، فرزند حبیب‌الله (عین‌الملک) وزیر مختار سابق ایران در مملکت عربی سعودی، بعد از تکمیل تحصیلات متوسطه در بیروت و آموختن زبان‌های فرانسه و عربی به طور کامل و آشنا شدن به زبان انگلیسی عازم لندن شده و مدّت یک سال انگلیسی را تکمیل کرده و از آن جا به بروکسل رفته و پس از سه سال به دریافت لیسانس در علوم سیاسی از دانشگاه بروکسل نایل و ضمناً به زبان‌های ایتالیایی و آلمانی آشنا گردیدم، لهذا نظر آن وزارتخانه را به سابقه ممتد خدمت مرحوم پدرم و این که تحصیلات عالیه را در رشته‌ی دیپلماسی به پایان رسانده، جلب نموده مستدعی است چاکر را به کارمندی آن وزارتخانه مفتخر فرمایند.»[۱۸]

آن چنان که از متن این نامه برمی‌آید، هویدا آشنایی خود با چند زبان خارجی را یکی از مهم‌ترین و با ارزش‌ترین خصوصیات خود می‌دانست. از آن زمان، زبان همواره یکی از ابزار تقربش به صاحبان قدرت بود. به علاوه، اشاره‌ی هویدا به «سابقه ممتد خدمت» پدرش، قاعدتاً نافی ادعای کسانی است که می‌گویند عین‌الملک به خاطر فعالیت‌های تبلیغاتی‌اش به نفع مذهب بهائیت از عربستان سعودی، و از وزارت امور خارجه اخراج شد. به عبارت دیگر، از آن جا که وزیر خارجه‌ی وقت، محمدساعد، بهائی نبود، اشاره هویدا به خدمات پدرش قاعدتاً مؤید این واقعیت بود که بازنشستگی عین‌الملک ربطی

به فعالیت‌های مذهبی نداشت.

متن تقاضای کار هویدا را می‌توان در عین حال نخستین نشانه‌ی گزاف‌گویی درباره‌ی مدارج تحصیلی‌اش دانست. این مسأله در دوران صدارت‌اش ابعادی جدّی‌تر پیدا کرد. ادعای هویدا درباره‌ی «تحصیلات عالیه»اش در «رشته دیپلماسی»، تنها بر این واقعیت مبتنی بود که او در دوران لیسانس، چند درس در این زمینه گذرانده بود. سوای دو ترم درس حقوق بین‌المللی و روابط بین‌المللی، کلاس‌هایی هم در تاریخ اقتصادی و سیاسی استعمار بلژیک در کنگو گرفته بود.

به علاوه، گرچه در سال‌های بعد منابع گونه گونی ـ از کتاب **نخبگان ایران** گرفته تا مجموعه‌ی **زندگی‌نامه‌های جدید** و اسناد وزارت امور خارجه آمریکا ـ مدعی شدند که هویدا از سوربن دکترا گرفته بود، نص‌نامه‌ی خود هویدا جای تردیدی باقی نمی‌گذارد که لیسانس دانشگاه بروکسل بالاترین مدرک تحصیلی‌اش بود.*[۱۹] (البته در سال‌های بعد، در دورانی که ایران ثروتی به هم زده بود، هویدا به دریافت چندین دکترای افتخاری نایل آمد.) درواقع، چاپ سال ۱۳۴۴ کتاب **نخبگان ایران** مدعی است هویدا درجه‌ی فوق‌لیسانس «در علوم سیاسی و اقتصاد» از دانشگاه بروکسل و دکترا در تاریخ از دانشگاه پاریس»[۲۰] دریافت کرده بود. وقتی از جهانگیر بهروز، دبیر و ویراستار کتاب **نخبگان ایران** پرسیدم که منابع اطلاعتشان در مورد تحصیلات هویدا کدام بود، می‌گفت جزئیات ماجرا و چند وچون تدوین

---

* در اواسط دوران صدارتش، دولت هویدا دستوری صادر کرد که استفاده از لقب دکتر را به اطباء و دندان‌پزشکان و دام‌پزشکان محدود می‌کرد. شکی نیست که در آن دوران، بسیار بودند کسانی که از دکان‌های دیپلم‌فروشی اروپا و آمریکا دکترایی ابتیاع کرده بودند و به ایران بازمی‌گشتند و از این لقب سوءاستفاده‌ها می‌کردند. با این همه، برخی از منتقدین هویدا، صدور این بخشنامه را نشانی از حسد هویدا می‌دانستند. می‌گفتند هویدا چون خود دکترا نداشت کاربرد این لقب را برای دیگران هم برنمی‌تابید. ناگفته پیدا است که بخشنامه دولت محل اعتنای چندانی نبود. (مصاحبه با احمدقریشی، ۱۹ اکتبر ۱۹۹۷).

مطلب مربوط به هویدا را به خاطر ندارد.[۲۱] البته هویدا هم خود نقشی در
ترویج این گزاف‌گویی‌ها در مورد تحصیلات خود بازی کرد. در روزگاری که
نخست‌وزیر بود، به یکی از منشی‌های دفترش، سعیده پاکروان، گفته بود که:
«رساله‌ی دکترای خود را درباره‌ی پانائیت استراتی* نوشته است.»[۲۲]

بالاخره این که متن تقاضای کار هویدا کم و کیف آشنایی او با سبک کار
ادارات دولتی آن زمان ایران را نشان می‌دهد. او ظاهراً نمی‌دانست که دستیابی
به مشاغل دولتی، به ویژه در وزارت امور خارجه، مستلزم داشتن حامیانی
قدرتمند است. البته هویدا از ذکاوتی فراوان برخوردار بود. آن‌چه را
نمی‌دانست زود یاد می‌گرفت. طولی نکشید که دریافت پیشرفتش در ایران در
گرو یافتن یک حامی و «پارتی» قدرتمند است. سه سال طول کشید تا چنین
حامی را در شخص عبدالله انتظام سراغ کرد. به مدد او، همه‌ی پلکان ترقی
اداری را به سرعت پشت‌سر گذاشت. اما برای تسهیل کار استخدامش در
وزارت خارجه، به انوشیروان سپهبدی متوسل شد که از بلندپایگان آن زمان
وزارت خارجه و شوهرخاله‌اش بود. سپهبدی نامه‌ای به حمایت از استخدام
هویدا نوشت[۲۳]. در عین حال، هویدا به یکی از دوستان پدرش به نام
ابوالحسن بهنام، که مصدر پست مهمی در وزارت امور خارجه بود نیز توسل
جست. به کمک بهنام و سپهبدی، هویدا به عنوان کارآموز در دفتر وزیر
استخدام شد.[۲۴]

گرچه از روزی که هویدا تقاضای کار کرد تا روزی که حکم استخدامش
صادر شد، هشت ماه طول کشید، با این حال برخی از منتقدین هویدا، استخدام
او را مرموز دانسته‌اند. بعضی از این معاندین حتی مدعی‌اند، «دست‌های
مرموزی» به نفع هویدا وارد کار شد.[۲۵] اما به گمان من، مسأله‌ی جدّی‌تر این
است که بپرسیم چرا در سال ۱۳۲۱، یعنی زمانی که شمار فارغ‌التحصیلان
ایرانی دانشگاه‌های غربی سخت محدود بود، کسی با سوابق تحصیلاتی هویدا،

---

* Pauait Istrati

برای یافتن شغلی در وزارت امور خارجه، ناچار بود به «حامی» و «پارتی» تکیه کند. در هر صورت، حکم موقتی هویدا زمانی قطعی شد که امتحانی را که برای استخدام در وزارت‌خانه لازم بود با موفقیت پشت‌سر گذاشت.

هویدا در عین حال گام‌های لازم برای آغاز خدمت سربازی‌اش را هم برداشت. در آن روزها، و نیز در سال‌های بعد، فرزندان مذکر هزار فامیل ایران، به هزار و یک حیله و نیرنگ توسل می‌جستند تا به هر قیمت که شده از خدمت سربازی فرار کنند. هویدا از این امتیاز برخوردار بود که به گمانم، تنها نخست‌وزیر دوران مشروطه بود که در عین حال خدمت سربازی را هم پشت‌سر گذاشته بود. به قول هویدا، درست در زمانی که همه‌ی دوستانش در فکر گریز از خدمت بودند، او همّ خود را صرف آغاز خدمت می‌کرد.[۲۶] در عین حال، توانست در وزارت امورخارجه هم به استخدام درآید. کارش در آن جا سخت ملال‌آور بود. نامه‌های دریافتی وزارت‌خانه را می‌خواند، خلاصه‌ای از آن تهیه می‌کرد و آن را در دفتر وزارتی به ثبت می‌رساند. البته همان طور که می‌خواست دوران خدمت سربازی‌اش پس از شروع استخدامش در وزارت امور خارجه بود و بدین‌سان دوران دوساله‌ی سربازی او جزو سوابق کارمندی‌اش شد.[۲۷]

به عنوان فارغ‌التحصیل دانشگاه، هویدا از دوران آموزش سربازی معاف بود و خدمتش را در دانشکده‌ی افسری آغاز کرد. دوباره تسلطش بر یک زبان خارجی، این بار انگلیسی، به کمکش آمد و به عنوان مترجم گروهی از افسران امریکایی در ایران برگزیده شد.

در ماه‌های نخست اقامتش در تهران، هویدا هم با دوستان قدیمش محشور بود و هم رفقایی جدید پیدا کرد. از میان دوستان قدیم، در این دوران بیشتر از همه با حمید رهنما دمخور بود که آن روزها سردبیری روزنامه **ایران** را به عهده داشت.[۲۸] حمید و برادرش مجید، و نیز پدرشان زین‌العابدین رهنما، بعدها نقش مهمی در زندگی هویدا بازی کردند. باید این نکته را هم تذکر داد

که هویدا نخستین نوشته‌های فارسی خود را در صفحات همین ایران به چاپ رسانید. دست‌کم یک نقد کتاب و یک داستان کوتاه منتشر کرد. گرچه داستان کوتاهش را نخوانده‌ام، اما به قول ابراهیم گلستان نوشته‌ای کم‌جان و بی‌خون بود.[۲۹]

هویدا، در وزارت امور خارجه با شخصی به نام جمشید مفتاح آشنا شد و از طریق او، پرویز ناتل خانلری را ملاقات کرد. مجله‌ی سخن در آن زمان یکی از مراکز ثقل روشنفکری ایران بود. بسیاری از شعرا و نویسندگان و فلاسفه‌ی برجسته‌ی ایران از همکاران این مجله به شمار می‌رفتند. هویدا، از طریق خانلری با بعضی از مهم‌ترین روشنفکران ایرانی آن زمان آشنا شد.

تسلط هویدا به زبان فرانسه، دسترسی‌اش به بسیاری از شاهکارهای ادبی اروپا، و بالاخره شور بی‌پایانش برای کتاب همه دست به دست هم داد و هویدا را به حلقه‌ی دوستان هدایت هم وارد کرد. هدایت انسانی بیش وکم گوشه گیر بود. سلوک و کردارش بی‌شباهت به زندگی و اخلاق کافکا نبود. هرکسی را به حلقه‌ی دوستانش راه نمی‌داد. بی‌خردان، مدّاحان و آنانی راکه می‌خواستند از طریق مجاورت با مشاهیر شهرتی کسب کنند برنمی‌تابید. هدایت و دوستانش، آن‌چنان که رسم روشنفکران آن روزگار بود، عصرها در کافه‌ای (که معمولاً هم همان کافه فردوس بود) گرد هم می‌آمدند و گپ می‌زدند و از هر دری سخن می‌راندند. در سال‌های بعد، در اوقاتی که هدایت و هویدا هر کدام در مسافرت بودند، از طریق نامه با یکدیگر در تماس می‌ماندند. به علاوه، هویدا اغلب از خارج برای هدایت کتاب می‌فرستاد. گاه رمان‌های تازه ارسال می‌کرد و زمانی آثاری در زمینه‌ی روانکاوی، که از قضا در سال‌های بعد از جنگ در فرانسه از رونقی بی‌سابقه برخوردار بود.[۳۰] آمریکای کافکا و نیز نوشته‌هایی از ژان پل‌سارتر و هنری میلر از جمله آثاری بود که هویدا در آن سال‌ها برای هدایت فرستاد.[۳۱] در سال ۱۳۳۸، هویدا بر آن شد که انجوی شیرازی را، که خود از دوستان هدایت بود، به کار تدوین و چاپ نامه‌های

هدایت به هویدا تشویق کند.[۳۲] به دلایلی که روشن نیست، این کار هرگز پا نگرفت. بدتر از همه این که از بیشتر نامه‌ها هم دیگر نشانی نیست.

رابطهٔ هویدا، در میان دوستی‌های ادبی، با چوبک از همه ماندگارتر بود و تا پایان عمر هویدا ادامه داشت. چوبک نیز از اعضای حلقه‌ی هدایت بود و از چهره‌های مهم داستان‌نویسی معاصر فارسی‌اش باید دانست. او همزمان با هویدا، در دانشکده افسری خدمت می‌کرد. بسیاری از عصرها، پس از پایان ساعات خدمت، آن دو با هم پیاده راهی منزل می‌شدند. سر راه در دکه‌ای توقف می‌کردند. نیم‌بطر ودکا سفارش می‌دادند. آن روزها هیچ‌کدام پول چندانی در بساط نداشتند. اندکی گوجه و خیار، یا ظرف کوچکی پسته، تنها مزه‌ی این مشروب می‌شد. هویدا همه عمر به صرف مشروبات الکی علاقه داشت. در سال‌های بعد که وضع مالی‌اش اجازه می‌داد، اسکاچ را جانشین ودکا کرد. کم‌کم به شراب ناب فرانسه هم دلبستگی یافت. البته هرگز مشروب زیادی نمی‌خورد. درواقع، ظرفیتش سخت محدود بود. یکی دو پیمانه کفایتش می‌کرد. چهره‌اش دگرگون می‌شد، و حالتی خندان، یا به قول منتقدینش رفتاری دلقک‌وار، پیدا می‌کرد.[۳۳] در آن روزهای بی‌تکلف جوانی، هویدا همدمی سخت همراه بود. به گفته‌های دیگران علاقه نشان می‌داد و نسبت به هر کلامشان کنجکاو بود. به راحتی دیگران، حتی غریبه‌ها، را به سخن می‌آورد و دیری نمی‌پایید که اعتمادشان را جلب می‌کرد. به آسانی از کوره درنمی‌رفت. در کردارش نوعی حالت آزادگی و فراغت از رسم و رسوم دست و پاگیر بود. در عین حال، گویی همیشه سرحال بود. گرچه منتقدینش همین حالات را حمل بر بی‌کفایتی، حتی جلفی او می‌کردند، اما کسانی چون چوبک، دقیقاً این خصوصیات را می‌پسندیدند. سال‌ها بعد، وقتی هویدا به سیاستمداری قدرتمند بدل شد، همین سلوک او موضوع بحث و اختلاف‌نظر فراوان بود. بعضی آن را تجسم ریاکاری هویدا و نوعی تظاهر به کردار مردمی می‌دانستند. می‌گفتند هویدا می‌خواست از این راه سرسپردگی

خود به حاکمی مستبد را کتمان کند. در مقابل، دوستانش این حالات را نشان طینت پاک و پالوده‌ی او می‌شمردند. می‌گفتند سلوکش در خضوع و فروتنی باطنی او ریشه داشت.

چوبک می‌گفت هویدا همیشه شنونده‌ی خوبی بود. هم به بحث‌ها و حرف‌های پیش‌پا افتاده و روزمره، هم به مباحث فلسفی مجرد سخت علاقمند بود. می‌گفت در آن عصرهای می‌زده جوانی، مذهب یکی از مباحث همیشگی بحث بود. هویدا در مکتب عرفی‌گرایان فرانسوی درس خوانده بود. فرزند راستین عصر روشنگری بود. به ولتر علاقه‌ای خاص داشت و آثارش را به دقت خوانده بود. وقتی ولتر می‌گفت: «این لکه‌ی ننگ را باید از میان برداشت»، مرادش چیزی جز مذاهب رسمی نبود. هویدا هم در خلوت وقتی از مذهب سخن می‌گفت، از ولتر و از نیچه اقوالی نقل می‌کرد. چوبک او را «خداناشناسی قطعی» می‌دانست. بسیاری از دوستان و اقوام هویدا از او درباره چند وچون علائق مذهبی‌اش پرسیده بودند. به همه جوابی بیش وکم یکسان می‌داد. می‌گفت از مذاهب رسمی نفرت دارد.[۳۴] در جامعه و فرهنگی که عمیقاً مذهبی بود، او به میزان به‌راستی حیرت‌آوری از هرگونه دلبستگی مذهبی فارغ بود. گرچه در روزگار صدارتش، تظاهر به دین‌داری می‌کرد و دست‌کم در ظاهر، مناسک مذهبی را به اجرا درمی‌آورد، اما در دوران دانشکده‌ی افسری گویی یکسره پیرو ولتر بود. به گمان هویدا، مذاهب در طول تاریخ، نقشی منفی بازی کرده‌اند. خرافات و جهل و روا نداری‌ی فکری مهم‌ترین ارمغانشان برای انسانیت بوده است. در حملاتی که در خلوت به مذهب می‌کرد، بهائیت و تشیع، مسیحیت و یهودیت را همه به یک چوب می‌راند. البته در آن عصرهای می زده، این حکم دیرینه که زبان حقیقت را از شراب باید شنید صدق داشت و این واقعیت بر تندی حملاتش می‌افزود.

سنت مشروب‌خوری با چوبک تا پایان دوران صدارت هویدا ادامه داشت. هر چهارشنبه، پیش از این که برای صرف شام به منزل مادرش برود،

هویدا به دیدار قدسی و صادق چوبک می‌رفت. گیلاسی اسکاچ را مزه‌مزه می‌کرد و گاه لقمه‌ای از پنیر هلندی که مخصوص او ابتیاع شده بود به دهان می‌گرفت. از هر دری سخنی می‌گفتند و گاه هم بحث ادبی می‌کردند. اما از سیاست هرگز سخنی به میان نمی‌آمد. انگار به توافقی ضمنی، بحث سیاست خارج از دستور این دیدارها بود.

هویدا در آن روزها مشغول خدمت وظیفه بود. در عین حال می‌خواست سرزمین ناشناخته‌ای را که زادگاهش بود بهتر بشناسد. با این همه، کار دل را هم یکسره وانگذاشته بود. با خانمی به نام پروین آشنا شد. اطلاعات چندانی در مورد کم وکیف مناسباتش با پروین نداریم. در آن روزها، مناسبات میان زنان و مردانی که با یکدیگر ازدواج نکرده بودند کماکان اغلب در پرده‌ی کتمان بود. (در دهه‌ی چهل و پنجاه، برای نخستین بار در ایران، این مناسبات اندکی علنی‌تر شد. انقلاب اسلامی به این فضای باز البته خاتمه داد.) هویدا پروین را هم با چوبک و هم با برادرش فریدون آشنا کرد. به گفته‌ی چوبک: «زنی سخت مستقل و زیبارو بود. در لباس خوش‌سلیقه و در کردار جهان دیده.» مناسبات این دو نفر دو سالی بیش دوام نیاورد. هنگامی که هویدا راهی‌ی اوّلین مأموریتش در وزارت امور خارجه شد، دوستی با پروین هم در عین مسالمت و خوشدلی پایان گرفت.

دوستانی که هویدا در این دوران برگزید، به خصوص رفاقتش با چوبک و هدایت، از چند جنبه جالب توجه‌اند. دهه‌ی بیست، و به خصوص سال‌های ۱۳۲۱ تا ۱۳۲۴، یکی از فعّال‌ترین ادوار سیاسی تاریخ معاصر ایران بود. نادر بودند روشنفکرانی که در این سال‌ها به وسوسه‌ی فعالیت سیاسی دچار و تسلیم نشدند. ولی درست در همین زمان، هویدا انگار بیشتر به مسائل ادبی و فرهنگی دلبستگی داشت. ظاهراً درگیری‌های سیاسی به هیچ روی وسوسه‌اش نمی‌کرد. به علاوه، چوبک و هدایت هردو خصم بی‌چون وچرای استبداد بودند؛ هردو آشکارا ایمانی به خدا نداشتند و منتقد جدّی مذهب اسلام بودند. به علاوه،

هردو از معدود روشنفکرانی بـودند کـه بـه رغـم تـمایلات ضـدمذهبی و ضداستبدادی، گرفتار وسوسه‌ی حزب توده هم نشدند و هرگز به آن نپیوستند. در آن سال‌ها، هویدا بـی‌گمان خـود را پـیش از هـر چـیز یـک روشنفکر می‌دانست. نقشی فرعی در چاپ یکی از جسورانه‌ترین نمایش‌های ضدمذهب هدایت، یعنی افسانه آفرینش، بازی کرد. در یک کلام، دوستان هویدا را در آن دوران باید مؤید ارزش‌های فکری و فلسفی مطلوب او دانست.۳۶

وقتی هویدا به صدر مصطبه‌ی سیاست رسید، روشنفکرانی چون جـلال آل‌احمد تعبیری متفاوت از دوستی‌های روشنفکری هدایت عرضه می‌کردند. آل‌احمد می‌گفت هویدا این دوستی‌ها را پـلکان تـرقی خـود کـرده است. می‌گفت این رفاقت‌ها همه درواقع تلاشی در جهت «جذب» روشنفکران به درون نظام پهلوی بود. البته اگر قول آل‌احمد را بپذیریم، نه‌تنها باید بـرای هویدا نوعی یک‌دندگی و هدفمندی حیرت‌آور قایل شویم، بلکه باید قدرت تشخیص و آدم‌شناسی کسانی چون هدایت و چوبک را هم نادیده بگیریم.۳۷ به علاوه، این را هم می‌دانیم که هویدا هرگز سعی نکرد نظرات سیاسی چوبک را دگرگون کند، یا او را به پیوستن به یکی از احزاب سیاسی روز وادارد.۳۸

نخستین نشان بهره جستن هویدا از شبکه‌ی گسترده‌ی دوستان و اقوام پرنفوذش را باید در انتصابش به مقام دبیر دوّمی سفارت ایران در پاریس سراغ کرد. گرچه تازه به کادر وزارت امور خارجه پیوسته بود، و گرچـه در تمام مدّت خدمتش در این وزارت‌خانه، در دانشکده افسری مأمور خدمت بود، با این همه نخستین مأموریتش به عنوان دیپلمات، پست سخت مطلوب دبیری سفارت ایران در فرانسه بود. طرفه آن که، از همه‌ی پیشنهاداتی که به او شده بود، این یکی را باید رد می‌کرد.

فصل پنجم

بازگشت به پاریس

نام نیک زنان و مردان
زینت آرای روح آنان است
شکسپیر، اتلو

در مرداد ماه سال ۱۳۲۳، زین‌العابدین رهنما به عنوان وزیر مختار ایران در پاریس برگزیده شد.[۱] در دورانی که فرانسه در اشغال نازی‌ها بود، ایران دفتر سفارتش را در پاریس بست و تنها پس از پایان جنگ به بازگشایی‌اش همت کرد و در آن زمان، رهنما هم به وزیرمختاری برگمارده شد. او از شخصیت‌های جالب آن روزگار به شمار می‌رفت. بزرگ خانواده‌ای از روشنفکران و نویسنده‌ای صاحب‌نام بود. پیش از پایان عمرش، هم ترجمه‌ای از قرآن تدارک کرد و هم زندگی‌نامه‌ای درباره‌ی پیامبر اسلام نوشت. مهم‌تر از همه، روزنامه‌نگاری پرشهرت و در عین حال سرکش بود. هویدا نخست در بیروت با خانواده‌ی رهنما آشنا شد. با دو فرزند پسر خانواده، دوستی نزدیک داشت و هنگامی که پدر به پست پاریس منصوب شد، ترتیبی داد که هویدا نیز او را همراهی کند.[۲]

در پاریس جنگ‌زده، هویدا زندگی بیش وکم مرفه و راحتی داشت. در حالی که برای اکثر پاریسی‌ها، استفاده از وسایل نقلیه‌ی عمومی کاری دشوار و پردردسر بود، سفارت ایران یک بیوک بزرگ آمریکایی و یک رنو در اختیار داشت.[۳] دست‌کم یکی از این دو اتوموبیل بعدها جزو شواهد ماجرای

پرسروصدایی شد که بالمآل دامن هویدا را هم گرفت.

کار دفتر سفارت در پاریس در آن روزها به خصوص سنگین بود. نه‌تنها مسئول تمام امور کنسولی و دیپلماتیک ایران در فرانسه بود، بلکه رسیدگی به روابط ایران و آلمان اشغالی را نیز به عهده داشت. در ماه‌های نخست بعد از جنگ، روابط ایران و آلمان گرد دو محور دور می‌زد. نخست مسائل اقتصادی بود. در دوران اقتدار نازی‌ها، ایران چند قرارداد اقتصادی با این کشور منعقد کرده بود و تکلیف این قراردادها باید هرچه زودتر روشن می‌شد. به علاوه، شماری از ایرانیان به اردوگاه‌های کار اجباری نازی‌ها افتاده بودند. برای تسهیل کار رهایی و جابجا کردن این گروه، نمایندگان ایران در پاریس، به ویژه هویدا و رهنما، چندین بار به آلمان سفر کردند.[۴]

یکی از وظایف هویدا در سفارت، ایجاد روابط دوستانه با جامعه‌ی روشنفکری فرانسه بود. به مدد تماس‌هایی که رهنما برقرار کرده بود، هویدا توانست برخی از نویسندگان فرانسوی محبوب خود، از جمله آندره مالرو، پل والری و فرانسوا موریاک را ملاقات کند.[5] در روزگاری که فقر در پاریس بیداد می‌کرد، مهمانی‌های مجلل سفارت آن جا را به پاتوق برخی از روشنفکران پرآوازه‌ی آن زمان فرانسه بدل کرده بود.[6] هویدا که همه‌ی عمر سودای یافتن دوستانی جالب و سودمند در سر داشت، در همین سال‌ها، برخی از مهم‌ترین و ماندگارترین رفاقت‌های زندگی خود را پی ریخت.

اندکی بعد از انتصاب هویدا به پست پاریس، حسنعلی منصور هم که تازگی به صف کارمندان وزارت امور خارجه پیوسته بود، به پاریس آمد. او فرزند یکی از همان «هزار فامیلی» بود که به روایتی سیاست ایران سده‌ی بیست را همواره زیر نگین خود داشت. حسنعلی جوانی مغرور بود. در عین حال، اغلب نوعی تواضع مصلحتی نیز از خود نشان می‌داد. خوش‌برورو بود. پس از چندی به زن بارگی شهرت یافت.[7] شور و شوقی انگار بی‌پایان داشت. از نوعی جذابیت و فره سیاسی برخوردار بود. بلندپروازی‌های سیاسی‌اش هم

حدی نمی‌شناخت. ذهنی کنجکاو داشت و تخصص تکنوکراتیک را ارج فراوان می‌گذاشت. خوش‌صحبت بود و مدیری قابل به شمار می‌رفت. اهل سازماندهی بود. در ایجاد و حفظ روابط عمومی استاد بود. قادر بود نظرات گونه گون را بشنود و فصل مشترکشان را دریابد. برای اغلب سیاستمداران نسل پیش از خود چیزی جز نکوهش نداشت. بارها در خلوت گفته بود: «انسان‌هایی تهی مغز و نادان‌اند.»[8] اما در جلوت با همه به احترام رفتار می‌کرد. پدر خود او یکی از مشهورترین عناصر همان نسل سیاستمداران پیشین بود. دوران صدارت پدرش سخت جنجالی از آب درآمده بود. با این حال، در خانواده‌ی منصور، انگار پست صدارت و وزارت جزئی از ملک طلق خانوادگی به شمار می‌رفت.[9] امیرعباس نخست در تهران با منصور آشنا شده بود. هردو کارمند وزارت امور خارجه بودند و مراوداتی محدود، در حد دو همکار اداری صرف داشتند. در پاریس این رابطه از لونی دیگر شد و به شکل رفاقتی ریشه‌دار برآمد و تا پایان عمر منصور ادامه داشت. مشوق و محرک این دگرگونی فریدون هویدا بود.

فریدون هویدا، در آبان ۱۳۲۳، از دانشگاه فرانسوی بیروت ـ وابسته به دانشگاه لیون در فرانسه ـ در رشته‌های حقوق و اقتصاد فارغ‌التحصیل شد. بلافاصله به ایران بازگشت و پس از گذراندن امتحانات ورودی لازم، به کادر وزارت امور خارجه پیوست. نخستین مسئولیتش اداره‌ی کتابخانه ویژه وزارت امور خارجه بود.[10] پس از چندی او نیز، چون برادرش امیرعباس، به خاطر تسلط کاملش به زبان فرانسه، در میان کارمندان وزارت امور خارجه شهرتی به‌هم زد. به اعتبار همین تسلط در همان چند ماه اول استخدامش در وزارت امور خارجه کار تدوین نامه‌های فرانسوی قوام، نخست‌وزیر وقت مملکت، به او واگذار شد.

منصور، که در آن زمان کارآموز وزارت خارجه بود ـ و در ایران، برای فرزندان هزار فامیل این نوع کارآموزی معمولاً گام نخست برای ورود به کادر

دیپلماتیک بود ـ در اواسط فروردین **۱۳۲۴** به کتابخانه وزارت آمد و با فریدون آشنا شد. این آشنایی پس از چندی به دوستی بدل شد. در آن زمان، حسنعلی مشغول تدارک پایان‌نامه‌ی تحصیلی خود در دانشکده‌ی حقوق دانشگاه تهران بود و فریدون در تکمیل و تدوین این نوشته منصور را یاری داد.[11]

در مرداد **۱۳۲۵**، هردو نفر از پاریس سردرآوردند. فریدون دبیر هیئت نمایندگی ایران در کنفرانس صلح پاریس شده بود. منصور هم در انتظار نخستین مأموریتش از سوی وزارت‌خارجه به آن جا آمده بود. حسن‌نظر فریدون به منصور امیرعباس را نیز نسبت به او کنجکاو کرد. طولی نکشید که دوستی دیرپایی میانشان پدید آمد. بسیاری از کسانی که هویدا را از نزدیک می‌شناختند، در این قول متفق‌اند که در میان رفقای هویدا، که خود به رفیق‌بازی شهرت داشت، منصور از جایگاهی ویژه برخوردار بود. باگذشت زمان، نزدیکی و رفاقت این دو استوارتر و ریشه‌دارتر می‌شد. در فاصله‌ای کمتر از ده سال، نه‌تنها سرنوشت سیاسی‌شان به‌گونه‌ای جدایی‌ناپذیر درهم آمیخت، بلکه زندگی عاطفی و عشقی‌شان نیز به شبکه پیچیده‌ای از روابط متقابل و مشترک و فرافکنی‌های پرپیچ وخم بدل گشت. فاطمه سودآور فرمانفرمائیان که هردو مرد را می‌شناخت، معتقد است: «هویدا با منصور برخوردی منحصربه‌فرد داشت.» می‌گفت پنج سال پس از مرگ منصور، شبی هویدا در منزل او مهمان بود. «خواننده محبوبش، هایده، را هم دعوت کرده بودم.» هویدا بر مخده‌ای، روی زمین، روبه‌روی هایده، لمیده بود. از او خواست که «صورت‌گر نقاش چین» را بخواند. لحظاتی پس از آغاز این ترانه هویدا، با چشمانی غمناک، رو به من کرد و گفت: «این آواز محبوب علی بود.»

الفت با منصور تنها محصول عاطفی آن سال‌ها نبود. در همان روزها، هویدا با ادوارد سابلیه* آشنا شد که خبرنگار **لوموند** بود و بیشتر به مسائل

---

* Eduard Sablier

خاورمیانه می‌پرداخت. چندی پس از ورودش به پاریس، هویدا به عنوان مسئول امور فرهنگی سفارت ایران، به اقتضای شغلش، سابلیه را به نهار دعوت کرد. آن روزها، بحران آذربایجان به مساله‌ای جهانی بدل شده بود. در واقع از منظر تاریخ دهه‌های بعد از جنگ، می‌توان مساله‌ی آذربایجان را یکی از نخستین رودررویی‌های مهم جنگ سرد دانست.* هویدا به سابلیه توصیه کرد که به ایران سفر کند. می‌گفت حتی می‌تواند با شورشیان آذربایجان ملاقات کند. در عین حال، وعده داد که دولت میزبان تمام مخارج چنین سفری را تقبل خواهد کرد. می‌گفت دولت آماده است: «یک فروند هواپیمای خصوصی و یک مترجم جوان و زیبا» در اختیار سابلیه بگذارد.[۱۳] در عین حال، دسترسی سابلیه به «تمام مناطق کشور» را تضمین خواهد کرد. سابلیه پیشنهادات هویدا را طبعاً سخت پسندید، ولی اضافه کرد که خط‌مشی روزنامه‌ی **لوموند** مانع این گونه سفرها است. می‌گفت **لوموند** مایل نیست هیچ دولتی خرج سفر خبرنگارانش را بپردازد. سردبیر سخت‌گیر روزنامه، هوبرت بوومری،** مجری بی‌چون وچرای این سیاست بود. هویدا قطع امید نکرد. در جواب سابلیه گفت: «سردبیر را به عهده‌ی من بگذار.»

روز بعد هویدا به دیدار سردبیر **لوموند** رفت و هرطور بود او را به تأیید و تصویب سفر سابلیه مجاب کرد. چند روز بعد، سابلیه عازم تهران شد. در جریان تدارک این سفر، این دو دوستانی نزدیک «و جدا ناشدنی»[۱۴] شدند. در سال‌های بعد، به کرّات ازیکدیگر دیدار می‌کردند. گاه تعطیلات سالیانه‌شان را با هم می‌گذراندند. در هر سفر هویدا به پاریس، دیدار با سابلیه از بخش‌های گریزناپذیر و همیشگی سفر بود. هر دو نفر دلبستگی فراوانی به

---

* پس از پایان جنگ جهانی دوّم، نیروهای آمریکا و انگلیس، طبق قرارداد قبلی، ایران را ترک گفتند. اما شوروی نیروهای اشغالی خود را از ایران بیرون نبرد. به علاوه، دولت دست نشانده‌ای در خطه‌ی آذربایجان پدید آورد.

** Hubert Beuve - Mery

موسیقی کلاسیک و فرهنگ و ادب فرانسه و عالم سیاست داشتند. دوستی هویدا با سابلیه از ماندگارترین و دیرپاترین روابط عاطفی زندگی‌ی او بود. واپسین‌نامه‌ی هویدا در زندگی خطاب به سابلیه بود.

این دوستی صرفاً جنبه‌ی عاطفی نداشت و در عین حال برای هردو طرف فواید حرفه‌ای هم داشت. از همان روزهای اوّلی که هویدا وارد عالم سیاست شد، نقش مهم وسایل ارتباط جمعی را در این مرحله از سیاست جهان نیک می‌شناخت. (حتی می‌توان گفت که در این زمینه به افراط دچار شده بود. به خصوص در دوره‌های آخر صدارتش، انگار به این نتیجه رسیده بود که برای حل هر مسأله، کافی است آن را در عرصه مطبوعات و افکار عمومی حل کرد.) هویدا چم وخم مطبوعات را نخست در مکتب سابلیه آموخت. بر خلاف اکثر سیاستمداران ایرانی آن زمان که داغ و درفش و دینار را تنها راه اداره‌ی مطبوعات می‌دانستند، هویدا به مسأله از زاویه‌ای پیچیده‌تر و مدرن می‌نگریست. می‌دانست که ارباب مطبوعات را چگونه راضی می‌توان نگاه داشت. ته رنگی از این برخورد پخته و پیچیده را حتی در برخوردش با سابلیه مشاهده می‌توان کرد. در سرشت رابطه‌اش با او در عین حال می‌توان نشانی از این واقعیت سراغ کرد که هویدا حتی در انتخاب دوستان نزدیکش نیز هرگز مصالح سیاسی خود را وانمی‌گذاشت. در بسیاری از موارد، هویدا اطلاعات دقیقی درباب مسائل و چشم‌اندازهای سیاسی ایران در اختیار سابلیه می‌گذاشت. سابلیه خود اعتراف می‌کرد که: «برخی از مقالات من درواقع همه اندیشه‌های هویدا بود که به قلم من به شکل مقاله‌ای درآمده بود.» [15] بدین‌سان هویدا نه‌تنها به دوستش سابلیه نوعی پاداش می‌داد، بلکه از طریق او، سیاست‌های موردنظر خود را تقویت می‌کرد و گاه جنگ و جدال‌های سیاسی خویش را از همین راه پیش می‌برد.

در حقیقت گل کردن کار سابلیه به عنوان روزنامه‌نگار به زمانی تأویل‌پذیر بود که هویدا سرنخ مهمی در اختیارش گذاشت. در شهریور ۱۳۳۶، هویدا در

سفارت ایران در ترکیه کار می‌کرد. تصادفاً خبردار شد که مأموران امنیتی شوروی (کاگ ب) یک کشتی باری پستی ترکیه را غرق کرده و از این راه به مشتی از مراسلات محرمانه‌ی دیپلماتیک دولت آمریکا دست یافته‌اند. از قضا سابلیه در آن روزها برای انجام چند مصاحبه با مقامات ترکیه به آنکارا آمده بود. روزی که قرار بود با نخست‌وزیر ترکیه مصاحبه کند، هویدا، بدون تفصیل چندانی، توصیه کرد که سابلیه از نخست‌وزیر درباره‌ی غرق شدن کشتی پست بپرسد. همین اشاره‌ی اجمالی هویدا، سابلیه را کفایت کرد و به مددش، پس از جستجوی فراوان توانست از آن‌چه بالمآل به «ماجرای هندرسن» شهرت یافت پرده بردارد.[۱۶]

اما در پاریس، سال‌ها پیش از این ماجرا، و چند ماهی پس از نخستین دیدار هویدا و سابلیه، روزی هردو بر پله‌های کلیسای معروف ساکره کور* نشسته بودند. چشم‌انداز زیبایی از شهر فرارویشان بود. امیرعباس از برنامه‌های آینده زندگی‌اش می‌گفت و در این میان قولی داد. گفت: «روزی نخست‌وزیر ایران خواهم شد و در همان روز اوّل، ترا برای دیدار از کشورم دعوت خواهم کرد.»[۱۷]

* * *

اما در اوایل تابستان سال **۱۳۲۴** رؤیاهای بلندپروازانه‌ی سیاسی هویدا ناگهان به کابوسی بدل شد که تا واپسین دم حیات، بر زندگی او سایه انداخت. سفارت ایران در پاریس درگیر ماجرایی سخت جنجالی شد. حرص و آز محرک واقعی ماجرا بود. ویرانی‌های جنگ بسیاری از ساکنان پاریس را به خاک سیاه نشانده بود. در مقابل، شماری از فرانسوی‌های مآل‌اندیش توانسته بودند به دور از چشم مقامات دولتی، بخش قابل‌ملاحظه‌ای از ثروت خود را به بانک‌های سوئیس منتقل کنند. با پایان جنگ، بسیاری از این افراد بر آن شدند که اموال خود را بدون پرداخت عوارض گمرگی و مالیات‌های اغلب سنگین به

---

* Sacre Coeur

فرانسه بازگردانند. در این شرایط، طبعاً کسانی که می‌توانستند بدون بازبینی چمدان‌ها و اتومبیل‌های خود از مرز عبور کنند در موقعیتی به راستی استثنائی و مطلوب قرار داشتند. ناگفته پیدا است که این موقعیت ممتاز در وهله‌ی اوّل به دیپلمات‌ها تعلق داشت. چنین شد که بسیاری از دیپلمات‌های کشورهای گوناگون به دام این وسوسه افتادند. دیپلمات‌های ایرانی نیز از این قاعده مستثنی نبودند و برخی از آنان به صف سودجویان پیوستند. اما از بخت بد هویدا، تقاص سوداگری‌ها و لغزش‌های اخلاقی همکارانش را بیش از هرکس او پرداخت. «داستان پاریس» که سرآغازش نامه‌ای بی‌امضا بود، به لکه‌ای بر دامن سیاسی هویدا بدل شد. وقتی او در دادگاه انقلاب اسلامی برای نجات جان خود می‌جنگید، اتهامات برخاسته از همین ماجرا نقشی مهم در کیفرخواست دادگاه بازی کرد.

برای من از همان آغاز مسجل بود که در این کلاف سردرگم، تنها با تکیه به آرشیو وزارت امور خارجه‌ی فرانسه می‌توان غث وسمین، و شایعه و واقعیت را از هم جدا کرد و چند وچون یکی از اتهامات دادگاه انقلاب علیه هویدا را به محک‌سنجش گذاشت. به همین خاطر، در دوازدهم ماه مارس ۱۹۹۹، به مرکز آرشیو وزارت امور خارجه فرانسه مراجعه کردم. پس از اندکی کاوش، دریافتم که مهم‌ترین اسناد مربوط به این ماجرا همه در پرونده‌ای جداگانه بایگانی شده‌اند و بدتر از همه این که این پرونده نیز، «برای مدت شصت سال، بسته است و تنها در سال ۲۰۰۷ بازخواهد شد.»

از ایزابل ناتان*، مسئول بخش خاورمیانه‌ی آرشیو کمک خواستم. موضوع تحقیقم را برایش توضیح دادم. تأکید کردم که معمای ماجرای پاریس و صحت و سقم اتهام قاچاق هروئین علیه هویدا را تنها با بازبینی و بررسی دقیق همین «پرونده بسته» تعیین می‌توان کرد. حرف‌هایم را شنید و پس از چند ساعتی، دوباره در قرائت‌خانه‌ی آرشیو به دیدنم آمد. گفت محتوای «پرونده

---

* Izabelle Nathan

بسته» را مطالعه کرده است و به ضرس قاطع می‌تواند گفت که هویدا نقشی در
این ماجرا نداشت. از لطف و محبتش تشکر کردم. اما اضافه کردم که در
کیفرخواست دادگاه انقلاب، و نیز در کارنامه‌ی زندگی امیر عباس هویدا،
ماجرای پاریس از اهمیتی ویژه برخوردار است. گفتم که در فضای سیاسی
ایران، که اغلب شبهه و فکر توطئه بر اندیشه و تحقیق سایه می‌اندازد، قول او،
به‌سان یک مقام رسمی دولت فرانسه، چندان محل اعتنا و اعتبار نخواهد بود.
گفتم که داوری قطعی تنها زمانی میسر خواهد بود که بتوانم بی‌مداخله و
محدودیت، همه‌ی اسناد پرونده را وارسی کنم. توصیه کرد نامه‌ای به وزیر
امور خارجه فرانسه بنویسم. به قانونی اشاره کرد که به وزیر اجازه می‌داد در
شرایط «استثنایی» پرونده‌ی بسته‌ای را موقتاً باز کند و مضمون و محتوای آن
را در اختیار محققان بگذارد.

با تکیه به راهنمایی‌های ایزابل ناتان نامه‌ای به وزارت امور خارجه فرانسه
نوشتم. در ۱۵ ژوئن ۱۹۹۹ جوابی از لویی آمیگ*، سرپرست آرشیو
وزارت امور خارجه دریافت کردم. در نامه آمده بود که «برحسب قانون ویژه
آرشیو، مصوب سوم ژانویه ۱۹۷۱» مجازم که «جلد چهارم، سری آسیا،
۱۹۴۵-۵۱، آسیا، ایران» را بازبینی کنم. به عبارت دیگر، حق پیدا کردم
پرونده‌ای را که در آن همه‌ی اسناد ماجرای پاریس جمع بود بخوانم. در نامه
تنها محدودیت و شرطی که قید شده بود این بود که حق نخواهم داشت از هیچ
کدام از این اسناد عکس‌برداری کنم.

روایتی که در این جا آمده یکسره مبتنی بر اسناد آرشیو وزارت امور
خارجه‌ی فرانسه است. در بیش و کم تمامی زمینه‌های اصلی، حقیقت داستان با
آن‌چه تاکنون در این باب گفته، و شنیده و پذیرفته شده، تفاوت اساسی دارد.
حتی آنان که به هویدا و صداقتش ایمان داشتند، و نیز آن‌ها که می‌گفتند هویدا
محتاط‌تر، درست‌کارتر و حساب‌گرتر از آن بود که به وسوسه‌ی قاچاق دچار

---

* Louis Amigues

شود، در عین حال، اغلب بر این باور بودند که «قاعدتاً در پاریس اتفاقی افتاده بود.»

ذکر نکته‌ی دیگری نیز در این جا به گمانم لازم است. اسناد وزارت امورخارجه فرانسه جنبه‌های متعددی از روابط ایران و فرانسه، و نیز شخصیت دیپلمات‌های ایرانی، به ویژه زین‌العابدین رهنما را دربر می‌گیرد. می‌بینیم که مثلاً به کرات تنش‌هایی میان رهنما و مقامات فرانسوی رخ می‌نمود. به علاوه، کادر سفارت هم یکپارچه و متحد نبودند و چه بساکه علیه یکدیگر به دسیسه و خبرچینی توسل می‌جستند. مراد من در این جا بررسی جامع وضعیت سفارت ایران، یاکم وکیف روابط ایران و فرانسه نیست. اسناد این پرونده را تنها از یک زاویه وارسیدم. می‌خواستم بدانم که آیا در آن زمان امیرعباس هویدا در کار قاچاق ارز یا مواد مخدر دست داشت یا نه. قضاوت‌ها و روایات این بخش تنها در همین زمینه قابل اعتنا و استناداند. قضاوت در مورد چند وچون شخصیتی چون رهنما، که لاجرم به میان کشیده شده، از عهده‌ی صلاحیت من و این بخش از کتاب خارج است و بررسی جداگانه‌ای می‌طلبد. در عین حال، از آن جاکه آن‌چه در پرونده‌ها در مورد رهنما، و دیگران، گفته شده صرفاً یا اتهامات مقامات فرانسوی یا شایعه‌اند، و در دادگاهی مورد سنجش و قضاوت قرار نگرفته‌اند، صرف ذکر این اتهامات در این جا را نباید نشان گناهکاری این افراد دانست. گناهکاری یا بی‌گناهی تنها در دادگاهی عادلانه تعیین‌پذیر است و در عمل هیچ‌یک از این افراد به چنین دادگاهی راه نیافت.

در هر حال، ماجرا با نامه‌ای بی‌امضا آغاز شد. در پانزدهم خرداد ۱۳۲۴ وزارت امور خارجه‌ی فرانسه نامه‌ی تایپ شده‌ی بی‌امضایی در چهار صفحه دریافت کرد. اشتباهات املایی و انشایی در آن فراوان بود. در عین حال، به زبانی پر سکته نوشته شده بود و این همه قاعدتاً از بیگانگی راوی با زبان فرانسه حکایت می‌کرد. راوی با جزئیاتی نسبتاً دقیق، مدعی شده بود که گروهی از دیپلمات‌های ایرانی در پاریس و برن، در سایه‌ی مصونیت

دیپلماتیک خود، و با استفاده از «پست سیاسی» و اتوموبیل‌هایی که پلاک کادر دیپلماتیک دارند، به قاچاق ارز و طلا مشغول‌اند. نویسنده‌ی ناشناس نامه در عین حال سیاهه‌ای از کسانی را که به گمانش همدستان و اعضای این باند بودند به قلم آورده بود. نه تنها از زین‌العابدین رهنما به عنوان یکی از این اعضا یاد کرده بود، بلکه از وزارت امورخارجه فرانسه خواسته بود که در مورد کم وکیف و منشاء مداخل و مخارج رهنما در پاریس تحقیقاتی انجام دهد. می‌گفت حقوق رهنما مخارج ماهیانه‌اش * را کفایت نمی‌کند.[۱۸] گرچه در نامه می‌توان سیاهه‌ی نسبتاً مفصلی از متهمان به قاچاق را سراغ گرفت، اما در آن هیچ اشاره‌ای به هویدا نمی‌توان یافت. هویت نویسنده هم نه در خود نامه، و نه در باقی پرونده، روشن نیست. جالب این‌جاست که راوی به مقامات وزارت امور خارجه توصیه کرده بود که اگر به راستی در طلب حقایق ماجرای قاچاق سفارت‌اند، باید با سرداری تماس بگیرند.

ظاهراً پیش از دریافت این نامه نیز وزارت امور خارجه‌ی فرانسه گزارشهایی درباره‌ی فعالیت‌های غیرقانونی برخی از دیپلمات‌های ایرانی از اداره‌ی پلیس دریافت کرده بود. واکنش دولت به این تحولات چند جنبه داشت. وزیر امورخارجه وقت فرانسه، ژرژ بیدو،** چند و چون این واکنش را در نامه‌ای برای سفیر آن کشور در ایران توضیح داد. می‌گفت دولت فرانسه خواستار انتصاب شخص جدیدی به عنوان سفیر ایران در پاریس است و آن گاه، در تبیین این درخواست، به طور خصوصی و محرمانه توضیح داد که: «باید تأیید کنم که آقای رهنما، به خاطر فعالیت‌هایی که به ظاهر برای هدف‌های

---

* در متن انگلیسی کتاب حاضر، هنگام نقل این بخش از نامه، صرفاً به ذکر «میلیون‌ها فرانک فرانسوی»، یعنی عین عبارت فرانسه متن، بسنده کرده بودم. طبعاً «چندمیلیون» فی‌نفسه رقم بزرگی به نظر می‌رسید. اما اگر نرخ برابری آن زمان دلار و فرانک را در نظر بگیریم، آن «میلیون‌ها فرانک» چیزی در حد ۳ یا ۴ هزار دلار بود. تصحیح این نکته را مدیون توضیحات آقای دکتر علی رهنما هستم.

** George Bidaut

شخصی دنبال می‌شود دیگر هم برای دولت فرانسه هم از لحاظ جامعه‌ی ایرانی در پاریس عنصر مطلوب به شمار نمی‌رود.»[۱۹] به علاوه، در دوازدهم مرداد ۱۳۲۴، وزارت امور خارجه از رئیس پلیس پاریس خواست که در مورد فعالیت‌های احتمالاً غیرقانونی کادر سفارت ایران در پاریس تحقیقاتی به عمل آورد. در همین نامه، وزیر امورخارجه تأکید داشت که حتی پیش از دریافت نامه‌ی بی‌امضای فوق‌الذکر «رفت و آمدهای» برخی از دیپلمات‌های ایرانی «میان سوئیس و فرانسه» مقامات پلیس را مشکوک کرده بود.[۲۰]

درواقع می‌توان گفت که این تحولات به ایجاد بحرانی در روابط ایران و فرانسه انجامید.* از سویی فرانسه خواستار تعویض رهنما شده بود و از سوی دیگر، ایران هم، به دلایلی که برای فرانسه روشن نبود، در ابقای رهنما در پستش اصرار داشت. طرفین البته در یک نکته اتفاق‌نظر داشتند: هردو طبعاً می‌خواستند مسائل فی‌مابین محرمانه بماند. از این راه می‌خواستند از پیامدهای زیانبار این بحران بکاهند.

سفیر فرانسه در تهران، در سی‌ام مرداد ۱۳۲۴ به دولت فرانسه گزارش داد که در دو مورد مهم با ایران به توافق رسیده است. می‌گفت هردو طرف توافق کرده‌اند که روابط ایران و فرانسه را از سطح وزیر مختار به سفیرکبیر برکشند. به علاوه، دولت ایران وعده کرده که: «آقای رهنما را در پاریس نگه نخواهد

---

* حتی پیش از تلاش دولت فرانسه برای تغییر سفیر ایران، تنش دیپلماتیک دیگری میان ایران و فرانسه رخ نموده بود. در ۲۹ تیرماه ۱۳۲۴، یکی از مجلات فرانسوی به نام نویی‌اژور (Nuit Et Jour) در مقاله‌ای مدعی شد که هرساله دوازده میلیون دلار از درآمد نفت ایران مستقیماً به حساب خصوصی شاه و اقوامش واریز می‌شود. دولت و سفارت ایران به مضمون مقاله اعتراض داشت. در هیجدهم مرداد ۱۳۲۴، سفارت ایران در پاریس نامه‌ای به وزیر امور خارجه نوشت و خواستار شد که دولت فرانسه جلوی این گونه مقالات را، «به هر شیوه‌ای که لازم می‌داند» بگیرد. یادداشت را زین‌العابدین رهنما امضا کرده، اما از آن جا که هویدا در آن زمان وابسته‌ی فرهنگی سفارت بوده بعید نیست که نامه را درواقع او نوشته باشد. ر.ک. به:

Telegramme Personnelle, Serie Asie, Archives Diplomatiques, 1944-1955, No. 681

داشت. چند کاندید برای پست او هست. به نظر می‌رسد که آقای سپهبدی این پست را برای خود محفوظ نگهداشته است.»[۲۱]

در چهاردهم شهریور ۱۳۲۴، درحالی که این مذاکرات در جریان بود، رئیس پلیس پاریس نتایج تحقیقات خود را از طریق نامه‌ای محرمانه در اختیار وزیر امور خارجه‌ی فرانسه گذاشت. به طور مشخص، به گفته او، ماشین سفارت: «با شماره‌ی 6200RU6» مورد استفاده کسانی قرار گرفته که درگیر کار قاچاق ارز و طلا بودند.* در عین حال، می‌گفت در این گونه موارد، یافتن مدارک و شواهد آسان نیست، چون «ما حق بازبینی کیف و اتومبیل آنها را نداریم.» می‌گفت برخی از این افراد، با نشان دادن گذرنامه‌های دیپلماتیک خود پلیس را از کاوش و بازرسی بازمی‌دارند.[۲۲] به گفته‌ی رئیس پلیس، شکی نباید داشت که چند نفر در سفارت ایران در برن و پاریس به قاچاق ارز مشغول‌اند و «بنا بر گزارش منابع موثق»، سوای این افراد، «فرد بالاتری در سفارت» نیز از این فعالیت‌ها مطلع بود و از آنها سود جسته است.**»[۲۳]

---

* در متن انگلیسی کتاب حاضر، در این عبارت نوشته بودم که ماشین سفارت «به کرّات» برای انتقال ارز به کار گرفته شده و از فحوای عبارت من چنین برمی‌آمد که واژه‌ی به کرّات در اصل گزارش پلیس آمده که چنین نیست. تصحیح این اشتباه را مدیون آقای دکتر علی رهنما هستم.

** در متن انگلیسی، متأسفانه به جای نقل عین عبارت گزارش، یعنی ذکر این که «فرد بالاتری در سفارت» از این فعالیت‌ها خبر داشت و سود جسته بود، نوشته بودم «وزیرمختار، رهنما از این فعالیت‌ها مطلع بود...» از محتوای کلام و ساخت عبارت من چنین برمی‌آمد که در خود گزارش پلیس هم از رهنما، به عنوان این «فرد بالاتر» نام برده شده، که چنین نیست. از آن جا که دولت فرانسه رهنما را، «به خاطر فعالیت‌هایی که به ظاهر به خاطر منافع شخصی انجام داده» در عمل عنصر نامطلوب شناخته بود، من هم این «فرد بالاتر» را رهنما فرض کردم. ایراد کارم در این بود که در متن انگلیسی، این فرضیه شخصی را به شکلی صورت‌بندی کردم که خواننده قاعدتاً آن را بخشی از گزارش پلیس می‌انگارد، و چنین صورت‌بندی کاری نادرست بود.

همان طور که پیشتر هم نوشتم، غرض من در این جا به هیچ روی اظهارنظر و داوری در مورد شخصیت زین‌العابدین رهنما، و یا تعیین صحت و سقم اتهاماتی که در نامه‌ی بی‌امضا، و نیز نامه‌ی وزیر امور خارجه‌ی فرانسه آمده بود نیست. درواقع، به گمان من، با قرائت کل پرونده، تنها می‌توان به دو استنتاج قطعی رسید: هویدا بی‌گناه بود، و رهنما دست‌کم به ادعای وزیر امور خارجه به خاطر

گزارش چهار صفحه‌ای پلیس شامل شرحی دقیق از فعالیت متهمان اصلی ماجراست. علاوه بر کسانی که نامشان در نامه‌ی بی‌امضا آمده بود، پلیس فرانسه چندتن دیگر از مقامات و شهروندان ایرانی، «به خصوص آقای میلانچی، دوست سفیر، و نیز آقای عضد، منشی او» را به همکاری در این فعالیت‌ها متهم می‌کند.[۲۴] در هیچ جای این گزارش ذکری مستقیم یا غیرمستقیم از امیرعباس هویدا نیست. در عین حال، در هیچ جای نامه از زین‌العابدین رهنما نامی برده نشده است. در عوض، در آن به شخصیت مرموزی اشاره شده که بعدها، از بد حادثه،به زندگی سیاسی هویدا غیرمستقیم راه یافت و دست‌کم در یک مورد، باعث دردسرش شد.

نام این شخصیت مرموز هوشنگ دولو بود. بنا بر گزارش پلیس، او در سال‌های جنگ نوچه‌ی ژنرال ژسر*، یکی از فرماندهان ارتش اشغالگر نازی

فعالیت‌هایی که به ظاهر به خاطر منافع «شخصی» انجام داده بود عنصر نامطلوب شناخته شد. نه می‌توان به قطعیت چند وچون این فعالیت‌ها را تعیین کرد، نه می‌توان میزان دخالت عوامل سیاسی دیگر در تعیین سرنوشت رهنما را به دقت سنجید. در هردو زمینه، تنها می‌توان به شواهد غیرمستقیم تکیه زد.

در پرونده‌ی این ماجرا در وزارت امور خارجه فرانسه نام‌های متعدد دیگری نیز مذکوراند. از ذکر اغلب آنها خودداری کردم. اما قضیه‌ی نام زین‌العابدین رهنما از پیچیدگی و اهمیتی ویژه برخوردار بود. از سویی دلم چرکین بود که پا و نام روشنفکر خوش‌قلمی چون زین‌العابدین رهنما را به این ماجرا می‌کشیدم. از سویی دیگر، بر این باور بودم، و هستم، که سرنوشت او - یعنی آمدنش به پاریس و عنصر نامطلوب شدنش - همه نکات تاریخی مهمی بودند که کتمانشان جایز نبود. در عین حال، صورت‌بندی من از گزارش پلیس و دیگر اسناد این پرونده چنین وانمود می‌کرد که نه‌تنها پلیس او را گناهکار می‌دانست، بلکه ما هم به عنوان خواننده می‌توانیم در گناهکاری او شکی روانداریم. این لحن و این صورت‌بندی جایز نبود. آقایان دکتر مجید و علی رهنما از مطالب این بخش متعجب و دلگیر شده بودند. به این پرونده در وزارت امور خارجه مراجعه کردند و روایت نادقیق و نادرست مرا از گزارش پلیس گوشزد کردند. در چندین مورد دیگر نیز صورت‌بندی مرا از مضمون پرونده دقیق‌تر کردند. از هردو سخت سپاسگزارم. در عین حال تردیدی ندارم که هنوز هم در بخش‌هایی از این روایت ایراد وجود دارد.

* Geser

در فرانسه، بود و از جمله وظایفش، تأمین دخترهای جوان برای ژنرال بود. با این همه، پلیس آلمان او را به جرم قاچاق و صدور چک بی‌محل بازداشت کرده بود. هم او یکی از گردانندگان اصلی باند قاچاق پاریس ـ برن بود.[۲۵]

بیست وپنج سال پس از این ماجرا، در سال ۱۳۵۰، زمانی که هویدا نخست‌وزیر بود، همین دَوّلوکه دیگر فساد مالی و ثروتش شهره‌ی آفاق بود و گویا تأمین دختران جوان برای شاه هم از جمله مسئولیت‌هایش به شمار می‌رفت، در سوئیس به جرم حمل تریاک بازداشت شد. شاه به جای آن که بگذارد دادگاه‌های سوئیس، از طرق قانونی، به اتهامات وارده علیه دَوّلو رسیدگی کنند، او را به وسیله‌ی هواپیمای مخصوص سلطنتی از سوئیس فرار داد. وقتی هویدا شرح ماجرا را شنید، به خود جسارت داد که به شاه بگوید شاید بهتر می‌بود اگر دولو در ژنو باقی می‌ماند و پای میز محاکمه می‌رفت. ظاهراً به گمان شاه هویدا با نفس این پیشنهاد، پا از گلیم خود فراتر گذاشته بود. به کیفر این نافرمانی، نخست‌وزیر مملکت به مدت دو هفته از شرفیابی محروم شد.[۲۶] البته دَوّلو نه در ایران، نه در سوئیس کیفری ندید. مبالغ هنگفتی از ثروت تازه به دست آمده‌ی نفت ایران صرف مخارج قانونی و غیرقانونی دفاع از او شد.[۲۷] از حقوق گزاف وکلای مدافع تا مخارج سفرهای تفریحی متعدد مقامات مختلف سوئیس به ایران، همه از بیت‌المال پرداخت می‌شد. اسدالله علم را شاه مصدر این کار کرده بود و او به هر تمهیدی که بود، دلقک خانگی ارباب محبوب خود را از کیفر دادگاه‌های سوئیس وارهانید. حتی در سال ۱۹۴۶ هم با آن‌که دولو، بنا بر گزارش پلیس، یکی از سرکردگان باند قاچاق بود، بخت یارش شد و نه‌تنها مجازاتی ندید، بلکه در جنجال مطبوعاتی نشریات ایران پیرامون «ماجرای پاریس»، ذکری از او به میان نیامد.

روزنامه‌ها و مجلات ایران با ولعی تمام ماجرای پاریس را دنبال می‌کردند و بساکه درباره‌ی آن اغراق هم می‌کردند. در آن روزها، آزادی مطبوعات در ایران پدیده‌ای نوظهور بود. از ۴۶۴ روزنامه و مجله‌ای که در سال ۱۳۲۶ در

تهران منتشر می‌شد، تنها ۴۲ نشریه در سال ۱۳۲۱ هم وجود داشت. به علاوه، «اکثر این نشریات صرفاً به‌سان بلندگوی این یا آن نیروی سیاسی عمل می‌کردند و کاری جز تبلیغ خط‌مشی این سازمان‌ها، یا تحطئه‌ی سیاست‌ها و تشکیلات رقیب نداشتند.»[۲۸] اصول و قواعد مسئولیت روزنامه‌نگاری هنوز ریشه نگرفته بود. قوانین مربوط به تهمت و افترا قدرت چندانی نداشت و قابل اجرا نبود. مرز میان کندوکاو روزنامه‌نگارانه و جنجال‌آفرینی و هوچی‌گری چندان روشن نبود و در هر حال هم اجرا نمی‌شد. برخی از روزنامه‌نگاران فرصت‌طلب قدرت مطبوعات را به وسیله‌ای برای باج‌گیری بدل کرده بودند. اگر کسی باج سبیل نمی‌داد، آماج حملات ویرانگر و اغلب افتراآمیز و دروغ این‌گونه روزنامه‌نگاران می‌شد. در مقابل، پرداخت حق حساب مکفی به راحتی سکوت این قلم‌به‌دستان مزدور را به همراه می‌آورد. هرچه روزنامه‌ای یا مجله‌ای بی‌پرواتر و جنجالی‌تر بود، انگار خوانندگانش هم بیشتر می‌شد.[۲۹]

شکی نیست که «داستان پاریس» ملاط مناسب کار این‌گونه مطبوعات بود. حتی برخی از روزنامه‌های معتبر کشور نیز سر مقاله‌هایی گاه تند و گزنده درباره‌ی ماجرای سفارت ایران در فرانسه می‌نوشتند. به لحنی پرطعنه می‌پرسیدند که مگر در سفارت‌خانه‌های ما در اروپا چه می‌گذرد؟ برخی دیگر از نشریات نگران بودند که آیا به راستی در فرودگاه‌های فرانسه، مقامات گمرکی چمدان‌های ایرانیان را با دقت بیشتری وارسی می‌کنند؟ می‌گفتند آیا درست است که گذرنامه‌های دیپلماتیک ایرانی دیگر محل اعتنا و اعتبار نیستند؟[۳۰] بحث مطبوعات هر روز داغ‌تر می‌شد. هر روز بیشتر و بیشتر واقعیت وخیال، شایعه و خبر، درهم می‌آمیخت. در تقابل با این موج روزافزون، دولت ایران از مقامات فرانسوی رسماً خواست که طبق بیانیه‌ای اعلان کنند که «هیچ یک از دیپلمات‌های ایرانی در فرانسه زندانی نیستند.» چنین اعلامیه‌ای هرگز صادر نشد، ولی حتی اگر هم صدور می‌یافت، باز هم در نص درست و درواقع ریاکارانه می‌بود. بی‌شک در آن زمان هیچ دیپلمات

ایرانی در فرانسه زندانی نبود.[۳۱] زیرا اصولاً بازداشت یک دیپلمات خلاف قوانین بین‌المللی و عرف رایج است. حقیقت این بود که درست در زمانی که ایران خواستار صدور چنین اعلامیه‌ای شده بود، برخی از کارمندان سفارت ایران تحت مراقبت ویژه‌ی پلیس بودند و سفیر ایران هم، به هر دلیلی که بود، در عمل عنصر نامطلوب شناخته شده بود. در این میان، هویدا فارغ از جنجالی که آینده‌ی سیاسی‌اش را بالمآل به خطر انداخت، به کار خود در سفارت ادامه می‌داد، اغلب اوقات فراغتش را با برادرش فریدون و با دوستانش، حسنعلی منصور و عبدالله انتظام می‌گذراند. در عین حال، با صادق هدایت هم مکاتبه می‌کرد. گاه کتاب‌هایی را که تازه در پاریس چاپ شده بود برای هدایت می‌فرستاد. امیدش این بود که با بازگشت رهنما به تهران سروصدای «داستان پاریس» هم فروکش خواهد کرد.[۳۲]

از قضا بازگشت رهنما به تهران ماجرا را پایان نداد. به رغم این واقعیت که مقامات فرانسوی در مورد تعویض رهنما با دولت ایران به توافق رسیده بودند، و درواقع رجعت رهنما به تهران هم ظاهراً گامی در این جهت محسوب می‌شد، اما در دی ماه ۱۳۲۴ او با نخستین پرواز مستقیم تهران به پاریس به فرانسه بازگشت. از سوی قوام نامه و هدیه‌ای برای نخست‌وزیر وقت فرانسه همراه داشت. قوام در نامه از همتای فرانسوی خود خواسته بود که رهنما را به عنوان سفیر کبیر جدید ایران بپذیرد. یک تخته فرش نفیس ایرانی هم، بر سبیل تشکر، همراه نامه بود.[۳۳] این تحولات مقامات دولت فرانسه را خشمگین و حیرت‌زده کرد. تنها چیزی که به نظرشان رسید این بود که شاید رهنما به رهبران ایران رشوه داده است. در یادداشتی که در ۲۴ ژوئیه‌ی ۱۹۴۶ وزارت امور خارجه فرانسه برای هیأت دولت تدارک کرد، آمده بود که گویا شاه و قوام هر دو چیزی از رهنما به عنوان رشوه دریافت کرده‌اند. هم در این گزارش و هم در گزارشی دیگر، فرانسوی‌ها مدعی شدند که رهنما به شاه یک فروند هواپیمای خصوصی وعده داده و قوام هم چندین «هدیه» مختلف دریافت

کرده است.[۳۴] به گمان من هردو روایت نادرست‌اند. بعید می‌توان تصور کرد که قوام و شاه در چنین موردی رشوه‌ای دریافت کرده باشند.

اما به رغم نامه و فرش نفیس، دولت فرانسه تغییر نظر نداد و حاضر نشد رهنما را به عنوان سفیر بپذیرد و از ایران خواست که شخص دیگری را برای این مقام برگزینند. بالمآل قوام هم تسلیم خواست فرانسوی‌ها شد و تأکید کرد که همه‌ی ماجرا محرمانه باقی بماند. و چنین هم شد.[۳۵] شاید به همین خاطر بود که در همه‌ی شرح و تفصیلات مطبوعات ایران در مورد رخدادهای پاریس، هیچ جا اشاره‌ای به سرنوشت رهنما نمی‌بینیم. البته در روزهایی که رهنما منتظر ورود سفیر جدید بود، مجدداً چندبار به سوئیس و آلمان رفت و خشم مقامات فرانسوی را برانگیخت*.[۳۶]

یکی از جنبه‌های جالب پرونده‌ی حدوداً ششصد صفحه‌ای آنچه یکی از مقامات فرانسوی «ماجرای رهنما» خوانده بود، تفاوت‌هایی است که میان مضمون این پرونده و روایات مطبوعات ایران از همین ماجرا به چشم می‌خورد. در پرونده، هیچ جا، نامی از هویدا نیست. نامش تنها در بخش‌هایی از پرونده به چشم می‌خورد که به ترجمه‌ی فرانسه‌ی مقالات مطبوعات ایران تخصیص یافته است. نام برادرش فریدون نیز تنها یک بار ذکر شده، آن هم در نامه‌ای از سفارت ایران به آرشیو وزارت امور خارجه‌ی فرانسه. در نامه آمده است که فریدون هویدا در فکر تدوین تاریخچه‌ای از روابط ایران و فرانسه است و برای این کار به اسناد آرشیو نیازمند است. اگر هویدا نقشی در ماجرای قاچاق ارز داشت، اگر جزو باند قاچاقیان بود، طبعاً موقعیتش به عنوان دیپلمات ایجاب می‌کرد که نامش در اسناد وزارت خارجه و گزارش پلیس پدیدار گردد. با این حال، وقتی مطبوعات ایران به شرح ماجرای پاریس

---

* باید به این نکته توجه داشت که از شهریور ۱۳۲۴ تاحدود یک سال بعد، مجید رهنما، فرزند زین‌العابدین در سوئیس مستقر می‌بود. چه بسا که سفرهای پدرش برای دیدار او صورت می‌گرفت. مصاحبه با مجید رهنما، ژانویه ۲۰۰۱.

پرداختند، در عین این که هرگز اشاره به مسأله برکناری رهنما از سفارت نمی‌کردند، به کرّات از هویدا نام می‌بردند. برخی مقامات سفارت فرانسه بر این گمان بودند که مطبوعات تهران راکسانی تحریک می‌کنند که بازارشان در پاریس کساد شده و خواستار «رجعت کسی مثل رهنما» به پاریس هستند*.[۳۷] حتی اگر این روایت را بپذیریم، باز هم نکته‌ی مهم دیگری ناروشن می‌ماند. چرا ناگهان نام هویدا در این ماجرا سر زبان می‌افتاد.

نخستین باری که اسم هویدا به ماجرا کشیده شد در مقاله‌ای در شماره‌ی ۱۴ بهمن **۱۳۲۵** روزنامه مردم ارگان حزب توده ایران بود. مردم مدعی بود که در پاریس پنجاه نفر از ایرانیان به جرم قاچاق زندانی شده‌اند. در سیاهه‌ی بازداشتی‌ها نام هویدا و «حسنعلی منصور، فرزند استاندار آذربایجان» به چشم می‌خورد. به گفته مردم، مقامات فرانسوی از دولت ایران خواسته‌اند که در مورد وضع مالی امیرعباس تحقیقاتی انجام دهند و ببینند او چگونه توانسته یک خانه‌ی تابستانی در حومه‌ی پاریس خریداری کند. این نکته مقاله‌ی مردم از اهمیتی ویژه برخوردار است، زیرا به بخش‌هایی از نامه‌ی بی‌امضایی که به وزارت امور خارجه نوشته شده بود شباهت دارد. در آن نامه راوی از وزارت امور خارجه در مورد چند وچون وضع مالی رهنما پرسیده بود، و روزنامه مردم می‌گفت دولت فرانسه منشأ درآمد و املاک هویدا را مورد تحقیق قرار داده است. این شباهت این پرسش را پیش می‌آورد که آیا حزب توده از مضمون آن نامه خبر داشت و اگر داشت چگونه این خبر را به دست آورده بود؟ آیا خود حزب در نوشتن نامه نقشی داشت؟ مهم‌تر این که چرا مردم در ضمن اشاره به مسأله‌ی تحقیقات درباره‌ی وضع اقتصادی دیپلمات‌های ایرانی نام بسیاری از دیگران را حذف و نام هویدا را به جای آنها گذاشت. شاید هرگز

---

* در متن انگلیسی نوشته بودم که به گمان سفارت فرانسه رهنما و دوستانش از پشت پرده مطبوعات را تحریک می‌کردند. برگردان دقیق‌تر نامه‌ی ۳۰ ژانویه ۱۹۴۷ همین است که در این جا آورده‌ام.

جواب قانع‌کننده‌ای برای این پرسش‌ها پیدا نکنیم. ولی در یک نکته شکی نمی‌توان داشت: در بهمن **۱۳۲۵**، یعنی زمانی که نام هویدا در مقاله‌ی مردم پدیدار شد، این نشریه بیشتر نزد رفقای حزبی به جدّ گرفته می‌شد و در میان عامه‌ی مردم، صرفاً به عنوان ارگان یک حزب استالینیستی شهرت داشت.

اما مقاله‌ی مردم را مجله‌ی **خواندنیها** تجدید چاپ کرد. در سال‌های بعد، وقتی زمزمه‌ی مزمن «گذشته‌ی مرموز هویدا» بر سر زبان‌ها افتاد، معمولاً دیگر کسی به سرچشمه اصلی، اما مشکوک مقاله، یعنی مردم، اشاره نمی‌کرد و مستند اغلب راویان بعدی داستان همان مجله نسبتاً معتبرتر **خواندنیها** بود. به دیگر سخن، به تدریج منشاء اصلی مقاله از خاطره‌ها محو شد.

علت واقعی خصومت مردم با هویدا و منصور را نمی‌دانیم. در این زمینه چاره‌ای جز حدس و گمان نیست. شاید چندان دور از عقل نباشد که بگوئیم هویدا در این میان وجه‌المصالحه و قربانی بود. شاید کلید رمز ماجرا را باید در صف‌بندی نیروهای سیاسی آن زمان ایران سراغ کرد. در سال **۱۳۲۶**، قوام و سپهبدی، که از وزرای کابینه‌ی او بود، هردو رأس دشمنان حزب توده به شمار می‌رفتند. ائتلاف حزب توده و قوام دیر نپایید و با کینه و خصومت به پایان رسیده بود. به علاوه، شوروی‌ها هم از قوام دل‌خوشی نداشتند و طبعاً دشمن شوروی همواره خصم حزب توده هم به شمار می‌رفت. به علاوه، در آن روزها، روابط خویشاوندی هویدا و سپهبدی بر کسی پوشیده نبود. آیا حمله به هویدا درواقع تلاشی برای ضربه زدن به قوام و سپهبدی بود؟ تنها زمانی می‌توان جواب این پرسش را به قطع دانست که به آرشیوهای حزب توده و سازمان‌های جاسوسی شوروی دسترسی بتوانیم داشت.

البته صادق هدایت که از تهران ناظر این ماجرا بود برای این معما پاسخی دیگر داشت. در نامه‌ای خطاب به دوستش حسن شهید نورایی، که در آن روزها در پاریس بود، نوشت: «چیزی که غریب بود در روزنامه‌ی **مردم** خبر دستگیری چندنفر از جمله هویدا را نوشته بود. معلوم بود کسی که این خبر را

داده خرده‌حسابی با او دارد و یا منتظر است جانشین ایشان بشود و چون توضیح احمقانه‌ای داده بود که فقط یک نفر آدم عامی می‌تواند این طور فکر بکند ولیکن در شماره‌ی امروز آن خبر را تکذیب کرده بود. (Voir ici joint).[۳۸] هدایت که آن روز سخت طرف توجه حزب توده بود، در نامه‌ی دیگری بار دیگر خشم خود را از نقش حزب در این ماجرا ابراز کرد. به زبانی که خاص خود او بود و ظرایف اصطلاحات فرانسوی را با ضرب‌المثل‌های زبان کوچه‌ی مردم ایران درمی‌آمیخت، از پایین آمدن کیفیت روزنامه مردم، که به گمانش به جای رهبر درمی‌آمد نوشت و افزود: «[مردم] Timber صدایش را از دست داده و Brouhaha راه انداخته و من از تمام این جریان‌ها بیزارم. زندگی ما دربست و احمقانه جلومان افتاده. انبانه‌ی پر از گه است. باید قاشق قاشق خورد و به‌به گفت.»[۳۹]

از فحوای نامه‌ی هدایت به آسانی می‌توان پی برد که چرا حزب توده بلافاصله مقالات پیشین خود درباره‌ی هویدا را تکذیب کرد و پس گرفت. هنگامی که شهید نورایی یادداشت هدایت را درباره‌ی جنجال مطبوعاتی در تهران دریافت کرد، بلافاصله به هدایت تلگرافی زد و در آن بیگناهی هویدا را مورد تأکید قرار داد. هدایت در نامه‌ی مورخ ۲۵ بهمن ۱۳۲۵ خود، نخست از دریافت تلگراف نوشت و سپس به نوبه‌ی خود به دفاعی جانانه از هویدا برخاست و نوشت: «می‌دانستم [که هویدا] در آن جا کرایه‌نشین است و از همه مهم‌تر Caractere او را می‌دانستم که تیپ قاچاقچی و شیعه نیست... بعد از رسیدن تلگراف برایم شکی باقی نماند که همه‌ی این شایعات درباره‌ی ایشان دروغ بوده. به اداره‌ی روزنامه مردم رجوع کردم و خیلی به آنها توپیدم... امروز مجدداً خبر را تکذیب کردند و ضمناً تلگراف را به تفضلی هم دادم و دیروز او هم در روزنامه ارس این خبر را تکذیب کرده بود.»[۴۰]

در سال ۱۳۴۵، وقتی هویدا بخش‌هایی از یادداشت‌های روزانه‌ی دوران پاریس‌اش را به چاپ سپرد، در آنها هیچ اشاره‌ای به جنجال پاریس سراغ

نمی‌توان کرد. ظاهراً به قدرت زداینده زمان دل بسته بود. می‌خواست با سکوت خود سدی در برابر آوار شایعات برآورد. رهنما را به‌سان انسانی فاضل و دانش‌دوست می‌ستود و از تسلطش بر شعر حافظ می‌گفت و از این واقعیت که زنان زیبای پاریس «چون پروانه‌ای» گرد شمع وجود او می‌گشتند.[۴۱]

اما محاسبات هویدا غلط از آب در آمد. سکوتش شایعات را از بین نبرد. درواقع، به رغم این واقعیت که وزارت امور خارجه‌ی ایران در اواخر سال **۱۳۲۵** به تصریح و تأکید اعلان کرد که شایعات مربوط به هویدا هیچ کدام صحت ندارند، و به رغم تکذیب‌های مکرر مردم، به رغم داعیه‌ی روزنامه‌ی آتش که می‌گفت برای رسیدگی به ماجرای پاریس خبرنگار ویژه‌ای بدان دیار گسیل کرده و این خبرنگار هم گزارش داده بود که هیچ‌کدام از برادران هویدا به زندان نیفتاده‌اند، و بالاخره به رغم تلاش‌های صادق هدایت در اعاده‌ی حیثیت هویدا، ماجرای پاریس تا پایان عمرش چون لکه ابری تیره در افق شهرت هویدا باقی ماند. اگر در سال **۱۳۲۵**، این شایعات صرفاً مایه‌ی دلخوری و دل‌چرکینی او می‌شد، در سال **۱۳۵۸**، در دادگاه شیخ صادق خلخالی، همین شایعه‌ی کذب قاچاق ارز و طلا به معجزه‌ای، به ماده‌ی پانزدهم کیفرخواست علیه امیرعباس هویدا بدل شد و او را به «شرکت مستقیم در قاچاق هروئین در فرانسه در معیت حسنعلی منصور» متهم می‌کرد. تکیه‌ی دادگاه به این شایعات بی‌اساس از سویی نشانی از بی‌عنایتی آن به اصول بدیهی و مقدماتی عدالت و قضاوت بود؛ از سویی دیگر، مؤید این اصل دیرین بود که در عالم سیاست، اوهام مردم و شایعات و شبهات ذهنشان اغلب به اندازه‌ی خود واقعیت اهمیت دارند.

فصل ششم

سال‌های سرگردانی

هیهات بر آن که وطن ندارد.

نیچه

زندگی پردردسر هویدا در پاریس در اواخر سال ۱۳۲۵ به پایان رسید. در آن زمان به دفتر کنسولی تازه بنیاد ایران در اشتوتگارت منتقل شد. در دوران مأموریتش در پاریس، بارها از طرف دولت ایران به آلمان سفر کرده بود. هدفش از این دیدارها مذاکره پیرامون ترخیص آن دسته از ماشین‌آلاتی بود که ایران در دوران حکومت نازی‌ها خریده بود. رضاشاه قصد ایجاد یک کارخانه‌ی ذوب‌آهن در ایران را داشت و آلمان نازی، که سودای یافتن جای پایی در خلیج فارس و خاورمیانه را در سر می‌پخت، حاضر شد بر خلاف کشورهای صنعتی دیگر، ماشین‌آلات لازم را به ایران بفروشد. آغاز جنگ جهانی دوم ارسال این ماشین‌آلات را نامیسر کرد. مأموریت هویدا دوگانه بود: می‌بایست ماشین‌آلاتی را که ایران پیشتر خریده بود سراغ کند و اسباب ارسالشان به ایران را فراهم آورد.

در طول این سفرها، هویدا به برنامه‌ی اتمی نازی‌ها علاقمند شد. پس از اندکی تحقیقات، و پس از چندین مصاحبه با مقامات آلمانی، داوطلبانه گزارشی در همین زمینه برای وزارت خارجه‌ی ایران تدارک و ارسال کرد و چند وچون تلاش ناکام آلمان در یافتن «ابر اسلحه»ی جدید را به اجمال شرح داد. گزارش که به تهران رسید، غوغایی به پا کرد و بر شهرت هویدا، به عنوان

دیپلماتی بلندپرواز و پرفضل، افزود.[۱]

با پیروزی متفقین در جنگ، دولت ایران بر آن شد که دفتر کنسولی جدیدی در آلمان اشغالی باز کند. تا آن زمان مسائل مربوط به آلمان همه زیرنظر سفارت ایران در پاریس بود. عبدالله انتظام که دیپلماتی کارکشته بود به ریاست دفتر جدید ایران منصوب شد. به تقاضای او، امیر عباس هویدا را نیز به این دفتر جدید گسیل کردند.[۲] هویدا در آغاز از شنیدن خبر ترک شهر پاریس سخت دلگیر شد. می‌گفت: «حکم انتقال من از پاریس به آلمان ویران شده از جنگ را به دستم دادند. از این حکم به اندازه‌ای ناراحت شدم که شب خوابم نبرد.» در عین حال خوشحال بود که در پست جدید، زیرنظر انتظام کار خواهد کرد.[۳]

انتظام مردی خوش‌فکر بود. به عرصه‌هایی سخت گونه گون دلبستگی داشت. همراه برادرش نصرت‌الله، از دیپلمات‌های باسابقه‌ی ایران به شمار می‌رفت. هر دو برادر از نامی نیک برخوردار بودند. عبدالله پدر هویدا را از وزارت خارجه می‌شناخت.[۴] انتظام، پیش از انتصاب به ریاست دفتر ایران در اشتوتگارت، در بسیاری از مهم‌ترین مشاغل وزارت امورخارجه ایران خدمت کرده بود. در آغاز دهه‌ی بیست میلادی، مدّتی دبیر اوّل سفارت ایران در ایالات متحده‌ی آمریکا بود. از لحاظ فرهنگی، انتظام نیز چون هویدا فرانکوفیل بود. اشتهای هر دو برای انواع گونه گون کتاب سیری‌ناپذیر می‌نمود. در این زمینه، سلیقه‌ی انتظام حتی از هویدا هم التقاطی‌تر بود. هر نوع کتابی را می‌خواند. گاه در متون دشوار تصوف مداقّه می‌کرد، و زمانی ترجمه‌ی فرانسوی مجله‌ی سخت سطحی ریدرز دایجست* را به دقت مطالعه می‌کرد. مثل هویدا به موسیقی کلاسیک غرب علاقه‌ای فراوان داشت. در روزهای اقامت در اشتوتگارت، آثار بتهوون محبوب هر دو نفر بود.[۵] اما انتظام، بر خلاف هویدا، در شعر و ادب فارسی هم ورودی کامل داشت. شهرت داشت

---

* Reader's Digest

که به سلک دراویش پیوسته و گویا تا پایان عمر هم درویش باقی ماند.

علائق و تعلقات سیاسی انتظام حتی پیچیده‌تر از دلبستگی‌های فکری‌اش بود. به درست کاری شهره بود. از استقلال فراوان و صراحت کلام برخوردار بود. هنگامی که در اوایل دهه‌ی سی شمسی، شاه به تدریج از همه‌ی اطرافیانش انقیاد کامل می‌طلبید، و به نشان این انقیاد، همه را موظف می‌دانست که در مراسم رسمی، دستش را ببوسند، انتظام از انگشت‌شمار سیاستمدارانی بود که زیر بار این تکلیف نرفت.[۴] در عین حال، فراماسون هم بود و ظاهراً به تشویق هم او بود که هویدا نیز در سال ۱۳۳۹ به لژ جدیدالتأسیس فروغی پیوست. انتظام «گراند ماستر» این لژ بود.[۷] می‌دانیم که صدسالی است فراماسون‌ها نقشی مهم و بحث‌انگیز در میدان سیاست ایران به عهده داشته‌اند. از سویی، توده‌ی مردم، این تشکیلات را خصم خود می‌دانند. می‌گویند اعضای این انجمن اخوت سری، ستون پنجم نیروهای استعماری، به ویژه انگلستان‌اند. در مقابل، به گمان بسیاری از سیاستمداران ایران، پیوستن به این تشکیلات ضامن صعود سریع پلکان قدرت و مکنت است.[۸]

معلوم نیست هویدا به چه دلیلی به این تشکیلات پیوست. آیا سودای قدرت در عالم سیاست او را به این سو کشاند یا صرفاً می‌خواست جای در پای مرشد سیاسی خود انتظام بگذارد. قاعدتاً می‌دانست که پیوستنش به این تشکیلات، به خصوص با درنظر گرفتن شهرت پدرش به انگلوفیل بودن، چهره‌ی سیاسی او را لکه‌دار می‌کند. می‌دانست که در ایران، گناه پدران را اغلب به حساب پسران می‌گذارند. می‌دانست که در ذهن ایرانیان، عضویت در فراماسونری با داعیه‌ی استقلال سیاسی و تجددخواهی واقعی تضاد و تنافر دارد.

گرچه شواهدی نشان می‌دهد که هویدا پس از آغاز دوران صدارتش، دیگر در جلسات لژهای ماسونی شرکت نمی‌کرد، اما نفس پیوستنش به این تشکیلات برای او از لحاظ سیاسی سخت گران تمام شد.[۹] در سال ۱۳۴۷،

برخی از دشمنان هویدا، به خصوص علم، وزیر دربار، و نصیری، رئیس ساواک، از قدرت خود در پشت پرده استفاده کردند و چاپ کتاب جنجال‌آفرین رائین درباب تاریخ جنبش **فراماسونری در ایران** را میسّر ساختند.[۱۰] در این کتاب، سیاهه‌ای هم از اعضای فراماسونری در ایران به چاپ رسید. درواقع، به توصیه‌ی رائین، تشکیلات ساواک مکالمات تلفنی و مراسلات پستی یکی از اعضای برجسته‌ی فراماسونری در ایران را تحت کنترل قرار داده و از این راه، اطلاعات فراوانی درباره‌ی چند وچون فعالیت ماسونی در ایران به دست آورده بود. علم هوادار پروپا قرص چاپ کتاب بود. می‌دانست که به مدد آن دامن سیاسی دشمنانش لکه‌دار خواهد شد. گویا حتی توصیه کرده بود که این کتاب را در دانشگاه نیز تدریس کنند.[۱۱] در کتاب رائین، **فراماسونری در ایران**، از هویدا به عنوان یک فراماسون و از انتظام به عنوان «گراند ماستر» نام برده شده است.[۱۲] دوستان و هواداران هویدا در ساواک، به خصوص پرویز ثابتی، از آغاز با چاپ کتاب مخالف بودند. با این همه، نه ثابتی و نه کس دیگری، هویدا را از چاپ قریب‌الوقوع کتاب باخبر نکرد و این واقعیت بر هویدا سخت گران آمد. مدافعان چاپ کتاب نگران بودند که ماسون‌ها، با استفاده از قدرت گسترده‌ی خود، جلوی چاپ کتاب را خواهند گرفت.[۱۳] برای دفع این خطر، چاپ آن را به چاپخانه‌ای سپردند که مورد اعتماد ساواک بود. انتشار **فراماسونری در ایران** غوغایی به پا کرد. گرچه در کتاب رائین بیش وکم در تمامی موارد، اعضای لژها را با نام و نام خانوادگی‌شان معرفی کرده بود، در مورد هویدا صرفاً به ذکر نام فامیل بسنده کرد. اگر غرضش از این کار کتمان هویت هویدا بود، تلاشش سخت ناکام از آب درآمد. درواقع، فقدان نام اوّل، خوانندگان کتاب را به نام هویدا، به عنوان استثنائی چشمگیر، بیشتر جلب کرد.

به علاوه، در کتاب رائین ادعا شده بود که حسنعلی منصور هم مایل و شایق بود که به فراماسونری بپیوندد، اما تقاضای عضویتش در لژ همایون رد شد.

گویا همین دست رد سبب شد که بعدها منصور بارها به زبانی سخت گزنده، ماسون‌ها را به باد حمله گرفت.[۱۴] ماجرای قاچاق ارز در سفارت ایران در پاریس هویدا را با «جهان بیزانسی» سیاست در ایران آشنا کرد. در مقابل، پیوستنش به لژهای ماسونی او را درگیر یکی از غریب‌ترین جدال‌های باندهای قدرت دوران شاه کرد. در حقیقت می‌توان جدال دایمی و سخت میان این باندها را یکی از وجوه بارز سیاست در دوران شاه دانست.

عَلَم در خاطراتش با وجد و شعفی آشکار از پیامدهای چاپ کتاب رائین می‌نویسد. می‌گوید در دربار همه کس، از جمله شاه و ملکه، مشغول خواندن کتاب بودند. گویا هردو ابراز تعجب کرده بودند که بیش وکم جملگی سیاستمداران ایران ماسون از آب درآمده‌اند. شاه، که به گفته علم، نسبت به انگلیس همواره سخت مشکوک و بی‌اعتماد بود، کتاب رائین را شاهدی بر مدعای خود می‌دانست.[۱۵] به علاوه، به ادعای علم، شاه او را مأمور کرد که ببیند آیا به راستی رائین به دستور هویدا بازداشت شده است یا نه. حتی سفارت آمریکا هم به تدریج نسبت به مسأله‌ی چاپ کتاب رائین کنجکاو شد و نه‌تنها درباره‌ی آن گزارشی تدارک کرد بلکه به نقش علم هم در این ماجرا اشاره داشت.[۱۶] بنا بر همین گزارش، «گویا به قصد مقابله با کتاب [رائین]، سیاهه‌ای از مأموران سیا در ایران هم بر سبیل تلافی به‌مثل پخش شده است.»[۱۷]

اما در پاریس بعد از جنگ، سال‌ها پیش از این ماجرای جنجالی، منزل انتظام به محل تجمع فرهنگی برخی از ایرانیان ساکن پاریس بدل شده بود. نزد شماری از این جوانان، از جمله امیرعباس هویدا، انتظام تجسم سیاستمداری دنیادیده و کارآزموده بود. هوادارانش در منزلش گردهم می‌آمدند و او برایشان از هر دری سخنی می‌گفت. گاه از درمان‌های جدید زکام سخن می‌راند، و زمانی ظرایف زبانی متون تصوف را حلاّجی می‌کرد. طیف گسترده‌ی علائق و اطلاعات او شنوندگان جوانش را به راستی حیرت‌زده

می‌کرد. امیرعباس هویدا هم تحت‌تأثیر معرفت و تجربه انتظام قرار گرفته بود. انتظام هم به نوبه‌ی خود هویدا را جوانی پرشور می‌دانست و می‌گفت آینده‌ای درخشان در پیش دارد. در آن زمان انتظام حدوداً پنجاه ساله بود و انگار هویدا را به پسرخواندگی برگزیده بود.[۱۸] بدین‌سان هویدا مرشد و حامی قدرتمندی راکه از سال ۱۳۲۱ در طلبش بود سراغ کرد. در پاریس، جوانه‌های دلبستگی عاطفی میان این دو پدیدار شد. در اشتوتگارت این جوانه‌ها به نهالی تنومند رفاقتی دیرپا و ماندگار بدل شد. حتی در روزگاری که انتظام مغضوب شاه شده بود و چاره‌ای جز بازنشستگی نداشت، هویداکماکان او را «پاترون» (Patron) یا «ارباب» می‌خواند. در دوران صدارتش، همواره انتظام را به عضویت در کمیته‌های مهم دولتی دعوت می‌کرد. اما حتی در اوج رونق اقتصادی ایران، انتظام علاقه‌ای به مال‌اندوزی نداشت. زندگی‌اش ساده و بی‌تکلف بود و او را از نیاز مالی مستغنی می‌کرد. در یک «آپارتمان دواطاقه‌ی کوچک می‌زیست و از حقوق بازنشستگی امرار معاش می‌کرد و در سال ۱۳۶۴ همان‌جا درگذشت.» روزنامه‌ی تایمز لندن، در مرثیه‌اش نوشت که انتظام «به ذکاوت و تیزهوشی و درست‌کاری مطلق شهرت داشت.»[۱۹]

البته سادگی سبک زندگی‌اش در همان روزهای اشتوتگارت هم مشهور بود. به مال و منال دنیا عنایت چندانی نداشت. در مقابل، هویدا و منصور ـ که به توصیه‌ی هویدا به اشتوتگارت آمده بود ـ خوش‌گذران بودند.[۲۰] در آن روزها، در نتیجه‌ی جنگ، بخش اعظم شهر اشتوتگارت ویرانه‌ای بیش نبود. خانه‌ی مسکونی به سختی یافتنی بود. متفقین همه‌ی ساختمان‌های نامسکون مصادره شده را در اختیار داشتند. درواقع، برای تأسیس یک دفتر کنسولی تازه، نه‌تنها جلب موافقت متفقین لازم بود، بلکه تنها همین مقامات بودند که می‌توانستند ساختمان‌هایی برای دفتر و منزل دیپلمات‌های ایرانی تأمین و تعیین کنند. فرانسه و انگلستان بلافاصله به ایران اطلاع دادندکه در مناطق تحت اشغال آنها، ساختمان نامسکون یافتنی نیست. در مقابل، آمریکایی‌ها وعده

کردند که در مناطق اشغالی خود، محل مناسبی برای دفتر کنسولی ایران خواهند یافت. پس از چندی، دو ساختمان نسبتاً بزرگ را در شهر اشتوتگارت برای این کار تعیین کردند. اوّلی خانه‌ای سه‌طبقه بود که به دفتر کنسول و نیز محل سکونت انتظام بدل شد. دوّمی خانه‌ای چهار اطاق‌خوابه بود و مسکن دیگر کارمندان به حساب می‌آمد. هردو ساختمان مبله بود. اشیای قدیمی در هردو فراوان یافت می‌شد. در تزیین هردو نشانه‌های سلیقه به چشم می‌خورد. هردو به مقامات بلندپایه‌ی حزب نازی تعلق داشت و هردو در پایان جنگ از سوی نیروهای متفقین مصادره شده بود.[۲۱]

به این ترتیب، هویدا و منصور هم‌خانه شدند. آشپزی و نظافت خانه به عهده‌ی یک خانم آلمانی بود. دیری نپایید که هویدا یک شورولت آبی آمریکایی ابتیاع کرد و با همین ماشین، در شهر می‌گشت و گشت و گذارهایش اسباب تفنن‌خاطر انتظام گوشه‌نشین می‌شد. وجود یک آشپز و یک ماشین، و مهم‌تر از همه این واقعیت که هویدا و منصور از حق خرید در کمیسری ارتش آمریکا برخوردار بودند دست به دست هم می‌داد و زندگی‌شان را حالتی تجملی می‌بخشید. به علاوه، بخش قابل ملاحظه‌ای از مردان آلمانی در جنگ جان داده بودند و همین واقعیات موقعیت منصور و هویدا را در شهر ممتاز می‌کرد.

گرچه در سال‌هایی که هویدا نخست‌وزیر بود، یکی از دستیارانش در وصفش گفته بود که: «نه هم‌جنس‌باز است... نه اشتهای جنسی فراوانی دارد»، و گرچه منصور، پیش از مرگش به زن‌بارگی شهرت یافته بود، اما انگار در روزهای اشتوتگارت نقش‌های این دو در این زمینه درست وارونه بود.[۲۲] از سویی هویدا، با استفاده از زندگی راحت و پرتجمل خود، با چند زن مختلف آلمانی رابطه برقرار کرده بود. در مقابل منصور در تمام دوران مأموریتش تنها با یک دختر جوان آلمانی رابطه‌ای نزدیک داشت. دوستی‌ها و مناسبات هویدا در این زمان هیچ‌کدام دوام چندانی پیدا نکرد. تصویر یکی از این زنان

جزئی از آلبوم شخصی منصور بود و آن را می‌توان تنها ردپای این روابط دانست. منصور این آلبوم را پس از ازدواجش، از بیم حسادت همسرش، در منزل هویدا گذاشته بود. تصویر دوست هویدا در این آلبوم، که او را بر سبیل مزاح «کون گنده» می‌خواندند، بارها موضوع شوخی‌های دوستانه‌ی لیلا و هویدا می‌شد.[۲۳] بارون کلاپیک، که شخصیت محبوب ادبی دوران جوانی هویدا بود نیز مانند خود هویدا با زنان رفتاری سخت محترمانه داشت. در عین حال، از ایجاد مناسبات درازمدت با آنان، مگر به عنوان رفیق، عاجز بود.

می‌توان ادعا کرد که دوران اشتوتگارت، از لحاظ کم وکیف مناسبات جنسی، فعّال‌ترین دوران حیات هویدا بود. انگار هرچه بر قدرت سیاسی‌اش افزوده می‌شد، اشتهای جنسی‌اش هم کاستی می‌گرفت. مجله‌ی توفیق، در همان دوران صدارت هویدا، به این راز پی برده بود. در سال چهارم نخست‌وزیری‌اش، روی جلد هفته نامه‌ی **توفیق** تصویری از هویدا به چاپ رسید. طبق معمول این تصاویر، هویدا این بار نیز یک پرده‌ی گوشت اضافی داشت. پیپ مالوفش بر گوشه‌ی لبش نشسته بود و آب هم از دهانش جاری بود. به جای شمشیر، عصایی بر کمر فربه و برآمده‌اش بسته بود؛ لعبتی جوان و خوش‌اندام را به بغل گرفته بود. دخترک سینه‌هایی درشت و کمری باریک و دامنی کوتاه داشت. جوراب نایلونی و کفش‌هایی پاشنه بلند به پا و هفت‌دست هم بزرک کرده بود. «دوشیزه صدارت» نام داشت. هویدا لباس یراق‌دوزی شده‌ی ویژه صدارت و سلام‌های درباری را به تن کرده بود و از عاقدی که از دهانش، به اندازه‌ی دهان هویدا، آب جاری بود، به التجا می‌خواست که «دوشیزه‌ی صدارت» را به عقد دایمی او درآورد.

البته در اشتوتگارت منصور، در قیاس با هویدا، عضو تازه کارتر بود و لاجرم زیرنظر هویدا کار می‌کرد. به رغم این برتری در سلسله‌مراتب اداری، هویدا و منصور با یکدیگر به‌سان دو دوست همطراز و همسنگ رفتار می‌کردند. به تدریج، در ظرف ده سال بعد، سرشت این دوستی هم دگرگون

شد. هویدا، دست‌کم آن‌چنان که در ظاهر به نظر می‌رسید، دیگر نه همطراز منصور که زیردست او بود. بسیاری از دوستان هویدا، و برخی از دیپلمات‌هایی که هردو را می‌شناختند، می‌گفتند که هویدا هم از منصور باهوش‌تر بود و، هم از توانمندی‌های سیاسی و پختگی بیشتری برخوردار بود. استوارت راکول* که در اوایل دهه‌ی پنجاه وزیرمختار آمریکا در ایران بود، و به گمان علم عامل اصلی صدارت منصور محسوب می‌شد**، امروزه تأکید دارد که: «هرگز نظر چندان خوبی نسبت به منصور نداشتم. ذهن درخشانی نداشت. در هیچ زمینه‌ای از خود برجستگی و درخشش نشان نمی‌داد. آدم زیاد می‌شناخت، ولی در هیچ زمینه تخصصی نداشت.» از سویی دیگر، به گمانش، هویدا «آدمی دوست‌داشتنی و همه‌جانبه بود. در چشمانش انگار همواره تلألویی دیده می‌شد.[۲۴]»

راکول در این قضاوت خود تنها نبود و دقیقاً به همین خاطر، بسیاری از دوستان هویدا، چند وچون دوستی‌اش با منصور را درک نمی‌کردند. نمی‌دانستند چگونه در این دوستی منصور دست بالا و حالت ریاست پیداکرده است.[۲۵] شاید کلید این امر را باید در این واقعیت سراغ کرد که در اشتوتگارت، منصور با جان جی مک‌کلوی*** آشنا شد. مک‌کلوی از مردان پرقدرت آمریکا در سال‌های بعد از جنگ به شمار می‌رفت. چندی معاون وزارت دفاع بود. با شکست آلمان، او به ریاست حکومت اشغالی آلمان

---

* Stuart Rockwell

** علم در خاطراتش ادعاکرده که منصور در شب انتخابات ۱۳۴۲، از خانه‌ی راکول به علم زنگ زد و التجاکرد که هرطور شده، او را نماینده‌ی اوّل تهران اعلان کنند. به گمان علم، منصور بی‌شک «نوکر آمریکایی‌ها» بود. البته علم از راکول هم دل‌خوشی نداشت و دست‌کم در یک مورد از او به عنوان «پدر سوخته» یاد می‌کند. (اسدالله علم، **خاطرات**، جلد دوّم، ۱۱۷). بنا بر گفته راکول، داستان علم در مورد تلفن منصور «سراپا بی‌اساس است.» (مصاحبه با راکول، ۲۳ مه، ۱۹۹۹). راکول در عین حال می‌گفت به گمانش علم شخصیتی سخت «دورو و ریاکار بود. در تمام اوقاتی که اورا می‌شناختم و یکدیگر را می‌دیدیم، چنین وانمود می‌کرد که از دوستان من است.»

*** John J. McCloy

منصوب شد. نوسازی اقتصادی آلمان را بسیاری از محققان حاصل سیاست‌های او می‌دانند. پس از رجعت به آمریکا، رئیس هیأت مدیره‌ی بانک چیس مانهاتن* شد. منصور بعد از ملاقاتش با مک‌کلوی، اغلب حتی با امیرعباس و فریدون هویدا هم از «روابطش» با آمریکایی‌ها لاف می‌زد. بارها از «تماس‌هایش» با مقامات آمریکایی سخن می‌گفت. ادعا می‌کرد که «آنها را در جریان وضع ایران»[۲۶] قرار داده. حتی در روزگاری که صرفاً کارمند دون پایه‌ی کنسولگری ایران در اشتوتگارت بود، بلندپروازی‌های سیاسی‌اش حدی نمی‌شناخت. انگار چیزی جز صندلی صدارت کفایتش نخواهد کرد.[۲۷]

در دوران مأموریت اشتوتگارت، منصور و هویدا علاوه بر رسیدگی به امور دفتر کنسولی، گهگاه برای تفریح به پاریس سفر می‌کردند. چندی بود که فریدون هویدا در سفارت ایران در پاریس آغاز به کار کرده بود. در عین حال، به نوری، خواهر منصور، دل‌باخته بود. در سال ۱۳۲۸، این دو در مراسمی ساده ازدواج کردند.[۲۸] امیرعباس و منصور نیز هردو در مراسم شرکت داشتند. از آن پس پیوندهای خانوادگی بر علقه‌های دوستی این دو افزوده شد. انگار چرخ گردون از هر فرصتی بهره می‌جست تا زندگی عشقی و سیاسی این دو نفر را هر روز بیشتر و بیشتر درهم بتند.

گرچه هویدا می‌خواست به مدد انتظام پلکان ترقی را به سرعت پشت‌سر بگذارد، اما از سال ۱۳۲۷ اوضاع تهران و پاریس به تدریج دگرگون شد و دیگر چندان بر وفق مرادش نبود. در اوایل آن سال، سپهبدی از سمتش به عنوان سفیر ایران در پاریس برکنار شد. در سال ۱۳۲۹ هم دوران مأموریت هویدا در آلمان به پایان رسید. او بلافاصله به ایران بازگشت. کشور بار دیگر آبستن بحرانی عمیق و در آستانه‌ی تحولاتی ژرف بود. برای چند هفته، رجبعلی منصور دوباره به صدارت برگمارده شد. دولتش اما سخت مستعجل بود. در آن زمان تنها یک نفر، یعنی مصدق، مرد میدان سیاست ایران بود. او

---

* Chase Manhattan

بی‌پروا به مصاف انگلیسی‌ها رفته و با ملی کردن صنعت نفت، عرصه‌ی سیاست ایران را دگرگون کرده بود. اما مصدق از تشکل حزبی بیزار بود. به علاوه، به نوعی سیاست مردم‌زده، یا پوپولیستی، دلبستگی داشت و در نتیجه سازمانی متشکل از احزاب و شخصیت‌ها و سازمان‌های گونه گون را، زیر لوای جبهه ملی ایران، گردهم آورد. گرچه درواقع تنها سرمایه‌ی سیاسی جبهه ملی همین میراث مصدق بود، اما با این حال، این تشکیلات همواره در سیاست چهل سال بعد ایران حضوری مهم داشت و در بسیاری از مقاطع مهم تاریخ معاصر ایران نقشی مهم بازی کرد.

در سیاست بحرانی آن سال‌ها، سوای مصدق، آیت‌الله کاشانی هم نقشی سخت مهم داشت. زمانی متحد مصدق بود و پس از چندی، اتحادشان در نتیجه اختلافات فردی و سیاسی از هم پاشید. به علاوه، کاشانی در همان زمان مرجع تقلید یک گروه نظامی‌کار اسلامی به نام فدائیان اسلام بود. در اواخر دهه‌ی بیست، همین گروه حرکت گسترده‌ای را علیه روشنفکران و سیاستمداران عرفی ایران آغازید. بقایای همین گروه، پانزده سال بعد حسنعلی منصور را به قتل رساندند. در آن زمان، مرجع تقلید جدیدشان آیت‌الله خمینی بود. شیخ صادق خلخالی، که بعدها آن طور که خود در خاطراتش می‌گوید به «قاضی قاتل» شهرت پیدا کرد، در زمره هواداران پرآوازه‌ی همین فدائیان اسلام بود. البته همان طور که از خاطرات اخیر آیت‌الله منتظری برمی‌آید، فدائیان اسلام، حتی در آغاز فعالیت خود، ظاهراً ارتباطاتی با آیت‌الله خمینی داشتند. آیت‌الله بروجردی که از این تشکیلات و رهبران آن دلِ‌خوشی نداشت، آیت‌الله خمینی را از جمله حامیان فدائیان می‌دانست و به همین خاطر از او دلگیر شد. در سال ۱۳۲۹، یعنی هنگام رجعت هویدا به ایران، حزب توده در اوج قدرت خود بود و بسیاری از روشنفکران مملکت را به صفوف خود جلب کرده بود. در اوایل دهه‌ی بیست، این حزب در انتخابات مجلس شرکت جست و توانست هشت نفر از اعضای خود را از چند شهر مختلف به

مجلس بفرستد. اما وقتی به جان شاه سوءقصد شد، حزب توده به اتهام شرکت در این توطئه، ناگهان غیرقانونی اعلام شد.* ولی حکم غیرقانونی بودن این حزب چندان به جدّ گرفته نمی‌شد و بالمآل بیشتر به حزب توده کمک کرد و به آن هاله‌ای قهرمانی داد. نفوذ حزب در اتحادیه‌های کارگری نیز رو به فزونی بود. مهم‌تر از همه، حزب توده توانسته بود شبکه‌ی قدرتمندی از افسران هوادار خود را در نیروهای مسلح پدید آورد.

در این شرایط پرتب و تاب بود که هویدا در سال ۱۳۲۹ به ایران بازگشت. نخستین شغلش در وزارت امور خارجه معاونت دایره‌ی روابط عمومی بود. کاری یکسره خسته کننده می‌نمود. نه جذابیت فکری داشت، نه اهمیت سیاسی. اما در اواخر سال ۱۳۳۰ بخت انگار دوباره به مدد هویدا آمد. حامی‌اش عبدالله انتظام به وزارت امور خارجه برگمارده شد و او نیز هویدا را به عنوان رئیس دفتر خود برگزید. البته چون در آن روزها دفتر وزیر کارمند دیگری نداشت، درواقع پست ریاست دفتر چیزی جز منشی وزیر نبود. این بار وزارت انتظام یک ماه هم دوام نیاورد. دولتی که او وزیرش بود از رویارویی یا همپایی با موج فزاینده ناسیونالیسم در مملکت عاجز بود. مصدق نماد و تجسم این جنبش شده بود و سرانجام در اردیبهشت ۱۳۳۰، شاه، در عین بی‌رغبتی، او را به نخست‌وزیری منصوب کرد.

اما جوهر حکم مصدق هنوز خشک نشده بود که ابرهایی تیره در افق سیاسی ایران ظاهر شد. وقوع بحران اجتناب‌ناپذیر جلوه می‌کرد. از سویی، مصدق سیاستمداری یک‌دنده و لجوج و خودرأی بود، و از سوی دیگر شاه هم توان تصمیم‌گیری عاجل و قاطع نداشت. نیروهای میانه‌روی طرفدار

---

* گرچه در آن زمان نیروهای مخالف رژیم این اتهام را یکسره واهی قلمداد می‌کردند، اما در چند سال اخیر، اسناد و خاطرات سران حزب توده شکی باقی نگذاشته که نورالدین کیانوری، یکی از رهبران حزب، در کار این ترور دست داشت. برای دستیابی به خلاصه‌ای از این ماجرا و نقش کیانوری، ر.ک: بابک امیرخسروی، **نظری از درون به‌نقش حزب توده ایران (نقدی بر خاطرات نورالدین کیانوری)**، تهران، ۱۳۷۵، صص ۲۰۵-۲۰۰.

مصدق قادر به وحدت نبودند. در مقابل، حزب توده هر روز قدرتمندتر و باانضباط‌تر می‌شد. به علاوه، انگلستان نمی‌خواست انحصار پربرکت نفت ایران را از کف بدهد. ترومن هم رغبتی به همدستی با انگلستان علیه ایران نشان نمی‌داد. این عوامل همه دست به دست هم داد و حل مسالمت‌آمیز بحران را نامیسر می‌نمود. طوفانی سیاسی در راه بود. موقعیت هویدا هم هر روز بدتر می‌شد. کار در وزارت امور خارجه دیگر چنگی به دل نمی‌زد. وسوسه‌ی اروپا از نو به جانش افتاد.

عوامل متعددی سبب شد که هویدا، پس از اقامتی دوساله در ایران، بار دیگر عزم رحیل کند. باقر کاظمی که علاقه‌ای به هویدا نداشت به جای انتظام وزیر امور خارجه شده بود.[۲۹] به علاوه، حسین فاطمی یکی از مهم‌ترین چهره‌های دولت مصدق بود و در دوران دانشجویی‌اش در پاریس، مقالات تند و تیزی درباره‌ی ماجرای پاریس نوشته بود. او هم مهری به هویدا نداشت.

علاوه بر همه‌ی این مسائل اداری و سیاسی، وضع مزاجی افسرالملوک هم مزید بر علّت بود. به تصلب شریان قلب دچار شده بود و بیمارستان‌های تهران در آن زمان از درمان این بیماری عاجز بودند. افزون بر این، در آن روزها، انگلستان به تلافی سیاست ملی کردن نفت مصدق، ایران را تحریم اقتصادی کرده بود. حتی پیچیدن یک نسخه‌ی ساده دشوار بود. این عوامل همه دست به دست هم داد و هویدا را به جلای وطن متقاعد کرد. جویای کاری در سازمان ملل شد و به کمک دوستانش، پستی در کمیسیون پناهندگان در ژنو به او محول شد. بدین‌سان، در تابستان ۱۳۳۱، در حالی که ایران با یکی از جدّی‌ترین بحران‌های سیاسی تاریخ معاصرش مواجه بود، هویدا راهی ژنو شد.

سفر هویدا دست‌کم از یک جهت به نفعش تمام شد. خروجش از ایران او را از موضع‌گیری در بحران سیاسی آن زمان ایران معاف کرد. با آغاز دوران صدارت مصدق، روشن بود که آب او با شاه به یک جوی نخواهد رفت. به محض حاد شدن بحران، شاه از ایران گریخت و تنها به کمک کودتایی که

سرنخش در دست دستگاه‌های امنیتی انگلیس و آمریکا بود، در ۲۸ مرداد ۱۳۳۲ به قدرت بازگشت. در بحبوحه‌ی این کشمکش‌های سیاسی، یعنی زمانی که طرف برنده هنوز معلوم نبود، اهل سیاست در ایران اغلب ناچار شدند به نفع یکی از این دو جناح موضع بگیرند. وقتی شاه که تذبذب طرفدارانش را برنمی‌تابید، به تخت سلطنتش بازگشت، آنانی را که جانب مصدق را گرفته بودند سخت تنبیه کرد. از سویی دیگر، آنان که در ساعات تیره‌بختی شاه به او وفادار ماندند، همه عمر از مواهب و مراحم ملوکانه برخوردار شدند. سیاستمداران آن زمان ایران معمولاً همه شرح موقعیت ممتاز یاران وفادار شاه را می‌دانستند. داستان آن مأمور سفارتی که در ایتالیا، با احترامات فائقه به استقبال شاه رفت و نیز ماجرای آن دسته از نمایندگان مجلس که بی‌پروا، و در شرایطی که جانشان در خطر بود، از شاه دفاع کردند، شهره‌ی خاص و عام بود.

هویدا با خروجش از ایران نه چون گروه اوّل تاوانی گران پرداخت و نه به‌سان دسته‌ی دوّم از موقعیتی ممتاز برخوردار شد. البته رفتارش در ژنو، گریزش از هر نوع برخورد تند، دوستی‌هایش با روشنفکران، وحشر و نشرش با مخالفان و موافقان رژیم شاه همه به این معنا بود که ترکیبی غریب از ایرانیان گونه‌گون ـ از دکتر غلامحسین مصدق گرفته تا اردشیر زاهدی ـ به سراغش می‌آمدند. البته افسرالملوک هم پس از هشت ماه اقامت اجباری در یکی از بیمارستان‌های شهر ژنو، با هویدا هم‌منزل شد.[۳۰] حسنعلی منصور و فریدون هویدا نیز از مهمانان همیشگی هویدا در ژنو بودند.

در ژنو، هویدا رابط کمیسیون عالی پناهندگان سازمان ملل بود. به اقتضای شغلش اغلب در سفر بود. از بسیاری از کشورهای آسیا، آفریقا و آمریکا دیدار کرد و با برخی از رهبران این کشورها آشنا شد. دانش و دوستی‌هایی که نتیجه‌ی این سفرها بود همه سبب شد که پس از رجعت به ایران به کمیته‌ای پیوست که هدف آن بهبود روابط ایران با کشورهای آسیایی و آفریقایی بود.

رئیس کمیسیون پناهندگان بارها از کار هویدا ابراز رضایت و خرسندی کرده بود. برای نمونه، در ۱۷ دسامبر ۱۹۵۳، او در نامه‌ای هویدا را به عنوان یکی از باارزش‌ترین کارمندان کمیسیون ستود.[۳۱] البته منتقدان هویدا کار او در این کمیسیون را به دیده‌ی شک و بدبینی می‌نگرند. می‌گویند رئیس کمیسیون یک فراماسون بود و به همین خاطر هم در نامه‌اش از هویدا تعریف کرده بود. می‌گویند کار کمیسیون نوعی ظاهرسازی بود. هدف اصلی‌اش پنهان کردن روابط هویدا با سازمانی صهیونیستی به نام AZL بود. هر چه گشتم نشانی از این سازمان نیافتم. شاید یکسره بافته‌ی ذهن منتقدان هویدا است و وجود خارجی ندارد. همین منتقدان می‌گویند کار هویدا در کمیسیون بیشتر در خدمت «ایجاد دولت» صهیونیستی بود.[۳۲] طبعاً برای هیچ یک از این دعاوی خود سند و مدرکی هم ارائه نمی‌کنند.

در سال‌هایی که هویدا در سازمان ملل بود، منصور کماکان به کار در وزارت امور خارجه ادامه داد. در سال ۱۳۳۴ به سمت مشاور سفارت ایران در واتیکان برگزیده شد. هویدا از هر فرصت برای دیدار دوستش در رم استفاده می‌کرد. پس از ماجرای طلاق منصور، این دیدارها اهمیتی دوچندان پیدا کرد. ازدواج منصور با یکی از دخترهای تیمورتاش شش ماه بیشتر دوام نیاورد و به طلاق کشید. این مسأله بر منصور سخت گران آمد. محتاج دلجویی‌ها و همدلی‌های دوستانش بود. به همین خاطر، هویدا به کرات به دیدن دوستش می‌رفت. در همین سفرها، منصور چندین بار به تأکید از هویدا خواست که از کار خود در سازمان ملل استعفا کند. می‌گفت باید به پست خود در وزارت امور خارجه‌ی ایران بازگردد. بارها به تصریح به او می‌گفت که «رابطینش» در میان آمریکایی‌ها وعده کرده‌اند که «نوبت ما به زودی خواهد رسید.»[۳۳] ظاهراً هویدا بالاخره متقاعد شد. در نامه‌ای به وزارت امور خارجه‌ی ایران خواستار رجعت به کادر دیپلماتیک شد. ظاهراً با کمک پدر منصور، رجبعلی، که در آن زمان سفیر ایران در ترکیه بود، تقاضای هویدا

مورد موافقت قرار گرفت و او بدین‌سان به سمت دبیر اوّلی سفارت ایران در آنکارا منصوب شد.*

دوران سفارت رجبعلی کوتاه بود. پس از مدتی کوتاه، ژنرال ارفع جانشین او شد. ارفع از جنم نظامیان سختگیر بود. می‌خواست سفارت را هم به سیاق سربازخانه اداره کند. هر صبح کارمندانش را وامی‌داشت «تا به ترتیب قد، در صفی منظم بایستند.»[۳۴] حتی شایع بود که در این بازرسی‌های صبحگاهی، نه‌تنها لباس کارمندان که ناخن‌های دستشان را نیز بازبینی می‌کرد. تنها کسی که زیر بار این انضباط نظامی نرفت هویدا بود.

در آن زمان، عبدالله انتظام مدیرعامل شرکت ملی نفت ایران بود. هویدا برای گریز از انضباط سربازخانه‌ای ژنرال ارفع به انتظام توسل جست و او نیز پس از چندی هویدا را به عنوان مشاور مخصوص به شرکت نفت منتقل کرد و بعد از مدّتی کوتاه، او را به سرپرستی امور اداری شرکت نفت ترفیع داد. اما فضای اداری شرکت نفت از سنت انگلیسی‌ها نَسب می‌برد. در آن سلسله‌مراتب اداری سخت محترم شمرده می‌شد. به همین خاطر، جهش ناگهانی هویدا به رأس این هرم خشم و حسد کارمندان قدیمی شرکت نفت را برانگیخت و به همین خاطر، در آغاز کار با او رفتاری سرد و بی‌اعتنا داشتند.[۳۵] هویدا، آن‌چنان که سیاق کارش بود، در مقابله با این مخالفت‌ها، صبر و حوصله نشان داد و برای برگذشتن از موانع اداری، از روابط انسانی و شبکه‌ی دوستانش

---

* دُلدُم در کتابش مدعی است هویدا را از ترکیه به خاطر تبلیغ به نفع مذهب بهائیت اخراج کردند. او سند و شاهدی در دفاع از مدعای خود عرضه نمی‌کند. کتاب او همه‌ی ضوابط تحقیق را نادیده می‌انگارد و احتیاط عالمانه را وامی‌گذارد. روایتش یکسره آلوده به عناد و کینه است و حتی این واقعیت که نامه‌ای پرتمجید از جمالزاده را، به جای مقدمه، در چاپ جدید کتاب منتشر کرده، از بی‌ارزشی کتاب چیزی کم نمی‌کند. کتاب دلدم را می‌توان مصداق رقت‌بار و شرم‌آور آثاری دانست که این روزها در ایران به عنوان زندگی‌نامه نشر می‌یابد، اما درواقع چیزی جز هتاکی نیست و نویسندگان این آثار هم اغلب کسانی‌اند که نان به نرخ روز می‌خورند و چه بسا که تا دیروز مداح همان شخصیتی بودند که امروزه قدحش می‌کنند.

بهره گرفت. در دوران صدارت هم شیوه کارش همین بود. در سیاست روابط شخصی و فردی را حلال همه مشکلات می‌دانست.[۳۶] به جای گله و شکایت به انتظام، به دوست قدیمی‌اش صادق چوبک توسل جست. چوبک از کارمندان سرشناس شرکت نفت بود. چند روزی پس از آغاز کار در شرکت نفت، هویدا روزی چوبک را به دفتر خود فراخواند و به او پست تازه‌ای پیشنهاد کرد. می‌گفت: «می‌خواهم منشی مخصوص مراسلات محرمانه‌ی من باشی.»[۳۷] گرچه هویدا به چوبک اعتماد کامل داشت، ولی انگیزه‌ی اصلی این پیشنهادش چیزی دیگر بود. هویدا خود اذعان داشت که نمی‌خواست در نامه‌های اداری‌اش، لغزش لغوی و دستوری راه یابد.[۳۸] بخشی از طنز تلخ سرنوشت سیاسی هویدا در همین نکته نهفته بود. قابلیت‌های زبان‌شناختی او، تسلطش بر فرانسه، انگلیسی و آلمانی، «اندک ترکی»ای که می‌دانست، همه تا آن زمان از اسباب پیشرفتش در عالم سیاست به حساب می‌آمد. به اعتبار همین تسلطش انگار راه صدساله دیگران را یک شبه پیموده بود. اما در شرکت نفت، زبان، و به طور مشخص زبان فارسی، به نقطه‌ی ضعف او بدل شده بود. هویدا به درایت این نقطه ضعف خود را دریافت و به سرعت در جهت تحدید پیامدهای زیان‌بار آن گام برداشت. نسل قدیمی‌تر سیاستمداران ایران، کسانی چون انتظام، همه اغلب بر زبان و ادب فارسی تسلطی کامل داشتند. قبل از انقلاب مشروطیت، در دربار سلاطین ایران، ترقی سیاسی اغلب از آن کسانی بود که نثری سلیس و پرقوام می‌نوشتند و می‌توانستند، به فراخور حال، بیتی مناسب از بر بخوانند. هویدا پرچمدار نسل نویی از سیاستمدارانی بود که زبان فنی تکنوکراسی را بهتر از زبان حافظ و سعدی می‌فهمیدند و ارج می‌نهادند. کار برخی از همین سیاستمداران به جایی رسیده بود که به لهجه‌های غریب فارسی خود می‌بالیدند و به جهلشان در ادب فارسی می‌نازیدند. اما هویدا می‌دانست که چاره‌ای جز تقویت زبان فارسی خود ندارد.[۴۰]

به توصیه چوبک،* هویدا در عین حال وجیهه معرفت را به عنوان منشی مخصوص خود برگزید. او در تمام بیست سال بعد، دستیار معتمد هویدا باقی ماند. زنی پرشور و مستقل بود. شوهرش از اعضای فراری حزب توده بود. ساواک معمولاً کسانی را که خویشاوندانی توده‌ای و فراری داشتند، به دقت تحت مراقبت قرار می‌داد. به علاوه، برای هویدا هم اقتضای شرط احتیاط قاعدتاً این می‌بود که از استخدام کسی چون خانم معرفت احتراز کند. اما هویدا این شرط احتیاط را رعایت نکرد.

در همان دوران، پرویز راجی و یدالله شهبازیان نیز به صف کارمندان دفتر هویدا پیوستند. هردو مردانی خوش برورو بودند و مدیرانی قابل. هردو بالمآل دوستی هویدا را تبدیل به احسن کردند. راجی با اشرف پهلوی سروسری پیدا کرد، و به کمک او به سمت سفیر ایران در انگلستان منصوب شد. این انتصاب به خصوص از آن جهت حیرت‌آور بود که لندن، پس از واشنگتن، مهم‌ترین پست دیپلماتیک در وزارت امور خارجه‌ی ایران بود. راجی تجربه و سابقه‌ای در عرصه‌ی دیپلماتیک نداشت. با این همه، به اعتبار تیزهوشی و درایتی که داشت، سفیری کارآمد و بلیغ از آب درآمد. برخی از ناظران سیاسی آن دوران حتی می‌گفتند انتصاب راجی در عین حال نوعی دهن‌کجی شاه به انگلیسی‌ها بود.[۴۱] شهبازی نیز دوستی‌اش با هویدا را به طلا بدل کرد. یکی از نخستین مغازه‌های زنجیره‌ای در ایران را پی ریخت و سرانجام هم یک شرکت کشتی‌رانی پردرآمد تأسیس کرد. در مورد چند وچون فعالیت‌های تجاری او شایعات زیادی بود ـ شایعاتی که در ضمن به قول شهبازی همه بی‌اساس بود و از حسادت و کینه‌ورزی برمی‌خاست ـ و به همین خاطر،

---

* پس از چندی که از آغاز کار چوبک در دفتر هویدا می‌گذشت دیگر عملاً کار چندانی به او واگذار نمی‌شد. هویدا به چوبک گفته بود که این اوقات فراغت را برای تکمیل رمان‌های خود استفاده کند. درواقع می‌توان گفت که بدین‌سان هویدا نوعی بورس ادبی در اختیار چوبک گذاشت. گفتگو نویسنده با صادق چوبک، نویسنده، ۲۲ نوامبر ۱۹۹۷.

دوستی‌اش برای هویدا از لحاظ سیاسی گران تمام شد. برخی از مشاوران هویدا او را به دوری از شهبازی تشویق و ترغیب می‌کردند،[۴۲] اما هویدا هرگز زیر بار نرفت. در دوستی سخت پایدار و وفادار بود.

پس از مدّتی نسبتاً کوتاه، هویدا به عنوان یکی از مدیران قابل و خوش‌اخلاق شرکت نفت شهرت یافت. می‌گفتند اندیشه‌های تازه را پذیرا است و به توصیه‌های دیگران به دیده‌ی قبول می‌نگرد. درواقع او از شیوه‌ی مدیریت تازه‌ای استفاده می‌کرد که بیشتر غربی بود و به مشاوره و آمار و بحث آزاد تکیه داشت. برای مثال، یک بار کارمندان شرکت را به نشستی همگانی فراخواند. آن‌گاه خود بر صحنه‌ی سالن ظاهر شد و از حضار خواست که پیشنهادات و ایرادات خود را بی‌پروا طرح کنند. مدیران سنتی شرکت از این اقدامات هویدا حیرت‌زده بودند و از او دل چندان خوشی نداشتند. به علاوه، هویدا تجمل نهارخوری ویژه‌ی مدیران شرکت را وانهاد، و اغلب در رستوران کارمندان عادی غذا می‌خورد. روز اوّلی که به رستوران کارمندان گام گذاشت ناگهان سکوت همه جا را فراگرفت. هویدا سینی غذایی برداشت و به صف کارمندان منتظر غذا پیوست. اما پس از چندی حضورش در آن جمع یکسره عادی شد و دیگر توجه کسی را جلب نمی‌کرد.[۴۳]

در همین دوران، هویدا از احسان نراقی هم کمک خواست. او را نخست در سوئیس ملاقات کرده بود. نراقی تحصیلاتش را در رشته‌ی جامعه‌شناسی گذرانده بود. در جوانی مدّتی وسوسه‌ی اندیشه‌های انقلابی داشته بود. پس از بازگشتش به ایران، منادی همیشگی آشتی میان رژیم و مخالفان بود. اغلب به عنوان رابطی میان ساواک و برخی از مخالفان عمل می‌کرد. در بسیاری از موارد، نراقی برای رهانیدن روشنفکری در بند، یا دست‌کم برای کسب خبر در مورد چند و چون احوالشان، به هویدا توسل می‌جست. در سال ۱۳۴۲، سفارت آمریکا، در ارزیابی خود از جامعه‌ی روشنفکری ایران، نراقی را به عنوان شخصیتی معرفی کرد که «هم با رژیم رابطه دارد و هم در خلوت از آن

انتقاد می‌کند.» بخش دیگری از همین گزارش، به وصف نقش نراقی در «ایجاد رابطه» میان رژیم و مخالفان تخصیص یافته است.[۴۴]

نراقی بالاخره پس از تلاش‌های فراوان توانست یک مرکز تحقیقات علوم اجتماعی را در ایران تأسیس کند. این مرکز با دانشکده‌ی ادبیات دانشگاه تهران پیوند اداری داشت. سفارت آمریکا مرکز تحقیقات را «کانونی پویا» می‌دانست که در آن «بحث‌های جالبی در جریان است و طرح‌های تحقیقاتی مهمی در زمینه‌ی طبقه‌ی متوسط در ایران، تحلیل نقش بازار، جنبه‌هایی از اصلاحات ارضی... و مطالعه‌ای برای ساواک در زمینه‌ی ریشه‌های اجتماعی شورش‌های ۱۵ خرداد در دست اجراست.»[۴۵]

تأسیس این مرکز نتیجه‌ی مطالعاتی بود که پیشتر نراقی برای شرکت نفت انجام داده بود. در سال ۱۹۵۷، کار بررسی نیروی کار شرکت نفت به نراقی محول شد. روحیه‌ی کارگران و کارمندان خراب بود و چند وچون کارایی اقتصادی‌شان محور اصلی مطالعات او بود. کنسرسیوم به این نتیجه رسیده بود که هزاران کارگر و کارمند شرکت زایداند و شرکت نفت را برای اخراج این دسته تحت فشار قرار داده بود. یکی از هدف‌های نراقی نشان دادن این واقعیت بود که این کارگران و کارمندان زاید نیستند. پس از تحقیقات مفصل، نراقی به این نتیجه رسید که از خودبیگانگی در صفوف کارگران و کارمندان شرکت نفت بیداد می‌کند. به هویدا توصیه کرد که یکی از راه‌های مقابله با این از خودبیگانگی برگزاری برنامه‌های فرهنگی برای کارگران است. حاصل این شد که شرکت نفت، به همت هویدا، برخی از برجسته‌ترین روشنفکران ایران، از جمله جلال آل احمد، را دعوت کرد تا به جنوب ایران سفر کنند و در باب مسائل فرهنگی و ادبی با کارگران و کارمندان شرکت نفت به گفتگو بنشینند. علاوه بر این، به توصیه‌ی نراقی، شرکت نفت اردوگاه‌هایی در شمال کشور برای فرزندان کارگران و کارمندان شرکت تأسیس کرد.[۴۶]

برای مدیریت این مراکز، هویدا دوباره راهی نامتعارف پیش گرفت.

منوچهر پیروز را مأمور این کار کرد. او از کارمندان باسابقه‌ی شرکت بود. پس از کودتای ۲۸ مرداد، به لحاظ جانبداری از حزب توده، مدّتی از کار بر کنار شد. وقتی دوباره به صف کارمندان شرکت پیوست، عملاً نوعی «عنصر نامطلوب» بود و کار چندانی به او واگذار نمی‌شد. هویدا به کمک انتظام، و علی‌رغم مخالفت‌های اولیه‌ی ساواک، کار ایجاد و اداره‌ی کمپ‌ها را به پیروز واگذاشت. شهبازی هم در کار تشکیل این اردوها نقشی اساسی داشت. پیروز در محمودآباد، در نزدیکی سواحل دریای خزر، اردویی برای کودکان تأسیس کرد. کار اردوها سخت موفقیت‌آمیز بود. در همان تابستان اوّل، نزدیک چهارهزار و پانصد نفر از فرزندان کارگران و کارمندان شرکت مهمان اردوهای تابستانی بودند. برای بسیاری از این کودکان، که اغلب زاده و پرورده‌ی خطه‌ی جنوب کشور بودند، کوه‌های پربرف البرز از صحنه‌های به راستی حیرت‌آور این سفر بود.[۴۷]

به رغم موفقیت اوّلیه پیروز، دوران ریاستش دیر نپایید. برکناری‌اش نتیجه‌ی گزارشی از ساواک بود. گویا در اردو از تصاویر شاه خبری نبود. در اواخر دهه‌ی سی، کیش شخصیت شاه در حال نضج گرفتن بود. شاه از همه فرمانبرداری مطلق می‌طلبید و زیردستان سرکش و نامطیع را برنمی‌تابید. تصاویرش همه جا در گوشه و کنار کشور به چشم می‌خورد. منویات ملوکانه در رأس همه‌ی برنامه‌های رادیویی بود. در همان زمان، دفتر اطلاعات و تحقیقات وزارت امور خارجه‌ی آمریکا پیرامون ابعاد و پیامدهای کیش شخصیت شاه نوشت: «عکس شاه همه جا هست. برنامه‌های سینما همواره با پخش سرود شاهنشاهی و با نمایش تصاویری از شاه در حالات گونه گون می‌آغازد. تولد شاه و ملکه و ولیعهد را نیز به مدد آتش‌بازی و رژه جشن می‌گیرند. حضور سلطنت در همه‌ی عرصه‌های اجتماعی مشهود است.»[۴۸]

نشانه‌های این کیش شخصیت را می‌توان در عین حال در صفحات مجله‌ای سراغ کرد که هویدا در شرکت نفت به راه انداخته بود. نخستین شماره‌ی

کاوش در مرداد ۱۳۳۹ منتشر شد. نام هویدا در صفحه‌ی اول، به عنوان سردبیر مجله آمده بود. صادق چوبک هم در کار تدارک مجله مؤثر بود. در همان سال اوّل این مجله توانست برخی از نام‌آورترین روشنفکران ایران را به همکاری فراخواند. نادر نادرپور، محمد قاضی، مسعود فرزاد، محمود صناعی، فرخ غفاری، سعید نفیسی و ابراهیم پورداود از جمله همکاران اوّلیه مجله بودند.

مجله در عین حال وسیله‌ای بود که از طریق آن هویدا و انتظام به شیوه‌ای غیرمستقیم و محترمانه، به برخی از روشنفکران تنگ‌دست کمک مالی می‌کردند. **کاوش** برای هر مقاله حق‌التألیف نسبتاً قابل‌توجهی می‌پرداخت و در هر شماره، تعداد مقالاتی که از نویسندگان می‌خواست به مراتب بیشتر از مقالاتی بود که چاپ می‌شد. شماره‌ی اوّل مجله حاوی نامه‌ای از انتظام بود که در آن وظایف **کاوش** را برشمرده بود. آن جا انتظام از منابع طبیعی استخراج نشده‌ی ایران نوشته بود. در عین حال، گفته بود، سرمایه‌ی انسانی جامعه‌ی ایرانی هم تا حد زیادی دست‌نخورده باقی مانده است. می‌گفت گرچه کاربرد تکنولوژی مدرن کار یافتن و به کار گرفتن این منابع طبیعی را آسان‌تر کرده، اما وظیفه‌ی یافتن و تربیت نیروی کار ماهر پیچیده‌تر است و رسالت اصلی مجله‌ی **کاوش** جستن و تربیت همین نیروی ماهر است. انتظام مقاله را با دعایی به پایان برد که بافت غریب و نامتعارف اندیشه‌ی او را نشان می‌داد. می‌گفت: «خالق ماشین انسان است و خالق انسان‌ها و عالم خداوند بزرگ. در این جا از او مدد می‌طلبیم تا گام‌های آزمایشی ما را پایه گذار توفیق نهایی ما کند.»[۴۹]

پیشگفتار مختصری که هویدا بر شماره‌ی اوّل **کاوش** نوشت نیز از جهات گوناگون جالب توجه بود. بخش مهمی از مقاله به حکایتی اندوهبار و طولانی تخصیص یافته است و در آن هویدا از روزی می‌نویسد که خبردار شد باید پاریس محبوبش را وابگذارد و به آلمان جنگ‌زده برود. می‌گوید دوستی از

سر دلداری او را به قبرستان معروف پرلاشز* پاریس برد (که صادق هدایت نیز، از قضا، در آن مدفون است.) آن جا دوستش در حالی که به صف بی‌پایان سنگ‌قبرها اشاره می‌کرد، می‌گفت: «می‌دانی، همه‌ی اینها که در این جا آرمیده‌اند خودشان را خیلی بیش از من و تو در کار "لازم و ضروری" می‌دانسته‌اند. اما بعد از آنها و بعد از ما چرخ‌های دنیا کمی سریعتر یا کمی کندتر گردیده است و خواهد گردید، و یکی از بدبختی‌های بشر این که آنهاکه به جای این خفتگان می‌آیند تصور می‌کنند وجودشان برای کاری که در دست دارند صددرصد "ضروری و لازم" است. در صورتی که نه من و نه تو و نه هیچکس در سمت و کار خود ضروری و لازم نیستیم.»[۵۰] سوای ذکر این حکایت، هویدا در پیشگفتار وعده داد که «از این مجله منبری ساخته شود که نسل جوان مملکت ماکه باید در آینده باکلیدهای دانش و بینش قفل‌های بسته را بگشاید و مشکلات را حل کند، خواسته‌های خود را به مردم عرضه نماید.»[۵۱]

جالب این جا است که نه در نامه‌ی انتظام، نه در پیشگفتار هویدا، هیچ جا ذکری از شاه در میان نیست. درواقع مجله ظاهراً می‌خواست آشکارا از رسم رایج مداحی از شاه، که در آن زمان ساواک و وزارت دربار باعث وبانی‌اش بودند، احتراز کند. اما در سال دوّم کاوش هم سرانجام تسلیم شد و از آن پس تجلیل و تمجید شاه بخشی از مطالب هر شماره بود.

البته در سال ۱۹۶۰، مسأله اردوهای تابستانی کودکان و فراز وفرودهای چاپ مجله تنها مشغله‌های ذهنی هویدا نبود. بیش وکم تمام کسانی که هویدا را از نزدیک می‌شناختند دست‌کم در یک مورد اتفاق‌نظر دارند. همه می‌گویند لیلا امامی عشق زندگی هویدا بود. انگار از همان دیدار نخست به او دل باخته بود. در عین حال، همه می‌گفتند لیلا زنی «استثنائی» است. برخی، از واژه‌ی «استثنائی» نوعی انتقاد ضمنی مراد می‌کردند. انگار می‌خواستند در لوای این

* Pere Lachaise

واژه، او را به عنوان زنی سرکش و مستقل نکوهش کنند. برخی دیگر به راستی تحت‌تأثیر شخصیت و شهرت او بودند. می‌گفتند حتی از خاندان سلطنت هم باکی نداشت. گروه سومی می‌گفتند او زنی بداخلاق بود. می‌گفتند زود از کوره درمی‌رفت و به آسانی هم آرام نمی‌گرفت. می‌گفتند، اغلب به هویدا فحش می‌داد. حتی به کرّات او را «نچس وزیر» خوانده بود. اشراف‌زاده‌ای سرد و بی‌روح و متکبر بود. می‌گفتند از مراسم رسمی بیزار بود و به ندرت در آنها شرکت می‌کرد. وقتی هم که می‌آمد، اغلب مشروب زیاد می‌خورد و مست می‌کرد و اسباب خجالت شوهرش می‌شد. در فرهنگی که کم‌گویی را در مردان می‌پسندد و سکوت را در زنان عین فضیلت می‌داند، لیلا بی‌پروا حرف دلش را می‌زد و هرگز از اظهارنظر ابایی نداشت. همه هشدارم می‌دادند که چه‌بسا سئوالی نابجا خشم خوف‌انگیزش را برخواهد انگیخت. در یک کلام، در مورد او به اندازه‌ی شوهرش شایعه فراوان بود.

حتی دیدار با او دشوار، و گاه حتی یکسره نامیسر، جلوه می‌کرد. تلاش دوستانی که او را به گفتگو با من ترغیب می‌کردند همه ناکام ماند. سرانجام بعد از ماه‌ها تلاش، روزی خبردار شدم که لیلا حاضر به گفتگو شده است. در پنجم ژوئن ۱۹۹۸، طبق قرار قبلی، برای دیدارش به آپارتمانی در یکی از محله‌های اعیان‌نشین ژنو رفتم. رأس ساعت ده در زدم. جمشید دفتری، که کت و شلوار شیک آبی‌رنگی به تن و کراوات خوش‌رنگ قرمزی به گردن داشت، در را باز کرد. با محبت و احترام مرا به درون خانه دعوت نمود. قهوه تعارف کرد. آن‌گاه به نقل داستان‌هایی سخت شنیدنی درباب فساد مالی دوران شاه و توطئه‌های پشت‌پرده عَلَم پرداخت. از یک شرکت آلمانی می‌گفت که چند میلیون مارک به یک مقام ایرانی رشوه داده بود و چون در نتیجه‌ی انقلاب، قرارداد فسخ شده بود، شرکت هم سعی داشت رشوه‌ی پرداخت شده را بازبستاند. اسناد و مدارک دادگاهی در لاهه را نشانم داد که در آن جزئیات این ماجرا به تفصیل آمده بود. در عین حال به بخشی از گفته‌های خود در دادگاه

اشاره می‌کرد که در آن از هویدا به نیکی یاد کرده بود و گفته بود که او در مقام نخست‌وزیر می‌کوشید جلوی این گونه خلاف‌کاری‌ها را، البته در حد امکان، بگیرد.

پس از حدود یک ساعت گفتگو در این زمینه، بالاخره جرأت پیدا کردم به او بگویم که گرچه اسناد و گفته‌هایش همه سخت جالب‌اند، اما هدفم از سفر به ژنو دیدار با لیلا بود. گفتم که فرصت چندانی برای اقامت در ژنو ندارم و راغب دیدار با لیلا هستم. آرام و بی‌دغدغه گفت: «معذرت می‌خواهم. حال لیلا خوب نیست و به همین خاطر قادر به دیدار با شما نیست.» آن گاه بی‌عنایت به حالت عصبانی و درمانده‌ی من، داستان‌هایش را از سر گرفت. این بار درباره‌ی خویشاوندش دکتر مصدق می‌گفت. تصویر بزرگ امضا شده‌ای از او تزیین اصلی گوشه‌ای از اطاق نشیمن بود. به هر طریقی که بود کلامش را قطع کردم. با دلزدگی از آپارتمان بیرون آمدم. با خود گفتم که شاید حق با کسانی بود که می‌گفتند باید از خیر دیدار با لیلا بگذرم. در عین حال می‌دانستم که اگر روایت او از زندگی‌اش با هویدا را بازگو نکنم، خلاء مهمی در این داستان باقی خواهد ماند.

پس از چندی، تلاشم را برای دیدار لیلا از سر گرفتم. یک سال گذشت و سرانجام او تغییر رأی داد و حاضر به گفتگو شد. در آن زمان در منزل خاله‌اش در شهر پاریس زندگی می‌کرد. صبح روزی که به پاریس رسیدم، به او زنگ زدم و برای همان روز، قراری گذاشتیم. نگران بودم که مبادا بار دیگر نظرش را عوض کند.

رأس ساعت سه وارد شد. در گوشه‌ای ساکت و پردود از یک کافه‌ی پاریس نشستیم. ژاکت چرمی سیاه شیکی به تن و شلوار تیره‌رنگ خوش‌دوختی به پا داشت. کفش‌های سیاهش راحت و شیک به نظر می‌رسید. چشمان نافذ و مغمومش را عینکی با لبه‌های قهوه‌ای می‌پوشاند. حال و هوای انسانی از خود مطمئن و باوقار داشت. نه از عصبانیتش نشانی بود، نه از اعصاب

خسته‌اش. قهوه‌ای سفارش داد و آغاز به سخن کرد.

لیلا امامی در یازدهم اسفند ۱۳۱۱ در شهر آبادان به دنیا آمد. مادرش ملک خانم، دختر وثوق‌الدوله بود که یکی از سه بانی قرارداد شوم ۱۹۱۹ به شمار می‌رفت. پدرش نظام‌الدین امامی نام داشت. او نیز از خانواده‌ای پرقدرت و مشهور می‌آمد. نظام‌الدین کارمند دولت بود و اغلب مشاغلی حساس داشت. در بحبوحه‌ی درگیری بحران نفت، نماینده‌ی ایران در دفتر شرکت نفت در لندن بود. لیلا می‌گفت: «پدرم مردی آرام بود و از تنش و دعوا احتراز می‌کرد.» بخش عمده‌ی ثروت خانواده به مادر لیلا تعلق داشت. به خصوص که پس از مرگ پدرش، املاک و مستغلات فراوانی به ارث برد. پدربزرگ پدری لیلا از روحانیون سرشناس و روشنفکر بود. تأکید داشت که دختران و نوه‌های دختری‌اش همه تحصیل کنند. لیلا فرزندارشد خانواده بود. چهار برادر و خواهر داشت. خواهر جوانش، فریده، کودکی به غایت زیبا بود. بر خلاف لیلا که از اوان کودکی سودای تحصیل در سر داشت، فریده بیشتر در فکر یافتن شوهری مناسب و تشکیل خانواده بود.[۵۲]

لیلا دوازده ساله بود که ایران را ترک گفت. پدرش مأمور کار در انگلستان شد و خانواده را همراه خود برد. لیلا در یکی از مدارس معروف شبانه‌روزی انگلیس، واقع در شهر سوری (Surrey) ثبت‌نام کرد. دبیرستان را در انگلستان به اتمام رساند. سپس به ایران بازگشت و دوسالی به عنوان منشی در استخدام اصل چهار بود.[۵۳] بیست ودوساله بود که سرانجام ارث پدری مادر لیلا خانواده‌اش را قادر ساخت او را برای ادامه‌ی تحصیل به آمریکا بفرستند. او نیز در سال ۱۳۳۴ ایران را ترک گفت و در دانشگاه کالیفرنیا، در برکلی، ثبت‌نام کرد. بعد از یک سال، در تابستان ۱۳۳۵ به دانشگاه کالیفرنیا در لوس‌انجلس منتقل شد. آن جا با دختری آمریکایی به نام جین هم‌خانه بود. جین در روز نامه‌ای برای یافتن هم‌اطاقی تبلیغ کرده بود و لیلا هم از همین طریق با او آشنا شد. آپارتمان مشترکشان در منطقه‌ی وست‌وود لوس‌انجلس

در نزدیکی دانشگاه قرار داشت.

لیلا از امکانات مالی چندان گستردهای برخوردار نبود. میگفت: «ماهانه صدوشصت دلار از خانوادهام دریافت میکردم». دوستش جین که این روزها با شوهرش، لایل بکر، خلبان بازنشستهی نیروی هـوایـی امـریکا، در شـهر کوچک و زیبای ناپا زندگی میکند، از آن روزها به خوشی یاد میکند. میگفت: «لیلا همیشهی نگران سنگینی مخارج تحصیلاتش بود. دایم در این فکر بود که هرچه زودتر درسش را تمام کـند و ایـن بـار گـران را از دوش خانوادهاش بردارد.» [۵۴] لیلا دانشجویی جدّی بود. به ولنگاریهایی که معمولاً جزئی از زندگی دانشجویی‌اند دلبستگی نشان نمی‌داد. درس‌هایی در رشته هنر و معماری گذراند. گاه نیز به جامعه‌شناسی علاقه نشان می‌داد. روزی که در خانه‌ی مجلل جین به دیدارش رفتم، دو نقاشی از لیلا تزیین دیوارها بود. اوّلی بر دیوار اطاق نهارخوری بود. طبیعت بی‌جان زرد رنگی بود. تابلوی دوّم بر دیوار حمام اطاق‌خواب اصلی خانه آویزان بود. در آن زنی عریان به چشم می‌خورد. خطوط چهره‌اش برجسته و رنگش سرخی سودازده بود.

در لوس‌انجلس، لیلا پس از چندی دلبسته‌ی جوانی شد که در همسایگی او زندگی می‌کرد. دوستش جین دل خوشی از این یار تازه‌یاب نداشت. با این حال، می‌گفت: «به گمانم تنها عشق واقعی لیلا همان جوان بود.» سپس مکثی کرد و آن‌گاه، به‌سان تکمله‌ای افزود: «منظورم البته این نیست که بعدها بالاخره عاشق امیرنازنین نشد. ولی عشقش به او از نوع دیگری بود.» [۵۵]

در دیماه ۱۹۵۹ لیلا از دانشگاه کالیفرنیا در لوس‌انجلس، در رشته هنر، لیسانس گرفت. بلافاصله به ایران بازگشت. هنوز عاشق بود و امید داشت که روزی دوباره به یار خواهد پیوست. در این فاصله، خواهرش فریده عـاشق حسنعلی منصور شده بود. دوران مأموریت منصور در واتیکان در سال ۱۹۵۷ به سر رسید و او نیز بلافاصله به ایران بازگشت. در چند ماه اوّل اقامتش در تهران با دو زن مختلف سروسری پیداکرد. اوّلی هنرپیشه‌ای پرآوازه بود، و

دوّمی همسر یک دندان‌پزشک چکسلواکی‌الاصل. اما به تدریج به فکر ازدواج افتاد و با فریده آشنا شد. در همان شب عروسی‌ی منصور و فریده بود که هویدا هم به لیلا دل بست* و بیشتر آن شب را در کنار لیلا گذراند. لیلا با لحنی اندک حسرت‌آمیز می‌گفت: «امیر خیلی آدم دوست‌داشتنی‌ای بود. داستان‌های جالبی تعریف می‌کرد.»[۵۶] آن روزها هویدا تازه از سفر آمریکا برگشته بود. همان‌جا کلاس‌هایی در زمینه یوگا دیده بود. لیلا می‌گفت: «امیر خیلی به این کلاس‌ها علاقمند شده بود. آن شب درباره‌ی فواید رژیم‌های غذایی یوگایی مختلف صحبت می‌کرد.»[۵۷] لیلا هم به نوبه‌ی خود به تزیین داخلی علاقمند بود. می‌خواست از همین راه امرار معاش کند. نخستین کار مهمش را در این زمینه هویدا به او محول کرد. قرار شد تزیین غرفه‌ی ایران در نمایشگاه بین‌المللی ازمیر را لیلا به عهده گیرد.

پس از دیدارهای مکرری که اغلب منصور و فریده هم در آن حضور داشتند، هویدا سرانجام روزی لیلا را به دفتر کارش در شرکت نفت فراخواند. لیلا گمان داشت هویدا برای او «کار دیگری پیدا کرده.» تا آن زمان روابطشان جدّی و رسمی بود. لیلا می‌گفت: «اصرار داشتم او را آقای هویدا بخوانم.» اما آن روز در دفتر هویدا به سرعت دریافت که دیدارش ربطی به کار تزئینی داخلی ندارد. در عوض، هویدا از عشق خود به لیلا سخن گفت و از میلش به ازدواج. لیلا پیشنهاد هویدا را رد کرد. می‌گفت: «آماده ازدواج نیستم. به علاوه، تصور بچه‌دار شدن هم برایم دشوار است.»[۵۸] هویدا بلافاصله جواب داد که مسأله بچه برای او محلی از اعراب ندارد. بی‌آن‌که حالتی جدّی بگیرد، توضیح داد که در گذشته، در نتیجه‌ی آزمایشات پزشکی، دریافته که هرگز

---

* شب عروسی منصور از یک جنبه‌ی دیگر جالب توجه است. سه نخست وزیر آینده در آن شب جزو مهمانان بودند. علاوه بر منصور و هویدا، ذوالفقار علی بوتو هم در آن ضیافت شرکت داشت. هرسه جوان بودند و هرسه به حمایت آمریکا مستظهر. هرسه اصلاح‌طلب بودند و عرفی مسلک. هر سه هم به دست نیروهای اسلامی به قتل رسیدند. طرفه آن که هویدا و بوتو در فاصله‌ی یک هفته از یکدیگر اعدام شدند.

پدر نمی‌تواند شد. لیلا سرانجام چاره‌ای جز اقرار به واقعیت نـداشت. «مـن آماده ازدواج نیستم. به علاوه، عاشق مردی در آمریکا هستم.» اما حتی به رغم این توضیحات، هویدا دست از طلب نکشید. نه تنها لیـلا را در بسـیاری از مهمانی‌ها می‌دید، بلکه کماکان سودایش را در سر داشت. ولی در عین حال، سیاست دیگر مشغله‌ی عمده‌ی ذهنش شده بود. ایران آبستن تحولاتی عظیم بود و هویدا هم عزم جزم کرده بود که در این تحولات نقشی مهم بازی کند.

فصل هفتم

انقلاب سفید

پیچیدگی و ابهام هر دم فزونی می‌گیرد
آیا هرگز نخواهیمت شناخت؟

ملویل

گمان رایج این است که دولت آمریکا از زمان جان‌کندی شاه را برای انجام
یک سلسله اصلاحات اقتصادی و سیاسی تحت‌فشار قرار داد. اما به‌گمانم به
استناد اسناد تاریخی می‌توان گفت که واقعیت تاریخی چنین نیست. از اواسط
دهه‌ی سی خورشیدی، یعنی درست پنج سال پیش از آغاز دوران ریاست
جمهوری کندی، سیاست‌گذاران آمریکا نگران ثبات درازمدت ایران شدند.
در سال ۱۳۳۷، سیا در دست‌کم دو گزارش مختلف، به این نتیجه رسید که
«محمدرضا پهلوی از اتخاذ و اجرای تصمیمات لازم و مبرم در جهت
اصلاحات اجتماعی عاجز است.»[1] در هشتم اسفند ۱۳۳۶، تیمسار ولی‌الله
قره‌نی، همراه سی‌وهشت نفر دیگر، به جرم توطئه‌ی کودتا علیه شاه بازداشت
شدند.[2] دولت ایران در نخستین بیانیه‌های رسمی خود در این مورد «دولت
خارجی ناشناخته»ای را مسئول کودتا معرفی کرد. در آن زمان، ظاهراً ناظران
سیاسی همه می‌دانستند که این «دولت خارجی» جز دولت ایالات متحده‌ی
آمریکا نیست. البته چند وچون ابعاد درگیری دولت آمریکا در کودتای قره‌نی
هنوز روشن نیست. اما به استناد اسناد وزارت امور خارجه‌ی آمریکا می‌توان
به قطع ادعا کرد که قره‌نی قبل از کودتا با سفارت آمریکا در ایران تماس

داشت. برای مثال، او در هفدهم بهمن همان سال به سفارت رفت و توصیه کرد که وزیر خارجه‌ی وقت آمریکا، جان فاستر دالس، از شاه بخواهد که «سلطنت کند، نه حکومت.»[۳]

در تلاشی گسترده و به‌هم پیوسته، دولت آمریکا، صندوق بین‌المللی پول، بانک جهانی، بانک بین‌الملل نوسازی و توسعه، و دانشگاه هاروارد، با کمک مالی بنیاد فورد، طرح سیاستی نو را در ایران درانداختند. می‌خواستند ساختار اقتصادی کشور را دگرگون کنند. منادی برنامه‌ریزی درازمدت اقتصادی بودند و سیاست انقباض اقتصادی را توصیه می‌کردند. در عین حال، می‌خواستند اندکی هم از قدرت شاه بکاهند. یکی از پیامدهای شاید ناخواسته‌ی این تلاش‌ها این بود که در سال ۱۳۴۴ امیرعباس هویدا نخست‌وزیر ایران شد. اندیشه‌ها و نظریه‌هایی که او در طی سال‌های صدارتش دنبال می‌کرد همه شباهت‌هایی اساسی به ارکان همین سیاست چندجانبه‌ی آمریکا داشت.

و البته از بیم آن که مبادا قدرت پالاینده‌ی این اصلاحات ثبات سیاسی ایران را کفایت نکند، یا حتی این امنیت را به خطر بیندازد، سازمان‌های امنیتی آمریکا در سال ۱۹۵۷ به تأسیس ساواک هم کمک کرده‌اند. در سال‌های بعد، ساواک به همکاری سازمان‌های اطلاعاتی دیگری چون موساد، ام‌آی ۶ و برخی از سازمان‌های پلیسی اروپای شرقی هم مستظهر شد و به تدریج دامنه‌ی فعالیتش فزونی گرفت. تقویت ساواک در واقع تضمینی بود علیه رواج هرج و مرج یا کمونیسم در ایران.[۴]

در اواسط دهه‌ی سی خورشیدی، در اوج جنگ سرد، کمتر کشوری به اندازه‌ی ایران اهمیت استراتژیک و اقتصادی داشت. در این عرصه، قبل از هر چیز، مسأله نفت از اهمیتی حیاتی برخوردار بود. در ۲۲ ژوئن ۱۹۵۳، برادران دالس، که یکی وزیر خارجه و دیگری رئیس سیا بود، جلسه‌ای در دفتر وزیر امور خارجه تشکیل دادند. دستور کار جلسه تصویب جزئیات کار ارسال یکی از مأموران سیا به ایران بود. نام واقعی این مأمور کرمیت روزولت

و نام عملیاتی‌اش «باران ساز» بود. رسالتش هم برانداختن دولت مصدق و بازگرداندن شاه به قدرت بود. نام عملیاتی شاه «پیشاهنگ» بود.[5] کودتا با موفقیت به انجام رسید. شاه به قدرت بازگشت. مصدق حبس شد. از مهم‌ترین پیامدهای این کودتا این بود که کنسرسیومی از شرکت‌های نفتی بر نفت ایران حاکمیت پیداکرد. اسناد محرمانه‌ای که چندی پیش در باب چند وچون کودتا در روزنامه‌ی نیویورک تایمز منتشر شد آشکارا نشان می‌دهد که آمریکا قبل از تصویب جزئیات طرح کودتا می‌خواست از انگلیس تضمین بگیرد که بعد از پایان عملیات سهمی از نفت ایران به شرکت‌های آمریکایی تعلق خواهد گرفت. «تاریخچه‌ی روابط ایران و آمریکا»، که توسط وزارت امور خارجه آمریکا تدوین شده همین واقعیت را به زبانی دیگر بیان می‌کند و می‌نویسد: «شیرهای نفت ایران باز شد و همزمان با آن کمک‌های آمریکا هم به ایران سرازیر گشت.»[6]

شاه تا واپسین دم حیاتش بر این باور بود که فشار آمریکا برای اصلاحات اجتماعی در اواخر دهه‌ی سی و اوایل دهه‌ی چهل و نیز خود انقلاب اسلامی چیزی جز پیامد تلاش‌های او برای تضعیف قدرت شرکت‌های نفتی نبوده است. در پاسخ به تاریخ، که آخرین کتاب اوست و لحن آن‌گاه به دون‌کیشوت می‌ماند، می‌نویسد:

تاریخ نفت پرماجراترین فصل تحولات اقتصادی و سیاسی بسیاری از ملل عالم در حال حاضر است. فصلی مملو از تحریکات و توطئه‌ها، نشیب و فرازها، دگرگونی‌های سیاسی و اقتصادی، سوءقصدها و کودتاها و انقلاب‌های خونین. حوادثی که در سال‌های اخیر بر میهن من می‌گذشت و ماجراهایی که امروز ایران با آن مواجه است، همچنین حوادث منطقه‌ی خاورمیانه بدون بررسی دقیق مسأله نفت قابل فهم و تجزیه و تحلیل نیست...

به محض آن که ایران حاکمیت مطلق ثروت‌های زیرزمینی خود را

به دست آورد، بعضی از وسایل ارتباط جمعی دنیا مبارزه‌ای وسیع علیه کشور آغاز کردند و مرا پادشاهی مستبد خواندند. فعالیت‌های ضدایرانی سازمان‌های به اصطلاح دانشجویی در خارج از کشور تشویق شد. این مبارزه در سال ۱۳۳۷ آغاز شد. در سال ۱۳۴۱ به اوج خود رسید، ولی هرگز از بین نرفت. وگرچه پس از انقلاب شاه و مردم در ایران در این سال، در مقابل پیشرفت‌ها و تحولات ایران تا حد زیادی دشمنان ما ناچار به سکوت شدند. امّا دوباره مبارزه تبلیغاتی خود را در سال ۱۳۵۴ از سر گرفتند.[۷] (محمدرضا پهلوی، پاسخ به تاریخ، به کوشش شهریار، تهران ۱۳۵۷، ۱۱۸-۱۱۲)

البته حتی اگر روایت یکسره حق به جانب شاه از تاریخ را نپذیریم، باز هم قاعدتاً در این نکته شکی نمی‌توان داشت که یکی از محورهای سیاست معاصر ایران همین مسأله نفت بود. ایران یکی از مهم‌ترین کشورهای تولیدکننده‌ی نفت است. به علاوه خلیج فارس شاهرگ نفت جهان و آبراه اصلی صدور نفت به غرب به شمار می‌رود. در یک کلام، امنیت سواحل ایران، ضامن امنیت صدور نفت خلیج فارس به دیگر نقاط جهان است.

در تابستان سال ۱۳۳۷، کودتای خونین عراق «شاه [ایران] را وحشتزده و غافلگیر کرد (و بی‌گمان او را به بازاندیشی درباب موقعیت شخصی خویش واداشت.)»[۸] در عین حال، از همان زمان، شاه سخت نگران تجاوز عراق به ایران بود. همان طور که از یکی از گزارش‌های سیا، مورخ ۱۲ ماه مه ۱۹۶۶ برمی‌آید، شاه ناسیونالیسم عرب را، که از سوی ناصر در مصر هم تقویت می‌شد، خطر عمده‌ای برای ایران می‌دانست.[۹] در اواخر دهه‌ی سی و در تمام طول دهه‌ی چهل، این واهمه‌های شاه، به‌خصوص در نظر مخالفانش، و حتی به گمان برخی از حامیانش در آمریکا، نشان ترس‌های جنون‌آمیزش بود. اما امروزه که تجربه‌ی جنگ ویرانگر ایران و عراق را پشت‌سر گذاشته‌ایم،

چاره‌ای جز اذعان این واقعیت نداریم که آن واهمه‌ها بی‌جا نبود و از قضا بر اساس پیش‌بینی دقیق و درست و حتی پیامبرانه‌ی آینده استوار بود.

سوای خطر تجاوز عراق، ایران با شوروی نیز مرزی مشترک و طولانی داشت. شاه همواره نگران دخالت‌ها و دسیسه‌های شوروی در ایران بود. درواقع یکی از ارکان سیاست خارجی ایران در آن دوران این گمان بود که دولت شوروی، به تأسی از سیاست دیرینه‌ی تزارها، مترصد فرصتی است تا دولت ایران را براندازد و حکومتی دست‌نشانده در آن جا به قدرت برساند و سرانجام به رویای دیرینه‌ی دستیابی به بندری در آب‌های آزاد خلیج فارس جامه‌ی تحقق بپوشاند. جان فاستر دالس، در تدارک سفر نهم تیر ۱۳۳۷ شاه به آمریکا، یادداشتی برای آیزنهاور نوشت. در آن آمده بود، «[شاه] معتقد است ایران به ارتش نیرومندتری محتاج است... تا بتواند علیه تجاوزات شوروی مقاومت کند. در مذاکراتی که در ماه ژانویه با او داشتم، کوشیدم متقاعدش کنم که سدّ اصلی علیه تجاوز شوروی در آن منطقه قدرت بازدارنده‌ی ایالات متحده است.»[۱۰]

این تلاش دوسویه‌ی مقامات آمریکایی، یعنی تقلیل مخارج تسلیحاتی رژیم شاه از یک‌سو و متقاعد کردن شاه که به جای تقویت ارتش ایران، به قدرت قاهره‌ی آمریکا تکیه کند، از سویی دیگر، در ظرف ده سال آینده ادامه داشت و با فراز و فرودهایی فراوان و تنش‌هایی متناوب همراه بود. در اساس، شاه هرگز زیر بار حرف آمریکایی‌ها نرفت و لاجرم در دوران ریاست جمهوری کندی و جانسون، این مسأله در کانون اختلافاتی بود که گه‌گاه میان شاه و دولت آمریکا رخ می‌نمود. این تنش‌ها در دوران نیکسون به پایان رسید. او سرانجام با شاه هم‌رأی شد. می‌گفت از این پس شاه خواهد توانست به هر حدی که مایل است اسلحه خریداری کند. به قول معروف، او برای خرید اسلحه به شاه «چک سفید» داد و دستش را یکسره باز گذاشت تا با استفاده از درآمد روزافزون نفت، تسلیحات مطلوب خود را از آمریکا خریداری

کند.[۱۱]

البته در سال ۱۹۵۸، محور اصلی سیاست خارجی آمریکا در قبال شوروی، مفهوم استراتژیک «محاصره» (Containment) بود. پس از چندی، آمریکا، بعد از کسب موافقت انگلستان، به ایران اطلاع داد که: «از پیوستن ایران به یک پیمان دفاعی منطقه‌ای با ترکیه و پاکستان و عراق استقبال خواهد کرد و در صورت ایجاد چنین پیمانی، آمریکا آماده است به تقویت نیروهای دفاعی ایران کمک کند.»[۱۲] ایران، پس از دریافت پنجاه میلیون دلار کمک از آمریکا بالمآل به آن‌چه پیمان سنتو نام گرفت پیوست.* هویدا در دورانی که دبیر اوّل سفارت ایران در ترکیه بود با امور پیمان سنتو سروکار پیدا کرد. درواقع پیوستن به این پیمان گام مهمی در سیاست خارجی ایران محسوب می‌شد. دویست سالی می‌شد که ایران کوشیده بود در جدال غرب و شرق دست‌کم در ظاهر بی‌طرف بماند. اما با پیوستن به سنتو، ایران عملاً این بی‌طرفی را واگذاشت و به جبهه غرب پیوست.

در سال ۱۹۵۸ (۱۳۳۷)، علی‌رغم روابط به ظاهر دوستانه میان شاه و آیزنهاور، نشانه‌هایی از تنش روزافزون در روابط ایران و آمریکا پدیدار شد. در سپتامبر (شهریور) آن سال، شورای امنیت ملی آمریکا جلسه‌ای برای رسیدگی به «گزارش امنیتی ویژه»[۱۳] سازمان سیا تشکیل داد. در آن گزارش آمده بود که: «رژیم کنونی [در ایران] به احتمال زیاد دوام چندانی نخواهد

---

* چندماهی پس از چاپ انگلیسی کتاب حاضر، به اسناد جالب و مهمی درباره‌ی قضیه‌ی پیوستن ایران به این پیمان دست یافتم. در اسناد وزارت امور خارجه و خاطرات سردنیس‌رایت، سفیر انگلیس در ایران، می‌بینیم که ایران از همان آغاز تشکیل این پیمان سخت مشتاق پیوستن به آن بود، اما انگلیس و تا حد کمتری آمریکا مخالف این کار بودند. می‌گفتند ایران باید نخست وضع اقتصادی و سیاسی مملکت را سامان و ثبات بخشد. تنها پس از تلاش‌های فراوان شاه و پس از استمدادش از ترکیه، انگلستان و آمریکا با پیوستن ایران به پیمان بغداد (که بعدها سنتو نام گرفت) موافقت کردند. ر.ک.

Sir Denis Wricht, **MEMOIRS**. (Unpublished). pp. 286-292.

داشت.» در نتیجه، از سپتامبر تا نوامبر، «سیاست آمریکا در ایران مورد ارزیابی مجدد قرار گرفت». هدف اصلی این ارزیابی، بررسی چگونگی ایجاد اصلاحات لازم در ایران بود. مقامات آمریکایی می‌خواستند بدانند «چگونه می‌توانند شاه را وادارند که بدون از دست دادن حامیان محافظه کار خود، به برخی از خواست‌های طبقه‌ی متوسط (که به گمان آمریکا مهم‌ترین نیروی مخالف او بود) تن دردهد... این مقامات به این نتیجه رسیدند که اگر شاه حاضر به قبول این پیشنهادات نشد، آن گاه آمریکا باید از طریق ایجاد و گسترش تماس‌های مناسب با گروه‌های در حال رشد غیرکمونیستی، از همبستگی خود با شاه بکاهد.»[۱۴] درواقع، در اوایل دهه‌ی چهل، مرکز ثقل سیاست آمریکا در ایران ایجاد وحدت میان شاه و طبقه‌ی متوسط بود. می‌خواستند احزاب و نهادهای لازم برای بسیج نخبگان نوخاسته‌ی تکنوکرات را تدارک کنند. از این طریق، در عین حال قصد داشتند که زیر پای احزاب سنتی مخالف شاه را هم خالی کنند. در همین سال‌ها، منصور، با همکاری نزدیک هویدا، می‌خواست آمریکایی‌ها را متقاعد کند که او بهتر از هرکس دیگری از پس ایجاد چنین بدیلی برخواهد آمد.

شاه در رویارویی با واقعیات متغیر سیاسی دهه چهل، سیاستمداری قابل و با انعطاف از آب درآمد. از سویی، در مقابل خواست‌های آمریکا و انگلیس نرمش نشان می‌داد و از سویی دیگر هر روز هم بر قدرت خویش می‌افزود. برای نمونه، با طرح ایجاد سازمان برنامه موافقت کرد. همان جا بود که «هسته‌ی کوچکی متشکل از چند اقتصاددان ایرانی»، و «یک گروه مشاور که بنیاد فورد مخارجشان را تأمین می‌کرد»، می‌کوشیدند سیاست برنامه‌ریزی اقتصادی درازمدّت را در ایران به مرحله‌ی اجرا درآورند.[۱۵] می‌خواستند از این راه برنامه‌ریزی اقتصادی را در ایران نهادی و آن را از کف یک نفر بیرون کنند. شاه به ظاهر این سیاست را پذیرفت، ولی درعین حال، در ظرف چندسال بعد، تصمیم‌گیری‌های اقتصادی را چنان در دست خود متمرکز کرد که موافقت او

برای تمام سرمایه‌گذاری‌های عمده‌ی بخش داخلی و خارجی لازم بود. به علاوه، مسئولان برنامه‌ریزی کشور حتی به ارقام مربوط به درآمد سالانه‌ی دولت هم دسترسی نداشتند. برای یافتن ارقام تقریبی این درآمد، مدیرعامل سازمان برنامه چاره‌ای جز استفاده از روابط خصوصی خود در شرکت نفت و کنسرسیوم نداشت.۱۶

با افزایش فشار آمریکایی‌ها برای انجام اصلاحات، در اواسط دهه‌ی پنجاه شاه به فعالیت شورای عالی اقتصاد علاقه‌ی بیشتری نشان داد. شاه، نخست‌وزیر، مدیرعامل سازمان برنامه، رئیس بانک مرکزی و شماری از وزرا عضو این شورا بودند. در سال ۱۳۳۷، حسنعلی منصور به عنوان دبیر این شورا منصوب شد. تدارک صورت جلسه و نظارت بر کار اجرای مصوبات شورا و نیز توصیه‌ی راه‌حل‌هایی برای مسائل اقتصادی کشور از جمله وظایف او بود. بالمآل، منصور از شورای عالی اقتصاد به عنوان وسیله‌ای برای کسب شهرت شخصی استفاده کرد.

اما منصور اهل شکیبایی نبود و دبیری شورای عالی اقتصاد بلندپروازی‌هایش را کفایت نمی‌کرد. دیری نپایید که او خود گروهی متشکل از تکنوکرات‌ها و مدیران ایرانی تشکیل داد. کار این گروه مطالعه‌ی مسائل اجتماعی و اقتصادی ایران بود. در عین حال می‌خواستند راه‌حل‌هایی برای این مشکلات بیابند. منصور برای تشکیل این گروه از هویدا کمک خواست. در ایران نیز، چون اروپا، این دو دوستانی نزدیک و جدا نشدنی بودند. لاجرم هویدا نه تنها با اشتیاق به گروه منصور پیوست، بلکه بلافاصله به مهم‌ترین نظریه‌پرداز آن بدل شد. بر اساس گزارش سیا، ریشه‌ی گروه «دوره‌ای» بود که منصور، در سال ۱۳۳۸ به راه انداخته بود. وجه اشتراک «نه عضو اولیه‌ی گروه همان تعلقات حرفه‌ای و اجتماعی‌شان بود. همه جوان بودند. متوسط سنشان سی و هفت سال بود. اصلاح‌طلبانی بودند که می‌خواستند در چهارچوب رژیم کار کنند. در عین حال، همه در پی منافع شخصی خود هم بودند. هشت نفرشان

تحصیل کرده‌ی خارج بودند. چهارنفرشان فارغ‌التحصیل فرانسه بودند. بعد از حدود دوسال، دوره‌ی منصور به شکل "**کانون مترقی**" درآمد. هدف آن کندوکاو در زمینه‌ی مسائل سیاسی و اقتصادی مملکت بود. شمار اعضای آن به تدریج به حدود دویست نفر رسید. اکثریت این افراد کسانی بودند که با منصور یا هویدا پیوندی حرفه‌ای یا شخصی داشتند.»[۱۷]

شور و شوق هویدا برای «دوره»ی منصور ریشه‌های عملی و نظری داشت. ستاره‌ی سیاسی منصور در حال صعود بود و هویدا هم امید و آینده‌ی خود را به این ستاره بسته بود. در عین حال، هویدا از چشم‌انداز نظری نیز اهمیت گروهی از نوع "**کانون مترقی**" را نیک می‌دانست. به خوبی متوجه بود که چنین گروهی می‌تواند در درازمدّت نقشی اساسی در سیاست ایران بازی کند. در عین حال، به ضرورت تشکیل فوری آن نیز وقوف داشت. او خود اندکی پس از پیوستن به شرکت نفت، از منادیان اصلی نظریه‌ی «ایرانی کردن» صنعت نفت شده بود. در مذاکرات با کنسرسیوم، به کرّات بر ضرورت استفاده از مدیران و تکنیسین‌های ایرانی، به جای مدیران و تکنیسین‌های خارجی، تأکید می‌کرد. در عین حال، با نسل جوان مدیران و تکنیسین‌ها و حسابداران ایرانی تحصیل کرده‌ی غرب که در شرکت نفت کار می‌کردند همدل و همسنگر شد. اینان به امید ایجاد تحول در ایران به میهن‌شان بازگشته بودند. اما عرصه اداری بر این گروه تنگ بود. کنسرسیوم همواره موانعی بر سر راه رشد و برآمدنشان می‌گذاشت. هویدا با صبر و حوصله، به سنگ صبور این دسته از تکنوکرات‌های ناراضی بدل شد. آنها را اغلب به دفتر خود دعوت می‌کرد. به درددل‌هاشان گوش فرا می‌داد و از آنان می‌خواست تا برای تقویت روحیه‌ی همبستگی و کار در کارگران شرکت نفت راه‌حل‌هایی پیشنهاد کنند.[۱۸]

از اوایل دهه‌ی چهل، هویدا در صفحات **کاوش** بر ضرورت تربیت نسل تازه‌ای از مدیران و تکنیسین‌های ایرانی تأکید می‌کرد. تحولات جامعه را در صفحات مجله مورد بحث قرار می‌داد. محور اصلی سرمقاله‌هایش تأکید این

نکته بود که فرایند نوسازی در جامعه تنها با کمک و همیاری طبقه‌ی تکنوکرات موفق می‌تواند شد. در مقاله‌ای زیر عنوان «امروز کار به دنبال کاردان است و کاردان به اندازه‌ی کافی نیست»، از تحولاتی که در جهان رخ داده بود نوشت. می‌گفت همه جا، حتی در کشورهای پیشرفته هم با کمبود کاردان مواجهیم. معتقد بود «همه از خود می‌پرسند چرا آن زمان که تصمیم گرفتیم کارخانه به کار بیندازیم به فکر تعداد افرادی که می‌بایست این ماشین‌ها را نصب کنند و سپس از آن بهره‌برداری نمایند نیفتادیم.» این عبارات هویدا در حکم نقد سیاست نوسازی ناهماهنگ و نامنظم بود، یعنی سیاستی که در آن رشد صنعتی در یک بخش با پیشرفت روبنایی ملازم در بخش‌های دیگر همراه نیست. طرفه آن که بعدها دقیقاً همین نوسازی ناهماهنگ وجه ممیز و مشخص دوران صدارت خود هویدا شد. در پایان همین سرمقاله، هویدا نوشت: «پس هدف هرکس که این آب وخاک را دوست می‌دارد باید این باشد که اولاً موجباتی فراهم آورد که در همه جا اعم از صنایع یا صنایع کشاورزی، در همه جا و هر کجا احتمال استخدام کاردان خارجی هست، افراد ایرانی جایگزین بیگانگان گردند. ثانیاً، آنقدر کارشناس و کاردان ایرانی تهیه کنیم که برای صنایع و حرفه‌های جدید که می‌بایست روزی در ایران دایر گردد نیز افراد کاردان به اندازه‌ی کافی داشته باشیم.»[۱۹]

در مقاله‌ی دیگری در همین زمینه، هویدا از رابطه‌ی پیچیده و ظریف حقوق و مسئولیت انسان‌ها نوشت. می‌گفت: «اختیار بدون مسئولیت وجود ندارد.» بر اهمیت بی‌بدیل نقش تکنوکرات‌ها در انقلابی که ایران، به گمانش محتاج و تشنه‌ی آن بود، تأکید می‌کرد. می‌گفت تکنوکرات‌ها باید قدرت بالقوه و خفته‌ی خود را بالفعل و بیدار کنند. باید ساختارهای سنتی را براندازند و به جای آن «بنای نو بسازیم به دست مردم کشورمان. مردم مسئول و مختار کشورمان، جای عذر و بهانه دیگر نیست. چون طرح هست. نقشه هست. امکان کار هست. فقط نیروی ایرانی و حس مسئولیت می‌خواهد تا بنای نو بالا

رود.»[۲۰] حتی از تواریخ هرودت هم مدد و مایه می‌گرفت و به این واقعیت اشاره می‌کرد که ایرانیان از زمان داریوش، یعنی ۲۵۰۰ سال پیش، مردمی مبتکر و خلاق بودند و ساختن آنچه را که بعدها به شکل کانال سوئز درآمد آغازیدند.[۲۱] یکی از جنبه‌های جالب این مقالات این واقعیت است که د رآنها هیچ‌گونه اشاره‌ای به شاه سراغ نمی‌توان کرد. حتی آن جاکه هویدا از «انقلاب سفید» یاد می‌کند نیز نامی از شاه نمی‌برد. به عبارت دیگر، بر خلاف سال‌های صدارتش که در آن هویدا از هر فرصتی برای مدح شاه بهره می‌گرفت و گاه در این کار راه گزاف هم پیش می‌گرفت، اما در صفحات این دوران از کاوش، نشانی از مداحی نیست.

در حقیقت یکی از دیدگاههای محوری هویدا در این سال‌ها این گمان بود که کلید رمز رشد اجتماعی در ایران، وحدت میان دولت و تکنوکرات‌ها است. همین گمان را در یادداشتی که پیرامون ریشه‌های کانون مترقی تدارک کرده بود نیز می‌توان مشاهده کرد. آن جا می‌گفت: «ما معتقد بودیم که در سیاست باید واقع‌بین بود و آنچه را که امکان‌پذیر است انجام داد... با درنظر گرفتن اوضاع و احوال ایران و دنیا (در سال ۱۳۳۹) به نظرمان بهترین راه "همکاری مشروط"(یا به عبارت دیگر "مشروطه") با سلطنت بود... ایجاد گروه متشکل با فلسفه واحد نه تنها میسر به نظر نمی‌رسد بلکه مطلوب هم نبود... بدین جهت گروه "کانون مترقی" را تشکیل دادیم که اعضایش افکار و اعتقادات خود را محفوظ نگاه می‌داشتند و با یکدیگر یک نوع قرارداد (Contrct) می‌بستند. این قرارداد مربوط به اصلاح و توسعه اقتصادی و اجتماعی بود... در این گروه، همه "رنگ‌های" سیاسی و فلسفی شرکت داشتند (از کمونیست تا ناسیونالیست افراطی و Athee (خداناشناس) تا عمیقاً مذهبی.»[۲۲]

سوابق سیاسی برخی از اعضای اولیه‌ی «کانون مترقی» مؤید ادعای هویدا بود. سوای خود هویدا و منصور، می‌توان از محمودعلی رشتی نام برد که فارغ‌التحصیل علوم سیاسی از دانشگاه کلمبیا بود، و در دوران کوتاهی از

«اقامت ۱۴ ساله‌اش در آمریکا... نقش سخنگوی دولت مصدق را به عهده گرفته بود.»[۲۳] محسن خواجه‌نوری، یکی دیگر از اعضای اوّلیه کانون، زمانی عضو جبهه ملّی ایران بود. در مقابل، سید ضیاءالدین شادمان مسلمانی مؤمن به شمار می‌رفت.

نخستین جلسات کانون مترقی زمانی تشکیل شد که رئیس دفتر سیا در ایران یک آمریکایی یوگوسلاوی‌الاصل به نام گراتیان یاتسویچ* بود، مردی سرزنده و مبادی آداب و خوش برورو. اندکی فارسی می‌دانست و در بسیاری از شب‌نشینی‌ها و مهمانی‌های صاحبان قدرت آن روزگار تهران حضور پیدا می‌کرد. خودش هم کمی آشپزی یاد گرفته بود و جمعه‌ها اغلب در منزلش برای مهمانان غذای ایرانی می‌پخت. در عین حال، او اجاره‌نشین حسنعلی منصور هم بود. البته در همان اوقاتی که یاتسویچ در ایران مشغول گردآوری اطلاعات بود، ساواک هم به نوبه‌ی خود او را زیرنظر داشت. در یکی از گزارش‌های ساواک، از او به عنوان «مرد فوق‌العاده زرنگی» یاد شده که «با اکثر رجال کشور آشنایی دارد و این آشنایی باعث شده که شرکت‌های صادرکننده آمریکایی از وجود وی برای پیش‌برد مقاصد اقتصادی خود استفاده نمایند.» در همین گزارش، ساواک نوشته بود که یاتسویچ زن‌باره است و مأموران ساواک می‌خواستند «از این محرک نیز برای نیل به اهداف خود» استفاده کنند.[۲۴] به علاوه، می‌گفتند منصور یکی از نزدیک‌ترین دوستان یاتسویچ است. باقی دوستان نزدیک او را نیز برشمرده بودند و در آن زمان، نامی از هویدا به میان نیامده بود. در گزارش دیگری آمده بود که یاتسویچ**،

---

* Gratian Yatsevitca

** البته در این زمینه یاتسویچ تنها نبود. بسیاری از سیاستمداران دیگر آمریکایی نیز از همین راه ثروت‌ها اندوختند. کرمیت روزولت، یکی دیگر از عوامل مهم سیا در ایران، اسپیرو اگنیو (Spirow Agnew) معاون رئیس جمهور معزول نیکسن، و ریچارد هلمز، که زمانی رئیس سیا بود و سپس سفیر آمریکا در ایران شد، همه به همین راه رفتند. یاتسویچ و روزولت هردو دلالان شرکت‌های بزرگ آمریکایی بودند. یاتسویچ بیش وکم انحصار بازار گندم را به دست آورده بود. اما در این زمینه

پس از اتمام دوران مأموریتش در ایران، سودای مال و منال پیداکرد. می‌گفتند می‌خواهد در این راه از دوستان ایرانی خود کمک بطلبد. ساواک با دادن این گونه امتیازات مالی به او موافق بود. معتقد بود از این راه «پس از عقد قرارداد امکان دارد باگماردن کارمندانی اطراف کلنل یاتسویچ اطلاعی ازوی وکار وی به دست آورد.»[۲۵]

منصور بی‌پروا پیوند خود با یاتسویچ را به رخ دیگران می‌کشید. آشکارا با تکنوکرات‌های برجسته ایران «از روابطش با مقامات آمریکایی» سخن می‌گفت. از دوستی‌اش با جان جی‌مک‌کلوی داد سخن می‌داد. می‌گفت «دوستان آمریکایی»‌اش وعده داده‌اند که شاه را وادار به انجام اصلاحاتی در ایران خواهند کرد. می‌گفت به من هم قول قطعی داده‌اند «که در آینده نخست‌وزیر ایران خواهم شد.»[۲۶] گرچه منصور اصولاً از لحاظ سیاسی انسانی پرمدعا و اهل لاف بود، اما دست‌کم ادعای دوستی‌اش با یاتسویچ بی‌اساس نبود. هویدا نیز از طریق منصور با یاتسویچ آشنا شد.* یاتسویچ در وصف

شرکتی که هلمز تأسیس کرد و «سفیر» نام داشت از همه جنجال‌آفرین‌تر از آب درآمد. انتقادات مجله نیشن (Nation) در این باب از همه تندتر بود. آن جا نوشته بود: «کارت دعوت [به جشن آغاز کار شرکت جدید] گویای همه‌چیز بود. در آن جا هلمز، در مقام رئیس شرکت، بی‌پرواگفته است... که خدمات سفیر رئیس‌جمهور آمریکا در ایران را می‌توان خرید» Nation, Dcc. 1977, p. 56.

* کوشیدم متن گزارشهای یاتسویچ را درباب دیدارها و مذاکراتش با منصور و هویدا سراغ کنم. در نهم مارس ۱۹۹۹ نامه‌ای به سازمان سیا نوشتم؛ به قانون آزادی اطلاعات استناد کردم و نسخه‌ای از این گزارش‌ها را طلب کردم. جوابم را بلافاصله، در ۱۹ مارس، دریافت کردم. در نامه‌ی سازمان سیا آمده بود: «اسنادی که خواسته‌اید، اگر اصولاً وجود خارجی داشته باشند، به شکلی طبقه‌بندی نشده‌اند که برای ما قابل دسترسی باشند. طبق قانون آزادی اطلاعات، متقاضیان تنها می‌توانند به اسنادی دسترسی پیداکنندکه به "شکلی معقول" وصفش کرده باشند. معمولاً مراد از وصف معقول این است که سند مورد نیاز باید بر اساس نظام طبقه‌بندی ما وصف شده باشد.»

طبعاً از «نظام طبقه‌بندی» اسناد سیا اطلاعی نداشتم. در عین حال می‌دانستم سازمان سیا، به رغم «نظام طبقه‌بندی»‌اش، چند ماه پیش اعلان کرده بود که همه‌ی اسناد مربوط به دوران مصدق و نقش آن سازمان در کودتای ۲۸ مرداد را «گم کرده» است. با این حال، در نامه‌ی دیگری درخواستم را مشخص‌تر کردم. این بار نوشتم که «همه‌ی گزارش‌های سیاسی از دفتر سیاسی در تهران در آغاز

دوستی‌اش با منصور و هویدا، می‌نویسد: «هویدا را زیاد می‌دیدم ـ هویدا و منصور سال‌ها با هم همکاری کردند تا بتوانند بدیل قابل قبولی در برابر جبهه‌ی ملی که [برای شاه و آمریکا دیگر] غیرقابل قبول شده بود پدید آورند. می‌خواستند از حمایت همان اقشار روشنفکر و تحصیل کرده‌ای برخوردار شوند که معمولاً طرفدار جبهه‌ی ملی بودند... جلساتشان در منزلی که در همسایگی خانه‌ی من بود تشکیل می‌شد. گه‌گاه من هم وقت نهار در این جلسات شرکت می‌کردم. به‌گمان من، گرچه منصور به ظاهر ریاست گروه را به عهده داشت، اما مغز متفکر جریان هویدا بود.»[۲۷] کانون مترقی نتیجه‌ی همین مهمانی‌ها بود.

در سال ۱۳۴۲، گروهی به رهبری منصور و هویدا، به تدریج به عنوان «هیات مؤسسان» کانون مترقی شکل گرفت. صندوق‌داری انتخاب شد. از آن پس هریک از اعضا می‌بایست ماهانه ۲۰ تومان حق عضویت می‌پرداخت که اغلب هم از پرداخت این مبلغ اکراه داشتند. با استفاده از این درآمد، آپارتمانی را به عنوان مرکز کانون به اجاره گرفتند. پیش‌تر جلسات کانون همه در منزل منصور تشکیل می‌شد. هر عضو جدید می‌بایست به اتفاق آرا مورد تأئید هیأت مؤسسان قرار می‌گرفت. البته حتی در این مراحل نخست و جنینی نیز کانون مترقی درواقع به شکل جزئی از تشکیلات دولتی عمل می‌کرد. مراحل گزینش اعضای جدید مؤید این واقعیت بود. نام هر نامزد جدید نخست در هیأت مؤسسان به بحث گذارده می‌شد. بعد از موافقت آن هیأت، این نام در اختیار ساواک قرار می‌گرفت. تنها پس از بررسی و اجازه‌ی ساواک، پیشنهاد پیوستن به کانون با نامزد جدید مطرح می‌شد. رابط کانون با ساواک منصور بود.

دهه‌ی چهل» را خواستارم. دوباره بلافاصله جوابی دریافت کردم. این بار نوشته بودند که «باید در نامه‌ی ۱۹ مارس متذکر می‌شدیم که قانون آزادی اطلاعات شامل گزارش‌های سیا نیست و از این که این نکته را در نامه‌ی پیشین متذکر نشدیم پوزش می‌طلبیم.»

در تمام این جلسات، هویدا نقشی بغایت فعّال داشت. در کنار منصور، آشکارا، رهبر گروه بود. با رشد کانون، هویدا نیز در جلسات عمومی، بیشتر و بیشتر نقش نفر دوّم را به عهده می‌گرفت و رهبری و ریاست جلسه را به عهده‌ی منصور وامی‌گذاشت. در عوض، در جلسات هیأت مؤسسان، هویدا کما کان نقشی فعّال بازی می‌کرد و چون سابق، همسنگ منصور بود. هرچه برشمار شرکت‌کنندگان در جلسات کانون افزوده می‌شد، منصور هم بیشتر حالت رئیس به خود می‌گرفت و هویدا نیز بیشتر و بیشتر در گوشه‌ای ساکت می‌نشست و اغلب بر صفحه‌ای کاغذ، طرح‌هایی تفننی می‌کشید.[۲۸]

درست در همان سال‌هایی که هویدا و منصور زمینه را برای به قدرت رسیدن خود فراهم می‌کردند، وضعیت ایران، دست‌کم به گمان مفسران آمریکایی، وخیم بود و به حالتی بحرانی نزدیک می‌شد. در پانزدهم ماه مه ۱۹۶۱، در گزارش شورای امنیت ملّی آمریکا آمده بود که اوضاع ایران، «کما کان در جهت انقلاب و هرج ومرج در حرکت است و اقدام عاجل دولت آمریکا ضروری است.»[۲۹] از زمان کودتا تا روزی که کندی به قدرت رسید، آمریکا حدود یک میلیارد دلار به ایران کمک کرده بود. با این همه، در سال ۱۳۴۰، اقتصاد ایران در آستانه‌ی ورشکستگی بود؛ تورم بیداد می‌کرد؛ بیکاری همه گیر بود. حقوق کارگران و کارمندان کفاف مخارجشان را نمی‌کرد. فساد رواجی کامل داشت؛ ارز خارجی کم بود و به گمان مردم، مسئول این همه فلاکت آمریکابود.[۳۰] در تهران و شهرستان‌ها، تظاهرات کارگران و دانشجویان و معلمان آغاز شده بود. سفارت آمریکا اوضاع را به دقت دنبال می‌کرد. هردو هفته یک بار، گزارش‌های مفصلی درباره‌ی وضع مالی و سیاسی مملکت تدارک و از بحران قریب‌الوقوع ایران ابراز نگرانی می‌کرد.

اختلافات سیاسی و شخصی شاه باکندی‌ها بر پیچیدگی اوضاع می‌افزود. شایع بود که شاه در انتخابات ریاست جمهوری سال ۱۹۶۰ به طور محرمانه به

نیکسون کمک مالی کرده است. اسدالله علم در خاطراتش به این نکته اشاره می‌کند و می‌افزاید که همین قضیه در انتخابات سال ۱۹۶۸ نیکسون نیز تکرار شد.[۳۱] به علاوه، جان و برادرش رابرت کندی هردو شاه را شخصیتی مستبد، فاسد، و اصلاح‌ناپذیر می‌دانستند. شاه هم در مقابل از هردو برادر نفرت داشت.* می‌گویند وقتی خبر قتل جان کندی را شنید، چندان هم ناراحت نشد.[۳۲] در واقع، بیش و کم بلافاصله پس از مرگ کندی، شاه نامه‌ای به جانسون نوشت. احراز مقام ریاست جمهوری را به او تبریک گفت و در عین حال به زبانی سخت گزنده، کندی را به خاطر دخالت در امور داخلی ایران نکوهش کرده بود. علم در آن زمان نخست‌وزیر بود و لحن نامه را تند و زمانش را نامناسب می‌دانست. به همین خاطر ارسالش را به تأخیر انداخت و چند روز بعد شاه را از تصمیم خود مطلع کرد. شاه سخت عصبانی شد و از سر خشم چند روزی با علم صحبت نمی‌کرد.[۳۳]

با جدّی‌تر شدن بحران اقتصادی، دولت شریف امامی سقوط کرد. او خود از دیرباز در زمره‌ی انگلوفیل‌های سرشناس ایران به شمار می‌رفت. برادر همسر او، احمد آرامش، هم که در دوران صدارت شریف امامی مدیریت سازمان برنامه را به عهده داشت با طرح‌های آمریکا برای «ثبات اقتصادی» ایران مخالف بود. ناتوانی شریف امامی در حل معضلات اقتصادی جامعه به سقوط کابینه‌اش انجامید و شاه به اکراه، و تحت‌فشار آمریکا، علی امینی را به نخست‌وزیری برگمارد. اعتصاب معلمان تهران به تسریع کار این انتصاب کمک کرد. وقتی در چهاردهم اردیبهشت ۱۳۴۰، کارگران تهران، طبق اعلامیه‌ای، هشدار دادند که از فردا به اعتصاب خواهند پیوست، «شاه که سخت ناراحت و آماده‌ی ترک کشور بود. همان شب، دیروقت، پست نخست‌وزیری را به امینی پیشنهاد کرد.»[۳۴] سفارت آمریکا در ایران نیک

---

* شایع بود که در هردو مورد، کمک‌های مالی از طریق اردشیر زاهدی صورت گرفت. او روایت علم را یکسره انکار می‌کند. گفتگو با اردشیر زاهدی، ۴ اوت ۱۹۹۹.

می‌دانست که شاه «رغبتی به انتصاب امینی نداشت و تنها از سر ترس به این کار تن درداد.»[۳۵] به همین خاطر، در سال‌های بعد، شاه با استفاده از هویدا، از امینی انتقام گرفت و فشار آمریکا برای انتصاب امینی را «بیش وکم یک کودتا علیه خود خواند.»[۳۶] آن‌چه گراتیان یاتسویچ در این زمینه می‌گوید نیز با روایت شاه شباهت فراوان دارد. یاتسویچ مدعی است: «به گمانم [به شاه] تفهیم شد که انتصاب امینی کاری بسیار عاقلانه است... نمی‌دانم چرا، ولی گمان ما همیشه این بود که امینی آدم ما است.»[۳۷]

سفارت آمریکا در ایران، و بسیاری از مقامات آمریکایی در واشنگتن بر این گمان بودند که انتصاب امینی «قاعدتاً واپسین فرصت ایران برای حل معضلات اجتماعی خود به‌دست یک حکومت میانه‌رو غیرنظامی است. فشارهای داخلی و خارجی همه مؤید این واقعیت‌اند که فرصت دیگری باقی نیست. اگر بحران اقتصادی کنونی به سرعت حل نشود، اگر اقدامات سریع در جهت مبارزه با فساد، بی‌کفایتی و بی‌عدالتی، که سال‌ها است گریبانگیر جامعه شده، صورت نپذیرد، آن گاه دیگر نمی‌توان جلوی روی کارآمدن ارتش یا جبهه‌ی ملی را گرفت. ناگفته پیداست که این دو حالت هردو پیامدهایی به غایت جدّی برای آمریکا دربر خواهد داشت.»[۳۸] سفارت آمریکا از سویی به پیروزی امینی اطمینان چندانی نداشت و از سویی دیگر، خوب می‌دانست که «بدون کمک مالی و فوری و فراوان ما، او دوام چندانی نخواهد داشت.»[۳۹] درواقع امینی تا حد زیادی درست به مدد همین کمک‌ها روی کار آمده بود.

ایران در آن روزها به شدّت محتاج یک وام سی وسه میلیون دلاری از آمریکا بود. آمریکا هم گویا پرداخت وام را به انتصاب امینی مشروط کرده بود. در آن زمان، کندی کمیته‌ی ویژه‌ای برای ارزیابی سیاست آمریکا در ایران تشکیل داده بود.[۴۰] نمایندگان سازمان‌ها و وزارت‌خانه‌های مختلف آمریکا عضو کمیته بودند. ریاست این کمیته را فیلیپ تالبوت* به عهده داشت.

* Philip Talbott

رسالت کمیته، تحلیل شرایط ایران و ارزیابی سیاست درازمدّت آمریکا بود. کمیته می‌دانست که در ایران، «دیکتاتوری شاه» کشور را به ورطه‌ای خطرناک کشیده که در آن «هر روز امکان نابسامانی بیشتر است. چه بسا که این نابسامانی‌ها به هرج ومرج یا یک کودتای دست‌راستی یا دست‌چپی، یا حتی روی کار آمدن دارودسته‌ای وابسته به شوروی بیانجامد. آمریکا می‌تواند به بهایی سخت گران، قدرت شخصی شاه را حفظ کند... در عین حال می‌تواند با تاریخ همگام شود و از میانه‌روهای طرفدار مصدق جانبداری کند... راه‌حل سوّم دفاع از رهبران دست‌راستی برگزیده‌ی ارتش و حمایت از کودتای نظامی آنها است... روی کار آمدن امینی، تنها راه‌حل دیگر آمریکا است. به گمان کمیته بهترین سیاست آمریکا جانبداری از همین سیاست [امینی] است.»[۴۱] کمیته، در یادداشتی برای رئیس جمهور، توصیه کرد که آمریکا نباید «از هیچ اقدامی در جهت تضمین موفقیت تجربه‌ی امینی» فروگذار کند و «او را از گزند فشارهای شاه و نیروهای چپ مصون بدارد.»[۴۲] از صورت جلسات «کمیته‌ی ویژه ایران» چنین برمی‌آید که اعضای آن در مورد سیاستی که آمریکا می‌بایست در ایران اتخاذ کند به هیچ روی اتفاق‌نظر نداشتند. برخی چون رابرت کرومر* به تلویح از ضرورت برانداختن شاه سخن می‌گفتند. معتقد بودند «تا ابد نمی‌توان و نباید منتظر ماند. باید برخوردی یکسره تازه داشت. در شرایط بحرانی باید خطر کرد. گاهی باید با حدس و گمان پیش رفت. باید پذیرفت که همیشه نمی‌توان همه‌ی پیامدها را پیش‌بینی کرد.»[۴۳] آرمین مایر** که در آن زمان معاون مدیرکل وزارت امور خارجه در زمینه‌ی مسائل خاورمیانه بود، به همین عنوان، گاه در جلسات «کمیته ویژه» شرکت می‌کرد. او به تصریح می‌گفت که کرومر در آن زمان تأکید داشت که آمریکا باید برانداختن شاه را به عنوان یکی از راه‌حل‌های بحران ایران قلمداد کند.[۴۴] اعضای دیگر کمیته، به خصوص آنان که از سوی وزارت امور خارجه در این

---

* Robert Kromer

** Armin Meyer

جلسات شرکت می‌کردند، معمولاً طرفدار راه‌حل‌هایی محتاطانه‌تر بودند. با این حال، همه بر این قول بودند که «در گذشته، کسانی که از طرف آمریکا با شاه در مورد ضرورت انجام اصلاحات صحبت می‌کردند همه با یک مشکل روبرو بودند: آمریکا هرگز موضع واحد و منسجم و هماهنگی نداشت.»[۴۵]

لحن گزارش نهایی کمیته‌ی ویژه به رئیس جمهور به مراتب محتاطانه‌تر از توصیه‌های کرومر بود. کمیته در گزارش ۱۸ ژانویه خود به این نتیجه رسیده بود که «شخصیت شاه چنان است که اگر همه‌ی قدرت در دست او متمرکز باشد، آن گاه سال‌های سلطنتش بی‌شک معدود خواهند بود.» اما در گزارش نهایی کمیته، لحن دیگری سراغ می‌کنیم. آن جا می‌بینیم که به گمان کمیته، آمریکا باید به جای برکنار کردن شاه، «در عمل، به شکلی فعّال و البته تلویحی، [شاه را] برای انجام اصلاحات سیاسی، اقتصادی، اجتماعی و نهادی در ایران تحت‌فشار بگذارد.»[۴۶] به گفته‌ی تالبوت، «باید کانال‌های مختلف را به گونه‌ای مؤثر»[۴۷] برای اصلاح اوضاع ایران به کار بست. در همین گزارش، کمیته‌ی ویژه اهداف عمده‌ی سیاست آمریکا در ایران را برشمرده است. از آن جمله‌اند: «کنار کشاندن شاه از کارهایی که او را در موقعیت مستقیم مسئولیت می‌گذارد... کنار کشیدن اقوام و نزدیکانش از فعالیت‌های بخش خصوصی... تخفیف بی‌اعتمادی شدید شاه نسبت به سیاستمداران مستقل و تقلیل دلبستگی او به تملق و مدح و ثنا... و بالاخره تبدیل طبقه‌ی متوسط شهری به یک نیروی سازنده‌ی سیاسی.»[۴۸]

سوای خطرِ همیشه حاضر دخالت شوروی در ایران، آن‌چه ظاهراً دست آمریکا را در آن دوران می‌بست، شخصیت شاه و حالات روحی ضعیف او بود. در پنجم اسفند ۱۳۳۹ شورای امنیت [ملّی آمریکا] گزارش داد که: «شاه در حالت روحی ناراحت و ناروشنی است.»[۴۹] در هفدهم اسفند همان سال، وزارت خارجه‌ی آمریکا از دریافت گزارشی خبر داد که در آن آمده بود: «شاه به افسردگی روحی دچار شده» و در فکر کناره گیری از سلطنت است.

کناره‌گیری‌اش از سلطنت بی‌گمان به هرج ومرج سیاسی در ایران خواهد انجامید و تنها شوروی است که در درازمدّت از چنین هرج ومرجی می‌تواند بهره بگیرد.»[۵۰] سرانجام، در ۲۳ اردیبهشت ۱۳۴۰، شاه صراحتاً به سفیر آمریکا در ایران گفت: «در ایران قدرت همیشه در دست پادشاه بوده و این روال باید در آینده نیز ادامه پیدا کند. او تأکید کرد که حاضر نیست نقش یک پادشاه بی‌قدرت را بازی کند و کناره‌گیری از سلطنت را بر ایفای چنین نقشی ترجیح می‌دهد.»[۵۱]

در سال ۱۳۴۳، شاه سفری پنج هفته‌ای به خارج از ایران کرد. منابع رسمی دولت ایران اعلان کردند که هدف سفر «استراحت» است. اما سفارت امریکا نظری دیگر داشت. در گزارش سفارت می‌خوانیم که بر خلاف دعاوی منابع ایرانی، غیبت شاه در واقع دلایل طبی و روانی جدّی‌تری داشت. «منبع موثقی» از «محافل معتمد طبی وین» گزارش داده بود که شاه به «حالت اضطراب روانی دچار شده بود.»[۵۲] همین حالت اضطراب روانی، همین افسردگی روحی، همین آمادگی‌اش برای کناره‌گیری از قدرت ـ آن‌چه را که می‌توان بر سبیل مجاز عقده‌ی لرد جیم او خواند ـ و بالاخره همین ناتوانی دولت آمریکا در اتخاذ و اعلان مواضعی واحد در قبال ایران همه در دهه‌ی پنجاه از نو رخ نمود و نه‌تنها در تعیین سرنوشت شاه که در تعین فرجام کار امیرعباس هویدا نیز نقشی بسیار مهم بازی کرد.

در حقیقت وقتی «کمیته‌ی ویژه» گزارش نهایی خود را تدارک کرد، ترکیبی از عوامل گونه‌گون ـ از خطر دخالت شوروی گرفته تا ضعف دولت ایران و مخالفان آن ـ همه دست به دست هم داد و کفه‌ی ترازو را به نفع شاه سنگین کرد. آمریکا از فشار خود علیه شاه کاست و در مارس همان سال، وزارت امور خارجه گزارش مهم دیگری در مورد ایران تهیه کرد. این بار شخصی به نام جان بولینگ* نویسنده‌ی گزارشی بود که آن را «گرته‌ی

---

* John Bowling

اصلاحات شاه»^{۵۳} خوانده‌اند. پیشنهادات بـولینگ چهـارده مـاده داشت و محور همه، چند وچون کردار شاه بود. از جمله پیشنهاداتش این بود که شاه:

ـ مخالفت‌های کنونی مردم را به جای خودش متوجه‌ی وزراکند.

ـ خاندان سلطنتی، یا دست‌کم بخش اعظم آن را، به اروپا بفرستد.

ـ مشاوران آمریکایی را به تدریج از ایران بیرون کند.

ـ به طور علنی طبقه‌ی حاکم سنتی ایران را به باد حمله بگیرد.

ـ از مواضع آشکارا غربی خود فاصله بگیرد.

ـ دست‌کم یک برنامه‌ی اصلاحات ارضی ظاهری هم شده بیاغازد و علیه فئودال‌ها وارد کارزار شود.

ـ علیه کنسرسیوم حرکاتی به ظاهر تهدیدآمیز کند تا دست‌کم در ظاهر چنین به نظر بیاید که کنسرسیوم، علی‌رغم میل و اراده‌اش، تسلیم قدرت او شده و به او «امتیاز» داده است.

ـ شماری از مقامات مسئول را قربانی کند و آنان را به عنوان «فاسد» علناً مورد مؤاخذه قرار دهد. مهم هم نیست که این فساد قابل اثبات باشد یا نه.^{۵۴}

ـ برخی از مصدقی‌های میانه‌رو و خوش‌نام را به مقاماتی چون وزیر دارایی و رئیس سازمان برنامه برگمارد.

شاه می‌دانست اصلاحاتی از این جنم اجتناب‌ناپذیراند. در عین حـال، «نگران حمایت بی‌رویه‌ی آمریکا از شخص امینی»^{۵۵} بود. به همین خـاطر، «بی‌پرده به آمریکا اطلاع داد که در ایران موفقیت برنامه‌ی هر دولتی منوط به حمایت شخصی شاه است.» سپس در فروردین ۱۳۴۱، برای دیداری رسمی راهی آمریکا شد. آن جا موافقت خود را با انجام اصلاحات موردنظر آمریکا اعلان داشت. پس از بازگشت از سفر، و بعد از زمینه‌سازی لازم با سفارت آمریکا، سرانجام در تیر ماه ۱۳۴۱ امینی را از کار برکنار کرد و دوست و محرم اسرارش، اسدالله علم را، به مقام نخست‌وزیری برگمارد. همان طور که

در گزارش وزارت امور خارجه‌ی آمریکا به تصریح آمده بود، شاه می‌خواست از این راه «اصلاحاتی را که مدنظر و مورد تأکید آمریکا»[۵۶] بود «از آن خود» کند.[۵۷]

البته این «از آن خود» کردن اصلاحات آمریکایی مشکلات شاه را با دولت کندی حل نکرد. ویلیام داگلاس*، قاضی دادگاه عالی آمریکا و از مشاوران نزدیک کندی، می‌گفت که مسأله‌ی برکنار کردن شاه دوباره اندکی پیش از قتل کندی مورد بحث قرار گرفت. داگلاس می‌گفت: «بارها درباره‌ی شرایط و فساد همه‌گیر در ایران با جک [کندی] صحبت کرده بودم. شاه در سفری رسمی [در اوایل ۱۳۴۱] مهمان کندی بود. پس از آن سفر، جک به این نتیجه رسید که شاه آدم قابل اعتمادی نیست... برنامه این بود که آمریکا حمایت خود از شاه را قطع کند و او را به برکناری از سلطنت وادارد، پسرش را به تخت سلطنت بنشاند و شورای سلطنتی تشکیل داده شود. (حتی اعضای شورا هم انتخاب شده بودند.)»[۵۸] گفته‌های داگلاس دست‌کم از دو جنبه بسیار جالب‌اند. از سویی نشان می‌دهند که چه شکاف ژرفی میان شاه و کندی وجود داشت. از سویی دیگر، گفتار او نشانی حیرت‌آور از کبر یا قدرت‌اند که این جا و این بار در نوشته‌ی کسی رخ نموده که به داشتن اندیشه‌های مترقی شهره‌ی خاص و عام بود. طبعاً هر خواننده‌ی بی‌طرفی از خود می‌پرسد که آمریکا به چه حقی در اوضاع ایران دخالت می‌کرد و بر چه اساسی «اعضای شورای سلطنت را هم انتخاب» می‌کرد و چراکسی چون داگلاس، که داعیه‌ی ترقی خواهی داشت، با چنین دخالت‌های بی‌رویه مخالفت نمی‌کرد.

سیاست‌هایی که عَلَم دنبال می‌کرد در اساس تفاوت چندانی با طرح پیشنهادی بولینگ نداشت. در این میان، واکنش انگلستان نسبت به این تحولات از پیچیدگی خاصی برخوردار بود. از سویی، از نفوذ روزافزون آمریکا بیزار بود. از سوی دیگر، از جنبه‌هایی از این سیاست‌ها جانبداری

---

* William Dooglas

می‌کرد. انگلستان به ویژه طرفدار اصلاحات ارضی در ایران بود. بعضی حتی می‌گویند طرح اصلی این اصلاحات را نخست آن لمبتن* ریـخته بـود کـه محققی سرشناس به شمار می‌آمد و با مراکز قدرت در انگلستان رابـطه‌ای نزدیک داشت. از طریق این اصلاحات، که به «انقلاب سفید» شهرت گرفت، شاه می‌خواست هم در میان طبقه‌ی متوسط ایران پایگاهی مستحکم بیابد، هم به رویای دیرینه‌اش جامه‌ی تحقق بپوشاند و ایران را به جامعه‌ای متجدد بدل کند، هم قدرت شخصی خویش را تحکیم بخشد و هم به حمایت و عشق مردم مستظهر گردد. ولی قضا در کمین بود و کار خویش می‌کرد و در این میان، هویدا هر روز نقشی مهم‌تر در تحولات ایران به عهده می‌گرفت.

---

* Ann Lambton

فصل هشتم

کانون مترقی

اگر حق رأی مردم را محترم ندارند، اگر بخواهند از این راه آنان را خفه کنند، شکی نیست که این صدا، دیر یا زود، از راه خشونت رخ خواهد نمود و ما نیز مانند ممالک دیگر، به دور باطلی از سرکوب و شورش، اصلاح و سرکوب مجدد و شورش مجدد خواهیم افتاد و تا ابد از این دور رهایی نخواهیم یافت.

توماس جفرسون

شاه از سویی زمینه‌ی برکناری امینی را تدارک می‌دید و از سوی دیگر منصور را برای احراز مقامات بالاتر آماده می‌کرد. از سال ۱۳۴۰ آمریکا از هر فرصتی استفاده می‌کرد تا شاه رابه ضرورت برگماردن جوانان معتمد به مشاغل مهم دولتی متقاعد کند.[۱] در واقع یکی از ارکان اصلی سیاست آمریکا جانبداری از نیروها و دولت‌های «مترقی میانه‌رو» بود. می‌خواستند از این راه «زیر پای جبهه‌ی ملی» را خالی کنند[۲].* درواقع آمریکایی‌ها در فکر ایجاد

---

* فریدون مهدوی، که زمانی از سران جبهه ملی بود و بعدها به کابینه‌ی هویدا پیوست، می‌گوید: در سال ۱۹۶۱ شخصی که خود را نماینده‌ی دولت آمریکا معرفی می‌کرد با او تماس گرفت و پیشنهادی داشت که می‌گفت پذیرفتنش به صلاح جبهه است. می‌گفت جبهه می‌تواند با پذیرفتن رهبری شاه به عضویت در یک دولت ائتلافی دربیاید. گویا این مقام آمریکایی حتی ادعا کرده بود که در صورت رد این پیشنهاد، چه بسا که سران جبهه سر از زندان در خواهند آورد. یکی دو سال بعد، این پیشنهاد بار دیگر تکرار شد. این بار نماینده‌ی آمریکا یک ایرانی بود که در آن زمان

حزب یا جنبشی بودند که بتواند طبقات متوسط شهری، تکنوکرات‌ها و روشنفکران را جلب و بسیج کند؛ می‌خواستند از این راه جانشینی برای جبهه‌ی ملی پدید آورند. کانون مترقی خود را به‌سان چنین تشکیلاتی معرفی می‌کرد، اما زمان صعودش به قدرت هنوز فرا نرسیده بود.

از سال ۱۳۴۲ به بعد این شایعه در تهران دامنه‌ی وسیعی یافت که منصور و کانون مترقی‌اش از حمایت دست‌کم برخی از اعضای سفارت آمریکا در ایران برخوردارند. به گفته‌ی استوارت راکوِل، وزیر مختار وقت آمریکا در ایران، «بدون شک در سفارت عده‌ای بودند که نسبت به منصور نظری خوش داشتند و حمایتش می‌کردند.»[۳] در سال ۱۳۴۲ شاه به اقدامی نامتعارف دست زد. فرمانی صادر کرد و در آن حمایت خود را از کانون مترقی ابراز داشت.* اقدام شاه آشکارا نشان می‌داد که زمان به قدرت رسیدن منصور نزدیک است، و لاجرم شمار کسانی که می‌خواستند به کانون بپیوندند ناگهان فزونی گرفت.

ریاست یک شرکت انتشاراتی ایرانی ـ آمریکایی را به عهده داشت. در آن زمان بخش اعظم رهبران جبهه در زندان بودند. جلسه‌ی شورای جبهه در همان زندان تشکیل شد.

شورا با ۱۲ رای موافق و هشت رای مخالف به پذیرفتن پیشنهاد جدید رای موافق داد. اما فعّالان جبهه در خارج از زندان رای اکثریت را برنتابیدند و جبهه هم به هیچ دولت ائتلافی نپیوست. (فریدون مهدوی، مصاحبه با نویسنده، ۹ اوت ۱۹۹۹.)

* درک انگیزه‌ی شاه در این کار چندان دشوار به نظر نمی‌آید. کانون مترقی از گروهی تکنوکراتِ قابل تشکیل شده بود که ظاهراً از حمایت آمریکا برخوردار بود. به علاوه، بر خلاف امینی، سودای استقلال سیاسی از شاه را هم در سر نمی‌پخت. در عین حال، دست‌کم بالقوه می‌توانست به مصاف جبهه ملّی برود و حتی آن را از سکه بیندازد. به گمان من، یکی از کلیدهای رمز انقلاب اسلامی را باید در این واقعیت جست که هویدا و تشکیلاتش که قرار بود، به قول یاتسویچ (Yatsevitch) «نسخه بدل» جبهه ملی باشد، به هیچ روی نتوانست گرایشات استبدادی شاه را تحدید کند. به علاوه، خود جبهه ملی هم در سال ۱۳۵۷، در آستانه‌ی انقلاب، درست در زمانی که در اوج قدرتش بود، از مقاومت در برابر آیت‌الله خمینی و وضعیتی که در راه بود عاجز ماند. به عبارت دیگر، هم جبهه‌ی ملی و هم بدیل آن، آرمان‌های درازمدت دمکراتیک را فدای منافع سیاسی کوتاه‌مدت کردند.

کار تدوین اساسنامه‌ی کانون به ناصر یگانه* واگذار شد که حقوق‌دانی مجرب بودو بعدها جزو معتمدان هویدا شد.

در تمام این مدّت، هویدا کماکان در شرکت نفت مشغول به کار بود. در سال ۱۳۳۹، همراه انتظام به آمریکا رفت. آن جا به شدّت تحت‌تأثیر نقش تازه‌ی تکنولوژی در صنعت نفت قرار گرفت. در سر مقاله‌ای برای مجله‌ی **کاوش**، نوشت: «باید از آخرین شیوه‌های اداره‌ی امور صنعتی پیروی کنیم... باید با طرح‌های دقیق و حساب شده دورنمای سال‌های آینده صنعت نفت کشور را به نظر آوریم و جوانان امروز را برای اداره‌ی فردای این صنعت پرورش دهیم تا مدیرانی شایسته و کاردان برای اداره‌ی این امر حیاتی بارآیند.» به علاوه، در همین نوشته، به سخنان انتظام استناد می‌کرد که در نیویورک خطاب به دانشجویان ایرانی گفته بود: «ایران کشور شماست. باید بازگردید آستین‌ها را بالا زنید، کارها را سامان بخشید و این بار سنگین را به منزل برسانید.»[۴]

البته از سال ۱۳۴۲ به بعد، بخش اعظم اوقات هویدا صرف کارسازماندهی تشکیلات «کانون مترقی» می‌شد. منصور، در مهرماه ۱۳۴۲، در دیداری با جولیس هولمز، سفیر آمریکا در ایران، ادعا کرد که «به گمانش ظرف سه یا چهار ماه آینده وظیفه‌ی تشکیل دولت جدید به او محول خواهد شد.»[۵] یکی دو هفته بعد، منصور دوباره به سفارت آمریکا مراجعه کرد و گزارشی از برنامه‌های آتی خود دراختیار سفیر آمریکا گذشت. در یادداشت سفیر، در حاشیه‌ی شرح این مذاکرات، آمده که «امیرعباس هویدا که از مقامات

---

* بعد از انقلاب، ناصر یگانه پس از مدتی دربه‌دری، به آمریکا رفت. مناعت طبعش مانع می‌شد که میزان تنگدستی‌اش را به دوستانش بگوید. به هرحال، امورش بیشتر به کمک همین دوستان می‌گذشت. برای مدت کوتاهی در وزارت امور خارجه آمریکا به مشاوره‌ی حقوقی پرداخت و با پولی که از این منبع دریافت کرد، قایقی کوچک خرید. واپسین ماه‌های عمرش را، مغموم و مأیوس، در همین قایق گذراند و سرانجام هم دست به خودکشی زد. بیشتر اطلاعاتم درباره‌ی روزهای آخر یگانه را مدیون هرمز قریب‌ام. (هرمز قریب، مصاحبه با نویسنده، فوریه ۱۹۹۸.)

عالی‌رتبه‌ی شرکت نفت است یار اصلی منصور در کار تشکیل کانون مترقی بوده است. [منصور اضافه کرد که] هویدا فعلاً در شرکت نفت، باقی خواهد ماند، ولی آن جا مسئولیت‌ها و وظائف اداری کمتری به عهده خواهد گرفت تا از این راه بتواند وقت خود را بیشتر صرف کار تدارک یک "حزب مترقی" کند. به گمانم این مسأله با اجازه‌ی شاه صورت گرفته، گرچه منصور به طور مشخص به این نکته اشاره نکرد.» هولمز یادداشت خود را با ذکر این نکته به پایان می‌رساند که «به گمان من بعید به نظر می‌آید که منصور بتواند از عهده‌ی رهبری سیاسی [این کار] برآید چون به نظر من، او از درایت کافی برخوردار نیست.»[۶]

درحالی که منصور و هویدا در فکر جلب تکنوکرات‌های جامعه به «کانون مترقی» بودند، سیاست ایران وارد مرحله‌ی پرخشونتی می‌شد. حسن ارسنجانی با قاطعیت در پی انجام اصلاحات ارضی بود و لاجرم خشم و نارضایتی ملاکین بزرگ را برمی‌انگیخت.[۷] ۷۸ درصد زارعینی که پیشتر بی‌زمین بودند صاحب زمین شدند[۸] و به تدریج قَدَر قدرتی مطلق ملاکین از میان رفت و قدرت دولتی جای ملاکین را پر کرد.[۹] به علاوه، قانون جدیدی به زنان حق رأی داد و آئین‌نامه‌ی انتخاباتی تازه‌ای، شرط قسم به قرآن را به «قسم به کتاب مقدس» بدل می‌کرد. در نتیجه‌ی تحولات انقلاب سفید، شمار شهرنشینان ایران نیز فزونی گرفت و در سال ۱۳۵۴ به نزدیک ۴۵ درصد کل جمعیت ایران رسید.[۱۰] مهم‌تر از همه این که دولت ایران بالاخره تسلیم فشارهای آمریکا شد و گام‌های نخست در جهت تصویب قرارداد ویژه‌ای درباب مصونیت حقوقی مستشاران نظامی آمریکا در ایران را برداشت. همه‌ی این عوامل دست به دست هم داد و زمینه را برای تحولات روز پانزدهم خرداد در تهران و برخی شهرستان‌های بزرگ دیگر ایران فراهم کرد. درواقع باید ۱۵ خرداد را نوعی تمرین برای انقلاب اسلامی دانست. در آن سال، بازداشت آیت‌الله خمینی جرقه‌ای بود برای شورش‌های مردم. همین بازداشت و سپس

تبعیدش به ترکیه و بغداد او را به یکی از شخصیت‌های مهم و سرشناس عالم سیاست ایران بدل کرد. به علاوه، شاه در نتیجه اصلاحات ارضی امیدوار بود که پایگاهی در میان روستاییان برای رژیم خود پدید آورد. گرچه در سال‌های آغاز دهه‌ی چهل، او از محبوبیت فراوانی در میان روستائیان ایران برخوردار بود،اما در آستانه انقلاب اسلامی، این نیروی اجتماعی هم به کمک شاه نیامد و به شکست رژیم کمک کرد.[۱۱]

سرکوب شورش‌های پانزده خرداد ظاهراً کار اسدالله علم بود. او در یادداشت‌های سخت خودستایانه‌ی خود به این روز اشارات مکرر دارد. می‌گوید شاه سخت مضطرب شده بود. علم هم ناچار راه‌حلی برای مسأله پیشنهاد کرد. قرار شد شاه فرماندهی ارتش را برای مدّت ۲۴ ساعت به علم بسپارد و او هم به نوبه‌ی خود، با استفاده از ارتش، هرگونه شورش را سرکوب کند. طبق این طرح، اگر علم در کار خود ناکام می‌ماند، آن‌گاه شاه او را عزل، و در صورت لزوم حتی مجازات می‌کرد.[۱۲] ولی از قضا طرح علم کاری از آب درآمد. به گمان علم، دولت آمریکا در پشت پرده از این تظاهرات جانبداری می‌کرد.[۱۳] از فحوای کلام یادداشت‌های علم آشکارا چنین برمی‌آمد که او، به گمان خود، در آن روز پرمخاطره، با قاطعیتش تاج و تخت پهلوی را نجات داد.

اما درست یک هفته بعد از این ماجرا، شاه در فکر برکناری علم بود. در دوم تیر ۱۳۴۲، شاه با یک مقام آمریکایی دیدار و گفتگو کرد. در طی این ملاقات، شاه تحلیل خود از وقایع ۱۵ خرداد را ارائه کرد. در عین حال، طرح‌های چند ماه آینده‌ی خود را با مهمان آمریکایی‌اش در میان گذاشت. مقامات آمریکایی، به علل ظاهراً امنیتی، نام این مهمان را از متن گزارش مذاکرات حذف کرده‌اند. در آن جا، شاه می‌گوید:

اگر ساواک درست عمل کرده بود، وقایع [پانزده خرداد] قابل اجتناب بود... باعث وبانی این دردسرها روحانیون و ملاّکین مرتجع

بودند.

شاه می‌خواهد تغییراتی جدّی در ترکیب اطرافیان خود ایجاد کند. فعلاً می‌گوید وزیر دربار، علاء، پیر و ضعیف شده و دیگر کاری از دستش برنمی‌آید. او و دوستانش در لحظات بحرانی به دیدار شاه رفتند و در کمال تذبذب خواستار تغییر هرچه سریع‌تر دولت بودند. می‌گفتند باید هرچه زودتر با روحانیون و دیگر مخالفان وارد مذاکره شد. یک گروه بی‌عرضه‌ی دیگری از امثال شریف امامی و انتظام تشکیل شده.

در شرایط کنونی، حزب سیاسی تازه‌ای به وجود نخواهد آمد. اما بعد از انتخابات حزب سیاسی واحدی، به‌سان نیروی سیاسی اصلی آینده شکل خواهد گرفت.

حسنعلی منصور و «کانون مترقی» او، دست‌کم در وهله‌ی نخست، هسته‌ی اصلی این حزب خواهند بود.[۱۴]

در ظرف یک سال بعد، تمام اجزای این طرح به مرحله‌ی اجرا درآمد. البته در زمان این گزارش، استوارت راکول، وزیر مختار وقت آمریکا، حاشیه‌ای بر طرح‌های شاه نوشت. می‌گفت: «ما در این جا به این نتیجه رسیده‌ایم که هسته‌ی اصلی سیاست‌های آتی شاه منصور و «کانون مترقی» اوست. شاه می‌خواهد مجلس آینده را به کمک همین گروه، و با ترکیبی از کاردانان و صاحبان صنعت و سرمایه تشکیل دهد. البته اگر شاه به راستی حسنعلی منصور را به ریاست این حزب جدید برگمارد، و بخواهد این حزب را پرچمدار اصلی اصلاح‌طلبی در جامعه کند، آن‌گاه چاره‌ای نخواهد داشت که در عمل رهبری سیاسی حزب را خود به دست گیرد. منصور مرد این میدان و یک رهبر سیاسی فرهمند نیست.»[۱۵]

در ارزیابی راکول از منصور هیچ نشانی از تمجید و تعریف نمی‌بینم. اگر به یاد داشته باشیم که علم همین راکول را مسئول اصلی صعود سیاسی منصور

می‌دانست، آن‌گاه مضمون عبارات راکول اهمیتی دوچندان پیدا می‌کند.

در سوم آبان ۱۳۴۲، شاه دوباره با سفیر آمریکا درباره‌ی منصور و آینده‌اش گفتگو کرد. این بار به هولمز گفت که: «به توانایی‌های منصور به عنوان یک رهبر سیاسی»، امید چندانی ندارد. با این حال، به گمانش «در شرایط کنونی، بهتر از او کسی در صحنه نیست.»[۱۶] هولمز هم، مانند راکول، در حاشیه‌ی گزارش، نظرات خود را درباره‌ی تغییرات پیشنهادی شاه ابراز کرد و نوشت: «برخلاف گمان شاه، من فکر نمی‌کنم منصور از قابلیت کافی برای تشکیل یک حزب سیاسی و رهبری دولت برخوردار باشد. بسیاری از ایرانیانِ اهل فکر، از جمله برخی از نمایندگان مجلس و سناتورها، نظر چندان خوشی نسبت به او ندارند.»[۱۷]

اندکی پس از این گفتگوهای محرمانه‌ی شاهانه، «کانون مترقی» خود را به حزب ایران نوین بدل کرد. برای نخستین بار، از زنان هم دعوت شد تا به حزب بپیوندند. فرخ‌رو پارسا نخستین زنی بود که عضو حزب شد. هم او نخستین زنی بود که در تاریخ ایران به مقام وزارت رسید. در عین حال، پس از انقلاب هم او نخستین زنی بود که به جوخه‌ی اعدام سپرده شد. در همان سال، منصور با همکاری هویدا و گروهی کوچک از اعضای اوّلیه «کانون مترقی»، سیاهه‌ای از کاندیدهای حزب برای انتخابات آتی مجلس تدارک کردند. سپس کمیته‌ای متشکل از علم و منصور و نماینده‌ای از ساواک ترکیب مجلس آینده را به بحث گذاشتند. سیاهه‌ی کاندیداهای حزب ایران نوین را بررسی کردند و در باب شمار نمایندگانی که از این حزب جدید باید به مجلس راه یابند چانه زدند. در این جلسات حتی ترکیب رهبری آینده مجلس هم به همین ترتیب تعیین شد. سرانجام سیاهه‌ی نمایندگان مجلس آتی تهیه شد و برای تأیید نهایی به «شرف عرض» رسید. پس از تأیید شاه، تمامی این کاندیداها در «انتخابات آزاد» بعدی به نمایندگی مجلس برگزیده شدند![۱۸]

در چند ماه بعد، علم و کابینه‌اش در موقعیت نامطلوب و غریبی قرار

داشتند. هم سر کار بودند و هم انگار نیمه معزول.[۱۹] منصور، از یک ماه پیش از انتصابش به عنوان نخست‌وزیر، آشکارا پست‌های کابینه را به اشخاص مختلف وعده کرده بود. حال و هوای آن روزها را می‌توان هم در یکی از گزارش‌های سفارت آمریکا سراغ کرد و هم در کاریکاتوری در مجله‌ی **توفیق**. در گزارش سفارت آمریکا آمده بود: «از سویی حسنعلی منصور و "تیم او" منتظر روزی‌اند که عنان امور دولت را به کف خواهند گرفت، و از سوی دیگر، علم کماکان نخست‌وزیر است و ظاهراً از این حالت رنج می‌برد... اوضاع به نمایشی باسمه‌ای و غیرحرفه‌ای می‌ماند که در آن سکوت‌های بی‌جا فراوانند و همه منتظراند تا نوبت ورودشان به صحنه فرارسد. شواهدی نشان می‌دهد که همه‌ی کارهای مهم دولت معوق مانده و تصمیمات به آینده موکول شده‌اند.»[۲۰] روایت **توفیق** از این ماجرا حتی گویاتر بود. این نشریه در یکی از شماره‌های بهمن ۱۳۴۲ خود، «طرحی از حسنعلی منصور کشیده بود. اطرافش را ته‌مانده‌های سیگار کنت گرفته بود. او هم بی‌صبرانه صفحات تقویم را که یکی پس از دیگری، به زمین می‌افتاد نظاره می‌کرد. زیر طرح آمده بود: «انتظار اشدمن الموت.»[۲۱]

در این دوران، هویدا نقشی اساسی در انتخاب وزرای کابینه‌ی منصور به عهده داشت. پست وزارت خارجه را برای خود می‌خواست، ولی شاه این پیشنهاد را رد کرد و دستور داد که عباس آرام در پست خود، به عنوان وزیر امور خارجه، باقی بماند. چند روز قبل از فرارسیدن سال نو، شاه منصور را به مقامی که از دیرباز در آرزویش بود منصوب کرد. امیرعباس هویدا وزیر دارایی کابینه‌ی جدید بود.

اما علم می‌بایست، پیش از آن که زمام امور را به منصور و کابینه‌اش بسپرد، کار ناتمام مهمی را به انجام برساند. این اقدام علم مصداق بارز همان پوست خربزه‌ای است که گاه پیش پای خصم می‌اندازند. سفارت آمریکا در ایران، در پاسخ به فشار و ابرام شاه در خرید اسلحه و تأکیدش بر استفاده از مستشاران

آمریکایی، در اسفند ۱۳۴۰ شرط تازه‌ای برای آمدن مستشاران نظامی آمریکا تعیین کرد. سفارت می‌خواست نه‌تنها نظامیان آمریکا، که اعضای خانواده‌شان، در ایران از مصونیت دیپلماتیک برخوردار باشند. در ایران این نوع مصونیت‌ها سابقه‌ای دیرینه و شوم داشت؛ «حق کاپیتولاسیون» (حق قضاوت کنسولی) خوانده می‌شد و از مصادیق بارز استعمار به شمار می‌رفت. در ۲۱ اردیبهشت ۱۳۰۷، رضاشاه، طی مراسمی باشکوه، حق کاپیتولاسیون را در ایران لغو کرد. علم که به این سابقه‌ی تاریخی وقوف کامل داشت، برآن بود که حتی‌الامکان مذاکراتش با آمریکا در این زمینه را به تأخیر بیندازد. اما سفارت آمریکا دست از اصرار برنمی‌داشت. سرانجام، در اواخر سال ۱۳۴۲، علم تصمیم گرفت درخواست آمریکا را، به شکل طرح پیشنهادی یک لایحه، با اعضای کابینه‌ی خود به بحث بگذارد. در یکی از جلسات هیات دولت، علم بی‌مقدمه از عباس آرام، وزیر امور خارجه، خواست که درباب طرح لایحه‌ی جدید درباره‌ی وضع مستشاران آمریکایی گزارشی به اطلاع هیات دولت برساند. محمد باهری که در آن زمان وزیر دادگستری بود و از نزدیکان علم محسوب می‌شد، می‌گوید که به شدت با طرح لایحه به مخالفت برخاست. مدعی است در مخالفت باآن تأکید کرده بود که مضمون و مفاد آن با نص و مراد قانون اساسی ایران تنافر دارد، و بدتر از همه این که از آن «بوی تعفن استعمار»[۲۲] به مشام می‌رسد. علم که هوا را پس می‌دید بلافاصله بحث پیرامون طرح لایحه را قطع کرد و گفتگو و تحلیل دقیقتر مفاد آن را به جلسات آینده‌ی هیأت دولت واگذاشت.[۲۳]

اما کابینه‌ی علم دیگر هرگز طرح لایحه‌ی جدید را موردبحث قرار نداد. با این حال، علم چند روز پیش از پایان دوران صدارتش لایحه‌ای درباب مصونیت حقوقی آمریکایی‌ها در ایران را به مجلس جدید فرستاد. وی در نامه‌ای مدعی شد که طرح لایحه به تصویب هیأت دولت رسیده و می‌خواست، طبق قانون، از طریق این نامه آن را برای تصویب نهایی به مجلس تقدیم

کند.[۲۴] نامه را اسدالله علم، عباس آرام و اسدالله صنعیی، وزیر وقت جنگ، امضا کرده بودند. از آن جا که طرح لایحه به مسایل حقوقی مربوط می‌شد، محمدباهری نیز قاعدتاً می‌بایست در مقام وزیر دادگستری آن را امضا می‌کرد. ولی امضای باهری در ذیل نامه نیست. به علاوه، جلسه‌ی هیأت دولتی که طبق ادعای نامه‌ی علم، طرح لایحه را تصویب کرده بود نیز هرگز درواقع تشکیل نشده بود.[۲۵] به گفته‌ی باهری، علم، مرشد سیاسی‌اش، از این رو به این اقدام آشکارا غیرقانونی دست زد که «شاه را بسیار دوست می‌داشت و می‌خواست در این ننگ، شریک شاه باشد. این شاه بود که می‌خواست لایحه حتماً به تصویب برسد.»[۲۶]

علم البته نامه را در واپسین روزهای صدارتش به مجلس فرستاد. در مهرماه ۱۳۴۳، مجلس شورا و سنا هر دو طرح لایحه‌ی پیشنهادی را مورد بحث قرار دادند و آن را به تصویب رساندند. در آن زمان دیگر منصور نخست‌وزیر بود. هویدا هم بی‌گمان پرنفوذترین عضو کابینه جدید به شمار می‌رفت. کار دفاع از این لایحه و شرکت در جلسات مجلس و سنا و پاسخگویی به پرسش‌های نمایندگان همه طبعاً به عهده‌ی دولت جدید بود. مجلس سنا کار بررسی طرح لایحه‌ی جدید را نزدیک نیمه‌شب و در پایان جلسه‌ای که نزدیک چهارده ساعت به درازا کشیده بود آغاز کرد. احمد میر فندرسکی، معاون وزیر امور خارجه، به نمایندگی از دولت، در جلسه حضور داشت. سخنانش را با اشاره‌ای به «مسأله‌ی سازمان مرکزی آمار» آغازید و آن گاه، بی‌مقدمه، اضافه کرد که، «و نسبت به لایحه دیگر... استدعای فوریت می‌کنم. برای این که بشود امشب یک مطلب [که] کاملاً ساده و عادی است تصویب شود.» پس از گفتگویی کوتاه درباره‌ی پذیرفتن فوریت طرح، بی‌آن‌که مضمون لایحه «کاملاً ساده و عادی» مورد بحث قرار گیرد، رای‌گیری آغاز شد. سناتور مسعودی به دیگر سناتورها اطمینان خاطر داد که ما در کمیسیون طرح پیشنهادی را بررسی کامل کردیم و به این نتیجه رسیدیم که

«چیز مهمی نیست.» پس از این گفتگوی بسیار مختصر به نشان موافقت، «اکثریت [سناتورها] برخاستند.» آرا را حتی نشمردند. لایحه بدین‌سان به تصویب رسید. جعفر شریف امامی ریاست جلسه را به عهده داشت و با تصویب لایحه، ختم جلسه‌ی سنا را اعلان کرد.[۲۷]

سرنوشت لایحه در مجلس شورای ملی اندکی متفاوت بود. آن جا، آن‌چنان که از گزارش محرمانه‌ی مقامات نظامی آمریکا برمی‌آید، «شاه نگران بود که مردم بگویند لایحه بدون بحث و تحلیل کافی، و به زور از تصویب مجلس گذشت. به همین خاطر، ظاهراً اجازه داد که بعضی‌ها با لایحه مخالفت کنند و همین مخالفت‌ها به تدریج از کنترل خارج شد.»[۲۸] سوای آن‌چه در این گزارش آمده، نقش شاه در ترغیب نمایندگان به مخالفت را در عین حال می‌توان در این واقعیت سراغ کرد که بی‌پرواترین منتقدان لایحه اغلب بعدها به مقامات دولتی مهمی برگمارده شدند.[۲۹] بسیاری از مخالفان لایحه از صف حزب اقلیت مردم و لاجرم از نزدیکان علم بودند. به علاوه، حتی برخی از اعضای حزب منصور نیز به لایحه رأی منفی دادند. ظاهراً این «بی انضباطی موقتی حزبی» نتیجه‌ی این واقعیت بود که رأی‌گیری در مورد لایحه «به شکل مخفی انجام گرفت.»[۳۰] در طول مذاکراتِ گاه پرتنش، منصور در مجلس حضور داشت. در جواب مخالفان لایحه به این نکته اشاره می‌کرد که طراح اصلی لایحه، و از مدافعان اصلی آن، علم بود. به علاوه، وقتی جلسه متشنج شد، منصور، به قصد آرام کردن فضا و ساکت کردن مخالفان، آشکارا و به عمد به آنان در مورد مفاد لایحه دروغ گفت. در این زمینه، او به روزنامه‌نگارانی که پرسش‌هایی در این باب طرح می‌کردند نیز دروغ می‌گفت. وقتی یکی از خبرنگاران از او پرسید که آیا طرح لایحه صرفاً شامل حال مستشاران نظامی است ـ آن‌چنان که رسم این گونه قراردادها میان آمریکا و متحدانش بود ـ یا آن‌که خانواده‌ی مستشاران را نیز دربر می‌گیرد، منصور وانمود کرد که سخت خشمگین شده و با لحنی معترض و حق به جانب، تأکید

کرد که این گونه شایعات همه کار مغرضین و «ستون پنجم بیگانگان» است. در عین حال افزود که: «وابستگان و مستشاران غیرفنی شامل مصونیت نیستند و مهم‌تر از همه این‌که، این مصونیت صرفاً ناظر بر اقداماتی است که در طول ساعات اداری انجام می‌دهند.»[۳۱]

البته اگر این دعاوی منصور درست می‌بود، آن‌گاه این قول دیگرش نیز درست از آب درمی‌آمد که طرح لایحه‌ی پیشنهادی درست شبیه قراردادهایی است که آمریکا با تمام متحدان خود منعقد می‌کند. اما درواقع هیچ‌یک از دعاوی او درست نبود و او خود به نادرستی آنان وقوف داشت. می‌خواست با دروغی مصلحت‌آمیز اوضاع متشنج مجلس و مملکت را آرام کند. اما دروغ‌های مصلحتی او سفارت آمریکا در ایران را یکسره نگران کرد. ترسشان از آن بود که شاید دولت ایران نظر خود را پیرامون لایحه تغییر داده است. ظاهراً باور نمی‌کردند که نخست‌وزیر مملکت چنین بی‌پروا به مجلس و مردم دروغ بگوید. مسأله را از طریق رسمی با دولت ایران در میان گذاشتند و ناصر یگانه، که در آن زمان وزیر مشاور بود، در پاسخ از طرف دولت منصور اعلان کرد که، «دولت در مورد شمول و مفاد لایحه هیچ شک و تردیدی ندارد، اما نخست‌وزیر، به علل سیاسی، لازم دانست که در بیانات خود چنین وانمود کند که شمول لایحه محدود است.»[۳۲]

در نهم آبان، منصور مطالبی در مجلس سنا گفت که در مطبوعات از آن به عنوان «سخنرانی جامعی در زمینه اصول سیاست خارجی» یاد شده بود. دوباره به طرح لایحه‌ی مربوط به مستشاران آمریکایی اشاره کرد و بار دیگر مطالبی یکسره دروغ در مورد مضمون لایحه و شمول قرارداد تحویل سناتورها داد. سفارت آمریکا دوباره نگران شد. این بار از آن‌چه «بی‌کفایتی دولت ایران» می‌دانست به خشم آمده بود. می‌گفت مقامات ایرانی، «می‌خواهند ظاهراً به شگردهای گوناگون حرف خود را پس بگیرند.» راکوِل بلافاصله خواستار «دیداری فوری» با خود نخست‌وزیر شد. در طول این

دیدار، راکول به یک‌یک مواردی که در سخنرانی منصور آمده بود و با نص قرارداد تعارض داشت، اشاره کرد و از نخست‌وزیر در مورد هریک توضیح خواست. راکول در گزارش خود می‌گوید که منصور در تمام موارد «عقب نشست و جا زد.» هر بار تأکید کرد که نص قرارداد، و نه گفته‌های نادقیق او در مطبوعات و مجلس، به مرحله‌ی اجرا درخواهد آمد. از لحن گزنده‌ی گزارش راکول آشکارا برمی‌آمد که سفارت آمریکا از شگردهای پرفریب منصور ناراحت و ناراضی بود.

راکول که تضاد میان گفته‌های منصور در سنا و آن‌چه را که در خلوت می‌گفت می‌دید، سپس از نخست‌وزیر پرسید که آیا «درصدد اصلاح سوء‌تفاهمی که در اذهان عمومی در این باب پدید آمد برخواهد آمد؟» پاسخ منصور تکان‌دهنده بود و از بی‌اخلاقی حیرت‌آور او حکایت می‌کرد. می‌گفت: «به هیچ وجه دیگر نباید در این زمینه گفتگویی صورت گیرد... می‌گفت همه‌ی اختلافات را می‌توان با تصحیح خود پرونده حل کرد.»[۳۳] البته دولت آمریکا هم به این راه‌حل تن درداد. تلاشی نکرد که منصور را به گفتن حقیقت در این مورد وادارد. راکول در جواب پرسش من در این باره می‌گفت: «وظیفه من نبود که رفتار او را اصلاح کنم. به علاوه این نوع برخورد جزئی از سبک کار او بود.»[۳۴]

نقش هویدا در این ماجرا چندان روشن نیست. اما با در نظر گرفتن نزدیکی روابطش با منصور بعید می‌توان تصور کرد که در این زمینه هم نقش نداشت. دروغ‌های منصور مؤثر واقع شد. جلسه لایحه پیشنهادی دولت را تصویب کرد. هفتاد وچهار نفر به آن رای موافق و شصت وهشت نفر رای ممتنع دادند.[۳۵] تصویب لایحه بیش از هرچیز آب به آسیاب مخالفان رژیم ریخت. در این میان هیچ‌کس، به اندازه‌ی آیت‌الله خمینی از مخالفت بی‌پروای خود با طرح لایحه بهره سیاسی نبرد. در سخنرانی پرآوازه‌ای می‌گفت این دولت با این کار خود مردم ایران را حتی از یک سگ آمریکایی‌ها کم مقدارتر کرده

است.[۳۵] در عین حال، دولت انگلستان هم به صف مخالفان لایحه پیوست. هنگامی که در آبان ۱۳۴۳، رادیوی بی‌بی‌سی، آیت‌الله خمینی را «رهبر شیعیان جهان» خواند، شاه بلافاصله به این نتیجه رسید که، «انگلیس‌ها قصد اخلال در کار این لایحه دارند.»[۳۷] منصور و هویدا هردو بهای گزافی برای نقش خود در این ماجرا پرداختند. البته هویدا نقش مستقیمی در کار تصویب لایحه نداشت، اما قانون اساسی ایران برای وزرا در قبال تمام تصمیمات هیأت دولت، مسئولیت مشترک قائل بود. در دادگاه اسلامی هویدا، قضیه‌ی لایحه مصونیت مستشاران آمریکایی نقشی مهم بازی کرد.

حتی دولت آمریکا هم می‌خواست در آن زمان لایحه را کم‌اهمیت جلوه دهد. ادعا می‌کرد که مفاد آن با دیگر قراردادهای مشابهی که با هم‌پیمانان ناتو بسته تفاوتی ندارد. اما می‌دانیم که این ادعا، مانند دعاوی منصور، بی‌اساس بود. اما به هرحال، در سال ۱۳۴۳، منصور و هویدا هردو چنان سرمست باده‌ی پیروزی بودند که سودای پیامدهای این لایحه در ذهنشان محلی از اعراب نداشت. دست‌کم از یک بابت کابینه‌ی منصور با تمام کابینه‌های پیشین تفاوت داشت. میانگین سن اعضای آن از کابینه‌های دیگر جوان‌تر بود. به علاوه، اکثریت وزرا را تکنوکرات‌های تحصیل کرده‌ی خارج تشکیل می‌داد. همان طور که شاه به یکی از مقامات آمریکایی گفته بود، نوبت نسل نویی از سیاستمداران فرارسیده بود. قدما اغلب نسب اشرافی داشتند. زبان و فرهنگ ایران را نیک می‌شناختند. بسا که از استقلال رأی برخوردار بودند و به ندرت آلت فعل صرف شاه به شمار می‌رفتند. به علاوه، بسیاری از آنها شاه را در حضیض بی‌قدرتی دیده بودند. اما دوران سیطره‌ی قدما به‌سر رسیده بود. جایشان را به نخبگان تکنوکرات تازه‌ای وامی‌گذاشتند که شاه را صرفاً در اوج شوکت دیده بودند و کابینه‌ی منصور تجسم بارز این جابه جایی بود.

البته واکنش این نسل قدیم به این جابه جایی متفاوت بود. برخی به آسانی به آن تن در دادند و بعضی دیگر سخت تلخکام شدند. انتظام نمونه‌ی گویای

دسته‌ی اول بود. گوشه‌ی عزلت گزید و بیشتر اوقات خود را از آن پس صرف مطالعه می‌کرد. بیشتر روزها برای نهار به کلوب فرانسوی‌ها در تهران می‌رفت و هفته‌ای یک روز هم دوستان درویشش به دیدنش می‌رفتند. گاه هویدا هم در این جلسات شرکت می‌کرد.[۳۸] در مقابل، برخی دیگر، چون سید فخرالدین شادمان، با حملاتی تند و گاه تلویحی، نخبگان نوخاسته را به باد حمله گرفتند. تجربه‌ی شادمان، دست‌کم از یک بابت، منحصربه‌فرد بود. در حالی که هر روز سکه‌ی سیاسی او از رونق می‌افتاد، در مقابل، برادرش، سیدضیاء که از بنیانگذاران «کانون مترقی» بود، هر روز قدرتمندتر می‌شد.* سید فخرالدین در مقاله‌ای در سال ۱۳۴۴، می‌گفت: «خدایا، با که می‌توان گفت که در این مملکت، هرکه محروم‌تر، به ایران و فرهنگ ایران دلبسته‌تر و آن که از نعمت‌های ایران برخوردارتر، از این هردو گریزنده‌تر. خداوندا چه پیش آمده که اکثر خواص ما را چنین پریشان‌فکر و نامطمئن و لاابالی کرده است که از آن‌چه باید بهراسند هیچ نمی‌ترسند و جز تقلید، آن هم تقلید ناتمام از بیگانه کاری نمی‌کنند. با این گروه غافل که در دریایی فسق وفجور غوطه‌ورند، برای ساختن ایران نو هیچ امیدی نیست.»[۳۹]

هرچه سیدفخرالدین شادمان نومید و دلزده بود، خبرنگار روزنامه **نیویورک تایمز**، جی والز**، به زبانی بیش وکم حماسی و پرشور از انتصاب منصور سخن می‌راند. درباره‌ی روزهای نخست صدارتش می‌گفت: «تهران حیاتی نویافته... سوای باد بهاری که از دشت‌ها می‌وزد، چیز تازه‌ی دیگری هم در فضا هست... ظرف چهارهفته حسنعلی منصور... اعتمادبه‌نفس را به جامعه‌ای سخت دلمرده بازگردانده است... دو روز پس از انتصابش در هفتم مارس، کابینه‌ی آقای منصور که از روشنفکران تشکیل شده، به اتفاق آرا، مورد تأیید مجلس قرار گرفت. همین روشنفکران از پیش طرحی شصت

---

* شاید ذکر این نکته لازم است که برادران شادمان دایی‌های من بودند.

** Jay Walz

صفحه‌ای برای دولت تدارک کرده بودند. برای نخستین بار در تاریخ ایران، دولتی برخاسته از یک حزب سیاسی و مجهز به یک برنامه‌ی دقیق روی کار آمده است.»[۴۰]

یکی از هدف‌های مهم منصور، در چند هفته‌ی پیش از انتصابش به مقام صدارت، ایجاد ائتلافی با دست‌کم شماری از عناصر جبهه‌ی ملی بود. جبهه ملی که پس از کودتای ۲۸ مرداد حاشیه‌نشین سیاست ایران شده بود، در آغاز دهه‌ی چهل فعالیت‌های خود را از سر گرفت. نسل جوانی از مبارزان سیاسی، که بنی‌صدر هم جزو آنها بود، به صفوف تازه‌ی جبهه پیوستند و به آن رونقی تازه بخشیدند. در مذاکرات منصور با جبهه ملّی، هویدا نقشی فعّال به عهده داشت. شماری از رهبران جبهه، از جمله دکتر غلامحسین مصدق، جزو دوستانش به شمار می‌رفتند. به ابتکار منصور و هویدا، واسطه‌ی اصلی این مذاکرات محسن خواجه‌نوری بود که هم از نخستین اعضای «کانون مترقی» و هم از دوستان جبهه به شمار می‌رفت. از سوی جبهه، نقش اصلی در مذاکرات به عهده شاپور بختیار بود. اسناد موجود آشکارا نشان می‌دهد که بختیار موافق شرکت در یک دولت ائتلافی بود،[۴۱] حال آن‌که دیگر سران جبهه با هرگونه ائتلاف مخالفت داشتند. علی امینی هم که هنوز از بازیافتن پست صدارت ناامید نشده بود، به نوبه‌ی خود تلاش داشت رهبری دولت ائتلافی‌ِ آینده را خود به دست گیرد. جبهه ملی پیشنهادات علی امینی را نیز رد کرد.[۴۲] در این جا، از طرح پرسشی فرضی نمی‌توان درگذشت. اگر در آن زمان جبهه‌ی ملی به یکی از این پیشنهادات جواب مثبت می‌داد و در یک کابینه‌ی ائتلافی شرکت می‌کرد، پیامد آن برای تاریخ معاصر ایران چه بود؟ البته می‌دانیم که جبهه در آن سال‌ها تن به ائتلاف نداد. به علاوه، چندی پس از این مذاکرات ناکام، ساواک برخی از سران جبهه را، به علل ظاهراً نامربوط به پیشنهادات ائتلاف، بازداشت کرد و بدین‌سان بخت هرگونه سازش و همکاری از میان رفت. بدون شک این واقعیت که شاه از مصدق، و به‌تأسی ازآن از جبهه‌ی

ملی، سخت نفرت داشت، بر ابعاد شکافی که میان رژیم پهلوی و جبهه وجود داشت می‌افزود. تنها در آستانه‌ی انقلاب اسلامی بود که شاه تغییر رای داد و از سر استیصال، خواستار وحدت با جبهه‌ی ملی شد. می‌گفت آیت‌الله خمینی دشمن مشترک جبهه‌ی ملی و سلطنت است. ولی کار از کار گذشته بود. مهم‌تر از همه این که سوای دکتر صدیقی و شاپور بختیار، دیگر سران جبهه در آن زمان همه سودای انقلاب درسر داشتند. گویی می‌خواستند در رأس یک دولت انقلابی عنان قدرت را در کف بگیرند و وحدت با شاه را نپذیرفتند.

البته وقتی منصور سرکار آمد، بلافاصله صحبت ائتلاف با جبهه‌ی ملی هم پایان گرفت. در آن روزها، هویدا بیشتر اوقات خود را در وزارت دارایی می‌گذراند که تشکیلاتی فاسد و بی‌کفایت بود و اخذ مالیات از وظایف عمده‌اش به شمار می‌رفت. در عین حال باید به خاطر داشت که در طرح «تثبیت اقتصادی»ای که صندوق بین‌المللی پول و برخی دیگر از مستشاران اقتصادی آمریکا از آن جانبداری می‌کردند، گردآوری منظم مالیات نقشی اساسی داشت. یکی از نخستین اقدامات هویدا در این زمینه، کامپیوتری کردن اغلب کارهای وزارت دارایی بود. با کمک جمشید قره‌چه‌داغی، که فارغ‌التحصیل دانشگاه کالیفرنیا در برکلی، و در آن زمان در استخدام شرکت ای‌بی‌ام (IBM) بود، نظام کامپیوتری مدرنی در وزارت دارایی به راه انداخت. هدف از این کار، «پایان دادن به هرج ومرج سامان یافته‌ای بود که بر شالوده‌ی آن، دار ودسته‌های قدرتمند بیش وکم همه امور وزارتخانه را قبضه‌ی قدرت خود کرده بودند.»۴۳

یکی دیگر از توصیه‌های «حلقه‌ی هاروارد» در سازمان برنامه، متمرکز کردن فرایند تدوین و تنظیم بودجه‌ی دولت بود. تا آن زمان، وزارت دارایی مسئولیت تدوین و نظارت بر اجرای بودجه‌ی دولت را به عهده داشت. در مقابل، اولویت‌های این بودجه‌ی سالیانه را سازمان برنامه تعیین می‌کرد. تمام تلاش‌های پیشین برای متمرکز کردن این دو فرایند جداگانه ناکام مانده بود.

وزرای پیشین هیچ‌یک حاضر نبودند بخشی از قدرت خود را بدین‌سان وابگذارند. اما هویدا به راحتی فرایند تمرکز را پذیرفت و درواقع با این کار خشم و تعجب بسیاری از همکاران خود در وزارت دارایی را برانگیخت.[۴۴]

به علاوه، همسو با سیاست‌های اقتصادی دولت، هویدا انحصار دولت در عرصه‌ی قند و شکر را پایان داد و قواعد جدیدی در جهت تسهیل واردات چای تنظیم کرد. افزون بر این، از همان روزهای نخست وزارت، از ضرورت بازنویسی قوانین مالیاتی سخن می‌گفت. او مدیریت وزارت دارایی را در اختیار مدیرانی کاردان و مجرب و درستکار قرار داد. فرهنگ مهر راکه نامی نیک داشت و زرتشتی بود و به قول سفارت آمریکا، «مردی قابل و باکفایت بود و سرآمد کارمندان اغلب بی‌کفایت وزارت دارایی»[۴۵] محسوب می‌شد، به مقام معاون وزیر برکشید. از سویی دیگر، عبدالمجید مجیدی راکه مدیری خوشنام و متخصص امور بودجه بود و نیز فرخ نجم‌آبادی راکه در زمینه نفت تخصص داشت، به همکاری فراخواند. دیری نپایید که مجیدی به یکی از معتمدان هویدا و یکی از وزرای پرقدرت کابینه‌ی او بدل شد. در آن روزها شرکت نفت هنوز دست‌کم در ظاهر جزئی از تشکیلات وزارت دارایی بود و لاجرم هویدا در برخی از مذاکراتی که با کنسرسیوم انجام می‌گرفت، نقشی داشت. از قضا، در نتیجه‌ی این مذاکرات، قیمت نفت، و به توازی آن، درآمد ایران، فزونی گرفت. به خاطر همه‌ی این درگیری‌های گونه‌گون، سر هویدا در آن روزها سخت شلوغ بود. بیشتر مواقع، روزی ۱۶ ساعت کار می‌کرد. اغلب خسته به نظر می‌رسید. برخی از دوستانش، نگران سلامتی‌اش شدند.[۴۶]

هویداکم‌کم قیافه‌ای تکیده پیدا می‌کرد. در تابستان همان سال، در نتیجه‌ی یک تصادف اتوموبیل، چند روزی در بیمارستان بود. تصادف در جاده‌ی شمال رخ داد. هویدا، به همراهی لیلا و منصور و همسرش، فریده، برای استراحت به سواحل دریای خزر رفته بودند. شبی که تمام روزش را در کاخ تابستانی شاهدخت فاطمه پهلوی اسکی روی آب کرده بودند، در ماشین اپل

لیلا به منزل خویش بازمی‌گشتند. لیلا پشت فرمان بود. هویدا و مأمور محافظ منصور در صندلی جلو جای گرفته بودند. منصور و فریده و نیز دوستی به نام ویکتور خواجه نوری در صندلی عقب نشسته بودند. باران تندی می‌بارید و جاده لیز و لغزنده و باریک بود. به پلی حتی باریک‌تر نزدیک می‌شدند که ناگهان از طرف مقابل کامیونی ظاهر شد. لیلا دستپاچه شد. اختیار فرمان از دستش خارج شد و لحظه‌ای بعد اپل کوچک او با کامیونی که از روبرو می‌آمد تصادف کرد. لحظاتی بعد پلیس و آمبولانس و طبیب به محل حادثه رسید. چند نفری از مسافران آسیب دیده بودند. قرار شد همه را با هواپیما، هرچه زودتر، به تهران، و به بیمارستان پارس، برسانند. ساواک نگران توطئه بود و فوراً مأمورینی برای رسیدگی به این جنبه از ماجرا به محل حادثه گسیل کرد. بالاخره معلوم شد که توطئه‌ای در کار نبود. حادثه‌ای بود و در آن شُش لیلا و زانوی هویدا صدمه دیده بود. منصور بی‌خراشی جان سالم به در برد و محافظش نیز تنها در ناحیه‌ی صورت جراحاتی سطحی دیده بود. پس از چند روز، بیماران همه از بیمارستان مرخص شدند.

دورانی که هویدا در بیمارستان، و در نقاهت گذراند، از یک جنبه‌ی مهم برایش مفید فایده شد. ساعت‌های متمادی با لیلا بود و همین تجربه آنان را با یکدیگر مأنوس‌تر کرد. به قول لیلا: «برای نخستین بار او را به جای «آقای هویدا، امیر خواندم.» [۴۷] هویدا نه‌تنها روزهای بیمارستان که درواقع از آن پس، همه‌ی اوقات فراغتش را با لیلا و منصور و همسرش فریده می‌گذراند.

با آنکه زندگی خصوصی هویدا در این روزها خوش بود و در آن فراغتی پدیدار شده بود، اما وضعش در وزارت دارایی چندان رضایت‌بخش نبود. برنامه‌های او «برخی از کارمندان سابقه‌دار وزارت خانه را به خشم آورده بود... [اصلاحات او] کسب و کار دارودسته‌های مختلف را به خطر انداخته بود.» [۴۸] به همین خاطر، جزواتی علیه او در میان کارمندان پخش شد. در دوم شهریور ۱۳۴۳، منصور به وزارت دارایی رفت و «کارمندانی را که مخالف

تلاش‌های اصلاح‌طلبانه‌ی دولت بودند به باد حمله گرفت. به قول یکی از روزنامه‌ها، نخست‌وزیر این نوع کارمندان را «خرابکار» و «فرصت‌طلب» خواند.[۴۹] یک هفته بعد، هویدا هم به نوبه‌ی خود در مصاحبه‌ای مطبوعاتی تأکید کرد که: «کمیته‌ی ویژه‌ای برای مبارزه با فساد و برکنار کردن کارمندان نالایق تشکیل شده... او تأکید کرد که کار اصلاحات را در وزارت دارایی ادامه خواهد داد و برایش اهمیتی ندارد که چه کسانی با طرح‌های او مخالف‌اند.»[۵۰]

ایجاد این کمیته‌ی انضباطی تنها اقدام دولت منصور برای مقابله با کسانی که علیه هویدا جزوه نوشته بودند نبود. در عین حال، ساواک را هم وارد ماجرا کردند و در این جریان، هویدا با مسئول تحقیقات ساواک آشنا شد. نامش پرویز ثابتی بود و طولی نکشید که پلکان ترقی را به سرعت پیمود و ظرف پنج سال، ریاست «اداره سوم» ساواک را، که مسئول امنیت داخلی بود، به عهده گرفت. در عین حال، دوست نزدیک و مشاور و معتمد هویدا شد. در سال ۱۳۴۵، ثابتی ناگهان به اعتبار یک برنامه‌ی تلویزیونی، به شخصیتی سرشناس بدل شد و نقشی ماندگار در ذهن بسیاری از ایرانیان باقی گذاشت. خوش‌صحبت بود و مطلع به نظر می‌رسید و مسایل امنیتی را در طول مصاحبه با دقت و نظم خاصی بر می‌رسید. به تدریج ابعاد قدرتش فزونی گرفت. به راحتی می‌توان ادعا کرد که تا سال ۱۳۴۹، سایه‌ی اقتدارش بر همه‌ی عرصه‌های زندگی ایرانیان سنگینی می‌کرد. مخالفان رژیم او را خصم اصلی خود می‌دانستند. می‌گفتند دستگاه شکنجه و سانسور و داغ و درفش خفقان را هم هدایت می‌کند. در مقابل نزد سیاستمداران ایرانی آن روزگار، او یکی از پرقدرت‌ترین شخصیت‌های مملکت بود و ترسش را اغلب به دل داشتند. در عین حال، احراز همه‌ی مشاغل مهم ـ از پست وزارت گرفته تا استادی دانشگاه و معلمی و حتی کارمندی دولت ـ در گرو دریافت اجازه‌ی اداره‌ای بود که ریاستش را او برعهده داشت.

قدی بلند و چشمانی نافذ داشت و خوش‌برورو بود. چهره‌اش به تیرگی می‌زد. از ادا واطوار و حال و هوای مألوف مأموران ساواک، یعنی شلوار پلی استر، کت چرم بدل، زبانی رکیک و حرکاتی عنیف احتراز می‌جست. برعکس، همواره کت و شلواری شیک می‌پوشید. کراوات‌های گران می‌زد. موهایش همواره به دقت اصلاح شده بود و این عوامل همه دست به دست هم می‌داد و حالتش را بیشتر به یک مدیر شرکت، نه یک مأمور ساواک، مانند می‌کرد. پس از مصاحبه‌ی معروف سال ۱۳۴۵، به تدریج هرچه بر قدرتش افزوده شد، حضورش در صفحات مطبوعات و صحنه‌ی تلویزیون هم کاستی گرفت. انگار به شخصیتی در یکی از رمان‌های لوکاره* بدل شده بود. نامی بود بی‌چهره و خوف‌انگیز.

پس از مدّتی تحقیقات، ثابتی به این نتیجه رسید که حدود سی نفر از کارمندان ناراضی، و گاه معزول، نقش اصلی تدوین و توزیع جزوات ضد هویدا را به عهده داشتند. ولی در درازمدّت، مهم‌تر از این کشف، رفاقتی بود که میان هویدا و ثابتی پدید آمد. یکی از گزارش‌های سفارت آمریکا در ایران به خوبی چند وچون اهمیت این دوستی را روشن می‌کند. می‌گوید: «در ارزیابی عوامل و اسباب قدرت هویدا، اغلب نام پرویز ثابتی به میان می‌آید. او در تمام دوران زندگی [اداری‌اش] دوست نزدیک هویدا بوده است.»۵۱

به رغم برخی اقدامات عجولانه در آغاز کار، دیری نپایید که برنامه‌های اقتصادی دولت منصور به ثمر نشست. از لحاظ سیاسی، مهم‌ترین خطای کابینه‌ی جدید افزایش قیمت بنزین بود که حدود سه هفته پس از روی کار آمدن دولت به مرحله‌ی اجرا درآمد. توده‌ی مردم، در سطحی گسترده، به مقابله با این افزایش قیمت ناگهانی برخاستند. دولت چاره‌ای جز عقب‌نشینی نداشت. لغزش دیگر منصور مطالبی بود که در مهر ۱۳۴۳ به زبان آورد. این بار، طی یک مصاحبه مطبوعاتی، ادعا کرد که هدف دولت او «تقسیم مجدد

---

* Le Carre

ثروت در جامعه و انتقال آن از اغنیا به فقراست.» طبعاً این عبارت «در مطبوعات ایران سروصدای زیادی به راه انداخت. برخی آن را به نوعی سوسیالیسم تأویل کردند.» منصور ناچار شد که «به شدّت هرگونه شایعه در مورد قصد دولت در پیاده کردن سیاست‌های سوسیالیستی را تکذیب کند. او تأکید کرد که طرفدار نقش بخش خصوصی در اقتصاد و مملکت است. به علاوه، توضیح داد که عبارات مورد بحث تنها ناظر بر اصلاحاتی در زمینه‌ی قوانین مالیاتی بود. می‌گفت هدف از این اصلاحات چیزی جز افزایش درآمد دولت نیست.»[۵۲]

در نتیجه‌ی سیاست‌های دولت جدید، بحران اقتصادی سال‌های نخست دهه‌ی چهل به تدریج فروکش کرد. از سویی دیگر، درآمد ایران از نفت هم هر روز فزونی می‌گرفت. این عوامل دست به دست هم داد و به تدریج، اعتماد به نفس شاه را هم بیشتر و بیشتر کرد و این اندیشه را در او قوام داد که راهی مستقل از غرب و آمریکا پیش گیرد. گزارشی از آرمن مایر، سفیر وقت آمریکا در ایران، چند وچون این تحول مهم را، به خصوص از زاویه‌ی روابط ایران و آمریکا، نشان می‌دهد. گزارش او «شاه و آمریکا» نام دارد و در آن مایر نه‌تنها به وصف روحیات شاه در آن زمان پرداخته، بلکه با دقتی ستودنی پیش‌بینی کرده که در سال‌های بعد، تنش‌هایی میان آمریکا و شاه پدیدار خواهد شد. هویدا هم درواقع به اعتبار نقشش به عنوان نخست‌وزیر، در کانون این تنش‌ها قرار گرفت. مایر می‌نویسد: «شاه امروز، دیگر بر خلاف سال‌های ۱۹۴۱ (۱۳۲۰) تا ۱۹۴۵ (۱۳۲۴) تحت قیمومیت آمریکا نیست. به علاوه، شباهتی هم به آن جوانک مذبذب سال‌های آخر دهه‌ی چهل میلادی ندارد... هر روز بیشتر مثل پدرش می‌شود... استقلال رأی پیدا می‌کند و به شیوه‌ای غریزی، مستبدانه حکم می‌راند... شاه می‌خواهد مملکتش موضعی مستقل داشته باشد... او نیک می‌داند که چطور در ماجرای آذربایجان و در زمان مصدق، آمریکا تاج و تختش را نجات داد... اما امروزه دایم شبح‌هایی

گوناگون به ذهش می‌آید... می‌توانیم با ادامه‌ی گفتگو و مذاکره با او در زمینه تسلیحات، نفوذ خود را در عرصه‌های مختلف روابط فی‌مابین حفظ کنیم. به علاوه، اگر بتوانیم بخش عمده [۲۰۰ میلیون دلاری که قرار است ایران اسلحه بخرد] را به خود تخصیص دهیم، می‌توانیم به مسأله کسری موازنه ارزی که گویا کماکان مسأله عمده‌ی واشنگتن است، کمکی کنیم... شکی ندارم که دیگر نمی‌توانیم به شاه دستور بدهیم و سیاست‌هایش را به او تحمیل کنیم.»[۵۳]

دو گزارش دیگر مقامات آمریکایی حتی حیرت‌انگیزترانـد. در اردیبهشت ۱۳۴۳، سازمان سیا، گزارشی پیرامون اوضاع ایران نوشت. در آن آمده بود: «معلوم نیست که آیا برنامه‌های نوسازی ایران به شکلی بیش وکم مسالمت‌آمیز پیش خواهد رفت یا آن که در آینده باید انقلاب و خشونت را انتظار داشت. اصلاحات شاه نیروهای اجتماعی جدیدی را شکل بخشیده و به حرکت درآورده و بالمآل همین نیروها، به نحوی از انحاء، تغییراتی اساسی در جامعه‌ی ایران فراهم خواهند آورد.»[۵۴]

به گمان من حیرت‌آورترین پیشگویی در مورد آینده‌ی ایران را باید در گزارش سال ۱۳۴۵ رئیس دایره‌ی تحقیقات و اطلاعات وزارت امور خارجه آمریکا سراغ کرد. آن جا آمده است که:

در زمینه‌ی سیاسی، شاه زمینداران و روحانیون را از خود دور کرده، بی‌آن‌که توانسته باشد بخش اعظم روشنفکران اصلاح‌طلب و اعضای طبقه متوسط را به طرف خود جلب کند... تاکنون رغبتی به همکاری با عناصر اصلاح‌طلب نشان نداده و بدین‌سان خود را از حمایت موثرترین نیروهایی که می‌توانند اصلاحات موردنظر او را جامه‌ی تحقق بپوشانند محروم کرده است... سرانجام روزی گروه‌های مختلف مخالف رژیم، بر محور خواست مشترک محدود کردن قدرت شاه متحد خواهند شد. اگر شاه نتواند اصلاحاتی را که آغاز کرده به انجام برساند، آن‌گاه مخالفان هم شعار فوری و هم حمایت

توده‌ای لازم برای برانداختن شاه را در اختیار خواهند داشت... پیش از آن که [ایران] به چنین بن‌بستی برسد، نوعی مصالحه و سازش سیاسی مرجح خواهد بود. ۵۵

در دهه‌ی بعد، کار صعب تحقق بخشیدن به چنین سازشی اساساً به عهده‌ی هویدا بود. درواقع آینده‌ی سلطنت در ایران در گرو موفقیت او در این وظیفه‌ی خطیر بود.

فصل نهم

زمستان ناخرسندی‌ها

نه! شاهزاده هملت نیستم! در جَنمم هم نبود که باشم.
پرده‌داری بیش نیم، کسی که صرفاً
این صحنه را به پیش، و آن دو دیگر را به راه می‌اندازد.
اندرزگوی شاهزاده؛ بی‌شک آلت فعلی ساده.
مبادی آداب، مشتاق خدمتکاری
با تدبیر، محتاط، و با دقت
پر از عبارات بلندپرواز، اندکی هم مغلق‌گو
گاه حتی به راستی مضحک
حتی، گاه چون یک دلقک

تی اس الیوت. شعر عاشقانه جی. آلفرد پروفراک

هوای تهران در زمستان سال ۱۳۴۳ سخت سرد بود. روز پنج‌شنبه، اول بهمن، برف و گل و لایی خاکستری رنگ خیابان‌های شهر را می‌پوشاند. حسنعلی منصور از اتوموبیل مخصوص نخست‌وزیر پیاده شد. به طرف در ورودی مجلس به راه افتاد. ساعت ده صبح بود. به مجلس می‌رفت تا از یکی از لوایح جدید دولت دفاع کند. موضوع لایحه قراردادی بود که شرکت ملی نفت ایران می‌خواست با چند شرکت بزرگ غربی، از جمله تاید واترگروپ*، اتلانتیک، فیلیپس، شرکت ملی نفت و گاز ایتالیا، شرکت نفت و گاز هند، کمیسیون گاز

---

* TIDEWATER

هند، رویال داچ شل هلند و گروهی از شرکت‌های فرانسوی امضا کند.[۱] پیش از آن‌که منصور بتواند به درون محوطه‌ی مجلس گام بگذارد، ضارب جوانی که در کمین ایستاده بود او را مورد حمله قرار داد. محمد بخارایی نام داشت. هفده ساله بود و دانش‌آموز دبیرستان. «یک جلد قرآن و تصویری از [آیت‌الله] روح الله خمینی در جیب داشت.»[۲]

انگیزه‌ی قتل روشن بود. منصور نماد انقلاب سفید شده بود. مهم‌تر از همه این که در دوران صدارتش، دولت ایران آیت‌الله خمینی را نخست به ترکیه و بالمآل به عراق تبعید کرده بود. ضاربین منصور در دادگاه بی‌پروا در مورد انگیزه قتلش سخن می‌گفتند. مدعی بودند منصور تقاص بی‌حرمتی به مرجع تقلیدشان، آیت‌الله خمینی، را پس می‌داد. ضاربین در واقع از بقایای گروه فدائیان اسلام بودند که از سال ۱۹۴۹ تا ۱۹۵۳ دو نخست‌وزیر و یک وزیر فرهنگ را به قتل رساندند و به شاه و وزیر امور خارجه و یک نخست‌وزیر دیگر هم سوء قصد کردند[۳]. در عین حال، احمد کسروی را نیز، که خود را خصم جزم‌اندیشی شیعیان می‌دانست، اعضای همین گروه به نحو فجیعی به قتل رساندند[۴].

زمانی که آیت‌الله خمینی به قدرت رسید، بسیاری از اطرافیانش فدائیان اسلام از آب درآمدند. برخی از آنان با سرفرازی به نقش خود در قتل منصور می‌بالیدند. تنی چند مدعی‌اند که هاشمی رفسنجانی هفت تیر مورد استفاده در قتل را تدارک کرده.[۵] [یادداشت ناشر: این مطلب از طرف آیت‌الله هاشمی رفسنجانی تکذیب شده است.]به هر حال، در آن روز سرد زمستانی، پیش از آن‌که محافظان منصور به خود بجنبند، بخارایی پنج تیر به طرف منصور شلیک کرد. در ظرف یک سال بعد، دولت بخارایی را، همراه با سه همدست دیگرش، در تهران به جوخه‌ی اعدام سپرد. دو یار دیگرش به حبس ابد محکوم شدند. جرمشان همدستی در قتل منصور بود. در کمین نشسته بودند تا اگر بخارایی در انجام وظیفه‌اش ناکام ماند، خود وارد کارزار شوند و کار منصور را تمام کنند. به‌علاوه، بسیاری از کسانی که در گذشته در صف هواداران فدائیان اسلام

بودند نیز دستگیر شدند۶. حاج مهدی عراقی هم در همین ماجرا بازداشت شد. دادگاه اوّل، به اعدام محکومش کرد. دادگاه تجدیدنظر حکم اعدامش را ظاهراً به پاداش رفتار در زندان، به حبس ابد تقلیل داد. چهارده سال حبس کشید و هنگامی که خبرنگاران فرانسوی برای انجام مصاحبه وارد سلول هویدا شدند، حاج عراقی هم همراهشان بود. آن روزها دیگر ریاست زندان را به عهده داشت.

شواهد متعددی در آن زمان نشان می‌داد که قتل منصور کار محافل مذهبی است. با این حال، بسیاری از مخالفان رژیم شاه، ادعای دولت را در باب هویت و تعلقات فکری ضاربین منصور نمی‌پذیرفتند۷. مصداق این واقعیت را می‌توان در نظرات هدایت‌الله متین دفتری سراغ گرفت. او از چهره‌های سرشناس مخالفان رژیم و نوه‌ی مصدق بود. در دیداری با یکی از مقامات سفارت آمریکا، گفته بود: «یقین دارد جوانان قاتل منصور به هیچ گروه مذهبی یا سیاسی» تعلق ندارند. در عین حال معتقد بود که رژیم شاه، «بالاخره این قتل را به یکی از این گروه‌ها خواهد چسباند»۸. گفته‌های متین دفتری را می‌توان نشانی از یک واقعیت تاریخی مهم دانست: نیروهای عرفی مسلک جامعه‌ی ایران در طول سال‌های حکومت شاه هرگز ابعاد واقعی قدرت بالفعل و بالقوه‌ی نیروهای مذهبی جامعه را نمی‌شناختند. حتی اغلب حاضر به قبول این فرضیه نبودند که چنین نیروهایی می‌توانند در جامعه‌ای چون ایران قدرت را روزی در دست بگیرند. حاصل این شد که هر چه طرفداران عرفی مسلک دمکراسی بیشتر با رژیم شاه می‌جنگیدند، راه را بیشتر و بیشتر برای برآمدن نیروهای مذهبی می‌کوبیدند. ارزیابی نادرست از ابعاد قدرت مذهب لاجرم به پیروزی مذهب ره سپرد.

در هر حال، در آن روز پرحادثه، بخارایی شکی نداشت که با قتل منصور به تکلیف الهی خود عمل می‌کند. مدافعاتش در دادگاه مؤید این واقعیت و نشانگر معتقدات مذهبی پر از یقین او بود. او قاعدتاً نمی‌دانست مردی را کشته

که در واقع مخالف زندانی کردن آیت‌الله خمینی بود. روز بعد از انتصابش به مقام نخست‌وزیری، منصور بر آن شد که آیت‌الله خمینی را آزاد کند. می‌گفت: «می‌خواهم شکاف میان شاه و ملت را از میان بردارم.»[۹] تلاشش البته به علت مخالفت ساواک ناکام ماند.[۱۰] از سویی به او تذکر دادند که شاه به هیچ روی گمان ندارد که میان او و مردم شکافی هست. گفتند اگر بشنود که نخست‌وزیر او چنین عباراتی را بر زبان آورده، بی‌گمان سخت برخواهد آشفت. به‌علاوه به نخست‌وزیر جدید گوشزد کردند که در مسائل امنیتی، تازه‌کاری بیش نیست. گفتند بهتر است در این گونه مسائل دخالتی نکند و آن را به اهل فن وابگذارد.[۱۱]

اما محاسبات این اهل فن غلط از آب درآمده بود و حاصل این شد که منصور، غرقه در خون خویش، بی‌حال و بی‌رمق، نقش زمین بود. راننده‌اش به تعجیل او را در صندلی پشت اتوموبیل جای داد و به جای مراجعه به بخش اورژانس نزدیک‌ترین بیمارستان، با سرعت هر چه تمام‌تر، به سوی بیمارستان پارس شتافت. بیمارستان پارس تازه آغاز به کار کرده بود. سرآمد بیمارستان‌های تهران به‌شمار می‌رفت. به‌علاوه، پس از حادثه‌ای که در جاده‌ی شمال اتفاق افتاد و هویدا و لیلا هر دو در آن جراحاتی برداشته بودند، راننده منصور چنان به‌کرات به بیمارستان پارس رفته بود که این بار نیز انگار از سر عادت به همان سو راهی شد.[۱۲]

منصور را بلافاصله به اطاق جراحی بردند. سه ساعت و نیم زیر عمل بود. پزشکان معالجش، طبق بیانیه‌ای، اعلان کردند که: «بخشی از روده‌ی کوچک منصور را برداشتند و مثانه‌ی او را نیز مورد عمل قرار دادند.»[۱۳] اما پس از عمل هم خونریزی داخلی ادامه پیدا کرد. عمل جراحی دوّمی لازم شد. در حالی که منصور با مرگ دست و پنجه نرم می‌کرد، شاه هویدا را مأمور کرد که موقتاً ریاست هیأت دولت را به عهده گیرد. مهم بود که اوضاع هر چه زودتر حالتی عادی پیدا کند. دولت نمی‌بایست دستپاچه و مضطرب جلوه کند. در

عین حال، شاه از هویدا خواست که او را در جریان احوال منصور بگذارد. از لحظه‌ای که منصور را به بیمارستان آورده بودند، هویدا نیز شبانه‌روز آن جا بود. اطاق کوچکی را در جوار اطاق عمل، به دفتر کار خود بدل کرد. دیری نپایید که بیمارستان پارس به مرکز ثقل سیاسی تهران بدل شد. نه تنها بستگان منصور، بلکه بسیاری از سیاست‌پیشگان پرآوازه‌ی مملکت و شماری از روزنامه‌نگاران سرشناس در همه ساعات شب و روز در راهروها و اطاق‌های بیمارستان پرسه می‌زدند و در انتظار خبر بودند.

در این میان، سر و کله زدن با فریده، همسر منصور، از همه دشوارتر بود. یکی از خبرنگاران آمریکایی که در آن روزها به تهران آمده بود، فریده را «یک زن زیبای ایرانی و وارث ثروتی هنگفت» خوانده بود. اما در بیمارستان، حال مزاجی شوهرش او را یکسره عصبی و بداخلاق کرده بود. توجه دایم می‌طلبید؛ پیوسته به این و آن فرمان می‌داد. همه را متهم می‌کرد. یا می‌گفت که در مداوای شوهرش کوتاهی کرده‌اند، یا معتقد بود اصولاً در قتلش همدستی داشتند. یکی از وظایف اصلی، و به غایت دشوار، هویدا آرام کردن فریده بود. گرچه اغلب در این کار ناکام بود، اما از خود صبر و بردباری بی‌کرانی نشان می‌داد. بی‌احترامی‌های دایمی فریده را تاب می‌آورد و در برابرشان صرفاً سکوت اختیار می‌کرد. امر و نهی‌های دایمی‌اش را گردن می‌گذاشت. اما فریده تسکین‌پذیر نبود. در نظرش هویدا هم بی‌شک گناهکار بود. اقل گناهان هویدا این بود که هنوز زنده و سالم است، حال آن که شوهر عزیز و چهل و دو ساله فریده در حال احتضار است.[۱۵]

منصور بیشتر اوقات در حال اغما بود. با این حال، شاه دو بار به قصد دیدارش به بیمارستان آمد. می‌گفتند هر دو بار چهره‌ی شاه سخت غم‌زده بود. هر دو بار لباس جراحان به تن کرد و ماسک جراحی به چهره گذاشت. هر دو بار منصور از توان تکلم عاجز بود. دو گلوله به گردنش خورده بود و تارهای صوتی‌اش را متلاشی کرده بود. سه گلوله‌ی دیگر هم از ناحیه‌ی شکم به بدن

وارد شده بود. پزشکانش می‌گفتند حتی اگر زنده هم بماند، دیگر هرگز توان صحبت نخواهد داشت و می‌دانیم که منصور به سخنوری شهره بود. در عین حال، برخی از همین پزشکان می‌گفتند، به رغم وخامت حالش، منصور هر دو بار متوجه حضور شاه شد. می‌گفتند از سر تشکر، هر بار، لبخندی بر گوشه لبانش نقش بست.[۱۶]

حدود ساعت ده شب ششم بهمن، فشار خون منصور ناگهان به سرعت پایین رفت. دوباره به حال اغما افتاد. عفونت به سرتاسر بدنش سرایت کرده بود. تلاش پزشکان برای نجات جانش بی‌فایده ماند. مقارن ساعت یازده و ربع آن شب، منصور درگذشت. از قضا، روز مرگش مصادف با سومین سالگرد انقلاب شاه و مردم بود. طرفه آن‌که نخست وزیری که تجسم روح این انقلاب بود، در سالگرد این انقلاب، و به دست تروریست‌های مسلمانی به قتل رسید که به فتوا، یا دست کم در دفاع از آیت الله خمینی، عمل می‌کردند. امروز که بیست سال از آغاز انقلاب اسلامی می‌گذرد، می‌توان به راستی ادعا کرد که در شب مرگ منصور، سرنوشت رژیم پهلوی و هویدا و انقلاب اسلامی هم به شکلی برگشت‌ناپذیر در هم تنید و با هم گره خورد.

لحظاتی پس از مرگ منصور، اعضای تیم پزشکی معالج او به اطاقی که در عمل دفتر کار هویدا شده بود وارد شدند. دکتر سمیعی سرپرستی تیم را به عهده داشت. با لحنی آرام و پراحترام مرگ منصور را به اطلاع هویدا رساند. گفت او چند دقیقه پیش، مقارن ساعت یازده و ربع شب، درگذشت. گرچه هویدا از وخامت حال منصور قبلاً اطلاع پیدا کرده بود، گرچه قاعدتاً از مدت‌ها پیش می‌دانست که چه بسا هر لحظه خبر مرگ او را بشنود، اما با این حال از شنیدن این خبر آشکارا تکان خورد. اختیار از کف داد. گریستن آغاز کرد. چند لحظه به همین حالِ زار بود. آن گاه به تدریج بر اعصاب خود تسلط پیدا کرد. به حال بیش و کم عادی بازگشت. تصمیم گرفت قبل از هر چیز شاه را در جریان بگذارد. به وسیله‌ی تلفن مخصوص با شاه تماس گرفت. اعضای تیم

پزشکی هنوز همه در اطاق بودند. گفتگوی هویدا با شاه سخت کوتاه بود. پنج کلمه بیش نگفت. به انگلیسی حرف می‌زد. گفت:

«Your majesty, he is dead.»

دیگر عادت هویدا شده بود که بسیاری از گفتگوهای محرمانه و مهم‌اش را به زبان فرانسه یا انگلیسی انجام دهد. گاه حتی هنگام گفتگوی عادی با همکارانش هم از زبان فرانسه استفاده می‌کرد. با انتظام اغلب به فرانسه حرف می‌زد. نامه‌های عاشقانه‌ای که در آغاز دهه‌ی چهل به لیلا نوشت هم همه به انگلیسی بود.[۱۷] مهم‌ترین میراث سالهایی که بدور از وطن زیسته بود از سویی روحیه‌ی اروپایی‌اش بود، و از سوی دیگر تسلطش بر زبان‌های فرانسه و انگلیسی. فارسی را هرگز به خوبی فرانسه یاد نگرفت. شاید یکی از علل علاقه‌ی شاه به او هم همین بود. شاه هم مانند هویدا فرانکوفیل بود. فرانسه را هم بهتر از فارسی صحبت می‌کرد. اغلب با هویدا به فرانسه یا انگلیسی گفتگو می‌کرد. انگار بخشی از آیین مودّت‌شان همین تکلم به زبان‌های اروپایی بود. گویی هر دو در موطن خود مهاجری بیش نبودند. مأمن واقعی هر دو اروپایی بود که در عالم خیال پرورانده بودند.

هویدا نخستین شخصیت به راستی جهان ـ وطنی بود که در ایران به قدرت رسید. رم و بیروت را به خوبی تهران و پاریس می‌شناخت و در هر کدام به راحتی زندگی می‌توانست کرد. شاه هم اگرچه جَنَم روشنفکری هویدا را نداشت، اما چون او جهان وطن بود. هر دو با مرکز ثقل مذهبی جامعه و فرهنگ آن زمان ایران بیگانه بودند. بی‌پروا از این مرکز ثقل به کار تغییر بنیادهای اقتصادی جامعه همت کردند. معمار اجتماعی بودند و به درستی‌ی طرح‌های خود ایمانی خلل‌ناپذیر داشتند. البته شکی نبود که رهبری مطلق کار در دست شاه بود. اما بیگانگی، یا بی‌عنایتی شاه و هویدا به این مرکز ثقل فرهنگی، آهنگ شتابان دگرگونی‌های اقتصادی، و مهم‌تر از همه تذبذب شاه در لحظات بحرانی و بی‌رغبتی او به سهیم کردن دیگران در قدرت، همه دست

به دست هم داد و زمینه را برای انقلاب، و پیامدهای اجتماعی حیرت‌آور آن، فراهم کرد. به گمان من، بهترین نماد این بیگانگی این واقعیت ساده بود که شاه و هویدا بسیاری از مهم‌ترین گفتگوهای خود را به زبان فرانسه یا انگلیسی انجام می‌دادند. زبان و قدرت همزادیکدیگراند. قدرتی که به زبان مردم سخن نگوید بر آن مردم حکومت ماندگار نمی‌تواند کرد.

به هر حال، بلافاصله پس از گفتگوی کوتاهش با شاه، هویدا به پزشکان حاضر در اطاق اطلاع داد که به کاخ سلطنتی احضار شده است. آن روزها شاه بیشتر اوقات خود را در کاخ مرمر و کاخ اختصاصی می‌گذراند. هر دو نزدیک مرکز شهر و در نزدیکی بیمارستانی بودند که منصور واپسین روزهای حیاتش را در آن گذرانده بود. هرچه بر آهنگ نوسازی اقتصادی جامعه افزوده شد و هر چه شاه بیشتر خود رأی و مستبد و متفرعن شد، کاخ سلطنتی خود را نیز بیشتر و بیشتر از مرکز شهر دور کرد. در فروردین ۱۳۴۴، روزی در کاخ مرمر مشغول به کار بود که «یکی از سربازان گارد سلطنتی، مسلسل به دست، وارد صحن کاخ شد. هدفش کشتن شاه بود.»[۱۸] قاعدتاً این واقعه نیز رغبت شاه را به تغییر کاخ مسکونی‌اش دو چندان کرد. سرانجام هم به کاخ‌هایی فراز تهران، نشسته در دل کوهی، نقل مکان کرد.

پاسی از شب گذشته بود که هویدا وارد دفترکار شاه در کاخ مرمر شد. شاه آشکارا ناراحت و عصبانی بود. پیوسته در طول اطاق گام می‌زد. آرام نداشت. هویدا، آن چنان که رسم مألوف در شرفیابی بود، دست شاه را بوسید. سپس مرگ نخست‌وزیر را تسلیت گفت. شاه در حالی که کماکان در حال قدم زدن بود به هویدا گفت که او را برای تشکیل کابینه‌ی جدید برگزیده است. هویدا بعدها به دوستانش می‌گفت که لحن شاه تردید و انکار بر نمی‌تابید و به حکمی قطعی و لازم‌الاجرا می‌مانست.[۱۹] البته منتقدان هویدا می‌گویند که او از لحظه‌ای که به منصور تیراندازی شد، از هیچ تلاشی برای احراز پست صدارت فروگذار نکرد. در مقابل، هویدا می‌گفت که گرچه حدس می‌زد که با مرگ

منصور، شاه کار تشکیل کابینه را به او واخواهد گذاشت، اما با این حال، شنیدن فرمان شاه لرزه بر اندامش انداخت و مضطربش کرد. به‌علاوه، می‌گفت هنوز رسم و رسوم گفتگو با شاه را درست یاد نگرفته بود. چندی پیش از این ملاقات، از یکی از دوستانش در باب چند و چون یک شرفیابی* سئوالاتی کرده بود. برایش توضیح داده شد که در پیشگاه شاه از خود تنها به لفظ «چاکر»[۲۰] یاد می‌تواند کرد. البته بعدها رسم و رسوم شرفیابی ملکه‌ی ذهنش شد. می‌دانست که در حضور شاه هیچ‌کس را جز به نام و نام خانوادگی یاد نباید کرد. می‌دانست که هنگام اشاره به دیگران هرگز نمی‌توان از واژه‌های آقا یا خانم استفاده کرد. گرچه این قواعد قاعدتاً غریب می‌نمود، اما در قیاس با رسوم دوران رضاشاه گامی به پیش بود. در آن روزها، رضا شاه از وزرا نه به نام آنها که به مقامشان یاد می‌کرد و مثلاً می‌گفت: «دارایی! بگو»[۲۱].

رفتار هویدا در شرفیابی شب مرگ منصور به خوبی نشان می‌داد که او هنوز در آداب و رسوم دربار نوآموزی بیش نیست. وقتی آغاز به سخن کرد، شاه کماکان مشغول قدم زدن بود. هویدا پیش از هر چیز از مراحم ملوکانه تشکر کرد. شاکر بود که بخت خدمتگزاری به اعلیحضرت را خواهد یافت. آن‌گاه به زبانی سخت پراحتیاط، گفت که خود را ساخته‌ی این کار نمی‌داند. می‌گفت دیگران، از جمله انتظام بی‌شک بیش از او لیاقت صدارت دارند.[۲۲] درست روز قبل از این دیدار، هویدا با صادق چوبک در باب ناآمادگی خود برای احراز پست نخست‌وزیری سخن گفته بود. چوبک هم به زبانی صریح و خالی از هرگونه شک و شبهه، به هویدا تاکید کرده بود که باید از پذیرفتن مقام صدارت سرباز زند. گفته بود: «در این شرایط کاری از دست بر نمی‌آید.»[۲۳]

---

* شاید بتوان گفت که واژه‌ی "شرفیابی"، بهتر از هر مفهوم و کلمه‌ی دیگری، جوهر نظریه‌ی سلطنت در ایران را در بر می‌گیرد. انگار شاه، فی‌نفسه، تجسم و سرچشمه‌ی شرف است. درک محضرش شرف‌یافتن را کفایت می‌کند. البته می‌دانیم که واژه‌ی شرفیابی در عین حال به زبان روزمره نیز سرایت کرده و آن جا به دیدار با هر شخصیت محترم، قدرتمند یا مسن دلالت می‌کند.

هویدا توصیه‌ی دوستش را نادیده گرفت. با آن‌که آماده بود زمام امور دولت را به دست گیرد، با این حال به شاه گفت که بخش اعظم عمرش را در خارج از ایران گذرانده است. می‌گفت نه من مردم ایران را خوب می‌شناسم، نه آنها من را. حتی به این واقعیت اشاره کرد که فارسی را با کمی لهجه حرف می‌زند.۲۴ لهجه‌ای غریب داشت: تهرنگی از عربی را با طنین ترکیبات و آواهای فرانسوی مخلوط می‌کرد.

معلوم نیست هویدا این حرف‌ها را تا چه حد از سر تعارف می‌زد و یا تا چه حد تحت تأثیر این واقعیت بود که دوست نزدیکش، منصور، تازه درگذشته است. شاید باید این عبارات را نشانی از استعداد و نبوغ سیاسی او دانست. انگار به غریزه و درایت دریافته بود که شاه دیگر نخست‌وزیری قدرت‌طلب را بر نمی‌تابد. شاید هم آن‌چه بر سبیل تنقید از خود گفته بود به جدّ بود، نه از سر تعارف. دو هفته پیش از سوءقصد به منصور، هویدا به عبدالمجید مجیدی گفته بود که در فکر استعفا از وزارت دارایی است.۲۵ حتی برخی از مجلات هفتگی تهران هم خبر داده بودند که هویدا به زودی از مقام وزارت کناره خواهد گرفت. می‌گفتند سفیر ایران در فرانسه خواهد شد.۲۶ به‌علاوه، در سال ۱۳۴۴، سفارت آمریکا در یکی از گزارش‌های سیاسی خود به این نتیجه رسیده بود که بی‌رغبتی و بی‌علاقگی هویدا به مقام نخست‌وزیری یکی از مهم‌ترین حربه‌های قدرت اوست. در گزارش آمده بود که هویدا دایم به اطرافیان خود می‌گوید که به حفظ مقام صدارت دلبستگی چندانی ندارد و همین اظهار بی‌علاقگی، به روایت سفارت، بر قدرت او می‌افزود.۲۷

اما وقتی در آن نیمه شب، هویدا، با صدایی لرزان، با شاه از نگرانی‌ها و کم‌تجربگی خود می‌گفت، شاه، در حالی که پشت به نخست‌وزیر و رو به پنجره باغ محصور کاخ داشت، با لحنی قاطع و با ایجازی کامل گفت: "خودمان یادتان خواهیم داد."۲۸ آینده نشان داد که این عبارات شاه صرفاً برای تقویت روحیه‌ی هویدا نبود. در آن، هم نوعی دستورالعمل برای آینده

مستتر بود، هم نوعی پیش‌گویی. در واقع، می‌توان گفت که در آن گفتگوی کوتاه، قراردادی ضمنی و تلویحی میان شاه و هویدا به تصویب متقابل رسید و این نکته که شاه چند و چون کار نخست‌وزیر را خودش به هویدا یاد خواهد داد جزئی اساسی از این قرارداد بود. در عین حال، بدیهی است که چنین توافقی، پیآمدهای سیاسی مهمی برای آینده‌ی ایران و رژیم پهلوی و سرنوشت قانون اساسی در برداشت.

قانون اساسی ایران دستاورد اصلی انقلاب مشروطیت بود. از قوانین بلژیک الهام می‌گرفت و بخش اعظم قدرت قوه‌ی اجرائیه را در کف نخست‌وزیر می‌گذاشت. قدرت استبدادی را از پادشاه سلب می‌کرد. قدرت مقام سلطنت را سخت محدود و به دقت معین می‌نمود. شکی باقی نمی‌گذاشت که شاه باید سلطنت کند، نه حکومت. اما در سال ۱۳۴۴، شاه دیگر در واپسین مراحل تغییر نص و روح این قانون بود. ده سالی می‌شد که سودای دگرگون کردن رابطه‌ی شاه و نخست‌وزیر را در سر می‌پخت. شرح به غایت دقیق و گویای این تحولات را می‌توان در گزارش دفتر اطلاعات و تحقیقات وزارت امور خارجه آمریکا سراغ کرد. این گزارش که به سال ۱۳۴۴ تدارک شده بود، وصفی دقیق از ساخت قدرت خودکامه در ایران ارائه می‌کند. می‌بینیم حتی در آن سال ابعاد قدرت شاه به راستی حیرت‌آور و خوف‌انگیز بود. در گزارش آمده که:

شاه کنونی فقط پادشاه نیست. در عمل نخست وزیر و فرمانده کل نیروهای مسلح هم هست. تمام تصمیمات مهم دولت را یا خود اتخاذ می‌کند، یا باید پیش از اجرا، به تصویب او برسد. هیچ انتصاب مهمی در کادر اداری ایران بی‌توافق او انجام نمی‌گیرد. کار سازمان امنیت را به طور مستقیم در دست دارد. روابط خارجی ایران را هم خودش اداره می‌کند. انتصابات کادر دیپلماتیک همه با اوست. ترفیعات ارتش، از درجه‌ی سروانی به بالا، تنها با فرمان مستقیم او صورت

می‌پذیرد. طرح‌های اقتصادی... از تقاضای اعتبار خارجی گرفته تا محل تأسیس یک کارخانه... همه برای تصمیم‌گیری نهایی به شاه ارجاع می‌شود. اداره‌ی دانشگاه‌ها نیز بالمآل در دست اوست. هم اوست که تصمیم می‌گیرد چه کسانی به جرم فساد محاکمه خواهند شد. نمایندگان مجلس را او بر می‌گزینند. در عین حال، تعیین میزان آزادی عمل مخالفان در مجلس هم به عهده‌ی اوست. تصمیم نهایی در مورد لوایحی که به تصویب مجلسین می‌رسد با اوست.

شاه یقین دارد که در شرایط فعلی، حکومت فردی او تنها راه حکمروایی بر ایران است.[۲۹]

البته می‌توان ادعا کرد که در ایران، از همان آغاز تأسیس نهاد سلطنت، تنش میان شاه و وزیر هم پدیدار شد. مورخان وزیرانِ طول تاریخ ایران را به دو دسته تقسیم کرده‌اند. می‌گویند برخی آلت فعل صرف سلطان بودند. کاری جز اجرای فرامین شاهانه نداشتند. برخی دیگر از استقلال عمل و قدرت قابل ملاحظه‌ای برخوردار بودند. گاه حتی همه‌ی قدرت سیاسی مملکت، بجز البته لقب پادشاه را، در کف می‌گرفتند.[۳۰]* با انقلاب مشروطیت، مفاهیم سیاسی

---

* در داستان‌های **هزار و یک شب** به مصادیق متعددی از هر دو نوع وزیر بر می‌خوریم. اغلب اوقات تنها توطئه‌ی وزیری توانا می‌تواند با قدرت جادویی روایت شهرزاد، که خود به وزیری اهل علم و درایت، نسب می‌برد، شانه برابری بزند. در **شاهنامه** نمونه‌های فراوانی از وزیران گونه‌گون سراغ می‌توان کرد. در عین حال، صفحات تاریخ ایران پر از اجساد نخست‌وزیران قدرتمندی است که به دست پادشاهان به قتل رسیدند. بسیاری از این شاهان با تکیه به سیاست و دولتمداری این وزیران پایه‌های قدرت خود را مستحکم کردند و آن‌گاه کمر به قتل این وزیران بستند. وزیری که دیروز تکیه‌گاه و راهنما و پلکان قدرت شاه جوان و تازه به قدرت رسیده بود، پس از چندی به منشأ خطری برای شاه مستبد فردا بدل می‌شد. به‌علاوه، گاه می‌شد که کشتن وزیر نماد بلوغ شاه به شمار می‌رفت؛ نشان می‌داد که پادشاه قدرت را قبضه کرده. **گلستان** سعدی، که پنجره‌ای به خلقیات و روحیات ایرانیان است بارها به تصریح، اهل خرد را از نزدیکی به شاه برحذر می‌دارد. سعدی می‌گفت خطرات این کار همواره بر منافعش می‌چربد.

تازه‌ای چون حاکمیت ملی، تفکیک قوا، شاه مشروطه و حکومت قانون به واژگان سیاسی ایران راه یافت. با این همه تنش میان پادشاه و وزیرش کماکان ادامه پیدا کرد.

تا زمان انتصاب هویدا به جای منصور، شاه هم تجربیات تلخی با نخست‌وزیران مستقل و مقتدر را پشت سر گذاشته بود. بار دیگر می‌بینیم که دفتر اطلاعات و تحقیقات وزارت امور خارجه آمریکا، به زبانی ساده و دقیق، شرحی از این تجربیات و پیامدهای آن عرضه می‌کند:

از پایان جنگ جهانی دوّم تا سال **۱۹۵۳** قدرت [در ایران] در دست نخست‌وزیران قابل و کابینه‌های آنان بود. قوام‌السلطنه، رزم‌آرا و مصدق هر یک به نوبه‌ی خود مانع از آن شدند که شاه بتواند نقش چیره و مسلطی در سیاست ایران پیدا کند. مبارزات شاه علیه این وزیران قدرتمند در او تأثیری ماندگار گذاشت و باعث شد که امروزه دیگر به آسانی حاضر نباشد قدرتی را که با تلاش و دشواری به کف آورده به دیگران وابگذارد. از زمان برانداختن مصدق تا امروز، تنها علی امینی کوشید اختیارات قانونی نخست‌وزیر را احیا کند و در دست گیرد.

پس از نخست‌وزیری سرلشکر زاهدی (**۵۵ - ۱۹۵۳**) شاه تنها کسانی را به صدارت برگمارد که به شخص او وفادار بودند. حسین علاء یک درباری وفادار بود؛ اقبال مدیری پرکار، شریف امامی مهندسی کارمند مسلک و علم دوست نزدیک و قدیمی شاه بود. منصور هم تکنوکراتی بلندپرواز بود و پس از مرگ منصور نیز هویدا سرکار آمد که کاردان اما بی‌جذبه بود. این افراد دو نکته‌ی مشترک داشتند: همه مطیع منویات ملوکانه بودند و هیچ کدام در میان توده‌ی مردم پایگاه مستقل نداشت. در آینده نیز قاعدتاً شاه کسی را که در میان مردم طرفداران زیادی داشته باشد به پست نخست‌وزیری

برنخواهد گمارد.

مجلسین، مانند نخست‌وزیر و کـابینه‌اش، هـمه بـخشی از ظـاهر حکومت مشروطه‌ای هستند که شاه از سر ناچاری، و به خصوص برای تحکیم موقعیت جهانی‌اش به عنوان یک پادشاه مشروطه، به حفظ آنها وادار شده است. در انتخابات سال ۱۹۶۳ شـاه شـخصاً نـمایندگان مجلس شورا و سنا را برگزید. ۳۱

بدین سان می‌بینیم که وقتی هویدا پذیرفت کار نـخست‌وزیر را از شـاه «بیاموزد»، در واقع به ایفای نقشی توافق کرد که شاه از مدت‌ها پیش بـرای نخست‌وزیران درنظر گرفته بود. این نخست‌وزیران هر یک جـاده را بـرای تحکیم قدرت خودکامه‌ی شاه هموار کردند. در عین حال، می‌توان گفت که پذیرفتن این شرایط از سویی ضامن بقای هویدا در مقام نخست‌وزیر بود، اما از سوی دیگر کمک کرد که مقام نخست‌وزیر هم بیش از پیش به پوسته‌ای میان تهی از آن‌چه قانون اساسی تعیین کرده بود بدل گردد. در یک کلام، هویدا معامله‌ای فاوستی کرده بود. مـیان مـیراث سـیاسی و مـوفقیت شـخصی‌اش رابطه‌ای معکوس برقرار شد. مقیاس دوّمی دوام او در مقامش بود و سنجه‌ی اوّلی، کامیابی او در حراست از استقلال و حرمت مقام نخست وزیر. الـبته گزارش محرمانه‌ی وزارت امور خارجه‌ی آمریکا به خوبی نشان می‌داد که در زمان آغاز صدارت هویدا، دیگر در واقع استقلال و حرمت چندانی برای این مقام باقی نمانده بود. هویدا نه تنها این سیر قهقرایی را متوقف نکرد، بـلکه وقتی پذیرفت که شاه کار نخست‌وزیری را به او «بیاموزد»، در حقیقت بـه تضعیف حتی بیشتر این مقام مدد رساند. آیا هویدا حق داشت بعدها ادعا کند که مسئولیت دخالت‌های خلاف قانون شاه در سیاست با او نبود؟ آیـا ایـن واقعیت که این دخالت‌ها پیش از آغاز صدارت او رواج پیدا کرده بود شاهدی بر بی‌گناهی هویدا محسوب می‌شد؟ آیا کسانی کـه آفـریننده‌ی یک نـظام غیرقانونی و معیوب نیستند، اما به تداومش مدد می‌رسانند، هـیچ مسئولیت

قانونی در قبال عملکرد این نظام ندارند؟ آیا می‌توان تصور کرد که مرشد و مراد هویدا، انتظام، این ادعای بعدی هویدا را بپذیرد که او خود مسئولیت چندانی نداشت و گناهکار اصلی رژیم و یا سیستم بود؟ واقعیت این است که انتظام بازنشستگی اجباری را بر تمکین سودای قدرت‌طلبی سیری‌ناپذیر شاه رجحان نهاد. در مقابل، هویدا از همان دیدار نخست با شاه، خادم این سودا شد.

پس از پایان شرف‌یابی، هویدا به بیمارستان پارس بازگشت. با طمأنینه از پلکان بیمارستان بالا رفت. بار دیگر با تیم پزشکی منصور ملاقات کرد. تنی چند از دوستانش هم به این جمع پیوستند. هویدا که رفت و برگشتش یک ساعت هم طول نکشید به جمع حاضر رو کرد و گفت: «به فرمان اعلحضرت، مسئولیت تشکیل کابینه جدید به من محول شده.» می‌گفت: «با دلی چرکین این وظیفه را پذیرفتم. سودای این کار را در سر نداشتم. به‌علاوه، این واقعیت که این تکلیف در نتیجه‌ی مرگ دوستم به عهده من گذاشته شد بر دشواری کارم می‌افزاید.»۳۲ می‌گفت باید خاطره‌ی دوستش را ارج بگذارد. تأکید داشت که فرمان شاه را هم باید اطاعت کرد. از زحمات تیم پزشکی منصور تشکر کرد. البته حتی پیش از مرگ منصور هم زمزمه‌هایی زهرآلود درباره‌ی کار تیم پزشکی بر سر زبان‌ها افتاده بود. همین زمزمه‌ها به تدریج به شایعه‌ی توطئه‌ای سخت جنجالی و ماندگار بدل شد.

اندکی پس از آن‌که منصور را به بیمارستان آوردند، وخامت حالش را دریافتند و قرار شد چند پزشک خارجی هم به تیم پزشکان معالج بپیوندند. از صد سال پیش، یعنی از زمانی که یکی از پادشاهان ایرانی یک خارجی را به عنوان پزشک ویژه‌ی خود برگزید، رفتن به اروپا برای معالجه، یا آوردن پزشک خارجی برای مشاوره، به یکی از نشانه‌های قدرت و از افاده‌های طبقاتی بدل شده بود. حال وخیم منصور هم بی‌گمان از حالات اضطراری‌ای بود که در آن استفاده از پزشک خارجی ضروری به‌نظر می‌رسید.

اما ملاحظات سیاسی و فرهنگی کار انتخاب پزشکان حاذق خارجی را دشوار می‌کرد. در سالهای بعد از جنگ جهانی دوّم، میان ایرانیانی که در اروپا تحصیل کرده بودند و فارغ‌التحصیلان دانشگاه‌های آمریکا، رقابت شدیدی شکل گرفته بود. هیچ کدام ارج و احترام چندانی برای طرف دیگر قایل نبود. تیم پزشکی منصور هم به عرصه‌ی رقابت این دو گروه بدل شد. ناچار وقتی دکتر سمیعی، رئیس تیم پزشکی، دو طبیب آمریکایی از دانشکده پزشکی دانشگاه کرنل را برای مشاوره به ایران دعوت کرد، فشار سیاسی برای دعوت کردن اطبای اروپایی هم اوج گرفت و سرانجام یک طبیب انگلیسی و یک فرانسوی هم دعوت شدند.[۳۳]

علاوه بر رقابت‌هایی که میان فارغ‌التحصیلان اروپا و آمریکا در ایران جریان داشت، مسأله‌ی مهم‌ترِ روابط ایران و کشورهای غربی نیز بر چند و چون انتخاب پزشکان مشاور و معالج منصور سایه انداخت. اگر تیم پزشکی صرفاً از اطبای آمریکایی تشکیل می‌شد، آن گاه شاید جهان و غربی‌ها، به نادرستی گمان می‌بردند که این ترکیب نماد چرخش سیاست ایران به دوری از انگلستان و به سوی آمریکا است.

در هر حال، ترکیب جدید تیم پزشکی به تنش‌هایی تازه دامن زد و پس از چندی، کار به جایی رسید که اعضای تیم دیگر قادر به همکاری نبودند. طبیب فرانسوی عضو تیم، تهران را به اعتراض ترک گفت و در مقالاتی که در مجلات فرانسوی چاپ شد، ادعا کرد که منصور را در واقع دو بار ترور کردند: بار نخست به دست ضاربین در خیابان، و دوّم بار به دست طبیبانش در بیمارستان.

دعاوی پزشک فرانسوی شایعاتی را که از پیش در تهران رواج پیدا کرده بود رونقی تازه بخشید. از سویی شاه در برخی از سخنانش، به تلویح انگلستان را به همدستی در کار قتل منصور متهم کرده بود.[۳۴] از سویی دیگر، همسر منصور هم پس از مرگ شوهرش به این نتیجه رسید که قتل شوهرش نتیجه‌ی

یک توطئه بود. برای مدتی حتی بر این باور بود که خود دولت در این کار دستی داشت. وقتی به یاد می‌آوریم که فریده همسر نزدیک‌ترین دوست هویدا، و خواهر زنی بود که هویدا عشقش را به دل داشت، آن‌گاه می‌توان حدس زد که اتهاماتی که فریده وارد می‌کرد قاعدتاً چه بار گرانی بر دوش هویدا بود.

البته به رغم این واقعیت که قاتلین منصور به نقش خود در این ماجرا اقرار کردند، اما شبح توطئه کماکان ماجرای قتل منصور را تعقیب می‌کرد. نظریه‌ی توطئه همزاد خفقان سیاسی است. هرگاه مردم نتوانند برای تبیین تحولات جامعه به اخبار و اسناد و داده‌های قابل اعتماد دسترسی پیدا کنند آن‌گاه ناچار به نظریه‌ی توطئه توسل می‌جویند. حتی خود هویدا هم ظاهراً پس از چندی به صحت روایت رسمی مرگ منصور شک پیدا کرد. گمانش این بود که شاید ساواک دستی در این کار داشت. پنج سال پس از مرگ منصور، شبی در یک مهمانی، هویدا در حالی که به نظر مست می‌آمد، تصادفاً متوجه شد که نصیری، رئیس ساواک، در حال انتقاد از برخی سیاست‌های دولت است. هویدا که شَنگی‌ی ویسکی در حالِ خوش و چهره‌ی سرخش نمایان بود، به نصیری رو کرد و گفت: «تیمسار، هر وقت نوبت رفتن ما شد، بفرمائید خودمان می‌رویم. آن‌چه را با منصور کردید با ما نکنید.»[۳۵] معلوم نیست که آیا گزارش این ماجرا هرگز به گوش شاه رسید یا نه. ولی چند سال بعد، در ماجرایی دیگر، دوباره مسأله‌ی سوءظن هویدا به نقش ساواک در قتل منصور پیش آمد، و این بار ثابتی پس از گفتگویی طولانی، سرانجام، دست کم در ظاهر، هویدا را متقاعد کرد که ساواک در قتل منصور دست نداشته است.[۳۶]

البته در شب مرگ منصور، قاعدتاً توطئه‌ی ساواک مشغله‌ی ذهنی عمده‌ی هویدا نبود. قبل از هر چیز، به منشی مخصوص خود، وجیهه معرفت زنگ زد و از او خواست که اوراق و پرونده‌هایش را هر چه زودتر از دفتر وزیر دارایی به دفتر نخست‌وزیر منتقل کند. در عین حال از او خواست که وزرا را به

جلسه‌ی فوق‌العاده هیأت دولت دعوت کند. ساعت دو و نیم صبح جلسه‌ی فوق‌العاده‌ی کابینه تشکیل شد. نخستین دستور جلسه تدارک و تصویب متنی درباره‌ی مرگ منصور بود. این بیانیه در حدود ساعت سه و نیم صبح از رادیو پخش شد. در آن آمده بود که توطئه‌گران خائن، در سومین سالگرد انقلاب شاه و مردم، یکی از حامیان اصلی این انقلاب را به خاک و خون کشیده‌اند. خبر مراسم یادبود رسمی منصور در مسجد سپهسالار نیز در بخش دیگری از همین بیانیه آمده بود. جالب این است که مدرسه رفاه که هویدا در روزهای اوّل انقلاب در آن زندانی بود، و نیز مجلسی که منصور در مقابل در ورودی‌اش ترور شد، و بالاخره مسجد سپهسالاری که ختم منصور در آن برگزار شد همه در چند قدمی یکدیگر قرار گرفته بودند.

آن شب مسأله کفن و دفن منصور هم ذهن هویدا را به خود مشغول می‌داشت. کار تدارک این مراسم را به ضیاء شادمان سپرد که از نخستین اعضای کانون مترقی بود و با تشکیل کابینه‌ی منصور به سمت شهردار تهران منصوب شده بود. مهم‌تر از همه این که شادمان در میان دوستانش به "سید" شهرت داشت، فرزند یک روحانی بود و خود به اسلام ایمانی راسخ داشت. هویدا امیدوار بود که با واگذار کردن کار مراسم کفن و دفن و ترحیم منصور به سید ضیاء شادمان، ماجرا را از گزند هرگونه شبهه و لغزش مذهبی مصون بدارد. اما محاسبات هویدا یکسره غلط از آب درآمد.

اندکی پس از آن‌که پزشکان از نجات جان منصور قطع امید کردند و مرگش را به اطلاع هویدا رساندند، جسد نخست‌وزیر به پزشکی قانونی منتقل شد. ساواک نگران توطئه‌ای گسترده بود. بیم آن داشت که دیگر اعضای کابینه هم هدف سوءقصداند. حتی گمان داشت که جسد منصور نیز از گزند و حمله مصون نیست. حاصل این شد که اقدامات امنیتی شدیدی به اجرا درآمد. برای انتقال جسد، از یک آمبولانس ساده، بدون اسکورت، استفاده کردند. شادمان و یک مأمور ساواک در کنار راننده نشستند و جسد تنها و بی‌محافظ، در اطاق

عقب آمبولانس جای گرفت.

در پزشکی قانونی، جسد منصور را در کشوی میانی سردخانه‌ی سه طبقه فلزی جای دادند. در کشوی فوقانی، جسد یک پیرمرد بود. چند ماهی از مرگش می‌گذشت، اما انگار هیچ کس، در هیچ جا، در انتظارش نبود و به سوگش ننشسته بود. خویشاوند و آشنایی به سراغش نیامده بود و لاجرم جسد هم چند ماه در همان کشو باقی مانده بود. کشوی تحتانی به زنی فاحشه تعلق داشت. چند شب پیش به ضرب چاقو به قتل رسیده بود. اسناد پرونده‌های مربوط به اجساد دو کشوی دیگر در کشوی میانی انبار شده بود. پرونده‌ها را به بایگانی سپردند و جسد منصور را به جایشان گذاشتند.[۳۹]

روز پنجشنبه هشتم بهمن، مراسم ترحیم رسمی در مسجد سپهسالار برگزار شد. جسد را سپس برای تدفین به حیاط آرامگاه رضاشاه منتقل کردند. برای دفن منصور در آن مکان، به اجازه‌ی ویژه‌ی شاه نیاز بود که دریافت شد. چند روز پس از این مراسم، شایعه‌ای در تهران رواج پیدا کرد. می‌گفتند وقتی جسد منصور به خاک سپرده می‌شد، هویدا یک جلد قرآن جیبی را در لابلای کفن جای داد. می‌گفتند همه می‌دانند که قرآن را هرگز نباید در قبر گذاشت چون خاک ملوثش می‌کند و لاجرم اقدام هویدا در حکم کفر بود. می‌گفتند هویدا می‌خواست از این راه به دین‌داری تظاهر کند و به این وسیله وابستگی‌اش به مذهب بهائیت را پنهان دارد.

تنها یک جنبه از این شایعات پردامنه درست از آب درآمد. در تصاویر رسمی روزنامه‌های آن زمان، می‌توان آشکارا دید که درست در لحظه‌ای که می‌خواستند جسد منصور را در خاک کنند، هویدا با چشمان اشک‌آلوده، یک جلد قرآن را در لای کفن جای داد. اما این کار نه فکر خودش بود، نه الزاماً نشانی از بی‌خبری از احکام اسلام. در مراسم تدفین، سید ضیاءالدین شادمان در کنار هویدا ایستاده بود. او خود می‌گفت: «جسد را که در درون قبر گذاشتند، قرآن کوچکی را که همراه داشتم از جیبم بیرون آوردم. دادمش به

هویدا و به او گفتم بد نیست آن را لای کفن بگذارید.» به‌علاوه، شادمان با شور و قاطعیت تمام می‌گفت: «در اسلام هیچ قانونی علیه این کار نیست.» و در اثبات مدعی خود می‌افزود که: «بسیاری از کفن‌ها را به آیاتی از قرآن مزین می‌کنند.»۴۰

به هر حال، به محض این که هویدا به مقام نخست‌وزیری انتصاب شـد، محافل سیاسی تهران هم متفق‌القول شدند که دولت او مستعجل خواهد بود. می‌گفتند او سیاستمداری تازه‌کار است؛ پایگاهی هم در مردم ندارد. می‌گفتند انتصابش در واقع ادای دین و احترامی به منصور بود. بحران کنونی که به سر رسید، صدارت هویدا هم پایان خواهد گرفت.

علی امینی هم دوباره خود را کاندید نخست وزیری می‌دانست و در پی ایجاد «جبهه‌ی واحد»ی از احزاب سیاسی بود.۴۱ شاه امید صدارت امینی را به سرعت نقش بر آب کرد. در چهارم فروردین سال بعد، به دوران امینی اشاره کرد و گفت: «سه سال پیش، ضربات بی‌سابقه‌ای بر پیکر اقتصاد ایران وارد آمد.» در آن چند ماه اوّل، مجله‌ی **خواندنیها** از بی قدرتی هویدا می‌نوشت و به طنز می‌گفت که هویدا به زودی باید چون مرشد خود، راه و رسم زندگی درویشی را پیشه کند.۴۳ به این واقعیت اشاره مـی‌کرد کـه او حـتی از حـق استخدام مستخدم منزل خویش نیز محروم است.۴۴ در یک کلام، در مـیان صاحب‌نظران سیاسی اتفاق نظر بود که کابینه هویدا محللی بیش نیست. ایـن واژه را مردم طبعاً از سر طنز به کـار مـی‌بستند. در آن طـبعاً نـاپایداری و زودگذری مستتر بود. اما در عمل، تاریخ بیشتر به ریش کسانی خندید که آن روزها، با القابی از این دست، هویدا را ریشخند می‌کردند. او ماندگارترین نخست‌وزیر دوران مشروطیت ایران از آب درآمد و بیش از هر کس دیگر در این مقام دوام آورد.

البته انگار آن روزها ستاره‌ی بخت هویدا، به هر شکلی که بود، با مسأله‌ی ازدواج عجین بود. از سویی در زندگی سیاسی، دولتش را محلل می‌دانستند، و

از سویی دیگر، در زندگی خصوصی نیز ناگهان ازدواج در افق پدیدار شد. در اواسط تیر ماه ۱۳۴۵، لیلا بعد از سفری طولانی به اروپا، به ایران بازگشت. چند ماه پیش همراه خواهر غم‌دیده‌اش فریده به اروپا رفته بود. با مرگ شوهر، فریده سخت افسرده و غم‌زده بود. واهمه‌های بیمارگونه داشت. با همه به شکلی سخت تلخ و گزنده و تحمل‌ناپذیر رفتار می‌کرد. در ظاهر نقش بیوه‌ای صبور را بازی می‌کرد. در این کار به ژاکلین کندی تأسی می‌برد که آن روزها ـ پیش از ازدواجش با اوناسیس ـ سرمشق همه‌ی بیوه‌های سیاسی بود. اما در واقع با مرگ منصور، فریده ناشکیبا و تلخکام شده بود. دایم به این و آن تشر می‌زد. هزار و یک نظریه‌ی توطئه گونه گون در سر داشت. به گفته‌ی لیلا: «هر چه فریده می‌خواست، امیر می‌کرد. همه‌ی اهانت‌های او را صبورانه تاب می‌آورد و چیزی در جواب نمی‌گفت. به همت امیر بود که لایحه‌ای بالاخره به تصویب مجلس رسید که براساس آن فریده تا پایان عمرش، تمام حقوق و مزایای یک نخست‌وزیر را دریافت می‌کرد.»[۴۵]

مرگ منصور حال روحی فریده را منقلب کرد. چند وقتی به سلک هواداران چه گوارا پیوست. مدتی همدم دایمی‌اش شاپور ریپورتر بود که به قول سفارت آمریکا در ایران، یکی از «کارچاق‌کن‌های طراز اوّل تهران» بود. ریپورتر نه‌تنها یکی از عمّال مهم انگلیس در ایران بود[۴۷] ـ و این کار را از پدرش به ارث برده بود که به خاطر خدماتی که در این زمینه انجام داد از ملکه لقب "سِر" گرفت ـ بلکه در دوران دبیرستان همکلاس منصور بود. همین نکته محبوبیتش نزد فریده را کفایت می‌کرد.

ولی بالمآل نه رادیکالیسم شیک چه گوارایی، نه گذشته‌ی پر رمز و راز ریپورتر غم فریده را التیام نمی‌توانست داد. کماکان بداخلاق و افسرده بود. بعد از مدتی حتی لیلا هم دیگر کژتابی‌هایش را بر نتابید و به ایران بازگشت.

در مدتی که لیلا در اروپا بود، مرتب نامه‌های عاشقانه از امیرعباس هویدا دریافت می‌کرد. لیلا می‌گفت همه‌ی نامه‌ها را سوزاندم چون: «به زبان انگلیسی

پرکرشمه و اندکی غریب و سخت رمانتیک بود.»[۴۸] دو سه روز پس از بازگشتش به تهران، لیلا روزی به دیدار هویدا رفت. بدون مقدمه گفت: «بیا عروسی کنیم.» هویدا حیرت زده شد، اما بلافاصله پیشنهاد را پذیرفت. لیلا اصرار داشت که هر چه زودتر ازدواج کنند. در عین حال تاکید داشت که، «مراسم مجللی در کار نباشد.»[۴۹] قرار شد هفته‌ی بعد در ویلای هویدا در شمال ازدواج کنند. لیلا می‌گفت: «زمین این ویلا را من به او فروخته بودم. ساختمان کوچکی مناسب یک مرد معزب در آن ساخته بود. یک اطاق بزرگ نشیمن، همراه یک بخاری دیواری (شومینه)، یک اطاق خواب کوچک، یک حمام و یک مهتابی داشت.»[۵۰]

تصمیم هویدا به نظر دست کم دو دلیل اصلی داشت. اوّل از همه عشقش به لیلا بود. دیگر آن‌که فشارهایی سیاسی هم او را به ازدواج وا می‌داشت. چند هفته پس از انتصابش به مقام نخست‌وزیری، سناتور متین دفتری، در یکی از جلسات سنا، گفته بود که نخست وزیر و دیگر اعضای کابینه باید ازدواج کنند. می‌گفت از این راه چند و چون مخارج یک خانواده‌ی ایرانی را به تجربه در خواهند یافت. به‌علاوه در روزی که هویدا به وزارت دارایی منصوب شد، در مراسم معرفی هیأت دولت، شاه هم به او گفته بود که: «باید ازدواج کنید.»[۵۱]

درست یک هفته بعد از دیدار لیلا با هویدا، آن دو در مراسم ساده‌ای در ۲۹ تیرماه ۱۳۴۵ ازدواج کردند. شاه و ملکه، پدر و مادر لیلا، مادر هویدا، دوست هویدا دکتر منوچهر شاهقلی و همسرش تنها مهمانان حاضر در مراسم بودند. فریدون هویدا در آن زمان در اروپا بود و دوستان دیگر هویدا نیز هیچ‌کدام دعوت نشدند چون لیلا مراسمی سخت ساده خواسته بود. خطبه‌ی عقد را یک آخوند محلی خواند. در گذشته سر و کارش با روستائیان بود. حضور شاه و ملکه چنان دستپاچه‌اش کرده بود که صدایش هنگام قرائت خطبه‌ی عقد می‌لرزید.

می‌دانیم که در ایران سنت اقتضا می‌کرد (و می‌کند) که در مراسم

عقدکنان، عاقد سه بار از زن بپرسد که آیا حاضر است مرد را به شوهری بپذیرد. طبق این سنت زن باید بار اوّل و دوّم سکوت اختیار کند، مبادا که ظن شهوت و تعجیل بر او روا دارند. در مراسم ازدواج هویدا و لیلا به محض آن‌که آخوند سئوال معمول را طرح کرد عروس همان بار اوّل لبیک گفت و مراسم خواندن خطبه‌ی عقد را زود به پایان رساند.[۵۲]

حال و هوای لیلا را می‌توان در یکی از تصاویر آن شب سراغ کرد. کنار هویدا نشسته بود و او دستش را به دور بازوان لیلا گذاشته بود؛ اما لیلا انگار به حرکتی ظریف، می‌خواست خود را از آغوش هویدا بیرون بکشد. لباس بی‌آستین زیبایی به تن و کفش‌های پاشنه بلند به پا داشت. سیگاری در یک دست و جام شرابی در دست دیگرش بود.

گرچه قرار بود مراسم خصوصی و ساده و بی‌تکلف برگزار شود، اما روز بعد روزنامه‌ها و مجلات تهران مقالاتی، همراه با عکس و تفصیلاتی در باب عروسی منتشر کردند. جملگی سادگی و بی‌تکلفی مراسم را می‌ستودند. اما منتقدان هویدا ازدواجش را به انگیزه‌های پلید و مصلحت‌گرایانه تأویل می‌کردند. یکی می‌گفت هویدا با این ازدواج به خانواده‌ای پیوست که تاکنون پنج نخست‌وزیر از آن برخاسته‌اند. به دیگر کلام، سودایش جاه‌طلبی اجتماعی بود و لاغیر. برخی دیگر مدعی بودند که هدف اصلی ازدواج دفع شایعه‌ی هم‌جنس‌بازی هویدا بود.[۵۴]

اما این زمزمه‌های گاه زهرآلود ظاهراً جوهر واقعی ازدواج را درک نمی‌کرد. انگیزه‌ی هویدا برای ازدواج بیش از هر چیز عشق و برای لیلا شکرگذاری بود. لیلا امروزه به لحنی که ته‌رنگی از افسوس در آن سراغ می‌توان کرد، می‌گفت: «همه‌ی ما در خانواده واقعاً از رفتار امیر با فریده توشه Touché بودیم.»[۵۵] اما با گذشت زمان، مناسبات او با شوهرش به اَشکالی گاه غیر متعارف دگرگون شد. البته در کوتاه مدت، تنها ماه عسلشان اقامت چند روزه در همان ویلای شمال بود.[۵۶] واقعیت این بود که هویدا به کارش به

اندازه‌ی همسرش دلبسته و وابسته بود. و در عرصه‌ی کار، یکی از نخستین اقداماتش، ارسال تلگرافی به دوستش ادوارد سابلیه بود. تلگراف تـنها یک کلمه داشت: "VIENS!"[۵۷]

فصل دهم

یادداشت‌های زمان جنگ

"روباه بسیار چیزها می‌داند، اما خارپشت یک چیز
بزرگ می‌داند."

آرشیلاخوس

در روز جمعه دهم ماه مه سال ۱۹۴۰، هواپیماهای آلمان نازی بمباران شهر
بروکسل را آغاز کردند. امیر عباس هویدا از اطاقش، در خانه‌ای در خیابان
لوئیز، بیرون دوید. پیاده‌روها پر از مردمی مضطرب بود. همه به آسمان خیره
بودند. ضرباهنگ زندگی شهر در چشم به هم‌زدنی دگرگون شده بـود. شب
قبل، امیر عباس همراه یکی از دوستانش به تماشای فیلم نینوچکا، اثر ارنست
لوبیچ رفته بود. شام را آن شب در رستوران "ساعت آبی" خوردند. هـویدا
بیفتک و سیب‌زمینی سفارش داد. بعد از شام به یکی از سالن‌های رقص شهر
رفتند. تا نزدیکی‌های صبح همان جا ماندند. پیست رقص پر از دختران زیبای
خوش لباس بزک کرده بود. بازوان زیبا و برهنه‌شان توجه هـویدا را جـلب
می‌کرد.[۱]

این اطلاعات را همه مدیون امیر عباس هویداییم. حدود یک سال پس از
تصدی مقام نخست‌وزیری، بخش‌هایی از یـادداشت‌هـای روزانـه‌ی دوران
جوانی‌اش را به چاپ سپرد. یادداشت‌ها در اصل به فرانسه بود و بـه کـمک
دوست یا کارمندی که هویتش را نمی‌شناسیم به فارسی ترجمه شد.[۲] حاصلِ
کار نثری نسبتاً پخته و پیچیده بود.

ترجمه اصولاً کار آسانی نیست. برگرداندن لحن و سبک و شگردهای روایی یک متن از زبانی به زبانی دیگر امری است به غایت ظریف و دشوار. در مورد ترجمه‌ی آثار هویدا این دشواری قاعدتاً دوچندان بود. این دشواری ریشه در هزار توی زبانی و فرهنگی و عاطفی زندگی کودکی و جوانی‌اش داشت. اصل این یادداشت‌ها گویا از میان رفته‌اند. در شامگاه دادگاه دوّم هویدا، خویشان و دوستان نزدیکش نگران حمله‌ی توده‌هایی برآشفته بودند. ولاجرم یادداشت‌ها و اوراق شخصی او را به شعله‌های آتش سپردند.[۳] به‌علاوه، این واقعیت که هویدا خود از میان کلیت یادداشتهایش، بخش‌هایی را برای ترجمه برگزید، و بخش‌های دیگر را به عمد و انتخاب واگذاشت، و بالاخره دخل و تصرف‌های اجتناب‌ناپذیری که در جریان برگرداندن روایتی از یک زبان به زبان دیگر به متنی راه می‌یابد، همه دست به دست هم می‌داد و به خاطرات چاپ شده‌ی او هویتی به راستی "داستانی" می‌بخشید. انگار هویدا خود از این واقعیت نیک آگاه بود. در بخشی از همین یادداشت‌ها نوشته بود که روزی روایت کاملی از آنها را به چاپ خواهد سپرد و آن را، به استقبال شاهکار مارسل پروست، **در جستجوی زمان گذشته** خواهد نامید.[۴]

در دشواری کار زندگی نامه‌نویسی همین بس که من امروز، سی سال پس از چاپ گزیده‌های یادداشت‌های او، بر آنم که با کنکاش در چند و چون آنها، و نیز با استناد به اسناد فارسی، فرانسه و انگلیسی، که هر یک از منظر دوست یا دولت‌مردی نوشته شده و بالاخره با تکیه به خاطرات اغلب خطاکار دوستان و دشمنان او، گرته‌ای از شخصیتش بیافرینم.

نفْس پیچیده‌ی این کار، وسوسه‌هایی که در جهت قلب و یا غلو این یا آن جنبه از شخصیت او به میان می‌تواند آید، و بالاخره هویت چند فرهنگی هویدا کار تأویل و تعبیر خاطرات او را دوچندان دشوار می‌کند. قبل از هر چیز باید متذکر این واقعیت شد که چاپ این گونه خاطرات در ایران امری بدیع و نوعی بدعت بود. از سویی می‌دانیم که در سنت ادب فارسی، حدیث

نفس و زندگی نامه‌نویسی نقّاد هیچ کدام رونق چندانی نداشتند.[۵] ظاهراً اندک بودند سیاستمداران هم عصر هویدا که دفتر یادداشت روزانه می‌نوشتند. در عین حال، هیچ کدامشان در دوران تصدی مقامشان این گونه یادداشتها را چاپ نکردند. حتی در غرب هم، که این گونه یادداشت نویسی را می‌توان در میان سیاستمداران رسمی رایج‌تر دانست، انگشت شمارند مواردی که این یادداشت‌ها در زمانی به چاپ رسیده باشند که نویسنده‌ی آنها کماکان مصدر کار بوده است.

به‌علاوه، زبان فارسی زبان تعارف است، زبان تفاوت‌های گاه بارز میان ظاهر و باطن؛ زبانی است که اصل تقیه‌ی تشیع را ـ که از قضا بی‌شباهت به "دروغ مصلحت‌آمیز[۶]* مسیحیان یسوعی نیست ـ ملکه‌ی ذهن ناخودآگاه خود کرده است. مهم‌تر از همه این که فارسی در شکل مکتوبش، معمولاً استقلال و فضایی جداگانه برای "من" قایل نیست. در هر عبارت، "من" اغلب به شکل حرفی اضافی به فعل می‌چسبد و محل اعتنای چندانی نیست. نداشتن جایگاهی مستقل در عبارت، خود تمثیلی است از این واقعیت که فردگرایی در فرهنگ ایران محلی از اِعراب نداشته است. پنهان ماندن "من" در پس فعل را در عین حال می‌توان مصداق دیگری از واقعیتِ ضعفِ سنت زندگی‌نامه نویسی نقاد در ایران دانست. زندگی‌نامه نویسی، به‌سان یک نوع ادبی، بر شالوده‌ی اهمیت "من" استوار است. زندگی‌نامه نویس همواره در پس تارهای در هم تنیده‌ی شرایط اجتماعی و تاریخی، در پی یافتن رد پای همین "من"، چون فعال مایشاءِ روایت، است. اما انگار در ایران نه تنها "من" اغلب مکتوم می‌ماند، بلکه نفس فعل از هویت فاعل مهم‌تر است. به دیگر سخن، هویدا خاطراتش را در جامعه‌ای به چاپ سپرد که معماری‌اش معتاد دیوار است و فضاهای بسته؛ جامعه‌ای که ظاهر را از باطن جدا می‌کند و "اندرون" را همواره از گزند نگاه مزاحم "بیرونی" مصون می‌دارد؛ جامعه‌ای که از فرد انتظار دارد که در مورد

---

* Equivocation

زندگی خصوصی خود سکوت اختیار کند. اما هویدا در مورد ضعف و لغزش‌های دوران جوانی‌اش می‌نوشت و همین صداقت و بی‌پروایی، خود نوعی سنت شکنی بود. سیاستمداران هم نسل او زندگی خصوصی خویش را اغلب در پس پرده‌ای پنهان می‌کردند. حتی چنین سکوتی را از اسباب و ارکان قدرت می‌دانستند. هویدا سودای تغییر این ارزش‌ها را داشت. در یک کلام، برخوردش به مسأله‌ی تدوین و چاپ یادداشت‌های روزانه‌اش بیشتر غربی بود تا ایرانی.

نخستین پرسشی که در مورد خاطرات هویدا جلب توجه می‌کند این است که چرا، از میان آن همه یادداشتهایی که در جوانی نوشته بود، بخش مربوط به بروکسل را نخست به چاپ سپرد.* در آن زمان جامعه‌ی ایران هویدا را چندان نمی‌شناخت. خاطراتش در حکم نوعی معرفی‌نامه‌ی او بود. گرته‌ای از شخصیتش بود و چهره‌اش را، آن چنان که خود می‌خواست، به مردم ایران نشان می‌داد. اما کلام مکتوب هرگز بنده‌ی یکسره مطیع نویسنده‌اش نیست. در آنها اغلب نکاتی سوای آن‌چه مراد و منظور راوی بود سراغ می‌توان کرد.

اگر به "یادداشت‌های زمان جنگ" نیک بنگریم، به گمانم، به این نتیجه خواهیم رسید که در آن هویدا، به زیرکی تمام، هم خلاصه‌ای از اندیشه‌های سیاسی خود را صورت‌بندی کرده بود و هم حدیث نفسی از یک دوره‌ی مهم زندگی‌اش را آورده است. در قیاس با بخش‌هایی که بعداً به چاپ سپرد، این یکی از همه طولانی‌تر بود. زبانش گاه سادگی فریبنده‌ای داشت و زمانی هم یکسره تمثیلی و پر رمز و راز جلوه می‌کرد. هرگاه در ظرایف آن غور کنیم، در می‌یابیم که ارکان اندیشه‌اش در آن یافتنی‌اند. در عین حال، می‌فهمیم که

---

* قبل از انتصابش به نخست وزیری، هویدا پاره‌هایی از یادداشتهای خود را به چاپ رساند. در هر کدام شمایی از شخصیت‌های معروف زمان، به‌خصوص کسانی که او در ژنو ملاقاتشان کرده بود، به دست می‌داد. "یادداشتهای زمان جنگ" نخستین مجموعهٔ مفصل یادداشتهایی است که محور آنها زندگی خود هویدا بود.

چرا هویدا میل به قدرت داشت و چرا می‌خواست در ایران مصدر کاری باشد.

شخصیتی که هویدا در "یادداشتهای زمان جنگ" برای خود آفریده در اساس شخصیتی است ادبی. در عین حال، رگه‌هایی از سیاست هم در آن می‌توان یافت. به‌علاوه، هزار و یک نکته‌ی فلسفی، تاریخی، و اشارات ادبی گونه‌گونی به این یادداشتها راه یافته است. اگر تقسیم‌بندی درخشان آیزابرلین را در مورد انواع شخصیت‌های سیاسی و فکری بپذیریم، یعنی قبول کنیم که متفکرین بر دو نوع و برخی خارپشت‌اند و همه‌ی مسائل را به یک اصل واحد تأویل می‌کنند و در هدف و وسیله هر دو به نوعی اندیشه‌ی تک‌بُنی دچاراند و بعضی روباه‌اند و آمال گونه‌گونی را دنبال می‌کنند و هرگز هم نمی‌کوشند همه‌ی مسائل را به اصلی واحد تأویل کنند[۷]، آن‌گاه به گمان من به این نتیجه می‌رسیم که شاید هویدا روباهی بود که از قضا در جامعه‌ای می‌زیست که غایت مطلوبش خارپشتان‌اند. هویدای "یادداشتهای زمان جنگ" شخصیتی در آن واحد پر جنب و جوش و عزلت‌گزین است. زندگی روزمره را وقع چندانی نمی‌گذارد، اما نسبت به معنا و تبیین فلسفی هستی و جهان کنجکاو است. خوش‌بینی‌اش در مورد فرد فرد انسان‌ها و آینده‌ی نزدیک کرانی نمی‌شناسد و در عین حال، در باب بشر، به‌سان یک کلّیت، و آینده‌ی بشریت، سخت بدبین است. زندگی روزمره‌اش در روزگار جنگ فارغ از معضلات مألوف تلاش معاش بود و نسب به زندگی کسانی می‌برد که والتر بنیامین از آنان به عنوان «فلانور»* یاد می‌کرد: کارآگاهی شهرنشین؛ مسافری ریزبین و نکته‌سنج که «همه جا به شکلی ناشناخته» حرکت می‌کند. مرز و محدوده‌ای نمی‌شناسد. همه‌ی جهان عرصه‌ی جولان اوست.[۸] هویدا چه آن‌گاه که از پاریس و بیروت و لندن می‌نویسد، چه زمانی که خاطراتش را از تهران و بروکسل بازگو می‌کند، شور و شوقش، و نیز تعلق خاطرش، یکی است.

در واقع فلانور بی‌شباهت به همان روشنفکران مشایی ما نیست و از

---

* Flaneur

فحوای کلام "یادداشت‌های زمان جنگ" به خوبی بر می‌آید که هویدا خود را بیش از هر چیز یک روشنفکر می‌دانست. در هر صفحه از نوشته‌اش، می‌توان اشارتی به یکی از روشنفکران غربی پیدا کرد. از آلبر کامو و آندره ژید گرفته تا کارل مارکس و آلفرد دو وینی، طیف غریبی از فلاسفه و نویسندگان در یادداشتهای او حضور و نفوذ دارند. شاید همین هویت روشنفکری را باید در عین حال یکی از علل علاقه‌ی شاه به هویدا دانست. شاه تشنه‌ی تأیید روشنفکران بود. اغلب حتی حاضر بود برای جلب نظر موافق آنان هربهایی را بپردازد. بارها به روزنامه‌نگاران پز داده بود که «نخست‌وزیر ما» در سلک کتاب‌خوان‌ها است. البته هویدا هم بی‌میل نبود که از جنم روشنفکری خود، و نیز از روابط نسبتاً گسترده‌ای که با جامعه‌ی روشنفکران ایران ایجاد کرده بود، استفاده‌ی سیاسی ببرد. می‌خواست شکاف عظیمی را که میان رژیم و روشنفکران ایران پدیدار شده بود پر کند.

مهم‌ترین تلاشش در این زمینه، دیدارش با گروهی از نویسندگان ایران در اواخر سال ۱۳۴۴ بود. احمد شاملو، رضا براهنی، غلامحسین ساعدی، یدالله رویایی، درویش شریعت، سیروس طاهباز و جلال آل احمد در این جلسه شرکت داشتند.[۹] در مورد چند و چون تشکیل این جلسه تا کنون دست کم به سه روایت گونه گون برخورده‌ام. این روایات متضاد خوشبختانه در چند نکته‌ی مهم بیش و کم وحدت نظر دارند. همه می‌گویند این هفت نویسنده و شاعر نزدیک به یک ساعت و نیم با نخست‌وزیر گفتگو کردند. می‌گویند هویدا مضطرب به نظر می‌آمد. چندین بار به این واقعیت اشاره کرد که سیاست‌های مورد بحث را باید با «تیمسار» هم هماهنگ کرد. شکی نبود که مرادش همان نصیری، رئیس ساواک بود. از طرف نویسندگان آل احمد فعّال مایشاء بود.*

---

* یکی از این سه روایت به غلامحسین ساعدی تعلق دارد. در مصاحبه‌ای برای تاریخ شفاهی ایران، در دانشگاه هاروارد، می‌گوید روزی شخصی به نام داود رمزی با او تماس گرفت و گفت اگر نگران سانسور در ایران است، می‌تواند با هویدا، نخست‌وزیر مملکت، در این مورد گفتگو کند.

گاه به زبانی تند و گزنده به رژیم حمله می‌کرد. در میان نویسندگان ایران آن زمان کمتر کسی بود که به اندازه‌ی آل‌احمد سودای شهرت و نام در سر داشته باشد. به خصم شجاع و بی‌باک و سرکش استبداد شهره بود و نمی‌خواست چیزی دامن این شهرت را لکه‌دار کند. از سانسور شکایت کرد. هویدا مدعی شد که او نیز مخالف سانسور است. از قضا، درست چند ماه پس از انتصابش به نخست‌وزیری، در جلسه‌ی مجلس شورای ملی گفته بود که: «من مخالف سانسور مطبوعاتم... حاضرم جانم را بدهم تا دیگران آزادانه صحبت کنند. باید بگذاریم هر کس آزادانه حرفش را بزند.»[۱۰] با این همه، در پاسخ به اعتراض آل‌احمد، هویدا مدعی شد که از وجود سانسور در ایران بی‌خبر است.[۱۱] ادعایش یکسره بی‌اساس بود. واقعیت این بود که مجله‌ای که او خود در شرکت نفت سردبیری‌اش را به عهده داشت، چندی به محاق تعطیل افتاد و سانسور شد. به گفته‌ی محمد صفا، رئیس دفتر هویدا در دوران صدارت و از همکاران مجله **کاوش** در شرکت نفت، دستور تعطیلی مجله را خود شاه صادر کرده بود. می‌گفت در زیرنویس یکی از مقالات مجله، به مصدق اشاره شده بود و شاه هم هیچ‌گونه مماشات، یا حتی اشاره‌ی غیرمستقیم به مصدق را بر نمی‌تابید.[۱۲] به هر حال، آل‌احمد و دوستانش آن روز با تدارک کافی به جلسه آمده بودند. مصادیق مشخصی از سانسور را برشمردند و هویدا نیز کریم پاشابهادری را، که در آن زمان از جمله منشیان دفتر هویدا بود، به اطاق

ساعدی با تنی چند از دوستانش، از جمله آل‌احمد، مشورت کرد. قرار شد هیأتی به نمایندگی از نویسندگان با هویدا دیدار کند. رضا براهنی روایتی متفاوت از این دیدار عرضه کرده، او در مقدمه‌ی کتابش، **ظل‌الله**، می‌نویسد که طالب و بانی اصلی ملاقات با هویدا خود نویسندگان بودند. غرضشان از دیدار اعتراض به شرایط سانسور بود. او در گفتگویی جداگانه، در عین حال، مشروح مذاکرات آن نشست را با من در میان گذاشت. روایت سوّم از آنِ احسان نراقی است. به ادعای او، هر دو روایت پیشین «مزخرف»اند. نراقی می‌گفت: «آقا، اینها همه دروغ می‌گویند.» به گفته‌ی او، جلال آل‌احمد در این کار پیشقدم شد. واسطه‌ی مذاکره خود نراقی بود و وقتی هم دیدار با هویدا صورت گرفت، سوای آل‌احمد تنها یک نفر دیگر در اطاق حضور داشت و آن یک نفر هم نراقی بود.

فراخواند و از او خواست که در بارهی مـوارد مـورد اشـارهی نـویسندگان تحقیقاتی به عمل آورد و گزارشی از آن تدارک کند.

در خلال این گفتگوها، هویدا پیشنهاد کرد که هیأتی برگزیده از سوی خود نویسندگان، کار نظارت بر چاپ همهی کتب و نشریات در ایران را بهعهده گیرد. پیشنهادش طبعاً مورد پذیرش واقع نشـد. آل‌احمد در جـواب، بـه نمایندگی از بقیه، گفت: «ما برای اعتراض به سانسور به این‌جا آمده‌ایم، حال شما می‌خواهید از ما مشتی سانسورچی درست کنید.»[۱۳] آنگاه آل‌احمد بـه جنگ دیرینه و آشتی‌ناپذیر «قدرت و قلم» اشاره کرد، و می‌خواست در این زمینه به تفصیل بیشتری سخنرانی کند که هویدا ناگهان صحبتش را قطع کرد و گفت: «آقای آل‌احمد، این حرف‌ها را به ما نزنید. آن چیزهایی راکه شـما خوانده‌اید ما هم خوانده‌ایم.»[۱۴]

لحن تند و آشـتی‌ناپذیر آن جلسه را مـی‌توان مـصداق و نـمونه‌ای از صف‌بندی سیاسی غریبی دانست که بالاخره هم به پیروزی انقلاب اسلامی انجامید. تجددخواهان ایران صفی متحد نداشتند. نیروهایی مـتفاوت، از هویدا و شاه گرفته، تا طبقات متوسط شهرنشین و خیل وسیعی از روشنفکران همه در یک اصل کلی تاریخی وحدت نظر داشتند: همه خواهان تجدد در ایران بودند. اما روایات گوناگونی از تـجدد را مـی‌پسندیدند و گـاه ایـن گونه گونی به اختلافات سیاسی شدیدی می‌انجامید. ناچار تجددخواهان به جای وحدت اغلب با یکدیگر در حالت جنگ و گریز و جدال سیاسی بودند. سوای روایات متفاوت از تجدد، عامل دیگری نیز به تشتت و چند پـارگی نیروهای تجددخواه کمک می‌کرد. باد تلخ تجربه‌ی کودتای ۲۸ مرداد آتش این اختلافات نظری را دامن می‌زد. شاه مستبدانه حکـومت مـی‌کرد. یـقین داشت که تنها با تکیه به اقتدار شخصی می‌توان جامعه‌ی ایران را بـه سـوی تجدد سوق داد. به‌علاوه تجدد و نوسازی اقتصادی را مقدم بر دیگر جنبه‌های تجدد می‌دانست. در مقابل، مخالفان تجددخواه او نیز دمکراسی سیاسی را

شرط اوّل تجدد، و وحدت سیاسی می‌دانستند و لاجرم از هرگونه همکاری و هم‌پیمانی با رژیم شاه سرباز می‌زدند. در واقع، شاه نه‌تنها تجدد را مرادف نوسازی اقتصادی می‌دانست، بلکه حاضر بود هرگونه مدرنیسم هنری را در جامعه مجاز بدارد. گاه در دوران سلطنتش، به‌خصوص در فستیوال‌های هنری دهه‌ی پنجاه، برخی از پیشگام‌ترین و جسورانه‌ترین آثار هنری زمان را در ایران به نمایش می‌گذاشتند. در عین حال، او تجدد سیاسی را، یعنی حکومت مشروطه و دمکراسی واقعی راکه در آن آزادی‌های سیاسی و حقوق فردی شهروندان تضمین شده بود بر نمی‌تابید. در مقابل، نیروهای سنتی، به رهبری آیت‌الله خمینی، نه‌تنها متحد و متشکل بودند، بلکه توانستند در مقاطع حساس و تعیین کننده، با بخش‌هایی از طبقه‌ی متوسط شهرنشین و روشنفکران ایران وحدت کنند. میزان عناد روشنفکران با رژیم پهلوی در حدی بود که بسیاری از آنان بالمآل وحدت با روحانیتی راکه خواستار ایجاد یک دولت مذهبی بود و با حق رأی زنان مخالفت داشت به همکاری با رژیم شاه ترجیح داد. برای بسیاری از این روشنفکران، «مبارزه با امپریالیسم» مهم‌تر از دفاع از آزادی‌های سیاسی بود. می‌گفتند «تضاد عمده» با امپریالیسم است. البته آیت‌الله خمینی نیز در آن روزها بسیاری از شعارهای ضد امپریالیستی را تکرار می‌کرد و بدین‌سان این وحدت غریب روحانیت با روشنفکران عرفی مسلک و طبقه‌ی متوسط تکنوکرات را آسان‌تر می‌ساخت. به‌گمان من همین صف‌بندی‌های غریب را می‌توان یکی از کلیدهای درک رمز پیروزی انقلاب اسلامی در ایران دانست. در عین حال، چند و چون گفتگوی هویدا با روشنفکران و نویسندگان، و تنش‌هایی که در آن دیدار رخ می‌نمود، تجلی همین واقعیت تاریخی بود. حتی این واقعیت که آل‌احمد کتاب **مائده‌های زمینی** آندره ژید، یعنی کتاب محبوب دوران جوانی هویدا را به فارسی برگردانده بود، نتوانست وجه اشتراکی میان او و هویدا پدید آورد.[۱۵]

پس از حدود یک ساعت گفتگوی پرتنش، هویدا سرانجام دریافت که در

آن فضا، امکان هیچ‌گونه توافقی در کار نیست. ناگهان نحوه‌ی برخوردش را تغییر داد. از دوستی‌اش با صادق چوبک گفت و به این نکته اشاره کرد که بعد از ظهر هر چهارشنبه به دیدار چوبک می‌رود. آن‌گاه پیشنهاد کرد که: «این هفته یک بطری اسکاچ می‌خرم و شما دوستان هم می‌توانید برای ادامه‌ی بحث به منزل چوبک بیایید. شاید در آن جا بتوانیم اختلافاتمان را حل کنیم.» دوباره این آل‌احمد بود که از سوی گروه جواب داد. می‌گفت: «ما فقط ودکای ارزان قیمت و آن را هم در کافه‌های لاله‌زار می‌خوریم.»[۱۶] این عبارات آل‌احمد را می‌توان از دو جنبه حائز اهمیت دانست. از سویی، در حکم رد پیشنهاد هویدا بود. از سویی دیگر تجلّی دیگری از کیش فقرپرستی بود که در آن سالها در میان روشنفکران ایران ـ و بسیاری از دیگر نقاط جهان ـ ارج و منزلتی ویژه داشت. همه تظاهر به فقر می‌کردند و همین فقر را پیش‌شرط و نشان همبستگی با خلق می‌دانستند. فخر آل‌احمد به ودکای ارزان و کافه‌های لاله‌زار همه از همین ریشه بر می‌خاست.

جلسه بدون نتیجه‌ای مشخص به پایان رسید. اما در فاصله‌ی چند هفته، نظام سانسور جدیدی در ایران آغاز شد. از آن پس، ناشران را موظف کردند چند نسخه از هر کتاب تازه را به کتابخانه‌ی ملی عرضه کنند و شماره‌ی ویژه‌ای دریافت دارند. ظاهر امر این بود که دیگر سانسوری در کار نیست. اما واقعیت این بود که هیچ کتابی بدون شماره‌ی کتابخانه ملی قابل توزیع نبود. سانسورچیان هم کار خود را در لوای کتابخانه‌ی ملی انجام می‌دادند. برخی از نویسندگان ایرانی هویدا را مسئول نظام سانسور جدید می‌دانستند.[۱۷] به‌علاوه، در ماه‌های بعد از آن دیدار ناکام، ساواک با تهدید و ارعاب جلوی تشکیل کانون نویسندگان ایران را گرفت و برخی از فعّالان کانون را بازداشت کرد.

هویدا البته گه‌گاه روشنفکران دیگر ایرانی را نیز در منزل برادرش فریدون ملاقات می‌کرد.[۱۸] با این همه، درنظر بخش اعظم جامعه‌ی روشنفکری ایران، رژیم پهلوی، به‌خصوص پس از کودتای ۲۸ مرداد، تجسم فساد بود. هویدا را

هم یا یکسره به عنوان جزئی از این پدیده فاسد می‌نکوهیدند، یا به خـاطر تماس و نزدیکی با رژیم، به ملعنت رژیم دچارش می‌دانستند. آل‌احمد که از مرشدان سلک روشنفکری آن روزگار بود، نه‌تنها هویت روشنفکری هویدا را محل شک می‌دانست، بلکه حتی می‌گفت برادرش فریدون را هم، فی‌نفسه، نمی‌توان یک روشنفکر به شمار آورد. می‌گفت نمی‌توان در رژیم شاه مصدر کار بود و در عین حال روشنفکر باقی ماند.[۱۹] به همین خاطر، شاید اگر هویدا در آن روزها در قضاوت‌هایش پیرامون سرشت جامعه‌ی سیاسی ایران خامی به خرج نمی‌داد، اگر خوش‌بینی سیاسی‌اش واقعیات جامعه را در ذهنش مسخ نمی‌کرد، قاعدتاً در می‌یافت که ملاقات‌هایی از قبیل دیدارش با اعضای کانون نویسندگان فرجامی جز ناکامی نمی‌توانست داشت.

البته شکست این جلسه هویدا را از تلاش برای آشتی دادن رژیم شاه و روشنفکران مخالف باز نداشت. شش ماه از این جلسه نگذشته بود که او از رئیس دفترش، محمد صفا، خواست که خلیل ملکی را برای صرف نـهار و گفتگو با وی به دفتر نخست‌وزیر دعوت کند. بیست و پنج سالی می‌شد که خلیل ملکی در کانون تحولات سیاسی ایران قرار داشت. در آغاز فـعالیت حزب توده، او یکی از زبده‌ترین و با سوادترین نظریه‌پردازان حزب به‌شمار می‌رفت. دیری نپایید که هواداری‌اش از اصول سوسیال دمکراسی و مخالفتش با لنینیسم و استالین، او را رویاروی رهبری حزب تـوده قـرار داد. پس از انشعابش از حزب توده، دستگاه تبلیغاتی این تشکیلات، باکمک شوروی، از ملکی غولی بی‌شاخ و دم ساخت و چنین وانمود می‌کرد که او تجسم وازدگی است و سودای سازش با رژیم دارد. از طرف دیگر، رژیم پهلوی هم هرگز به او اعتماد کامل پیدا نکرد. یکی از ویژگی‌های شـخصیت ملکی اسـتقلال فکری‌اش بود. در هر ماجرا، واقعیات را می‌سنجید و آنچه به عقل و نظرش می‌رسید می‌گفت و پروای «مذهب منسوخ» و «مذهب مـختار» را نـداشت. مصداق این استقلال رأی او را می‌توان در تحلیلش از ماجرای ۱۵ خرداد

مشاهده کرد. در میان مخالفان رژیم شاه، او شاید تنها کسی بود که وحدت نیروهای ملی و دمکراتیک با آیت‌الله خمینی را نادرست می‌دانست و در نامه‌ای به دکتر مصدق، سران جبهه‌ی ملی را دقیقاً به خاطر همین وحدت به باد انتقاد گرفت.[۲۰]

هویدا البته یک بار دیگر نیز، در اواخر دهه‌ی سی، ملکی را ملاقات کرده بود. آن بار دیدار به همت احسان نراقی صورت گرفته بود.[۲۱] هویدا به منزل ملکی رفت و یک ساعتی با او گفتگو کرد. بار دوّم باعث و بانی دیدار خود هویدا بود. مقارن همین زمان برخی از هواداران خلیل ملکی، به‌خصوص در اروپا، دولت هویدا را به زبانی سخت تند و به لحنی یکسره آشتی‌ناپذیر مورد انتقاد قرار داده بودند. برای نمونه، یکی از این گروه‌ها که در پاریس فعّال بود، در مقاله‌ای دولت هویدا را متهم می‌کرد که نه‌تنها «اصلاحات نیم بند و ناقصی که در زمینه‌ی تقسیم و فروش اراضی به دهقانان» در ایران آغاز شده بود یکسره متوقف کرده، بلکه «به عنوان نماینده‌ی سیاسی سرمایه‌داری کمپرادور ایران، دلالی بنجل‌های خارجی را در بازار محلی به عهده گرفته.» به روایت این مقاله، دولت هویدا از سیاست «درهای باز» دفاع می‌کند و این سیاست چیزی جز طرح صندوق بین‌المللی پول نیست و فرجامی جز انقیاد اقتصادی ایران نخواهد داشت و به همین خاطر، نویسنده‌ی مقاله دولت هویدا را «ارتجاعی‌ترین» دولت خاورمیانه می‌دانست.[۲۲]

اما به رغم این حملات، به رغم این واقعیت که در آن زمان ملکی تازه از زندان آزاد شده بود، هویدا به دیدنش مصرّ و مصمم بود. در آغاز، ملکی رغبت چندانی به این دیدار نداشت. می‌گفت اگر خبر این ملاقات به بیرون درز کند اسباب زحمت هویدا خواهد شد. هویدا پاسخ داده بود که «ایران، شوروی دوران استالین نیست. نخست‌وزیر مملکت می‌تواند با هر کسی که می‌خواهد دیدار کند.»[۲۳] معلوم نیست که آیا این دیدار با تأیید قبلی، یا حتی به دستور شاه انجام گرفت یا به راستی ابتکار خود هویدا بود. در هر حال، در

روز مقرر، محمد صفا، که واسطه‌ی دیدار بود، ملکی را به دفتر نخست‌وزیر آورد. هر دو از در عقب وارد ساختمان شدند، مبادا که دیگر کارمندان دفتر هویدا هویت مهمان آن روز نخست‌وزیر را کشف کنند.

دیدار ملکی و هویدا کمی بیش از یک ساعت به طول انجامید. در تمام مدت، ملکی با جسارت و مهارت تمام سیاست‌های رژیم پهلوی و دولت هویدا را به باد انتقاد گرفت. او با چنان حرارتی سخن می‌گفت که عملاً هویدا فرصتی برای صحبت کردن پیدا نکرد. یک بار هم که کوشید در پاسخ به یکی از حملات مهمانش چیزی بگوید، ملکی با قاطعیت از صحبت بازش داشت و گفت: «مطبوعات و رسانه‌های عمومی مملکت در تمام طول روز و شب در اختیار و انحصار شما است. اگر حرفی برای گفتن دارید، از همین رسانه‌ها استفاده کنید. این چند دقیقه را به من فرصت بدهید تا نظراتم را درباره‌ی مسائل مملکت با شما در میان بگذارم.»[۲۴] لب‌لباب مسائل هم، به گمانش، فقدان دمکراسی و حکومت فردی و خودکامه شاه بود.

بعد از ملکی نوبت فروهر شد. او نیز چون شمار قابل ملاحظه‌ای از همسالانش، در سال‌های پس از جنگ به جرگه‌ی سیاست گام گذاشت. در آغاز شهرتش را بیشتر مدیون زور بازویش بود. به‌علاوه می‌گفتند اغلب در دفاع از مواضع سیاسی خود به همین زور بازو توسل می‌جوید. او بخش قابل ملاحظه‌ای از سال‌های عمر خود را در زندان‌های رژیم شاه گذرانده بود. در اواسط اردیبهشت ۱۳۴۷، هویدا از طریق همایون جابر انصاری، که تازه به سلک مشاوران هویدا پیوسته بود و در عین حال از خویشاوندان فروهر هم بود، او را برای دیداری دوستانه به دفتر نخست‌وزیر دعوت کرد. در بهمن ۱۳۵۷، وقتی هویدا تصمیم گرفت خود را تسلیم مقامات دولت نوپای انقلاب کند، فروهر و جابر انصاری هر دو نقش مهمی در چند و چون این ماجرا بازی کردند. در آن زمان فروهر از وزرای کابینه‌ی دولت موقت انقلاب بود، اما در سال ۱۳۴۷، رهبری گروه کوچکی را به عهده داشت که خود را حزب ملت

ایران می‌خواند و به ناسیونالیسم و جانبداری از اندیشه‌های ضد مارکسیستی شهرت داشت.

سفارت آمریکا در ایران در آن زمان گزارش محرمانه‌ای از این دیدار تدارک کرده بود. می‌بینیم که «هویدا به فروهر (که حرفه‌ی اصلی‌اش، وکیل دادگستری است) پست مشاور حقوقی یکی از وزارتخانه‌ها را پیشنهاد کرد. تنها شرطش این بود که فروهر از مخالفت با رژیم دست بردارد.... هـویـدا فروهر را به عنوان یک رهبر سیاسی ستود، اما در عین حال تأکید کرد کـه ادامه‌ی مبارزه با رژیم شاه کاری یکسره عبث و بی‌فایده است.»[۲۵] فـروهر متقاعد نشد.* اما تلاش هویدا در این زمینه را باید در واقع ادامه‌ی سیاستی دانست که در عصر منصور آغاز شده بود. گرچه هویدا، فی‌نفسه، از منصور محتاط‌تر بود و هرگز حلم و احتیاط را وا نمی‌گذاشت، اما به تدریج توانست دولت خود را به نوعی ائتلاف نیروهای گوناگون بدل کند. در اواخر سال ۱۳۴۳، هویدا در طرح مقدماتی یک سخنرانی، چشم‌انداز نظری تلاشش در جهت جلب و جذب نیروهای مخالف رژیم را ترسیم کرده بود.

برای اجرای برنامه‌های بازسازی شاه محتاج بـه هـمکاری جـوانـان متخصص بود.

در این موقع چنین به نظرمان رسید کـه مـوقعیت بـرای آرزوی دیرینه‌مان، یعنی بیرون کشیدن کشور از عقب‌افتادگی آمـاده است. البته کار سازندگی اقتصادی و اجتماعی کاری ساده نیست و احتیاج به همکاری هزارها نفر دارد. خیلی از جوانان تحصیل کرده نسـبت بـه شخص شاه و اطرافیانش (که اغلب سیاستمداران سالخورده و اعیان و اشراف بودند) چندان اطمینانی نداشتند و تردید می‌کردند کـه بـا او

---

* در اواخر ۱۳۷۷، فروهر، همراه همسرش پروانه اسکندرپور، به شکلی فجیع در منزلشان به قتل رسیدند. تنی چند از مأموران امنیتی جمهوری اسلامی اعتراف کردند که این جنایت به دست آنان صورت پذیرفته است.

همکاری کنند.

طبقه تحصیل کرده در مقابل یک DILEMMA * واقع گردیده بود. ادامه‌ی مخالفت و لااقل بی‌تفاوتی نسبت به شاه و طبقه‌ی حاکم یا آغاز همکاری محدود و واقع‌بینانه برای پیاده کردن برنامه‌های اصلاحی. این نسل جوان مرکب بود از: ۱) طرفداران مصدق و جبهه‌ی ملی؛ ۲) توده‌ای‌ها، که طرفدار بی‌قید و شرط شوروی بودند؛ ۳) لیبرال‌ها؛ ۴) ناسیونالیستها؛ ۵) مذهبیون ترقی خواه؛ ۶) افرادی که به هیچ گروه سیاسی و فلسفی متعلق نبودند. ۲۶

به گمان هویدا، موفقیت در کار «بازسازی» جامعه در گرو «همکاری "محدود" (یا به عبارت دیگر، "مشروط") با سلطنت بود.» مخصوصاً که شاه symbol** یگانگی کشور بود. ۲۷ امروزه به طور قطع می‌توان گفت که هویدا خود به شرط و وعده‌ی خود وفا نکرد. به‌تدریج همکاری «محدود و مشروطش» به تسلیم دربست در برابر همه‌ی خواست‌ها و اوامر شاه بدل شد. در عین حال، در این دوران کماکان می‌کوشید جریان‌های فکری و سیاسی مختلف را به درون کابینه خود جلب کند. اگر به ترکیب کابینه‌ی هویدا در اوایل دهه‌ی پنجاه بنگریم، می‌بینیم که برخی از جریانات سیاسی مملکت در دولت حضور داشتند. برای نمونه، در یکی از کابینه‌ها، هفت وزیر از توده‌ای‌های سابق بودند. در عین حال هویدا درصدد بود که فعالیت‌های حزب توده‌ی ایران را قانونی کند. می‌خواست شرایطی فراهم آورد که رهبران فراری حزب به ایران باز گردند. ۲۸ آن چنان که از گزارش یکی از مقامات مسئول سفارت شوروی در ایران بر می‌آمد، سرانجام مخالفت‌های شاه مانع تحقق یافتن این طرح شد. ۲۹

---

* در اصل به همین صورت انگلیسی آمده.

** در اصل به صورت انگلیسی آمده.

فریدون مهدوی هم در آن زمان عضو کابینه هویدا بود و هم او، در آغاز دهه‌ی چهل، از مهم‌ترین و فعّال‌ترین و جوان‌ترین سران جبهه ملی ایران به‌شمار می‌رفت. او بارها در دیدارهایش با نمایندگان سفارت آمریکا، مخالفت شدید خود را نه تنها با شاه که با منصور و هویدا اعلان کرده بود. برای نمونه، در یکی از این دیدارها، مهدوی نخست از دولت آمریکا به خاطر نقشش در ماجرای لایحه‌ی مصونیت دیپلماتیک برای مستشاران آمریکایی و اعضای خانواده‌شان به لحنی تند انتقاد کرد و آن‌گاه «به زبانی تند و پرشور از دولت منصور به طور اعم و از سیاست‌های اقتصادی آن به طور اخص انتقاد کرد... برخورد دولت منصور با ملایان را هم مورد حمله‌ی شدید قرار داد.»[۳۰] نظرات مهدوی در مورد کابینه‌ی هویدا هم چندان متفاوت نبود و لحنی به غایت گزنده داشت.

البته آن‌چه مهدوی در این جلسات می‌گفت ظاهراً نظرات شخصی خودش بود، نه مواضع رسمی جبهه ملی ایران. در یکی دیگر از این ملاقات‌های غیررسمی‌ی مقامات سفارت آمریکا با یکی از رهبران جبهه‌ی ملی، شاپور بختیار گفته بود که: «به گمانش دولت هویدا به مراتب بهتر از دولت منصور است.» می‌گفت: «گرچه این دولت هنوز کار چندانی انجام نداده، ولی هویدا [در قیاس با منصور] آدمی قابل اطمینان‌تر است و برخلاف منصور وعده‌های توخالی هم کمتر می‌دهد."[۳۱]*

البته وساوس قدرت به‌تدریج تیشه به ریشه‌ی روحیه‌ی امیدوار هویدا می‌زد. در عین حال، رغبتش به ایجاد وحدت میان روشنفکران مخالف رژیم بیش از پیش کم‌تر می‌شد. انگار هرچه بیشتر بر سریر قدرت می‌ماند، آن

---

* در جمهوری اسلامی گزارش سفارت در مورد برخی از این گفتگوها را به سان حربه‌ای سیاسی علیه مخالفان خود به کار می‌بندند. در کتاب **رابطین خوب آمریکا** نمونه‌ی بارز این گونه تلاش را مشاهده می‌توان کرد. مرادم از اشاره به این گفتگوها به هیچ‌وجه ایجاد شک و شبهه در مورد اصالت سیاسی کسانی که با سفارت دیدار می‌کردند نیست. اغلب این دیدارها به گمان من یکسره در مقوله مذاکرات مشروع سیاستمداران و مخالفان با یک سفارت خارجی است.

روحیه‌ی پرامید هم به نوعی بدبینی و تلخکامی بدل می‌شد. پس از مدتی تلاشش بیشتر در این جهت بود که با پرداخت پولی، مخالفان رژیم را به صف موافقان بکشاند و به سازش وادارشان کند. به برخی قراردادهای دولتی می‌داد. برای برخی دیگر، مزد و مواجبی تعیین می‌کرد که هر ماه، بدون کار و حضور در محل خدمت، دریافت می‌کردند. گاه هویدا از بودجه‌ی محرمانه نخست‌وزیر استفاده می‌کرد و به روشنفکران مخالفی که از لحاظ مالی تنگدست بودند کمک می‌رساند.[۳۲] برخی روحانیون هم بخش قابل ملاحظه‌ای از این کمک‌ها را دریافت می‌کردند. یکی از رابطین اصلی هویدا با روحانیون هدایت اسلامی‌نیا بود. شهرتی سوء داشت و گویا با تکیه به دوستی‌اش با هویدا ثروت هنگفتی، شاید از راه‌های غیرمشروع، به هم زد.[۳۳] در آستانه انقلاب او نقش مهمی به عنوان واسطه دولت با روحانیون، و به ویژه با آیت‌الله شریعتمداری بازی کرد.[۳۴] پس از انقلاب، از بیم جان از ایران گریخت و به آمریکا پناه جست. اما آن جا سرنوشتی شوم در انتظارش بود. یکی از فرزندان اسلامی‌نیا به دسته‌ای تعلق داشت که بعدها به «بچه میلیاردرها» شهرت گرفت. به کمک همین فرزند ناخلف، پدر را به عنف از منزلش ربودند و شماره‌ی حساب‌های بانکهای سوئیس را از او طلب کردند. می‌خواستند او را بترسانند. می‌گفتند تا شماره حساب‌ها را در اختیارشان نگذارد، رهایش نخواهند کرد. می‌خواستند به خانه‌ی امنی منتقلش کنند. به همین خاطر او را در صندوق عقب ماشینی پنهان کردند. اما قلب اسلامی‌نیا ظاهراً ضعیف بود و تاب این فشارها را نیاورد و درنتیجه سکته‌ی قلبی، در همان صندوق جان داد. فرزندش سال‌ها به جرم مشارکت در قتل پدر در زندان بود. او و خانواده‌اش همواره بر بی‌گناهی کامل‌اش تأکید می‌کردند و از قضا در ماه‌های آخر سال ۲۰۰۰، دادگاه‌های ایالتی کالیفرنیا به آزادی او حکم دادند. علت آزادی‌اش را هم البته نه بی‌گناهی او، که خطاهای قانونی دادگاه‌های پیشین اعلان کردند. در هر حال، در دوران هویدا، سوای بودجه‌ی محرمانه نخست‌وزیری،

اداره‌ی اوقاف هم گاه به روحانیون مبالغی می‌پرداخت. ولی، برخلاف گمان رایج، این اداره هرگز مجرای اصلی پرداخت پول به روحانیون نبود.[۳۵] به گفته‌ی نصیر عصار، که در دوران هویدا سالها ریاست اداره‌ی اوقاف را به عهده داشت، اوقاف اغلب پولی در بساط نداشت. به‌علاوه، اگر هم حق و حسابی به روحانیون پرداخت می‌شد، اغلب به جیبب طرفداران جدّی آیت‌الله خمینی نمی‌رفت. «چون هیچ کدام از این نوع آخوندها حاضر به قبول پول دولت نبود.»[۳۶] می‌گفت روحانیونی که پول می‌گرفتند اغلب از نفوذ چندانی برخوردار نبودند. اگر هم پرداخت مبلغ هنگفتی به روحانیون ضرورت پیدا می‌کرد، دولت معمولاً بودجه‌ی مخصوصی برای این کار تعیین می‌کرد. برای مثال، در اواخر دهه‌ی چهل، مقارن زمانی که کردهای عراق به مبارزه‌ی گسترده‌ای علیه دولت آن کشور دست زدند، دولت ایران هم برای جلوگیری از بروز اغتشاش در میان کردهای ایرانی، تصمیم گرفت سالی یک میلیون تومان به روحانیون کرد بپردازد. بودجه‌ی این کار را دولت تأمین کرد، ولی پول از طریق اداره‌ی اوقاف پخش می‌شد.[۳۷]

مشکل بتوان به دقت تعیین کرد که بدبینی هویدا از چه زمانی آغاز شد. از کی بود که امید به جلب همکاری مخالفان را واگذاشت؟ یکی از همکاران هویدا بر این گمان است که در آغاز دهه‌ی پنجاه، هویدا دیگر یکسره متقاعد شده بود که: «همه کس را می‌توان خرید. تنها تفاوت در قیمت آدم‌ها است.»[۳۸] در همین سال‌ها بود که نیروهای مخالف رژیم را به عنوان «بچه ننه‌های کمونیستی که در دانشکده اقتصاد لندن تعلیم دیده‌اند»[۳۹] به سخره می‌گرفت. حتی آن دسته از دوستانش را که گه‌گاه تماس‌هایی با مخالفان رژیم داشتند، اغلب ریشخند می‌کرد.[۴۰] بیشتر اوقات نوعی نیشخند، که ته‌رنگی از تلخی و تحقیر هم در آن موج می‌زد، بر گوشه‌ی لبانش نقش بسته بود. می‌گویند خنده از نادر حالات چهره‌ی انسانی است که در همه زمانی، نزد همه‌ی فرهنگها، به شیوه‌ای یکسان و طبیعی و غریزی مفهوم است. اما انگار

سیاست‌بازان زبان خنده‌ای ویژه‌ی خود دارند. هویدای سالهای پنجاه نیز سیاست‌بازی تمام عیار بود. گاه خنده‌ی احترام و زمانی خنده‌ی مراسم رسمی، لحظه‌ای خنده‌ی تسلیم و دقیقه‌ای دیگر خنده تحقیر یا تنقید بر چهره داشت. در واقع هم روحیه‌ی امیدوار سالهای نخست صدارتش، و هم شک و تلخکامی دوران بعد را در همان "یادداشتهای زمان جنگ" سراغ می‌توان گرفت.

این یادداشتها را در اصل هویدا در سال ۱۹۴۱ به قلم آورده بود. در آن دوران، سخت درگیر مطالعه‌ی آثار آندره ژید بود. در عین حال، در آثار نویسندگان اگزیستانسیالیست نیز غوری کرده بود. نوعی یأس هستی شناختی، ته‌رنگی از دلزدگی از زندگی عاطفی سترون عصر جدید، و بالاخره یأس و نومیدی از پستی و دون صفتی انسان متجدد را می‌توان در این یادداشتها سراغ کرد. در بخشی که تصاویر و ابعاد دلزدگی‌اش یادآور تهوع ژان پل سارتر است، هویدا می‌گفت: «و من که به پستی و بدبختی بشر فکر می‌کردم حالت استفراغ و گرفتگی غریبی در خود حس می‌نمودم و کلمات دردناک بودلر درباره‌ی جسد پوسیده‌ی بشر یک بار دیگر با ابهتی مخصوص در نظر من مجسم شده بود.»[۴۱]

در عین حال، زندگی هول‌انگیز زمان جنگ، حرص و آز محتکران و دلالان بازار سیاه بروکسل هویدا را به چنان خشمی واداشت که نثر اغلب ساده و بی‌پیرایه و فارغ از شعارش، ناگهان در وصف این سودجویان شور و هیجانی تازه می‌گرفت. به لحنی تند و گزنده، از نظام سرمایه‌داری و افراط و تفریطش انتقاد می‌کرد. به «تاجری که خون همنوع خود را می‌مکد» اشاره می‌کرد و به طنز و هزل، از سرمایه‌داری سخن می‌گفت که: «خود را آقا و فرمانده‌ی کارگران و زیردستان خود» می‌دانست. به زبان شاعری رمانتیک، این واقعیت را که در سده‌ی بیست، پول حلّال همه‌ی مشکلات شده به باد سخره می‌گرفت. می‌گفت: «در قرن بیستم در همه جا تنها حلال مشکلات همانا

اسکناس بانک است و از هر کجا که بنگری یک سرچشمه‌ی زیبایی و شعر در آن دیده می‌شود.»[۴۲] طنین آثار مارکسیستی دوران جوانی‌اش را نیز می‌توان در این عبارات هویدا سراغ کرد.

در کنار این رگه‌های اندیشه‌ی انقلابی، نوعی تفکر مآل‌اندیش سیاسی، شکلی از احتیاط و دوراندیشی ارسطویی و باور خلل‌ناپذیر به قدرت رهایی‌بخشِ مردان سیاست را نیز در این نوشته‌ی هویدا می‌توان جست. می‌گفت: «وظیفه‌ی مقدس سیاستمداران است» که جهان را از دوزخ «روح تبهکار» انسانی وارهانند. معتقد بود، «باز هم خدا پدر مردان سیاست را بیامرزد. اگر آنها نبودند، دنیا در آتش تبهکاری‌ها اکنون به ویرانه‌ای وحشتناک تبدیل شده بود.»[۴۳] می‌گفت این دسته تنها زمانی می‌توانند به رسالت مهم تاریخی خود عمل کنند که به گور سیاست گام بگذارند. انگار می‌خواست با این عبارات بر هر خواننده‌ای روشن کند که او خود چرا سودای قدرت داشت و به چه انگیزه‌ای به عالم سیاست دل بسته بود. ایرانیان معمولاً سیاست را، به عنوان یک حرفه، به دیده‌ی شک و بدبینی می‌نگرند. هویدا می‌خواست این دلزدگی و بی‌اعتمادی را از میان بردارد. می‌خواست خود به‌سان نمونه و نماد مفهوم تازه‌ای از سیاست جلوه کند. امید داشت که نوعی اصلاح‌طلبی مآل‌اندیش و محتاط را تبلیغ کند.

در واقع چنین به‌نظر می‌رسد که هویدا می‌خواست از طریق مضامین "یادداشتهای زمان جنگ" با طرفداران دو نوع نقطه‌نظر متضاد سیاسی به مجادله برخیزد. گرچه هرگز به این افراد به شکلی مستقیم اشاره نمی‌کند، اما سایه‌ی سنگین آنان را در بخش‌های مهمی از یادداشتها سراغ می‌توان کرد. با توجه به این امر می‌توان حدس زد که برخی مقتضیات سیاسی روز، هویدا را به انتخاب این بخش‌ها یا تأکید بر آنها در یادداشت‌هایش واداشت. حتی بعید نیست که او به اقتضای همین درگیری‌های سیاسی، دست‌کم قسمت‌هایی از این بخش‌ها را در همان سال ۱۹۶۶ به "یادداشتهای زمان جنگ" افزوده باشد.

منظر و موضع راوی در این قسمت‌ها به منظر و موضع جوانی ایرانی در اروپای جنگ‌زده شباهت ندارد و بیشتر به صدای سیاستمداری می‌ماند که با فشارها و دسته‌بندی‌های سیاسی روز در جدال است.

در هر حال، نقطه نظر اوّلی که هویدا در این بخش‌ها با آن به مجادله پرداخته بود به کسانی تعلق داشت که هرگونه فعالیت در چهارچوب نظام موجود را عبث و بیهوده می‌دانستند. اینان را می‌توان تجلی روایتی از نیست‌انگاری سیاسی دانست که در آن سال‌ها بر ذهن و زبان بسیاری از روشنفکران ایران حاکم شده بود. طرفه آنکه ریشه‌های تاریخی این نیست‌انگاری را می‌توان هم در الهیات تشیع و هم در نظریه‌های انقلابی عرفی سده‌ی نوزدهم سراغ کرد.* برای حدود هزار سال، بسیاری از متألهان تشیع تأکید داشتند که قدرت عرفی، فی‌نفسه، غصب است. می‌گفتند تنها قدرت مشروع از آن امام و نایبان اوست. در عین حال همدستی و همکاری و گاه حتی فرمانبرداری از هر حکومتی راکه مشروعیت خود را در ناسوت سراغ می‌کرد و مشروعیت ملکی را وقعی نمی‌گذاشت عین گناه و امری مذموم می‌دانستند. آیت‌الله خمینی در حقیقت تنها واپسین منادی مهم این طرز تفکر بود.

روشنفکران انقلابی‌ی عرفی‌مسلک دست کم از این جنبه‌ی مهم، یعنی انکار مطلق مشروعیت دولت‌های حاکم، با الهیات تشیع هم‌رأی بودند. نسب فکری این روشنفکران را باید در نیست‌انگاری فکری روسی در سده‌ی نوزدهم سراغ کرد که وصف درخشان چند و چون افکار و کردارشان را

---

* در کتابی برجسته، نیکلای بردیایف شباهت‌های ساختاری میان بلشویسم و جنبه‌های مهمی از اندیشه‌های ارتدکس مسیحیت روسی را نشان داده است. به گمان من هرگاه اصول اندیشه تشیع و مارکسیسم ایرانی را به شیوه‌ای جدّی و مقایسه‌ای بررسی کنیم، قاعدتاً وجوه تشابه فراوانی میانشان خواهیم یافت. کتاب بردیایف را دکتر عنایت‌الله رضا به فارسی برگردانده است و **ریشه‌های کمونیسم روسی** نام دارد. متأسفانه نسخه‌ای از کتاب در دسترسم نبود و حتی عنوان کتاب را نیز دقیقاً به یاد ندارم.

می‌توان در پدران و پسران تورگنیف و جن‌زدگان داستایوسکی باز جست. این دسته از روشنفکران روس هرگونه تلاش در جهت اصلاح نظام سرمایه‌داری یا استبداد سیاسی را نه‌تنها کاری یکسره یاوه که حتی زیان‌بار می‌دانستند. حاصل این شد که روشنفکران به براندازی نظری و لفظی نظام حاکم دلبسته شدند. هر دولتی را به دیده‌ی بی‌اعتمادی می‌نگریستند و هیچ اصلاحی را که ریشه در اقدامات دولت داشت باور نمی‌داشتند و ارج نمی‌نهادند. هویدا در مراودات نسبتاً وسیعش با روشنفکران ایران، طعم این نوع ناباوری و نیست‌انگاری را چشیده بود. ظاهراً در اشاره به همین تجربیات بود که می‌گفت: «ما ایرانی‌ها با حرف زندگی می‌کنیم. تمام زندگی و تمام فلسفه‌ی ما عبارت از یک مشت اختلافات بیهوده و بی‌معنی نسبت به کلمات است... همه‌ی اصلاحات را با کلمه می‌کنیم و همه کارها را با لغت انجام می‌دهیم، اما به‌مجردی که پای عمل به میان می‌آید، همه می‌گویند، آقا ول کن، مگر درست می‌شود.»[۴۴]

طرف دیگر صحبت هویدا در این یادداشتها نیرویی بود به همین اندازه همه‌گیر و بالقوه خطرناک. منادیانش سیاست‌بازان سنتی ایران بودند که به گفته‌ی هویدا به درایت خود، و به درستی نظراتشان ایمانی خلل‌ناپذیر و دون‌کیشوت‌وار داشتند. او به زبانی سخت پرخاشجو به «محافل مأیوس کننده مملکت» اشاره می‌کرد و می‌گفت اینان «هر چیز را در بین بی‌حالی و آن اطمینان حماقت‌انگیز به خودشان حل و نابود می‌کنند.» و در عین حال، «شجاعت تمام جوانها را که حاضر هستند به هر وسیله و با هر قیمت شده برای خدمت به وطن و ساکنین آن فداکاری نمایند محو و خورد می‌کنند.»[۴۵]

باید به خاطر داشت که هویدا این عبارات را در سال سوّم صدارت خود به چاپ سپرد. اشارات مستقیم و غیرمستقیم آن را می‌توان به ساخت و بافت ویژه‌ی قدرت در ایران آن دوران تأویل کرد. در آن روزها کانون‌های قدرت متعددی در کار بود که همه بالمآل بر مدار وجود شاه دور می‌زدند. گروهی

وابسته به ملکه بود. آن دیگری از طرفداران اشرف پهلوی تشکیل می‌شد. سوّمی به ساواک وابسته بود. البته سرسخت‌ترین معاند هویدا در تمام دوران صدارتش اسدالله علم بود. **یادداشتهای علم** که پس از مرگش به چاپ رسیده پر از انتقادات شدید از هویدا و دشنام‌های سخت زشت به او بود. هویدا را «دلقک» و «گوژپشت نتردام» می‌خواند. می‌گفت «خائن» است و «برای کون‌لیسی» آمریکایی‌ها، کیسینجر را در تهران به گردش می‌برد.[۴۷] در واقع، به رغم ظاهر روابط دوستانه و محترمانه‌ای که میان علم و هویدا وجود داشت، جنگ و گریزی دایمی میان این دو در جریان بود.

دیدگاه سیاسی هویدا در "یادداشتهای زمان جنگ" با دو منظر پیشین، که یکی هرگونه اصلاحی را ناممکن می‌دانست و دیگری ضرورت مشارکت وسیع مردم در تصمیم‌گیری‌ها را منکر بود، تضاد و تقابلی آشکار داشت. نقطه عزیمت هویدا، فضیلت عمل بود. مرادش البته عملی انقلابی نبود که ریشه در رؤیاهای ناکجاآبادی داشت و اغلب هم ناکام از آب در می‌آمد. او طالب عملی اندیشیده، مصلحت‌آمیز و گام به گام بود. هویدا با آرا و اندیشه‌های رادیکال عنادی آشتی‌ناپذیر داشت. در عین حال، از آنان که به هر دلیلی کنار گود می‌نشستند ـ چه آن دسته که از شکست واهمه داشتند، چه آنها که آمال ناکجاآبادی را مقدس می‌انگاشتند ـ بیزار بود. معتقد بود تنها عمل مصلحت‌آمیزی که با شکیبایی از معرفت تکنوکراتیک برخاسته باشد می‌تواند به حل معضلات جامعه‌ی ایران مددی برساند. در روزهایی که هنوز یأس و بدبینی دامن اندیشه‌اش را نگرفته بود، او خود را تجسم نیروهایی می‌دانست که دمکراسی و تساهل سیاسی را برای جامعه‌ی ایران به ارمغان می‌توانند آورد. می‌گفت: «بزرگترین افرادی که تاکنون برای بشریت کار کرده و به مردم خدمت رسانیده‌اند همانا سیاستمداران بزرگ هستند. وقتی که این مردان به کار می‌آیند و زمام امور را به دست می‌گیرند، آن وقت می‌توانند افکار و عقاید خود را مورد عمل بگذارند و در راه ترقی و سعادت ملل مختلف بکوشند. بر

سیاستمداران است که به وسایل مختلف ترقی ملل را ممکن سازند.»[۴۸]

هویدا در عین حال معتقد بود که سوای عوامل سیاسی، سنت‌های فرهنگی نیز می‌توانند چون سد، راه را بر آن نوع اصلاح‌طلبی مطلوب او بربندند. به لحنی صادقانه می‌گفت: «هر چه باشد من در اعماق خودم ایرانی هستم و معتقدم که اجل انسان هر وقت بیاید همان وقت می‌برد.» معتقد بود در ایران همه کس «می‌خواهد رئیس باشد.» می‌پرسید که: «بهتر نیست که قبل از عوض کردن نظم مملکت خود... زندگی خانوادگی و اجتماعی "خودشان را" درست کنند.»[۴۹]

گرچه از این عبارات آشکارا بر می‌آید که هویدا به نقش مسائل فرهنگی در تحولات اجتماعی نیک آگاه بود، اما در عمل، در دوران صدارتش دنباله‌رو شاه شد که همواره تغییرات اقتصادی را بر تحولات سیاسی رجحان می‌نهاد. همان طور که در یادداشت محرمانه ۱۹۶۸ سازمان سیا آمده: «طرح شاه برای آینده‌ی ایران مبتنی بر رشد اقتصادی است، نه سیاسی... به گمان او رشد سریع صنعت نه‌تنها اساسی است و به ثروت ملی می‌افزاید و ضامن رفاه اجتماعی است، بلکه در عین حال برای ایرانیان تحصیل کرده مفرّی است که آنان را از فعالیت‌های مزاحم علیه رژیم باز می‌دارد.»[۵۰] در پایان همین گزارش، به نتیجه گیری مهمی بر می‌خوریم که آینده‌ی شاه را به دقت پیشگویی می‌کرد: «گرچه این [رشد صنعتی] در درازمدت جانشین نقش سیاسی بیشتر برای طبقه‌ی تحصیل کرده‌ی ایران نیست، اما در کوتاه مدّت توانسته ناآرامی‌های سیاسی سال‌های اخیر را از میان بردارد.»[۵۱]

در مورد هویدا، ریشه‌های این نوع اندیشه‌ی "اقتصاد زده"، یا آن چه در آثار مارکسیستی "اکونومیسم" خوانده می‌شد، را باید در جوانب متعددی از تجربیات و تمایلات فکری او سراغ گرفت. اندیشه‌های سیاسی او در سال‌های دهه‌ی دوم قرن حاضر شمسی شکل پذیرفته بود، یعنی درست همان سال‌هایی که مارکسیسم، و به ویژه روایت استالینی آن، دچار رگه‌هایی از تفکر دولت

زده و اقتصاد زده شده بود. اغلبِ مارکسیست‌های آن روزگار، به تأسی از استالین، بر این گمان بودند که اگر زیربنای اقتصادی جامعه را بتوان دگرگون کرد، روبنای فرهنگی و سیاسی نیز خود به خود، و به توازی زیر بنا، دگرگون خواهد شد. به‌علاوه، اغلب مشاوران اقتصادی هویدا، و نیز شمار قابل توجهی از کسانی که برنامه‌ریزی اقتصادی مملکت را در دست داشتند همه تحصیل کرده آمریکا بودند. گروهی از آنها به "مافیای هاروارد" شهرت داشتند و بر این باور بودند که کلید معمای نوسازی جامعه در ساختن زیربنای اقتصادی آن است. مهم‌تر از همه این که وقتی هویدا نخست‌وزیر شد، بسیاری از باورهای سیاسی خود را واگذاشت و در بیش و کم همه‌ی زمینه‌ها، هم‌رأی و هم‌کیش شاه شد و شکی نبود که به‌گمان شاه، رشد سریع صنعت حلّال همه‌ی مشکلات اجتماعی بود.

در تحلیل نهایی، مهم‌ترین سد راه نوع اصلاح‌طلبی تاریخی و مصلحت‌گرایانه‌ی مطلوب هویدا اندیشه‌های جزمی بود، و از قضا در "یادداشتهای زمان جنگ"، هویدا به تلویح و تصریح، به جنگ این گونه جزم اندیشی رفته بود. آیا مثلاً تصادفی بود که در همان عبارت نخست این بخش از "یادداشتها"، هویدا به فیلم **نینوچکا** اشاره می‌کند؟ در ساده‌ترین سطح **نینوچکا** فیلمی است پر از طنز سیاسی. شرح حال چند بلشویک دو آتشه‌ی روسی است که به نمایندگی از "هیأت تجارت روس" به پاریس آمده‌اند. اشراف‌زاده‌ای روسی و تبعیدی در حکم بدل فکاهی مسافران انقلابی است. او از لحاظ اقتصادی انگلی بیش نیست و از بابت پایبندی به آداب و سلوک اشرافی به اندازه‌ی بلشویک‌ها جزم‌اندیش و بی‌انعطاف جلوه می‌کند. گرتا گاربو که در فیلم چهره‌ای بس زیبا، اما یکسره بی‌جان دارد بازرس "نماینده‌ی ویژه" حزب است. او برای تسهیل کار، و نیز برای تضمین خلوص ایدئولوژیک فکر و عملِ هیأت از مسکو به پاریس گسیل شده؛ در آغاز اقامتش در پاریس، رفتار و کردار و پندارش عصاره‌ی ناب و تجسم جزمیات

حزبی است. اما پس از مدتی کوتاه او نیز مانند دیگر رفقای هیأت، جذب وساوس شیطانی جامعه‌ی بورژوایی می‌گردد. نه‌تنها وسوسه‌ی عشق بلکه ظرایف و زیبایی‌های زندگی روزمره‌ی جامعه‌ی سرمایه‌داری چون خوره‌ای به جان ارکان اندیشه‌های جزمی‌اش می‌افتد.

اما فیلم **نینوچکا** چه بسا که از منظری یکسره متفاوت نیز مورد اشاره‌ی هویدا قرار گرفت. می‌دانیم که یکی از شاهکارهای طنز صادق هدایت همان **البعثة الاسلامیه فی بلاد فرنجیه** بود. این داستان، از بابت ساخت اصلی روایت، شباهتی تام به **نینوچکا** دارد. این‌بار هیأتی از مومنان متشرع مسلک برای ارشاد کافران مسیحی راهی پاریس شده‌اند. اما به زودی فکر ترویج و بسط بیضه اسلام را یکسره وامی‌گذارند و به پدیده‌هایی چون فولی برژه دل می‌بندند. نه‌تنها ایمان که عبا و عمامه را هم فراموش می‌کنند و به تأسی از بلشویک‌های مؤمن، سودازده‌ی مواهب، یا مفاسد بورژوایی می‌گردند. و می‌دانیم که هویدا و هدایت هر دو دوست بودند. در عین حال می‌دانیم که هدایت در نوشتن **البعثة**... تحت تأثیر **نینوچکا** بود. با درنظرگرفتن همه‌ی این عوامل، به نظر من چندان هم اغراق نیست اگر بگوییم که اشاره هویدا به این فیلم در آغاز مقاله‌اش از سر تصادف نبود و قصد و نیت خاصی را دنبال می‌کرد.[۵۲]

در همین یادداشتها، اشاره غیرمستقیم و گزنده‌ی دیگری نیز سراغ می‌توان کرد. این بار، به‌گمان من، هویدا به تلویح رژیمی را مورد انتقاد قرار می‌داد که خود کمر به خدمت آن بسته بود. در وصف اشغال بروکسل توسط نازی‌ها، هویدا می‌گفت دانشجویان دانشگاه، به کوری چشم سربازان نازی، مارکس می‌خواندند و آثارش را زیر بغل می‌گذاشتند و در خیابان‌ها پرسه می‌زدند. اما درست در زمانی که هویدا این عبارات را به چاپ سپرد، خواندن و داشتن نسخه‌ای از آثار مارکس در ایران جرمی جدّی بود و اغلب عقوبت ساواک را همراه داشت. اشاره‌ی هویدا به رفتار دانشجویان بروکسل را می‌توان اعتراض

غیرمستقیم او به سیاست ساواک دانست. انگار می‌خواست با اشاراتی از این دست با این گونه سیاست‌های سرکوب فاصله بگیرد.

"یادداشت‌های زمان جنگ" به تفصیل مشغله‌های زندگی روزمره‌ی هویدا را در سال‌های جنگ توصیف و تشریح می‌کند. در عین حال، در مورد زندگی عاطفی او، و چند و چون حالات درونی‌اش اطلاعات چندانی در اختیار خواننده نمی‌گذارند. به طنز از غم عشقی که دامنگیر دوستانش در بلژیک شده بود یاد می‌کرد. می‌گفت او خود از درک ابعاد این درد عاجز است چون «هنوز عاشق نشدم که بر موزیک قلب اسیر پی ببرم.»‏[۵۳] از قضا درست در زمانی که هویدا این عبارات را به چاپ سپرده بود، نه‌تنها خود به نظر عاشق بود، بلکه طعم غم عشق را هم چشیده بود.

هویدا به رغم این واقعیت که زندگی خصوصی‌اش، به لحاظ حرفه‌ای که برگزیده بود، تا حد زیادی زیر ذره‌بین افکار و انظار عمومی بود، در واقع، در درون، انسانی سخت خلوت گزین بود. همسرش می‌گفت: «هرگز نمی‌شد فهمید در درون او چه می‌گذرد.»‏[۵۴] آدمی تودار بود و به ندرت اضطراب‌ها و دل‌نگرانی‌های درونش را با دیگران در میان می‌گذاشت. در غرب، کنجکاوی‌های دایمی اغلب کاذب و گاه فاسد توده‌ی مردم، زندگی سیاستمداران را طعمه‌ی دایمی دستگاه‌های خبررسانی و شایعه‌پراکنی و نشریات جنجالی کرده است. در ایران نیز نه‌تنها این نوع کنجکاوی در کار است، بلکه واقعیت سیاسی استبداد این فرایند را زهرآگین‌تر، کینه‌توزانه‌تر و ویرانگرتر می‌کند. در جوامع استبداد زده، شایعه و پچ‌پچ مردم جای حقیقت می‌نشیند و در عین حال به سلاح سیاسی بدل می‌شود. در این گونه جوامع، میان مردم و حکام خودکامه جنگ سیاسی و فرهنگی دایمی و گاه پنهانی جریان دارد. افکار عمومی میدان نبرد سنگر به سنگر این دو نیروی متخاصم است و در این نبرد، هر دو طرف به شایعه، چون ابزاری قدرتمند، توسل می‌جویند. به همین خاطر، سال‌ها پیش از آن‌که دادگاه انقلاب هویدا را به محاکمه بکشاند و

جانش را بستاند، شخصیت او را قدرت ویرانگر همین شایعات رایج ترور کرده بود. با استمداد از مفاهیم یونگی، می‌توان گفت که هویدا، "سایه" جمعیِ سیاست ایران شده بود. هر آن‌چه مایه‌ی واهمه‌های بی‌نام و نشان مردم بود، هر آن‌چه در عرصه‌ی سیاسی بیم و نفرتشان را بر می‌انگیخت، و بالاخره جمله‌ی سوداها و آرزوهای پنهانی‌شان را به او تأویل و تصعید می‌کردند.

طبعاً زندگی جنسی هویدا هم موضوع و محور شایعاتی فراوان و جنجال‌آفرین شد. در جامعه‌ای که مردانگی و زن‌بارگی و قوه‌ی باء خود هر کدام برای مردان نوعی سرمایه‌ی اجتماعی به حساب می‌آید، او را به عقیم بودن متهم می‌کردند. گاه می‌گفتند هم‌جنس باز است و زمانی حتی به بچه‌بازی متهمش می‌کردند.[55] در جمهوری اسلامی حتی اقدام به چاپ سندی کردند که در آن راوی ادعا کرده بود که در یکی از سفرهای هویدا به مازندران، همسرش او را در حال بوس و کنار با پسربچه‌ای کشف کرده بود.[56] می‌دانستم که در گفتگو با لیلا باید ناچار درباره‌ی این گزارش به طور اخص، و نیز درباره‌ی روابط جنسی‌اش با هویدا، به طور اعم، بپرسم. نمی‌دانستم که چگونه می‌توان محترمانه به طرح چنین پرسش‌هایی پرداخت. اما او از سر لطف خود به کمکم آمد و در طول یکی از گفتگوهامان، به شکلی یکسره طبیعی و پروقار، گفت: «رابطه‌ی جنسی ما اشکالی نداشت. عالی نبود، ولی مشکل زندگی‌مان هم نبود.»[57] صراحت کلامش مایه‌ی جرأتم شد و در همان لحظه در مورد چند و چون گزارش ساواک پرسیدم. لبخندی تلخ بر لبانش نقش بست. می‌گفت: «اینها امیر را نمی‌شناسند.» آن‌گاه با قاطعیت منکر وجود واقعه‌ی مورد اشاره در گزارش ساواک شد. از خود می‌پرسیدم که در این صورت آیا باید سند منتشر شده را یکسره جعلی دانست؟ رمز گزارش تنها پس از جستجوی بیشتر برایم روشن شد. دریافتم که قدرت شایعات در دوران شاه به حدی رسیده بود که ساواک را به واکنش واداشت. در هر شهری کمیته‌ای

تشکیل داد که اکو [ECHOE] نام داشت. وظیفه‌اش گردآوری و گزارش شایعات رایج در آن شهر بود. در عین حال، موظف بودند در صورت لزوم، اقداماتی برای خنثی کردن پیامدهای شایعات به راستی زیانبار و خطرناک تدارک کنند. مثلاً زمانی که در ایران شایع شد شاه تجدید فراش کرده و در کنار ملکه فرح، دختر جوان دیگری را نیز به همسری گرفته، ساواک وارد کار شد. یکی از مجلات پرفروش تهران را واداشت تا گزارش مصور و مفصلی در باب ازدواج آن دوشیزه خانم به چاپ برسانند.[58]* وقتی گزارش ساواک مربوط به رابطه‌ی هویدا با آن پسرک مازندرانی را نیز با دقت بیشتر خواندم، دریافتم که متن روایت نه شرح یک واقعه که گزارش یک شایعه است.

بدین‌سان بسیاری از بخش‌های "یادداشتهای زمان جنگ" را می‌توان پادزهری در برابر شایعاتی دانست که از همان آغاز صدارت هویدا درباره‌اش رواج پیدا کرده بود. در عین حال، کشور فرانسه را می‌توان محور عاطفی این یادداشتها دانست. هرگاه از فضایل فرهنگ فرانسه، یا از مناقب شهر پاریس می‌نوشت زبانش انگار ناگهان شوری دیگر پیدا می‌کرد و گاه لحنی حماسی و زمانی ساختی شاعرانه می‌یافت. در هر حال، ضرباهنگ نثر این بخش‌ها با دیگر قسمت‌های یادداشتها تفاوت محسوسی دارد. اوصاف فرانسه از زبان انسانی سودازده و بقیه‌ی روایت از منظر سیاستمداری محتاط رقم خورده. می‌گفت: «فرانسه! تو راه آزادی را به مللی که در زیر مهمیز زور جان می‌دادند

---

* **یادداشتهای علم** جزئیات جالب دیگری را درباره‌ی ماجرای این شایعه در بردارند. از مضمون این یادداشتها در عین حال می‌توان به میزان سوءظن علم به هویدا و دولت او پی برد. وقتی شایعه‌ی ازدواج به اوج می‌رسد، علم موضوع را با شاه در میان می‌گذارد. شاه می‌گوید: «این پدرسوخته را یک وقت دیده‌ام.» آن‌گاه به علم حکم می‌کند که دختر را به دفترش احضار کند و به او بگوید که، «اگر از این پدرسوختگی‌ها بکنی، حبس خواهی شد.» (جلد سوم، ص ۸۷) پس از مدتی، شاه به این نتیجه می‌رسد که پخش شایعه‌ی ازدواج به «وسیله شوروی‌ها انجام می‌گیرد.» (ص ۱۴۲) علم، در مقابل، بر این گمان بود که سرمنشاء شایعه خودِ دولت هویدا است. می‌نویسد: «من اخیراً نسبت به دولت خیلی سوءظن پیدا کرده‌ام و ترسم از این است که علیاحضرت شهبانو را نیز در دست گرفته باشند. زبانم لال باشد! ولی زن ضعیف النفس است و جاه‌طلب.» (ص ۱۴۳).

نشان دادی. نویسندگان و انقلابیون ۱۷۸۹... تو جاده‌ی آزادی را برای ملل دیگر باز کردند! روسو! ولتر! روبسپیر! سنت ژوست! هوگو! گامبتا! گریه کنید از درون قبرهای خود... فرانسه! تو مجروح هستی... من... من یک نفر دوستدار تو هستم، هرگز از تو مأیوس نخواهم شد... زیرا تو جاویدان و پایدار هستی.»[۵۹]

هویدا از سویی در وصف سجایای پاریس و فرانسه از زبانی شاعرانه و پرشور بهره می‌جست، و از سویی دیگر، در مورد مسأله‌ی مذهب و باورهای دینی خود عملاً در یادداشتها یکسره سکوت اختیار می‌کرد. مذهب هرگز نقش تعیین‌کننده‌ای در زندگی شخصی هویدا نداشت. نه نظام هنجاری زندگی‌اش بر آن پایه استوار بود، نه اسطوره‌ی آفرینش مذهبی را می‌پذیرفت، نه بنیادهای فلسفی زندگی‌اش رنگ و بافتی مذهبی داشت. با دوستان نزدیکش اغلب از نفرت نیچه‌وارش از همه‌ی ادیان سخن می‌گفت. "یادداشتهای زمان جنگ" را می‌توان بارزترین نشان آشکار گرایش‌های یکسره عرفی و غیرمذهبی هویدا دانست. طبعاً به عنوان یک مقام سیاسی مملکت، او در مراسم رسمی مذهبی شرکت می‌جست. اما برخلاف بیشتر سیاست‌بازان هم‌نسلش که اغلب از هر فرصتی برای تأکید و اثبات ایمانشان به خدا و تکیه‌شان به اسلام بهره می‌جستند، هویدا در "یادداشتهای زمان جنگ" از هرگونه تظاهر به تدین و اسلام پناهی دوری جسته بود. در واقع، نه‌تنها تظاهر به ایمان نمی‌کرد بلکه بر عکس بی‌پروا اقرار می‌کرد که گاه عرق می‌خورد، زمانی با زنان می‌رقصید و اغلب هم بازوان برهنه‌ی زنی زیبا به وجدش می‌آورده و همه می‌دانیم که این سه عمل نزد مسلمانان گناهانی گران‌اند. شاه و کتابش **مأموریت برای وطنم** را می‌توان مصداق بارز این سنت دین پناهی در ایران دانست. در آن جا او نه‌تنها به کرات از ایمان محکم خود به اسلام سخن راند، بلکه در ضمن از خوابهایی گفته که به گمانش هر کدام ریشه در وحی الهی داشتند. می‌گفت زمانی که کودکی بیش نبوده در آستانه مرگ قرار گرفت

و تنها به معجزه‌ی حضرت عباس بود که از آن مهلکه جان سالم به در برد. در سالهای بعد، در طول مصاحبه با اوریانا فالاچی شاه حتی مدعی شد که گاه با خدا هم به طور مستقیم گفتگو می‌کند.[۶۰]

"یادداشتهای زمان جنگ" از یک جنبه‌ی کاملاً متفاوت دیگری نیز حائز اهمیت‌اند. در زمان انتشارشان، کماکان شخصیت و نظرات ظاهری هویدا با آن‌چه در خلوت می‌کرد و می‌اندیشید شباهت فراوانی داشت. اما هر چه شاه مستبدتر شد، هر چه شکیبایی‌اش در برابر زیردستان نامطیع کاستی گرفت، هرچه لحن پرطنز و پرانتقادش نسبت به دمکراسی تندتر شد، هویدا هم بیشتر و بیشتر دست کم در ظاهر احکام و آرای ملوکانه را تکرار می‌کرد. مثلاً، در سال ۱۳۴۳، شاه گفته بود: «آزادی اندیشه! آزادی اندیشه! دمکراسی! دمکراسی!... همه‌اش مال خودتان. ببینیم این دمکراسی چه گلی بر سر شما زده. این دمکراسی عالی‌تان. تا چند سال دیگر خواهید دید که این دمکراسی به کجا خواهد انجامید.»[۶۱] تا آن زمان هویدا هم، حداقل در سخنرانی‌ها و مصاحبه‌های مطبوعاتی خود، به جای تکرار مواضع لیبرال مسلکی که "یادداشتهای زمان جنگ" مصداق آن بود، عملاً همان حملات شاه به دمکراسی را تکرار می‌کرد. در حقیقت او به یکی از مؤثرترین مدافعان رژیم پهلوی در اذهان عمومی، به ویژه در غرب تبدیل شده بود. به کرّات منکر وجود فساد و استبداد و سانسور در ایران می‌شد. گاه حتی به تأسی از شاه نسبت به نظام‌های سیاسی دمکراتیک غربی ابراز نفرت می‌کرد. برای نمونه، در سخنرانی خود برای کنفرانس آسپن در شیراز گفته بود: «ما شاهد پیدایش امپراطوری عظیم بوروکراتیک بوده‌ایم.... در عین حال، جوامعی را مورد مطالعه قرار داده‌ایم که آغازی دمکراتیک داشتند. اما پس از چندی به نوعی حیات قبیله‌ای مدرن رجعت کردند. این جوامع بیکاری و ولنگاری را تقویت می‌کنند و با خویشتن خویش در جنگ‌اند.»[۶۲] اگر لعاب نظری و کلمات قلمبه‌ی این عبارات را کنار بگذاریم، در پس آن چیزی جز همان حملات

همیشگی و اغلب ساده‌انگارانه شاه را علیه دمکراسی نمی‌بینیم. اما بر خلاف این مواضع ظاهری، هویدا کماکان در خلوت نظراتی مشابه آن‌چه در "یادداشتهای زمان جنگ" گفته بود داشت. به گواه بسیاری از دوستان نزدیک هویدا، او عاقل‌تر از این بود که حملات ساده‌انگارانه و عبارات توخالی علیه دمکراسی را به جدّ بگیرد. بدین سان دو پارگی ژرفی در زندگی‌اش پدیدار شد. در جلوت مدافع بی‌چون و چرای رژیم شاه بود و در خلوت با بسیاری از سیاست‌های آن مخالفت می‌کرد. این دوپارگی، این گسست و ناهمخوانی میان نظرات و اقدامات علمی و باورهای خصوصی نه‌تنها به روال مالوف و مقبول، به "مذهب مختار" زندگی هویدا بدل شد بلکه سرنوشت رنجبار نسلی از سیاستمداران ایرانی آن زمان بود.

فصل یازدهم

سیاست در پمپئی نفت‌خیز

درباریان می‌گویند همه، جز در دربار، ددمنش‌اند.
از دریای تکبر، حاصلی جز دیو برنیاید.
شکسپیر، سیمبلین

هویدا سحرخیز بود. در دوران صدارتش، صبح‌ها معمولاً ساعت پنج و نیم از خواب برمی‌خاست. فنجانی قهوه می‌نوشید. حمام و اصلاح روزانه‌اش حدوداً دو ساعت وقت می‌گرفت. لیلا امامی می‌گفت: «امیر در حد یک آدم وسواسی، به نظافت شخصی خود توجه داشت.» پس از ازدواجش، مادر لیلا خانه‌ای به عروس و داماد هدیه داد. اما پیش از آن که هویدا به منزل نو نقل مکان کند، دو اطاق جدید به ساختمان قدیمی خانه افزودند. حمامی ویژه برای هویدا ساختند و اطاقی هم برای کتاب‌هایش. لیلا می‌گفت: «فکر نمی‌کردم او بتواند جایی چون حمام را با دیگران به اشتراک استفاده کند.» سپس به لحنی تلخ و غم‌زده، به مصاحبه‌ی اُکرانت اشاره کرد و گفت: «وقتی مصاحبه‌ی آن عفریته را با امیر دیدم، یکی از اولین نکاتی که به ذهنم آمد کثافت سلولش بود. یقین داشتم که در چنین کثافتی دوام نمی‌توانست بیاورد.» می‌گفت: «در اصلاح صورتش هم وسواس فراوانی نشان می‌داد و دقت خاصی داشت که پیراهن‌های سفیدش هم همیشه تمیز و نظیف باشند. هر بار که به اروپا می‌رفت، یک دو جین از این پیراهن‌ها، به اندازه‌های مختلف می‌خرید و با خود به ایران می‌آورد. می‌دانید که به راحتی وزن کم و زیاد می‌کرد.»[1] به راستی هم اضافه

وزن و چاقی یکی از مشکلات دایمی هویدا بود. لیلا پس از چندی هویدا را متقاعد کرده بود که رژیم غذایی پرچربی مألوف و محبوبش را وابگذارد، و در عوض از غذاهای رژیمی استفاده کند. هویدا هم پذیرفته بود و از آن‌جا که به غذای فرانسوی دلبستگی خاصی داشت، ناچار آشپز ویژه‌ی نخست‌وزیری را برای گذراندن یک دوره‌ی آشپزی غذاهای گیاهی رژیمی فرانسوی به پاریس گسیل کردند.[۲]

پس از حمام و اصلاح، نوبت خواندن مطبوعات فرا می‌رسید. هویدا صبح‌ها حداقل یک ساعت مطبوعات داخلی و خارجی را مرور می‌کرد. اغلب حتی پیش از آن که به دفتر کارش برسد، تلفنی با چند تن از ارباب مطبوعات، وزرای کابینه، و حتی با شاه مذاکره کرده بود. گاه به متن یک گزارش ایراد داشت و گمان می‌کرد که مثلاً حقایق را وارونه جلوه داده و زمانی از زاویه‌ی دید نوشته‌ای انتقاد می‌کرد.

از طریق مطبوعات، از تحولات دنیای کتاب در غرب هم مطلع می‌شد. روش خاصی ترتیب داده بود تا بتواند کتاب‌های مطلوبش را خریداری کند.[۳] کنار نام هر کتابی که می‌خواست، علامت کوچکی می‌گذاشت و کارمندان دفترش آن‌گاه با استفاده از حساب ارزی ویژه‌ای که او برای این کار تدارک کرده بود، آن کتاب را سفارش می‌دادند. تأکید داشت که دیپلمات‌های ایرانی در خارج هرگز به پرداخت مخارج خرید و ارسال این کتاب‌ها وادار نشوند.[۴] وسواسش در مسائل مالی بی‌شباهت به وسواسش در زمینه‌ی نظافت شخصی نبود. مصداق دیگر این وسواس و درستکاری مالی را می‌توان در این واقعیت دید که هویدا از محمّد صفا، رئیس دفترش، خواسته بود میزان اجاره‌ی یکی از اطاق‌های دفتر نخست‌وزیری را تخمین بزند. کتاب‌ها و اسناد شخصی‌اش را در این اطاق نگاه می‌داشت. می‌گفت: «کارهای خصوصی‌ام را در این اطاق انجام می‌دهم. نمی‌خواهم هزینه‌ی آن را دولت بپردازد.»[5] به همین خاطر ماهانه هشتصد و پنجاه تومان بابت استفاده از این اطاق به حساب دولت واریز

می‌شد. مسائل مالی شخصی او همه به عهده‌ی وجیهه معرفت بود. حساب‌های بانکی هویدا را نیز هم او اداره می‌کرد. از همین حساب، ماهانه دو هزار تومان به مادر هویدا مقرری پرداخت می‌شد.[۶]

هویدا گاه از همین مطالعات صبحگاهی‌اش، طرح‌هایی برای آینده‌ی ایران پیدا می‌کرد. برای نمونه، در دی ماه ۱۳۴۴، آن چنان که از گزارش سفارت آمریکا در ایران برمی‌آید، هویدا مقاله‌ای در باب "چشم‌انداز بیست ساله اقتصادی" فرانسه به قلم گروهی از "آینده نگران"* آن کشور، خوانده بود. هویدا نیز، به تأسی از این نوشته، بر آن شد که طرحی مشابه «برای ایران فراهم کند. گروهی از برجسته‌ترین اقتصاددانان ایران را در کمیته‌ای گردهم آورد. ریاست کمیته را به عهده‌ی عبداله انتظام گذاشت ... و از اعضای آن خواست تا چشم‌انداز بیست ساله‌ی اقتصاد ایران را ترسیم کنند.»[۷]

پس از آن که از خواندن مطبوعات صبحگاهی‌اش فراغت می‌یافت، راهی دفتر کارش می‌شد. گل ارکیده‌ای همواره بر یقه‌ی کتش می‌زد. ارکیده‌ها معمولاً هدیه‌ی لیلا بود. پیش از آشنایی با لیلا، هویدا معمولاً از میخک استفاده می‌کرد. لیلا نه تنها میخک هویدا را به ارکیده بدل کرده بلکه کارکشت این گل را در ایران هم بدعت گذاشت. در عین حال نخستین انجمن گل‌کاران ایران را نیز به راه انداخت. ارکیده بومی خاک ایران نیست. می‌گویند گلی است "جهان وطن". انگار گل و گل‌پوش از جنمی واحد بودند.

گل‌های ارکیده‌ی هویدا در آن روزگار سر و صدای زیادی به پا کرد. برخی می‌گفتند به او حالتی زنانه می‌دهد. برخی دیگر می‌گفتند این نوع حال و هوا نخست‌وزیر ایران را نمی‌برازد. بعدها شایعاتِ حتی حیرت‌آورتری در این زمینه رواج پیدا کرد. در آستانه‌ی انقلاب ناگهان برخی از مطبوعات کشور ادعا کردند که هویدا همواره در پس گل ارکیده‌اش میکروفونی پنهان می‌کرد. گزارش ماجرا حتی به گوش سفارت آمریکا هم رسید. یکی از مقامات

---

* Futurists

ایرانی، در دیداری با مأموران سفارت، گفته بود هویدا پشت گل ارکیده‌اش میکروفونی کار گذاشته بود که به مددش، «گفتگوهایش را با شاه و دیگران ضبط می‌کرد.» نوار این گفتگوها را هم، برای روز مبادا، برای برادرش فریدون می‌فرستاد که نماینده‌ی ایران در سازمان ملل بود و در نیویورک زندگی می‌کرد.[۸] متأسفانه شواهد همه حاکی از آنند که چنین نوارهایی هرگز به دفتر نمایندگی ایران در سازمان ملل ارسال نشد. در عین حال، ریشه‌ی این داعیه‌ی غریب را باید در یکی از جنبه‌های پیچیده‌ی زندگی هویدا سراغ گرفت.[۹]

چندی پس از آغاز تصدی مقام نخست‌وزیری، هویدا به گردآوری اسناد و مدارکی پرداخت که به گمانش نوعی بیمه علیه دسایس مخالفانش بود و در صورت ضرورت و در شرایط خطیر، از مخمصه یا محاکمه نجاتش می‌توانست داد. اسناد مربوط به فساد مقامات بالای مملکتی و نیز نسخه‌ای از فرامین خلاف قانون اساسی را در پرونده‌ای حفظ می‌کرد. این اسناد را معمولاً در پاکت بزرگ زرد رنگی نگاه می‌داشت. پاکت معمولاً مهر و موم بود و در صندوق ویژه‌ی امنی، در دفتر کارش در نخست‌وزیری، حفظ می‌شد. هرگاه به سفر می‌رفت، پاکت مهر و موم شده را در اختیار منشی معتمدش، وجیهه معرفت می‌گذاشت. می‌گفت اگر حادثه‌ای برای من رخ داد، پاکت را باز کن و آن‌گاه دستورات لازم را در آن خواهی یافت.[۱۰] سوای وجیهه معرفت و یکی دیگر از کارمندان دفتر نخست‌وزیر، برخی از نزدیکان و خویشان هویدا هم از وجود این پرونده اطلاع داشتند. فریدون هویدا روزی پرونده را روی میز کار برادرش دیده بود. از کم و کیف محتویات آن پرسید. هویدا جوابی سر بالا داد. صرفاً به ذکر این نکته بسنده کرد که اسناد آن پرونده به فعالیت‌های اقتصادی خاندان سلطنتی ربط دارد. در شهریور ۱۳۵۷، وقتی شایعه‌ی بازداشت هویدا در تهران رواج پیدا کرد، فریدون هویدا به یکی از دوستانش که نگران آینده و سلامت هویدا بود اطمینان خاطر داد و گفت: «امیر عباس

نگران وضع خودش نیست. برای اثبات برائت خود به اندازه‌ی کافی اسناد جمع کرده و همه را هم در جایی امن گذاشته است.»[11]

نخستین نشانه‌ی غیرمستقیم وجود این اسناد را می‌توان در نامه‌ای به خط خود هویدا یافت. نامه‌ی مورخ ۲۸ مرداد ۱۳۴۸ او از دو بخش کوتاه تشکیل شده: اولی به فرانسه و خطاب به فریدون است و دومی به فارسی نوشته شده و خطاب آن به مادر هویدا است. مضمون هر دو بخش یکی است و در آن هویدا به وجود «کاغذهای خصوصی من که در دو جامه‌دان کوچک»اند اشاره کرده و از مادر و برادرش خواسته که از این اسناد نگهداری کنند.

کار هویدا در گردآوری این پرونده از چشم ساواک هم دور نمانده بود. ظاهراً نخستین گزارش منتشر شده در این باره به اواخر سال ۱۳۵۵ تعلق دارد و در آن آمده است که «تعدادی از پرونده‌های به کلی سری و محرمانه که نخست‌وزیر سابق آقای هویدا در گاوصندوق اطاق خود نگهداری می‌کرده به بایگانی محرمانه عودت نداده و به احتمال قوی به منزل خود یا جای امن‌تری منتقل نموده‌اند. این پرونده‌هایی بوده که به طرق مختلف در آن سوءاستفاده شده یا دستوراتی بر خلاف قوانین و مقررات صادر شده.»[12] در آبان ماه ۱۳۵۷، چند روز پیش از بازداشتش، دوباره بر اساس گزارش ساواک، «امیر عباس هویدا، نخست‌وزیر اسبق نزد اشخاصی که به ملاقات وی رفته‌اند اظهار داشته در زمانی که اتهاماتی به وی وارد شده با پیش‌بینی قبلی، وقایع ایران را که خود ناظر آن بوده در ۳۰۰ برگ تنظیم و جهت یک نفر از بستگان خود در کشورهای خارج پست کرده که اگر روزی محاکمه شد و بر علیه او مقالاتی در ایران چاپ کردند، همزمان با آن، یادداشت‌های مزبور را ترجمه و در مطبوعات کشورهای خارجی به چاپ برسانند.»[13] شاید غرض هویدا از ذکر این مطالب نوعی تهدید بود. به در می‌گفت که دیوار بشنود. می‌خواست شاه و ساواک را از فکر بازداشت خود منصرف کند. به هر حال، اگر به راستی هدفش چیزی در این مقوله بود، باید گفت که اقداماتش مفید فایده‌ای نشد و بیهوده از

آب در آمد.

خویشان و نزدیکان هویدا که از وجود پرونده اطلاع داشتند جمله بر این قول‌اند که محتویات آن در روزهای پر ترس و لرز پیروزی انقلاب به شعله‌های آتش سپرده شد. در محاکمه‌ی هویدا هم مسأله‌ی وجود این پرونده و سرنوشت آن مطرح شد. رئیس دادگاه از هویدا پرسید که آیا حاضر است محتویات پرونده را در اختیار دادگاه انقلاب بگذارد. هویدا زیر بار نرفت. با زبانی محتاط و محترمانه پیشنهاد رئیس دادگاه را رد کرد.*

سال‌های صدارت هویدا را می‌توان به دو دوران متفاوت تقسیم کرد. دوران نخست پر از شور و امید بود. هویدا همواره سر حال و فعال جلوه می‌کرد. پشتکار و سخت‌کوشی‌اش از جنم کسانی بود که انگار رسالت تاریخی ویژه‌ای بر دوش خود احساس می‌کنند. موانع کار را به جدّ نمی‌گرفت. ایمان راسخ داشت که با کار سخت و پیگیر، هر مانعی را از میان بر می‌توان داشت. اصولاً بی عملی را برنمی‌تابید. به کسانی که از هرگونه مراوده و همکاری با رژیم شاه احتراز می‌جستند تذکر می‌داد که از بیرون گود هیچ تغییری ایجاد نمی‌توان کرد. در واقع، در آن دوران پرتحرک نخست، پیوسته در صدد بهبود روابط رژیم با اقشار گوناگون جامعه بود. این واقعیت که نشریات آن زمان به طور بیش و کم روزانه از سقوط قریب‌الوقوع کابینه‌اش خبر می‌دادند تأثیری در روحیه‌ی به ظاهر خستگی‌ناپذیرش به جا نمی‌گذاشت. دایم با نمایندگان مطبوعات دیدار و گفتگو می‌کرد. به تأسیس صنف نیمه رسمی روزنامه‌نگاران ایران مدد رساند و از طرف دولت زمینی برای ایجاد مسکن ارزان در اختیار این اتحادیه گذاشت. حتی دشمن دیرینش، مجله خواندنیها هم ناچار به اقرار

---

* من توانستم دو سه برگ از این پرونده را که از لهیب آتش مصون مانده بود پیدا کنم. این اوراق را به شرطی در اختیارم گذاشتند که جزئیات محتویات آن را به چاپ نسپرم. این شرط را پذیرفتم. احراز وجود این پرونده به گمانم کم اهمیت‌تر از چاپ گوشه‌ای از محتویات آن نیست. در هر صفحه به سیاهه‌ای دستنویس برمی‌خوریم که در آن مقدار سهام بانک‌های مختلفی که به اعضای خاندان سلطنت تعلق داشتند ذکر شده است.

این واقعیت شد که صبر و شکیبایی نخست‌وزیر جدید، و نیز سلوک پسندیده‌اش، تحسین برخی از مخالفانش را نیز برانگیخته است.[۱۴]

اما دوران دوم صدارت هویدا از لونی دیگر بود. روحیه‌ی تسلیم و بدبینی در برابر واقعیات موجود بر او چیره شده بود. گویی پذیرفته بود که واقعیات ایران تغییر ناپذیراند. به جای مبارزه علیه اقدامات غیرقانونی، حال دیگر به حفظ و نگهداری پرونده‌ای از موارد فساد و اقدامات خلاف قانون بسنده می‌کرد و انگیزه‌اش از گردآوری این پرونده نیز چیزی جز حفظ منافع و موقعیت شخصی خودش نبود. گرچه گاه به مبارزه با مواردی از این فساد می‌پرداخت، اما اغلب اوقات صرفاً سکوت اختیار می‌کرد و اگر هم دوستان و خویشانش، به اعتراض به ابعاد فساد اشاره می‌کردند، هویدا هم به همه جوابی بیش و کم یکسان می‌داد. می‌گفت: «نگران نباشید، اینها همه عوارض اجتناب‌ناپذیر رشد اقتصادی‌اند. در چشم‌انداز کل اقتصاد مملکت، این ریخت و پاش‌های جزئی اهمیتی ندارند.»[۱۵]

پرویز راجی که مدت‌ها رئیس دفتر هویدا بود و سپس به سفارت ایران در انگلستان منصوب شد، می‌گفت هویدا به خصوص در سالهای اخیر صدارتش، «خود اغلب در خلوت اذعان داشت که سیاست‌هایش دیگر از نوآوری و خلاقیت عاری‌اند. می‌گفت گفته‌هایش در نزد مردم دیگر اعتبار چندانی ندارند. خودش هم انگار به این حرفها اعتمادی نداشت. در این سال‌ها سخت خسته به نظر می‌رسید. به راحتی عصبانی می‌شد. بداخلاق و کم حوصله شده بود.»[۱۶] در واقع، حتی سر سخت‌ترین مدافعان هویدا هم بر این قول متفق‌اند که او در این دوران دوم شیفته و معتاد عوالم و لذات جنبی قدرت شده بود.[۱۷] برای حفظ مقامش به هر خفتی تن در می‌داد. یک بار، در عین صداقت و واقع‌بینی‌ی نقادانه گفته بود: «بعضی‌ها تریاکی‌اند؛ بعضی دیگر به مال دنیا دل می‌بندند. بعضی هم معتاد قدرت‌اند.»[۱۸] مرادش از معتادان قدرت قاعدتاً بیش از هر کس خودش بود.

نمی‌توان به دقت تعیین کرد که در کدام سال شور و اشتیاق و لیبرالیسم و بی‌اعتنایی به قدرت که همه وجوه شخصی دوران اول صدارتش بود پایان گرفت و دوران زیانبار بدبینی‌ها، و دلبستگی شدیدش به قدرت و صدارت آغازید. در مقاطع گوناگون، برخی از دوستان و خویشانش توصیه می‌کردند که دیگر باید کار صدارت را وا بگذارد. به همه جوابی بیش و کم یکسان می‌داد. می‌گفت: «حضور من دست‌کم جلوی بعضی از دزدهای فاسد مترصد قدرت را می‌گیرد. اگر من کنار بروم، نفر بعدی حتماً بدتر خواهد بود.» فریدون هویدا هم چندین بار خواسته بود که از کار کناره گیری کند و جواب هویدا به او هم متفاوت از آن‌چه به دیگر دوستانش می‌گفت نبود. می‌گفت: «در ایران هیچ کس حق استعفا دادن ندارد. همه باید منتظر اوامر شاهنشاه بمانند. استعفا تنها به فرمان ایشان است.»[۱۹]

دو جنبه‌ی مهم از سلوك هویدا در این دوران تغییر نکرد. یکی درستکاری مالی‌اش بود و دیگری تواضعی که همزاد آن پرهیز از زرق و برق قدرت بود. به قول یکی از مأموران سفارت آمریکا، هویدا همواره «بی‌تکلف می‌نمود ... و رغبتی به تظاهر به قدرت» نداشت.[۲۰] برای رفت و آمدهای اداری و خصوصی، هویدا بیش و کم هرگز از اتومبیل رسمی نخست‌وزیر استفاده نمی‌کرد. او خود پیکانی داشت ساده که وسیله‌ی اصلی ایاب و ذهابش بود. رانندگی این پیکان را نیز خود به عهده می‌گرفت و رئیس گروه محافظان او در صندلی عقب می‌نشست. گاه نیز اتوموبیل دیگری، حامل بقیه‌ی محافظان نخست‌وزیر، پیکان هویدا را تعقیب می‌کرد.[۲۱] در واقع گرچه او قدرت را سخت دوست می‌داشت، اما نوعی فروتنی جبلی هم در او بود که او را از اغلب نخست‌وزیران سابق مملکت متمایز می‌کرد.

گاه هم در مسیر کار، به رغم هشدارها و نگرانی‌های محافظانش، هویدا جلوی صف اتوبوس توقف می‌کرد و خانم یا آقایی را که در صف منتظر اتوبوس بود به درون پیکان دعوت می‌کرد. می‌خواست از این راه فراز و

فرودهای افکار عمومی جامعه را بشناسد. در عین حال، برای تعداد انگشت‌شماری از مسافران خطوط اتوبوس‌رانی تهران این فرصت غیرمترقبه را پدید می‌آورد که به شکل مستقیم و بی‌واسطه با نخست‌وزیر مملکت دیدار و درددل کنند.

البته مخالفان هویدا، به ویژه اسدالله علم، این جنبه از سلوک هویدا را چیزی جز عوام‌فریبی یا به قول علم "دماگوژی"، نمی‌دانستند. علم بارها به هویدا تذکر و هشدار داده بود که اقداماتی از قبیل استفاده کردن از پیکان به جای ماشین نخست‌وزیر چیزی جز تظاهر نیست. علم مدعی است که هویدا هرگز در مقابل این انتقادات، «جوابی نداشت بدهد.» در عین حال، علم می‌گفت به کرات شرح این گفتگوها را به عرض شاه رسانده بود و درماندگی هویدا باعث انبساط خاطر شاه شده و به خنده‌اش انداخته بود.[۲۲]

البته این خنده شاه را نباید رخدادی تصادفی دانست. در عین حال نمی‌توان آن را صرفاً نشانی از همدستی شاه در جنگ و گریز دایمی و اغلب شدید و گاه حتی کودکانه‌ی علم و هویدا به شمار آورد. واقعیت این است که یکی از ویژگی‌های سبک کار شاه ایجاد تفرقه و چند دستگی در میان زیردستانش بود. از این راه قدرت خود را تثبیت می‌کرد. همان‌طور که در گزارش سفارت آمریکا در ایران تصریح شده، سبک حکومت خودکامه‌ی شاه اقتضا می‌کرد که، «مدیران مملکتی، در همه سطوح، همواره با یکدیگر رقابت کنند. گاه مسائل اداری موضوع این رقابت‌ها بود؛ گاه مسائل شخصی. بدین سان نیرویی که باید صرف انجام امور مملکتی می‌شد در راه توطئه‌های دائمی [مدیران علیه یکدیگر] به هدر می‌رود.»[۲۳] به عبارتی دیگر شاه نه تنها جنگ و گریز دائمی علم و هویدا را برمی‌تابید، بلکه ظاهراً به این رقابت‌ها دامن می‌زد.

در هر حال، به‌رغم انتقادات و متلک‌های کسانی چون علم، هویدا کماکان با پیکان خود سر کار می‌رفت. به‌علاوه، گاه به زبان عامیانه مردم سخن

می‌گفت و زمـانی شـوخی‌های سـبک و رایـج روز را تکـرار مـی‌کرد. در مهمانی‌ها گهگاه به شیوه‌ای که برخی از قدما شنیع‌اش می‌دانستند می‌رقصید. در دیدارهای رسمی، اغلب از مسیر تعیین شده خارج می‌شد و با مردم عادی به گفتگو می‌پرداخت. این نوع اقدامات او نه تنها باعث نگرانی مـحافظانش می‌شد، بلکه مردم طرف گفتگوهایش را هم حیرت زده می‌کرد. در محافل درباری، هویدا از موقعیتی به راستی استثنائی برخوردار بود. غریبه‌ای آشنا بود. با معیارهای آن زمان، سبک و نوع زندگی‌اش درویشی بود. به روایتی حتی در اوایل دوران نخست‌وزیری‌اش، روزی شاه به دیدن خانه‌ای آمد که هویدا در آن با مادرش زندگی می‌کرد. سادگی خانه شاه را حیرت زده کرد. گویا از هویدا پرسیده بود، «چطور در این لانه‌ی مرغ زندگی می‌کنید؟»۲۴

روز هویدا در دفترش معمولاً باگزارش یکی از کارمندانش آغاز می‌شد. گروهی سخت زبده و قابل اطمینان در دفتر خود گرد آورده بود. بیش و کم یک یک کسانی که در دفترش کار می‌کردند، از لحاظ مالی، حسن شهرت داشتند و هویدا کردارشان را با معیارهایی دقیق و سخت‌گیرانه مـی‌سنجید. رفتارش با زیردستان اغلب نرم و دوستانه بود. اما گاه، یکباره، به تندی و خشم می‌گرایید. صدای آرام و دوستانه‌اش ناگهان به نـعره‌هایی خشم‌آلود بـدل می‌شد. البته معمولاً تنها دقایقی پس از این عربده‌ها، کارمندی راکه لحظاتی پیش خطاب و عتاب شده بود، نزد خود فرا می‌خواند و دل داری‌اش می‌داد. یک بار پس از یکی از این لحظات خشم‌آلود بر سبیل دلجویی، به کارمندانش گفته بود: «من خانواده ندارم. شما مثل خانواده‌ی من هستید. جیغ و دادهایم را هم مثل دعواهای خانوادگی تلقی کنید.»۲۵

هویدا در عین حال بازیگری ماهر بود که می‌توانست به فراخور حال و ضرورت زمان، به خشم و خنده، یا اندوه و اضطراب تظاهر کند. اما او بیش از هر چیز دیپلماتی ماهر بود. می‌دانست چگونه از پشت پرده اهرم‌های لازم را برای نیل به هدف‌های مطلوب خود به حرکت در آورد. هـم در تـعریف و

تمجید ماهر بود و هم در تهدید صریح و غیرمستقیم. حال و هوای عاطفی کارمندانش را نیک می‌شناخت. بعید بود تولد یا ازدواج، یا رخداد مهم دیگر زندگی هیچ یک از آنان را فراموش کند. در هر موقعیت، هدیه‌ای مناسب آن موقعیت، تدارک می‌دید. حتی با دشمنانش هم از در دوستی وارد می‌شد. گاه با پنبه سر می‌برید و اغلب می‌خواست با محبت، مخالفان خود را خلع سلاح کند. بیشتر کسانی که با او مراوده داشتند داستانی نظیر آن‌چه بر علینقی عالیخانی رفته بود نقل می‌کنند. در یکی دو سال اول صدارت هـویدا، عالیخانی که به حمایت اسدالله علم هم مستظهر بود، رقیب و جانشین بالقوه‌ی هویدا محسوب می‌شد. در دورانی که عالیخانی وزیر بود، روابطش با هویدا به تیرگی گرایید. حتی پس از انتصاب عالیخانی به ریاست دانشگاه تهران روابط او با هویدا کماکان تیره بود و گاه حتی با تنش‌هایی تازه تیره‌تر هم می‌شد. کار به جایی رسیده بود که از سال ۱۳۴۹ به بعد عالیخانی و هویدا دیگر عملاً با یکدیگر صحبت نمی‌کردند.

در این میان، پدر زن عالیخانی در فرانسه درگذشت. هویدا نه تنها بلافاصله نامه‌ی تسلیتی برای سوزان، همسر فرانسوی عالیخانی فرستاد، بلکه وقتی او در کنار شوهرش در هواپیما، منتظر آغاز پروازشان به پاریس نشسته بود، یکی از معاونان نخست وزیر به نمایندگی از هویدا، به دیدارشان آمد. پاکتی از سوی هویدا تقدیمشان کرد که در آن مقداری «ارز خارجی برای مصارف احتمالی سفر»[۲۶] بود.

در نخستین ماه‌های نخست‌وزیری‌اش، هویدا حل بحران اقتصادی را در رأس برنامه‌های دولت خود می‌دانست. کابینه‌ی منصور هم با همین بحران دست و پنجه نرم کرده بود. با مرگ منصور، هویدا اعلان کرد که برنامه‌های اقتصادی دولت گذشته را دنبال خواهد کرد. در عین حال، قول داد که نه تنها بودجه‌ای تازه فراهم خواهد آورد بلکه قوانین مالیاتی و نیز قوانین استخدامی کشور را نیز اصلاح خواهد کرد. اما در عمل، ادامه‌ی سیاست‌های اقتصادی

منصور دشوار از آب در آمد. قبل از هر چیز، اعتراضات گسترده و روزافزون مردم، دولت را به عقب‌نشینی در برخی زمینه‌ها ناچار ساخت. به طور مشخص، پس از چندی، دولت در بیانیه‌ای اعلان داشت که، «به فرمان مستقیم شاه قیمت بنزین، قند و برق را کاهش داده است.»[۲۷] این قدم دست کم در کوتاه مدت به محبوبیت دولت هویدا در میان مردم افزود، از سویی دیگر، با کاهش این قیمت‌ها، طبعاً بر کسری بودجه دولت افزوده شد. این کسری بودجه هم، به نوبه‌ی خود، دولت را واداشت که بودجه‌ی ادارات و وزارتخانه‌های مختلف را بکاهد. البته ارتش و ساواک از این قاعده مستثنی بودند. بودجه‌ی هر دو را شخص شاه تعیین می‌کرد و تغییر و تقلیل‌پذیر نبود.

اگر گزارش سفارت آمریکا در ایران را ملاک بگیریم، هویدا توانست با ظرافت و درایتی ستودنی، بودجه‌ی وزارتخانه‌های مختلف را بکاهد و «از ماجرای اخیر بودجه سرفراز و موفق بیرون بیاید.»[۲۸]

به‌علاوه، برنامه‌های رشد اقتصادی، که طراح اصلی آن آمریکایی‌ها بودند، ظاهراً موفق از آب در آمده بود. با بهبود وضع اقتصادی، وضع سیاسی هم بهتر شد. حتی شایعات رایج در مهمانی‌های شبانه تهران هم تغییر کرد. بنا بر گزارش سفارت آمریکا، «مردم دیگر از سیاست کمتر صحبت می‌کنند و اغلب درباره‌ی کسب و کار، مسائل جنسی و چند و چون راحتی حمام منزلشان گپ می‌زنند. نسبت به آینده امیدوار شده‌اند، و در نتیجه از رژیم هم کمتر انتقاد می‌کنند.»[۲۹]

اما پس از چندی، بحران اقتصادی تازه‌ای در افق پدیدار شد. در نتیجه‌ی فشارهای تورمی، قیمت‌ها به سرعت بالا رفت. دولت هم دستپاچه شد و در صدد چاره‌جویی فوری برآمد. در این جا، دلبستگی هویدا به مکتب فرانسوی کنترل قیمت‌ها، و نیز این واقعیت که او در دوران جوانی به اندیشه‌های مارکسیستی، و گرایش دولت‌گرای همزاد آن تعلق خاطر داشت همه دست به دست هم داد و در تعیین نوع سیاست مبارزه‌ی با تورم دولت تأثیر گذاشت.

مهم‌تر از همه این که شاه هم همواره نسبت به مساله افزایش قیمت‌ها حساسیت خاصی داشت و برای کنترل قیمت، کاربرد قدرت دولت را بر استفاده از مکانیسم بازار ترجیح می‌داد. حاصل این شد که هویدا هم به جای استفاده از قدرت پولی و مالیاتی دولت، سیاست کاهش اجباری قیمت‌ها را پیش گرفت. صاحبان کالا چاره‌ای جز کاهش قیمت‌ها نداشتند. اگر هم از دستور دولت در این مورد سرپیچی می‌کردند، تحت پیگرد قرار می‌گرفتند و مجازات می‌شدند. به‌علاوه برای شکستن بازار گران‌فروشان، دولت چندین فروشگاه ویژه تأسیس کرد که در آنها کالاهای مختلف را به قیمت ارزان در اختیار مردم قرار می‌داد. این فروشگاه‌ها باب طبع توده‌ی مردم بود، اما آشکارا صاحبان صنایع و تجار را به خشم آورد.[۳۰]

در اوایل دهه‌ی چهل، این سیاست کاهش اجباری قیمت‌ها، دست‌کم در کوتاه مدت، با موفقیت روبرو شد. در سال ۱۳۵۳، دوباره فشارهای تورمی فزونی گرفت و این بار نیز دولت هویدا بر آن شد که شکلِ حتی قاطع‌تری از سیاست‌های سال‌های چهل را اتخاذ کند. در بحبوحه‌ی بحران جدید، فریدون مهدوی، که زمانی از فعالان جبهه ملی و از منتقدان پر و پا قرص هویدا بود، به عنوان وزیر بازرگانی به کابینه پیوست.[۳۱*]

شاه به مهدوی درست یک ماه فرصت داد تا قیمت‌ها را پایین بیاورد. تهدید کرد که در غیر این صورت برای کاهش قیمت‌ها از ارتش استفاده خواهد کرد. در واقع، فرماندهان ارتش، به دستور شاه کار تدارک چنین عملیاتی را آغاز کرده بودند. مهدوی که تحصیلات اقتصادی‌اش را در آلمان گذرانده بود، می‌گفت: «من از دوران دانشجویی، با سیاست کاهش قیمت‌های نازی‌ها که در سال ۱۹۳۶ به مرحله اجرا در آمد آشنا بودم. در آن زمان،

---

* حتی در سال ۱۳۵۰ هم شاه هنوز مصدق را فراموش نکرده بود. محبوبیت مصدق باعث رنج و عذاب شاه بود. وقتی ایران قرارداد تازه‌ای با کنسرسیم امضا کرد، برایش سخت بود که یکی از چهره‌های سرشناس جبهه، دفاع از قرارداد را در رادیو و تلویزیون ایران به عهده گیرد.

دولت آلمان نه تنها افزایش قیمت‌ها را منع کرد، بلکه قیمت هر کالا را خود تعیین و تثبیت کرد. من هم همین سیاست را دنبال کردم.»[۳۲] به‌علاوه مهدوی از دانشجویان دانشگاه‌های ایران به عنوان ضابطین کنترل قیمت استفاده کرد. این دانشجویان حتی حق داشتند خاطیان را بازداشت کنند. رفتارشان بر نارضایتی کاسبان و مغازه‌داران و صاحبان صنایع افزود. قیمت‌ها تثبیت شد. ارتش وارد کارزار مبارزه با تورم نشد. ولی این بار درمان درد بدتر از خود درد بود و شمار گسترده‌ای از کسبه را به صف مخالفان روزافزون شاه فرستاد. تجربه‌ی سالهای چهل، در یک کلام، به شکل دادن سیاست ضد تورم دولت در سالهای دهه‌ی پنجاه کمک کرد.

در سال ۱۳۴۴ نه تنها حل بحران اقتصادی آسان از آب در نیامد، بلکه هویدا به زودی دریافت که کار تغییر قوانین استخدامی کشور نیز از لحاظ سیاسی فرایندی پیچیده و بالقوه سخت خطرناک است. در آن زمان، ادارات دولتی ایران پر از کسانی بود که مختصر حقوقی می‌گرفتند و کاری هم انجام نمی‌دادند و طبعاً منافع خویش را در حفظ وضع موجود و "آب باریکه" خود می‌دانستند. یکی از فضایل اصلی هویدا به عنوان یک سیاستمدار صبر و شکیبایی‌اش بود. می‌دانست که برای هر نبردی که امروز در آن پیروزی نامیسر جلوه می‌کرد، فردایی هم هست. به ندرت وارد جنگی می‌شد که از پیروزی‌اش اطمینان نداشت. وقتی دریافت که بهای پیروزی در نبرد برای تصویب قانون استخدامی جدید بالقوه سخت‌گران می‌تواند بود، کار لایحه را به زمانی دیگر موکول کرد. در دی ماه ۱۳۴۳، دولت اعلان کرد که به علت فشارهای مالی، انجام اصلاحات لازم در نظام استخدامی مملکت را به زمانی دیگر واگذاشته است. سفارت آمریکا البته علت تأخیر را نه مالی که یکسره سیاسی می‌دانست و معتقد بود که دولت می‌خواهد، «از این راه مخالفت گروه‌های ذی‌نفوذ کارمندی را به حداقل برساند.»[۳۳] در عین حال، قوانین مالیاتی جدید هم در همان ماه‌های اول دولت هویدا، «در وزارت دارایی، و به

راهنمایی مشاوری از طرف صندوق بین‌المللی پول در دست تدارک بود.»[۳۴]

هویدا در صدارت سبک و سیاقی خاص خود داشت. بیش و کم هر روز نهار را با گروهی متفاوت از مردم صرف می‌کرد. یک روز نوبت روزنامه‌نگاران بود، روز بعد نمایندگان مجلس. محور بسیاری از فعالیت‌هایش در آن دوران جذب اقشار بیشتری از مردم به درون رژیم بود. می‌خواست آنها را در چهارچوب ضوابط تعیین شده از سوی خود رژیم به همکاری و مشارکت سیاسی وادارد. برخوردش با مسأله‌ی مرگ مصدق مصداق بارز سبک کارش بود. در شانزدهم اسفند ۱۳۴۵ مصدق، در سن ۸۷ سالگی، در نتیجه‌ی سرطان درگذشت. خبر مرگش را مطبوعات ایران، به دستور دولت، تنها در چند سطر کوتاه پخش کردند. هویدا با این نحوه‌ی برخورد مخالف بود. «به شاه توصیه کرد که به اقتضای مقام مصدق به عنوان نخست‌وزیر اسبق، مراسم ختم کوچکی برای او برگذار شود. شاه گویا به شدت با این پیشنهاد مخالفت کرده بود. گفته بود می‌خواهد هرگونه نام و نشان مصدق را از این دیار بزداید.»[۳۵] طبعاً مراسم ختمی برای مصدق برگذار نشد. البته در روز مرگ او، پرچم سه رنگ ایران در پایتخت به حالت نیمه افراشته درآمد، ولی نه به خاطر مرگ مردی که حتی سفیر آمریکا او را «از برجسته‌ترین شخصیت‌های تاریخ ایران» می‌دانست، بلکه به عنوان ادای احترام برای مرگ فرماندار کل کانادا، جرج واینر.»[۳۶]*

به‌علاوه، در اوایل صدارت هویدا، آن چنان که از برخی گزارش‌های سفارت آمریکا برمی‌آید، تلاش‌هایی در جهت بازگرداندن آیت‌الله خمینی به ایران صورت گرفت. «قرار بر این بود که در مقابل اجازه بازگشت، او نیز تضمین کند که دیگر در امور سیاسی دخالتی نخواهد کرد.»[۳۷] مهدی پیراسته، که در سال ۱۳۴۴، سفیر ایران در عراق بود، رئوس کلی این گزارش سفارت آمریکا را تأیید می‌کند. به گفته او، چندی پس از ورودش به بغداد، «یکی از

---

* George Weiner

نزدیکان [آیت‌الله] خمینی به سفارت آمد. می‌خواست ترتیبی بدهد تا [آیت‌الله] بتواند به ایران بازگردد. من از دخالت در این کار امتناع کردم. گفتم به [آیت‌الله] خمینی اعتمادی ندارم. به شاه گفته بودم که اصولاً نباید او را تبعید می‌کرد. گفتم که باید او را در منزلی در ایران محبوس نگاه می‌داشتیم.»[۳۸] پیراسته می‌گفت نماینده آیت‌الله خمینی از من که نومید شد به سرهنگ پژمان، نماینده‌ی ساواک در سفارت ایران، توسل جست. پژمان هم به نوبه خود با تهران تماس گرفت و پس از چندی جواب آمد که هیچ توافقی با آیت‌الله خمینی میسر نیست.[۳۹] نقش هویدا در این مذاکرات روشن نیست. به‌علاوه، گرچه او خود برای زیارت مرقد حضرت رضا به مشهد رفت، «و مادرش را هم به حج فرستاد»، اما کماکان بسیاری از روحانیون با او مخالف بودند. به گمان سفارت آمریکا، علت اصلی این مخالفت این «شایعه بود که هویدا بهایی است و اعضای این فرقه در ایران منفوراند.»[۴۰] البته، در کل به نظر می‌رسد که دست کم در چند سال اول صدارت هویدا، رابطه‌ی دولت او با روحانیون بهتر از این روابط در دوران منصور بود.[۴۱]

گرچه برخی از روحانیون تهران، پس از مستظهر شدن به الطاف ویژه‌ی هویدا، نظر خوش‌تری نسبت به او پیدا کردند، اما در مواضع آیت‌الله خمینی در این زمینه تغییری حاصل نشد. در تنها نامه‌ای که ظاهراً در طول حیاتش خطاب به هویدا نوشت، هیچ گونه نشانی از حسن نظر به هویدا، یا نرم شدن مواضع او در قبال دولت سراغ نمی‌توان کرد. در عین حال، در نامه هویدا به بهایی بودن هم متهم نشد. نامه در سال ۱۳۴۶ نوشته شد. در آن زمان آیت‌الله خمینی یک روحانی تبعیدی بود و هویدا نخست‌وزیر مملکت. با این همه، لحن نوشته بیشتر به پند و تشرهای یک مدیر مدرسه به یکی از شاگردان خاطی خویش شبیه است. می‌گفت: «جناب آقای هویدا، لازم است نصایحی به شما بکنم و بعضی از گفتنی‌ها را تذکر دهم ... چه مختار در پذیرش آن باشید یا نه...» در این نامه در عین حال به «حکومت پلیسی شما» و «ریاکاری و سالوس

بازی‌های شما» اشاره شده بود. به دولت هویدا هشدار می‌داد که اسرائیل «بر شئون اقتصادی کشور» مسلط شده و در مسائل فرهنگی نیز دخالت‌های ناروا می‌کند. در پایان آیت‌الله خمینی به لحنی پر طعن و در ضمن تهدیدآمیز می‌پرسید: «چطور وجدان خود را راضی می‌کنید برای حکومت زودگذر این قدر چاپلوسی از اجانب کرده، ذخایر ملت را به رایگان یا به مقداری ناچیز تسلیم آنها نمایید ... جرایم شما برملا خواهد شد. قدرت آزادی دادن ندارید ... از این کسبه بی بضاعت این قدر اخاذی نکنید ... می‌گویم شاید تنبیه شوید و به خود آیید.»[۴۲]

مضمون نامه از جنبه‌ای سوای لحن آن نیز حائز اهمیتی ویژه است. اگر در مفاد نامه نیک نظر کنیم می‌بینیم اتهاماتی که در آن علیه هویدا وارد آمده دوازده سال بعد، در کیفرخواست دادگاه انقلاب علیه هویدا از نو رخ نمود. البته قاعدتاً در زمان نگارش نامه هیچ کس باور نمی‌کرد که در فاصله‌ای به راستی کوتاه نویسنده‌ی آن رهبر انقلاب خواهد بود و مخاطبش زندانی و اسیر او.

در روزهای نخست صدارتش، هویدا سفر هم زیاد می‌کرد. به اقصی نقاط ایران سر می‌زد. تمرکز زدایی از دولت از ارکان برنامه‌های پیشنهادی‌اش بود. وقت و نیروی فراوانی صرف این کار می‌کرد. بارها جلسات دولت را در نقاط دورافتاده‌ی مملکت تشکیل می‌داد. گاه برای سرکشی به این مناطق می‌رفت. بسیاری از این سفرها ناگهانی و بدون اطلاع قبلی بود. پیش از سفر اغلب مشاوران معتمدش را وامی‌داشت تا مسائل آن منطقه را از نزدیک مطالعه کنند و چند و چون آنها را برایش شرح دهند. دیدارش از تبریز، در دوم مرداد ۱۳۴۶، نمونه‌ای از این سفرها بود. این بار همسرش لیلا نیز همراهش بود. کنسول آمریکا گزارش نسبتاً مفصلی از این سفر نوشته؛ در آن می‌گوید هویدا آشکارا می‌خواست از مقامات دولتی شهر زهرچشم بگیرد. می‌گوید نخست‌وزیر بی‌اطلاع قبلی وارد شهر شد.

عنایتی به مراسم رسمی نشان نداد... برنامه‌ای سخت فشرده داشت. با شماری از مسئولان دیدار کرد. از چند مرکز مختلف بازدید به عمل آورد. همه جا با نگاهی نکته‌سنج و ریزبین مسائل را وارسی می‌کرد. در جا دستورات لازم را صادر می‌کرد و مقامات محلی را به تکاپو می‌انداخت... نگاه تیزبین عقاب مانندش در سقف سالن انتظار ایستگاه قطار چند سوراخ پیدا کرد. به همین خاطر، رئیس راه‌آهن را مورد مواخذه شدید قرار داد. برنامه‌اش به همین شکل برای سه روز تمام ادامه داشت. بیش و کم از تمام ادارات دولتی بازدید کرد و کمتر کسی بود که مورد مواخذه‌اش قرار نگرفت. البته هویدا توپ و تشرهای اصلی‌اش را برای روزی حفظ کرد که به دانشگاه تبریز می‌رفت.

از حدود سه ماه پیش، دانشگاه محل تظاهرات و اعتراضات متناوب دانشجویان بود. وقتی هویدا به محل دانشگاه رسید، عصایش را به کناری گذاشت، کتش را در آورد، آشکار خطاب به دانشجویان و استادانی که نه تنها سالن را پر کرده بودند، بلکه در راهروها به انتظار ایستاده بودند گفت که همه چیز دانشگاه بلافاصله تغییر خواهد کرد. گفت استادان، کلاس‌ها، خوابگاه‌ها، بورس‌ها و معیارهای علمی را دگرگون باید کرد. می‌گفت همه چیز را باید تغییر داد. آن‌گاه به شکلی منظم و قاطع نظام موجود دانشگاهی را به باد حمله و انتقاد گرفت و گاه حتی از استادان و مسئولان با ذکر نام انتقاد می‌کرد. می‌گفت ایشان منافع دانشجویان را فراموش کرده‌اند ... می‌گفت کار درس و کلاس را فدای پر کردن جیب‌هایشان کرده‌اند ... در یک کلام، به شاه و ملت زیان زده‌اند و دانشگاه را به شکل قرون وسطایی اداره کرده‌اند. اعلان کرد که همه‌ی رؤسای دانشکده‌ها در جا تغییر خواهند کرد ... دانشجویان (به همراهی شماری از اساتید جوان) برای نزدیک به پنج

دقیقه، بی‌وقفه، برای نخست‌وزیر کف زدند.۴۳

سوای این گونه سفرها، اوقات هویدا صرف جلسات کابینه، نهارهای معروفش با اقشار مختلف مردم، ملاقات با شاه و البته دیدارهای هفتگی با مادرش می‌شد. شاه را دست کم یک بار در هفته می‌دید. در صورت لزوم، شمار شرفیابی‌ها بیشتر هم می‌شد. شاه در عین حال مصرّ بود که امرای ارتش با اهل سیاست ایران تماس چندانی نداشته باشند و به همین خاطر اطاقی که در آن این دو گروه برای دیدار شاه به انتظار می‌ماندند از هم جدا بود.۴۴ به‌علاوه هویدا معمولاً چندین بار در طول روز با شاه تلفنی صحبت می‌کرد. در این تماس‌ها شاه تلفن ویژه‌ای را به کار می‌گرفت که دفتر کارش را به میز نخست‌وزیر وصل می‌کرد. گفتگوهاشان‌گاه به فارسی و زمانی به فرانسه یا انگلیسی بود. از زبان‌های خارجی اغلب در مواردی استفاده می‌کردند که می‌خواستند در مورد موضوعی محرمانه و حساس گفتگو کنند. اگر غرضشان از استفاده‌ی انگلیسی و فرانسه نوعی پنهان‌کاری بود، باید گفت که تلاشی کودکانه و مضحک بود. دستگاه‌های امنیتی داخلی و خارجی همه به راحتی از پس درک مطالب انگلیسی و فرانسه برمی‌آمدند. ولی شاید هم استفاده از زبان‌های خارجی بیشتر نتیجه این واقعیت بود که هر دو نفر به این زبان‌ها راحت‌تر از فارسی سخن می‌گفتند و ظرایف و دقایق آنها را بهتر از فارسی می‌دانستند. البته اگر این روایت را بپذیریم، آن‌گاه به گمانم این استنتاج هم اجتناب‌ناپذیر جلوه می‌کند که انقلاب اسلامی را دست‌کم از سر مجاز، باید نوعی طغیان زبان شناختی دانست: طغیان زبان و فرهنگ بومی علیه حکومت جهان وطنان بیگانه با زبان فارسی. می‌توان حتی گامی پیش‌تر گذاشت و ادعا کرد که هر گاه حکام ملکی زبان و فرهنگ آن دیار را نشناسند، آن‌گاه از انقلاب هم اجتنابی نیست.

طرفه آن که سوای همه‌ی احتیاط‌های امنیتی، به رغم استفاده از تلفن ویژه و زبان خارجی، چه بسا که شاه و هویدا تنها کسانی نبودند که به مضمون این

گفتگوها وقوف پیدا می‌کردند. هویدا معتقد بود ساواک همه‌ی تلفن‌های دفتر کارش را تحت کنترل دارد. حتی گمان داشت که نه تنها در اطاق کارش در نخست‌وزیری که در اطاق‌های منزل مادرش نیز دستگاه‌های استراق سمع نصب کرده‌اند. بارها شده بود که دوست یا خویشاوندی می‌خواست در مورد یک مسأله‌ی سیاسی بالقوه جنجالی اظهارنظر کند، اما هویدا با حرکت سریع دستش، انگشت سکوت به لب می‌برد و با حرکت ابروان، آن کس را به حیاط منزل دعوت می‌کرد و تنها در پناه درختان آن حیاط، در این گونه گفتگوها شرکت می‌جست.۴۵

در واقع، از زمان بازگشتش به ایران، هویدا رابطه‌ی پیچیده‌ای با ساواک داشت. البته منتقدینش که ظاهراً او را از هیچ گناه و لغزشی بری نمی‌دانند، مدعی‌اند او به محض بازگشت به وطن به عضویت ساواک درآمد. اما اسناد و شواهد موجود از وجود رابطه‌ای پیچیده‌تر حکایت دارد. این رابطه اغلب پرتنش، گاه آلوده به خوف و ترس و گه گاه مبتنی بر بی‌اعتمادی متقابل بود.۴۶ گرچه رئیس ساواک به ظاهر معاون نخست‌وزیر بود، اما شاه اداره‌ی ساواک را به طور مستقیم در دست داشت. رئیس ساواک، تیمسار نصیری، مستقیماً به شاه گزارش می‌داد. به‌علاوه، در موارد حساسی که مثلاً مخالف سرشناسی بازداشت می‌شد، شاه به طور پیگیر در جریان کار بازجویی این افراد قرار می‌گرفت.۴۷ با این حال، در پاسخ به تاریخ او از پذیرش هرگونه مسئولیت برای اعمال ساواک سر باز می‌زند. می‌خواهد کاسه کوزه‌ها را سر دیگران بشکند. به‌رغم همه‌ی شواهد موجود، ادعا می‌کند که اداره‌ی ساواک با نخست‌وزیر بود و تنها نقش شاه در این ماجرا، امضا و تأیید سیاهه‌ی کسانی بود که باید مورد عفو ملوکانه قرار می‌گرفتند.۴۸

سوای تلاش شاه برای اعمال قدرت انحصاری بر ساواک، عوامل دیگری نیز باعث تیرگی رابطه‌ی هویدا با نصیری می‌شد. از سویی نصیری به فساد مالی شهرت داشت. به‌علاوه، از همدستان و معتمدان علم به شمار می‌رفت و این دو

واقعیت به تیرگی رابطه‌اش با هویدا کمک می‌کرد. ولی هویدا سیاستمداری تیزهوش و حیله‌گر بود. می‌دانست که در ایران قدرت واقعی، تا حد زیادی، در دست ساواک است. به‌رغم موانع متعددی که شاه در راه دخالت و نفوذ نخست‌وزیر در کار ساواک ایجاد کرده بود، هویدا برای برگذشتن از این موانع، آن چنان که سیاق کارش بود، از روابط و دوستی‌های شخصی‌اش بهره می‌جست و این جا بود که آشنایی‌اش با ثابتی نقش به غایت مهمی بازی کرد.

از اواخر دهه‌ی چهل، کار امنیت داخلی در واقع یکسره در دست پرویز ثابتی بود که ریاست اداره سوّم ساواک را به عهده داشت. در حالی که هر شنبه و پنجشنبه نصیری به دیدن شاه می‌رفت و امور امنیتی را به اطلاعش می‌رساند، هر چهارشنبه بعد از ظهر هم، اغلب پس از آن که بیشتر کارمندان دفتر نخست‌وزیری راهی منزل شده بودند، پرویز ثابتی در دفتر نخست‌وزیر به دیدار او می‌رفت. سوای این جلسات مستمر، این دو نفر گاه با هم نهار می‌خوردند. در برخی از مهمانی‌های شام هویدا نیز ثابتی در زمره‌ی مهمانان بود. در جلسات چهارشنبه، مسائل گوناگون مملکتی مورد بحث و تبادل نظر قرار می‌گرفت. تنها موضوعی که هرگز بحث نمی‌شد، مسائل عملیاتی امنیتی بود.۴۹

در دوران ریاست ثابتی، اداره‌ی سوّم نه تنها در جهت حذف و تهدید هرگونه فعالیت سیاسی مخالفان رژیم گام می‌زد، بلکه در عین حال گزارش‌هایی در مورد فساد مالی در قدرتمندان مملکت تدارک می‌دید. ثابتی فساد مالی را مسأله سیاسی و امنیتی می‌دانست. می‌گفت این مسأله بالقوه می‌تواند ثبات و امنیت مملکت را به مخاطره اندازد. مأموران او فعالیت‌های اقتصادی سران سیاسی و نظامی مملکت را زیرنظر داشتند. هرگونه رشوه‌خواری، کار چاق کنی و انواع شرکت‌های ساختگی، مشارکت‌های تقلبی و صوری و دیگر اشکال فساد را دنبال می‌کردند. حتی فعالیت‌های اعضای خاندان سلطنت هم از این گونه نظارت و گزارش‌ها مصون نبودند. گاه حتی

گزارش‌های ثابتی در مورد فعالیت‌های غیرقانونی اعضای خاندان سلطنت خشم شاه را برمی‌انگیخت. گرچه شاه هرگز، جز در واپسین روزهای حکومتش، ثابتی را از کار برکنار نکرد، اما در عین حال هرگز هم حاضر به دیدار با او نشد.* حتی در اوج فعالیت‌های انقلابی، زمانی که ارکان رژیم پهلوی در خطر بود، بسیاری از مشاوران شاه او را به گفتگو با ثابتی تشویق کردند، اما شاه کماکان زیر بار نرفت و از انجام چنین دیداری امتناع جست. قاعدتاً اغراق نیست اگر بگوییم که ثابتی بهتر از هر کس دیگر در ایران نقاط ضعف و قدرت رژیم پهلوی را می‌شناخت. با این حال، شاه به دلایلی که شاید هرگز روشن نشود، از دیدار با او خودداری می‌کرد.۵۰

در مقابل، هویدا هر هفته با ثابتی ملاقات داشت. در این جلسات، نه تنها مسائل سیاسی روز را به بحث می‌گذاشتند، بلکه اغلب ثابتی اطلاعاتی نیز در مورد فعالیت‌های اقتصادی نخبگان سیاسی ایران در اختیار هویدا می‌گذاشت.۵۱

وقتی هویدا در مصاحبه‌ی جنجالی‌اش با اُکرانت ادعا می‌کرد که ساواک عرصه‌ی جولان شاه بود ولا غیر، وقتی در دادگاه انقلاب تأکید می‌کرد که نقشی در اداره‌ی ساواک نداشت، وقتی می‌گفت هرگز دستور اعدام و شکنجه‌ی کسی را صادر نکرده، بی‌شک در مفهوم دقیق کلمه درست می‌گفت. اما مسئله‌ی مسئولیت اخلاقی و قانونی او در مقابل این اعمال بحثی است یکسره متفاوت و سخت پیچیده. می‌دانیم که با ثابتی دوستی نزدیک داشت و همین واقعیت او را، لاجرم، درگیر مسائل ساواک می‌کرد. به‌علاوه در عالم سیاست، اطلاعاتْ همزاد و رکن قدرت است و نوع اطلاعاتی که ثابتی در اختیار هویدا می‌گذاشت قاعدتاً یکی از ابزار مهم تثبیت و تداوم قدرت او بود.

---

* وقتی ثابتی به سمت "آجودان مخصوص" منصوب شد شاه را دید و چند عبارت رسمی میان این دو نفر رد و بدل شد. به غیر از این دیدار، شاه هرگز حاضر به دیدار با ثابتی نشد.

مهم‌تر از همه این که هویدا نمی‌توانست ادعا کند که در آن سالها از چند و چون فعالیت‌های ساواک بی‌خبر بود. مطبوعات خارجی که هویدا همواره آنان را به جدّ مطالعه می‌کرد اغلب در این زمینه مقالات مفصلی می‌نوشتند. به‌علاوه در بسیاری از سفرهایی که به خارج می‌کرد، خبرنگاران خارجی از او درباره‌ی وجود سانسور و شکنجه در ایران سئوالاتی می‌کردند. افزون بر این، نخست‌وزیر مملکت، طبق قانون اساسی، مسئول اعمال دولت و سازمان‌های آن است و این واقعیت که در عمل هویدا نقشی در اداره‌ی ساواک نداشت او را از مسئولیت قانونی در قبال اعمال آن مبری نمی‌کرد. به‌گمان من تنها موضع معقول و منطقی‌ای که هویدا می‌توانست در دفاع از خود طرح کند نظراتی است که فرخ نجم‌آبادی، در عین صداقت و بلاغت، صورت‌بندی‌اش می‌کرد. در گفتگویی پیرامون مسئله‌ی هدف و وسیله، حق و مسئولیت، رشد اقتصادی و استبداد سیاسی، نجم‌آبادی می‌گفت: «در آن سالها ما می‌دانستیم که در ایران شکنجه هست، و با این حال سکوت اختیار کردیم و به خاطر این سکوت گناهکاریم. اما سکوتمان به این خاطر بود که گمان داشتیم خدماتمان برای مملکت به این سکوت می‌ارزد. به‌رغم این سکوتِ بالقوه خطاکارانه، من و همکارانم خدمات ارزنده‌ای برای ایران انجام دادیم. کارنامه‌ای داریم که به‌راستی می‌توان به آن بالید.»[۵۲] البته اگر چه هویدا در تمام دوران صدارتش با قاطعیتی هرچه تمام‌تر منکر نقض حقوق بشر در ایران می‌شد، اما در دادگاه انقلاب، گاه یکسره از پذیرفتن هر نوع مسئولیت در قبال ساواک امتناع می‌کرد و زمانی هم موضعی شبیه نجم‌آبادی داشت.

سوای دیدارهای منظمش با ثابتی، هویدا طبعاً روابط دیگری هم با ساواک داشت. برخی از این روابط نتیجه‌ی اجتناب ناپذیر مسئولیت‌های اداری‌اش بود و برخی دیگر برخاسته از واقعیت‌هایی پیچیده‌تر. در سال ۱۳۴۴ داریوش همایون که در آن زمان روزنامه‌نگاری ناسیونالیست و جوان و پراستعداد بود، به آمریکا سفر کرد. سفرش را بورسی از دانشگاه هاروارد میسر کرده بود. در

دوران اقامتش در آن جا مقاله‌ای درباره‌ی رشد سیاسی در ایران نوشت. معتقد بود نظام سیاسی را باید هرچه زودتر، از درون اصلاح کرد. مقاله‌اش در تهران جنجالی به پا کرد. وقتی پس از پایان سفرش به تهران بازگشت، هویدا او را برای نهار به دفتر نخست‌وزیر دعوت کرد. در آن روزها همایون یکی از چهره‌های سرشناس عالم روزنامه‌نگاری در ایران بود. ناسیونالیسم افراطی‌اش، اندیشه‌های ضدکمونیستی خلل‌ناپذیرش و نیز شیوایی نثرش زبانزد خاص و عام بود.

در دیدارش با همایون، هویدا از اصلاحات سیاسی مورد بحث در مقاله‌اش پرسید. می‌خواست بداند این‌گونه اصلاحات را چگونه در عمل می‌توان ایجاد کرد. همایون در جواب تأکید کرد که به گمانش شرط اول این‌گونه نوسازی، ایجاد یک روزنامه مستقل و لیبرال مسلک و در عین حال وفادار به دولت است. می‌گفت چنین روزنامه‌ای می‌تواند «سطح بحث‌های سیاسی جامعه را برکشد.»[۵۳]

دو سال پس از این ملاقات، و بعد از جلسات مکرر دیگری که در آن نمایندگان ادارات مختلف دولتی نیز حضور داشتند، بالاخره در اواخر سال ۱۳۴۵، جلسه‌ای در دفتر نخست‌وزیر تشکیل شد که هویدا و نصیری و همایون در آن شرکت داشتند. دستور جلسه چند و چون تأسیس همان روزنامه‌ای بود که همایون در طلبش بود. بالاخره قرار شد برای ایجاد این روزنامه، شرکتی ایجاد کنند که پنجاه و یک درصد سهام آن از آنِ دولت باشد و باقی را همایون و شماری محدود از همکاران روزنامه نگارش تأمین کنند. نام روزنامه‌ی جدید آیندگان بود. هویدا، بنا بر توصیه‌ی ساواک، منوچهر آزمون را به عنوان نماینده سهام دولت در هیأت مدیره شرکت جدید تعیین کرد. آزمون از عناصر کار کشته‌ی ساواک بود. در جوانی کمونیست بود و در میانسالی وزیر کابینه شد.

گرچه آیندگان پس از آغاز کار در عمل اغلب مواضعی لیبرالی می‌گرفت،

گرچه گه گاهی حتی به زبانی پرتهور از جنبه‌هایی از سیاست دولت انتقاد می‌کرد، اما به نظر می‌رسید که هرگز مورد اعتماد کامل مردم قرار نگرفت. وقتی آیندگان قاطعانه از حضور آمریکا در ویتنام دفاع کرد، وقتی این خبر به میان مردم درز کرد که دولت و ساواک در کار تأسیس آن دست داشتند، آن‌گاه این نظر هم در میان اقشاری از مردم رواج پیدا کرد که آیندگان روزنامه‌ای آمریکایی است و در عین حال از عنایت و حمایت ساواک نیز برخوردار است. جالب این جاست که به رغم ناکامی‌هایی که آیندگان در آغاز به لحاظ این شهرت سوء با آن روبرو شد و لاجرم نتوانست، آن چنان که خواست همایون و همکارانش بود، «سطح بحث‌های سیاسی جامعه را برکشد»، اما در آستانه‌ی انقلاب اسلامی هیأت دبیران جدیدی اداره‌ی روزنامه را به عهده گرفتند و به سرعت آن را به مهم‌ترین ندای افکار لیبرالی و ضداستبدادی و ضد دولتی زمان خود بدل کردند. حتی برخی از ناظران و محققان تاریخ انقلاب بر این قول‌اند که بسته شدن آیندگان نقطه عطفی در تاریخ انقلاب بود. البته تنها جمهوری اسلامی نبود که آیندگان و انتقاداتش را برنمی‌تابید. در دوران شاه هم این روزنامه به کرات به مشکلات سیاسی دچار شده بود.

گرچه دولت اکثریت سهام آیندگان را صاحب بود، گرچه ساواک از طریق آزمون در روزنامه حضور دایمی داشت، و گرچه همایون خود روزنامه نگاری سرشناس و قابل اطمینان بود و سالها علیه کمونیسم جنگیده بود، با این حال اندکی پس از آغاز کار آیندگان، خشم شاه علیه آن برانگیخته شد. دو نفر از مسئولان و صاحبان اصلی روزنامه، در دو مقطع مختلف، و به دستور مستقیم شاه از آیندگان اخراج شدند. اولی جهانگیر بهروز نام داشت که از روزنامه‌نگاران پر سابقه‌ی مملکت بود. در سال ۱۳۵۰ مقاله‌ای در باب چند و چون آزادی مطبوعات در ایران نوشت. شاه که اغلب روزنامه‌های تهران را می‌خواند از مقاله عصبانی شد و به اخراج بهروز فرمان داد. دولت هم سهم او را که حدود صد و پنجاه هزار تومان می‌ارزید خرید و نه تنها از شرکت

اخراجش کرد، بلکه از نوشتن مقاله در آیندگان هم یکسره محرومش ساخت.[۵۴] برادر حسنعلی منصور، جواد، هم که خود از نخستین اعضای کانون مترقی بود و پس از مرگ برادر به وزارت اطلاعات گمارده شده بود، «در ۲۶ فروردین، توسط نخست‌وزیر، اما به دستور مستقیم شاه از کار برکنار شد. برافتادن منصور گویا نتیجه‌ی مقاله‌ای بود که در آیندگان به چاپ رسید.»[۵۵] هویدا سعی کرد شاه را از فرمان عزل منصور منصرف کند، اما در تلاش خود ناکام ماند. در عین حال، بهروز هم که دست کم به روایت اسناد سفارت آمریکا، از «معتمدان هویدا» به شمار می‌رفت از کار برکنار شد و تلاشی برای نجات او از سوی هویدا صورت نگرفت.[۵۶]

داریوش همایون هم دست کم دو بار مورد غضب ملوکانه قرارگرفت. گناه اوّلش این بود که در مقاله‌ای نوشته بود آن‌چه در ایران به "انقلاب سفید" شهرت گرفته در واقع نه یک انقلاب که فرایندی اصلاحی بود. گناه دومش به مقاله‌ای تأویل‌پذیر بود که در آن او، به تلویح، از کیش شخصیت شاه انتقاد کرده بود. به تقاص این جسارت شاه دستور داد که همایون را از آیندگان اخراج کنند. مهم هم نبود که فکر تأسیس این روزنامه و بخشی از سهام اولیه آن به خود همایون تعلق داشت. همایون، در حالی که لبخندی بر لب داشت، می‌گفت: «برای پنج هفته، حق ورود به ساختمان روزنامه را نداشتم.»[۵۷] این بار هویدا به دفاع از همایون شتافت. چند روزی منتظر ماند و پس از آن که خشم شاه فرو خوابید، از او تقاضا کرد که از سر گناهان همایون بگذرد. در سال ۱۳۵۶، همایون خود وزیر اطلاعات شد. می‌گفت: «به نظر من اغلب این خود شاه بود که روزنامه و مجلات را می‌خواند و اگر چیزی در آن می‌دید که خوشش نمی‌آمد، خواستار تنبیه نویسنده‌ی آن می‌شد.» در عین حال می‌گفت، «سیاست هویدا متفاوت بود. او ترجیح می‌داد راهی پیدا کند و با روزنامه‌نگاران کنار بیاید. می‌خواست همه را بخرد. معتقد بود همه خریدنی‌اند. مهم فقط این است که قیمت مناسب هر کس را پیدا کنیم.»[۵۸]

هویدا، در آغاز صدارتش به جدّ می‌کوشید تا روزنامه‌نگاران و سردبیران و ارباب مطبوعات را به سلک دوستان خود در آورد. اما در دوران دوم سیاستی نو پیشه کرد. می‌خواست سر دبیران مطلوب و مدافع دولت را همه جا مصدر کار کند. در این زمینه، قاعدتاً مهم‌ترین موفقیت او را باید انتصاب امیر طاهری به سر دبیری روزنامه **کیهان** دانست. او که توانسته بود در فاصله‌ای کوتاه به یکی از سرشناس‌ترین چهره‌های عرصه‌ی روزنامه‌نگاری ایران بدل شود، به گمان سفارت آمریکا یکی از «آدم‌های هویدا» بود.[۵۹] مصطفی مصباح‌زاده، صاحب امتیاز **کیهان** کیفیت انتصاب طاهری را به این شکل شرح کرده است:

> آقای هویدا از اواسط دوران صدارت خود به فکر نفوذ بیشتر در مطبوعات افتاد. پیش ازآن او سعی کرده بود عده‌ای از روزنامه‌نگاران را به صورت دوستان شخصی خود در آورد. در این راه مشاور، راهنما و کمک اصلی او فرهاد نیکوخواه بود ... یک روز نیکوخواه پیش من آمد و گفت آقای نخست‌وزیر علاقه‌مند است که شما آقای امیر طاهری را به سر دبیری **کیهان** بگمارید. من گفتم در حال حاضر من از سردبیر فعلی **کیهان** آقای دکتر سمسار که قریب بیست سال است در این سمت صادقانه با **کیهان** و من کار می‌کند کمال رضایت را دارم و هیچ دلیلی برای تعویض او نمی‌بینم ... روزی نخست‌وزیر زنگ زد و خواست او را ببینم. وقتی به دیدنش رفتم صریحاً مسئله‌ی سردبیری امیر طاهری را مطرح کرد و اظهار داشت من خیلی علاقه‌مندم این کار صورت بگیرد. من هم عین جواب پیش را که به نیکوخواه داده بودم به او دادم ... هویدا فکری کرد. بعد موضوع صحبت را عوض نمود. این کار مدّتی طول کشید. تا این که یک روز هویدا دوباره از من خواست که نهار مهمانش باشم. سر نهار پرسید آن موضوع سردبیر چه شد. تا من خواستم عذر بیاورم، سرش را بلند کرد و عکس شاه را نشان داد و

گفت این خواهش من نیست، ارباب این طور می‌خواهد. من گفتم اگر امر اعلیحضرت است پس باید اجرا کرد.

من که واقعاً گرفتار شده بودم، به فکرم رسید که موضوع را با علم وزیر دربار در میان بگذارم. به سراغ او رفتم و مطلب را گفتم و از علم خواستم که ته و توی کار را در بیاورد و مرا از نتیجه خبر کند. علم فکری کرد و گفت عجله نکن، صبر کن خودم خبرت می‌کنم. دو هفته بعد زنگ زد که صبحانه بیا پیش من با هم صحبت کنیم. سر صبحانه گفت آن موضوع را ارباب می‌خواهد. مثل این که چاره‌ای نداری ... به این ترتیب، امیر طاهری سردبیر **کیهان** شد.[۶۰]

یادداشتهای علم نه تنها روایت مصباح‌زاده را تأیید می‌کند، بلکه در عین حال پیچیدگی‌های دیگری به داستان می‌افزاید. در روایت علم، فکر سردبیری امیر طاهری در اصل از آنِ هویدا بود. اما او به تدریج نه تنها شاه را هم به ضرورت این کار متقاعد کرد، بلکه به تدریج به شاه چنین القاء کرد که مبتکر فکر خود او بود و لاغیر.[۶۱]

روایت علم از جنبه دیگری سوای چگونگی انتصاب طاهری حائز اهمیت است. برخی از کسانی که ساخت قدرت را در ایران دوران شاه نیک می‌شناختند معتقدند که هویدا، برخلاف تصور رایج، آلت فعل صرف شاه نبود. می‌گویند او برعکس در بسیاری از موارد هدف‌ها و سیاست‌های خود را دنبال می‌کرد و در عین حال چنان رفتار می‌کرد که گویی مجری صرف فرامین ملوکانه است. می‌گویند ظرافت کار هویدا در این بود که حتی شاه را هم متقاعد کرده بود که کارها همه در دستش است و هویدا چیزی جز آلت فعل او نیست.[۶۲] در هر حال، با انتصاب طاهری، هویدا گامی مهم در جهت تثبیت قدرت خود در عرصه‌ی مطبوعات برداشت.

با تکیه به همین قدرت بود که در سال ۱۳۴۷ توانست به دستور شاه حملات مطبوعاتی گسترده‌ای را علیه علی امینی تدارک کند. در فوریه‌ی آن

سال، «شاه قبل از عزیمتش به اروپا به هویدا دستور داد تاکارزاری علیه امینی به راه بیندازد.» شاه امینی را «نوکر خوش خدمت و مو بور کنسرسیوم» می‌دانست. ۶۳ به گمان سفارت آمریکا، می‌خواست با حمله به امینی، «وضع خود را تثبیت کند و برای مقابله با بحرانی بالقوه آماده شود.» نشریات مختلف آن زمان علی امینی را به عنوان نوکر قدرت‌های خارجی مورد حمله قرار دادند. خود هویدا هم وارد کارزار شد. در سخنرانی شدیداللحنی، هشدار داد روزگاری که در آن قدرت‌های خارجی برای ایران نخست‌وزیر تعیین می‌کردند دیگر به سر آمده؛ می‌گفت این قدرت‌ها دیگر نمی‌توانند سیاست‌های مورد نظر خود را به زور به دولت ایران بقبولانند. در عین حال، برای مفتضح کردن بیشتر امینی، پرونده‌ای که از مدت‌ها پیش علیه همسر او در بایگانی دادگستری خاک می‌خورد به جریان انداختند. در پرونده ادعا شده بود که در دوران صدارت امینی، همسرش قطعه زمینی را به قیمتی بالاتر از ارزش واقعی‌اش به دولت فروخته بود. به‌علاوه دولت اعلان کرد که خود امینی هم به جرم سوءاستفاده از اموال دولتی در دوران سفارتش در آمریکا، تحت پیگرد قانونی است. ۶۴ در هفتم اسفند ۱۳۴۶ هیأت ویژه‌ای که طبق قانون مسئول رسیدگی به تخلفات نخست‌وزیران و وزرا بود تشکیل شد و پرونده‌ی علی امینی را مورد بررسی قرار داد و به این نتیجه رسید که، «ادله و شواهد کافی برای تعقیب قانونی امینی موجود است.» ۶۵

در ایران، مردم اغلب می‌دانستند که این اتهامات همه در اختلافات سیاسی ریشه دارند. به همین خاطر هم هیچ کدام از اتهامات در دادگاه به اثبات نرسید؛ ولی اهمیت این ماجرا را، به گمان من، باید در نکته دیگری سراغ کرد. حمله به امینی از سویی میزان استبداد روزافزون شاه را نشان می‌داد و مؤید این واقعیت بود که او دیگر هیچ گونه مقاومتی را در برابر حکومت خودکامه‌ی خویش بر نمی‌تابد. به‌علاوه، قضیه‌ی حمله به امینی نشان دهنده‌ی تغییراتی بود که در هویدا و در ارزش‌ها و اهداف سیاسی او پدیدار شده بود. "کانون

مترقی" و هویدا به عنوان بدیل جبهه ملی سرکار آمده بودند. قرار بود نیروهای سیاسی میانه‌رو و طبقه‌ی متوسط ایران را جلب و جذب کنند و ارزش‌های دمکراسی را پاس دارند و شرایطی فراهم آورند که در آن نیروهای میانه‌رو بتوانند جایی در عرصه‌ی سیاست ایران بیابند و بطلبند. اما پس از چند سال، هویدا نه تنها پاسداری از این ارزش‌ها را واگذاشت، بلکه به نیابت از شاه به مصاف شخصیت میانه‌رویی چون امینی شتافت. دیری نپایید که همه‌ی نیروهای میانه‌روی جامعه، از امینی گرفته تا جبهه ملی، یا یکسره نابود شدند یا چاره‌ای جز انفعال و حاشیه‌نشینی نداشتند. به‌راستی می‌توان گفت شاه، بقای سلسله‌ی پهلوی، و هویدا جان خود را، وثیقه‌ی استبدادی کردند که همه‌ی نیروهای میانه‌روی جامعه را نیست می‌کرد. به عبارت دیگر، هنگامی که در سال ۱۳۵۶، فشارهای اقتصادی و فضای باز سیاسیِ جدید دست به دست هم داد و پایه‌های رژیم پهلوی را به لرزه انداخت، پهنه‌ی سیاست ایران چنان لگدکوب سم ستوران استبداد شده بود که دیگر هیچ نیروی میانه‌رویی که بتواند رژیم را از گرداب بحران به ساحلی امن و امان برساند در افق دیده نمی‌شد. در یک کلام، نخوت قدرت در سال ۱۳۴۷ به رخوت ساختاری رژیم در سال ۱۳۵۷ انجامید. وقتی پس از سال‌ها تحقیر و تخفیف و داغ و درفش، شاه از سر استیصال دست وحدت به سوی نیروهای میانه‌رو دراز کرد، کار دیگر از کار گذشته بود. و چنین شد که اسلام انقلابی، به‌سان تنها بدیل موجود در عرصه سیاسی، رخ نمود و بالمآل هم به قدرت رسید.

* * *

در همان سالی که شاه به مدد هویدا، امینی را مورد حمله قرار داد، به هویدا نیز اجازه داد تا به آمریکا سفر کند. نه تنها هر سفر نخست‌وزیر، بلکه همه‌ی سفرهای وزرا، سفرا، امرای ارتش، رؤسای دانشگاه‌ها و نیز نخست‌وزیران سابق محتاج اجازه‌ی شاه بود.[۶۶] در آذر ۱۳۴۶، سفارت آمریکا در ایران تلگرافی به وزارت امور خارجه‌ی آن کشور فرستاد و توصیه کرد که،

«امیرعباس هویدا را برای یک سفر رسمی به آمریکا دعوت کنید.» در نامه‌ی سفارت آمده بود که: «سرشت روابط ایران و آمریکا در حال دگرگونی‌های مهمی است. استقلال روزافزون ایران یکی از علل اصلی این دگرگونی‌ها است. هویدا سخت راغب دیدار از آمریکا است و مانند اغلب ایرانیان، برای این گونه سفرها، به عنوان نشانی از دوستی متقابل، اهمیتی ویژه قائل است. گرچه در گذشته هویدا از خود گرایشات ناسیونالیستی شدید نشان می‌داد ... گرچه با کشورهای آفریقایی ـ آسیایی همدلی نشان می‌داد، اما در عین حال همواره اعتقاداتی سخت ضدکمونیستی داشت و نه‌تنها تحصیلاتش که تمایلاتش هم غربی بوده است ... او قاعدتاً در سالهای آینده کماکان چهره‌ی مهمی در عرصه‌ی سیاست ایران خواهد بود و به همین خاطر، چنین سفری روابط ما را با شخص او حسنه و مستحکم خواهد کرد.»[۶۷]

کاخ سفید و وزارت امور خارجه بالمآل توصیه‌ی سفارت را پذیرفتند، اما برای این کار دلایلی متفاوت با آن‌چه سفارت می‌گفت داشتند. از نظر کاخ سفید، «هدف محرمانه‌ی دعوت ما از هویدا این بود که می‌خواستیم به یکی از رهبران سیاسی ایران سوای شاه هم فرصت ابراز وجود بدهیم. می‌خواستیم چنین فرصتی را در اختیار کسانی چون هویدا بگذاریم. به گمان ما: الف) کسانی چون او استحقاقش را دارند؛ ب) سیاستی است عاقلانه اگر بتوانیم بر این نکته تأکید کنیم که ایران ملک طلق یک نفر نیست.»[۶۸]

در تدارک این سفر، وزارت امور خارجه‌ی آمریکا می‌خواست رئیس‌جمهور را برای مذاکرات خود با هویدا آماده کند و به همین خاطر راهنمایی‌های زیر را لازم دانست:

> «هنگام تمجید از پیشرفت‌های ایران، باید همواره پیش از همه از شاه تعریف کرد. از اعمال نیک ملکه فرح نیز باید ستایش به عمل آورد. در غیر این صورت ایرانیان گفته‌های شما را نشان حمایت آمریکا از این یا آن شخصیت یا سیاست خواهند دانست.»[۶۹]

وزارت امور خارجه، در عین حال تحلیل‌هایی در باب تاریخ و فرهنگ ایران را در این گزارش منظور کرده بود. می‌گفت: «ایرانیان نفرت دارند که آمریکایی‌ها آنان را با دیگر کشورهای در حال توسعه، یا باکشورهای مسلمان یک کاسه کنند. به خصوص از هم کاسه شدن با ترک‌ها و اعراب بیزارند. بحث درباره‌ی مذهب هم ناراحتشان می‌کند چون ایرانیان تحصیل کرده از خشکه مسلمانی نفرت دارند و در عین حال مایل نیستند در این باره با خارجی‌ها گفتگو کنند.» واپسین بخش گزارش شرح مسائل حساسی است که احتمالاً در طول مذاکرات به میان خواهد آمد. در واقع، مشاوران وزارت امور خارجه می‌خواستند رئیس‌جمهور را از گفتن مطالبی که ممکن بود بر ایرانیان گران بیاید برحذر کنند. می‌گفتند: «باید از پرس‌وجو درباره‌ی احزاب سیاسی در ایران احتراز کرد، چون پارلمان ایران در واقع یک نظام تک حزبی است. ایران یک دمکراسی "هدایت شده" است که در آن یک یک نمایندگان پارلمان توسط شاه برگزیده شده‌اند. آزادی مطبوعات هم موضوع حساسی است.»[۷۰]

مشاوران جانسون هویدا را «انسانی بی شیله پیله، بی تکلف و صریح» می‌دانستند. می‌گفتند: «او به راحتی می‌تواند در مورد مسائل نظامی و سیاست خارجی گفتگو و بحث کند، اما این دو زمینه را عرصه‌های انحصاری شاه می‌داند و خود بیشتر به مسائل داخلی می‌پردازد.» به جانسون توصیه می‌کردند که هنگام دیدار با هویدا، «بهتر است خود را به شنیدن شرح تحولات اخیر ایران علاقمند نشان دهید. در این زمینه بد نیست بپرسید که شاه و نخست‌وزیر چگونه می‌خواهند نهادهای اقتصادی و سیاسی لازم برای جلب جوانان و سهیم کردنشان در سیاست را پدید آورند. گرچه طرح این مسأله برای ما مهم است، اما باید به خاطر داشت که ایرانیان نسبت به آن سخت حساس‌اند.»[۷۱]

در عین حال، زندگی نامه‌های کوتاه و اغلب دقیقی درباره‌ی یک یک همراهان هویدا در اختیار جانسون قرار دادند. برای نمونه، در وصف لیلا

امامی آمده بود که، «او از نسل جدید زنان یکسره آزاده و غرب گرای ایرانی است. تیزهوش است و فعال و اهل بحث و جدال. اراده‌ای سخت استوار دارد. پا بند سنت نیست. از آن‌چه در جهان می‌گذرد مطلع است. به سرعت نظرات قاطع پیدا می‌کند و گاه حتی به نظر اهل جدل می‌آید. خانم هویدا گاه در عین حال سخت عصبی و کم حوصله جلوه می‌کند. آداب و مناسک رسمی را برنمی‌تابد و از مهمانی‌ها و مراسم رسمی که اغلب هم در آنها اتفاقی نمی‌افتد بیزار است.»[۷۲] در همین گزارش آمده که خانم هویدا سیگار وینستون می‌کشد و مشروب مورد علاقه‌اش ویسکی است.

در مقابلِ این همه مطالعات و گزارش‌های مفصل، تدارکات هویدا برای این سفر یکسره نامنظم، و سرسری جلوه می‌کرد. منبع عمده‌ی اطلاعاتش درباره‌ی آمریکا و سیاستمداران آن سیروس غنی بود. او فرزند طبیبی سرشناس و ادیب بود و به تدریج به یکی از مهم‌ترین مشاوران هویدا بدل شد و وزارت امور خارجه آمریکا او را به عنوان «یک وکیل ایرانی، با توانایی‌های حیرت‌آور و علائقی سخت گونه‌گون" می‌شناخت. می‌گفت: «طرفدار قانون اساسی مشروطه است و ایراد اصلی‌اش به رژیم کنونی نظام استبدادی آن است ... ادبیات فارسی و انگلیسی و کلاسیک‌های آمریکایی را خوب خوانده و می‌شناسد ... به سینما هم ورودی تمام دارد. قاعدتاً تحقیقات او در زمینه‌ی اوضاع سیاسی آمریکا، در سال ۱۳۴۷ نخست‌وزیر را به این فکر انداخت که او را همراه خود به آمریکا بیاورد.»[۷۳] البته امروزه غنی، با طنزی شیرین و تواضعی ستودنی تأکید دارد که تحقیقاتش درباره‌ی آمریکا چیزی بیش از مطالعه‌ی دقیق «نشریات یومیه‌ی آمریکا نبود.» با تکیه به همین مطالعات، در اواخر سال ۱۳۴۶ پیش‌بینی کرده بود که نیکسون قاعدتاً اسپیرو اگنیو * را به عنوان معاون خود برخواهد گزید. پیش‌بینی‌اش البته درست در آمد و همین واقعیت هویدا و بسیاری دیگر از مقامات دولتی ایران را متقاعد

---

* Spiro Agnew

کرد که غنی نه تنها تسلطی حیرت‌آور بر تحولات سیاسی آمریکا دارد، بلکه از تماس‌ها و ارتباطات گسترده‌ای نیز در آن کشور برخوردار است.[۷۴]

تدارکات هویدا برای سفرش از یک جنبه سنت‌شکن بود. رسم مألوف این بود که سیاستمداران ایرانی به همتایان و مهمانان و مهمان‌داران خود قالی یا مینیاتور ایرانی هدیه می‌دادند. هویدا تصمیم گرفت به جای قالی یا مینیاتور، نقاشی ایرانی برای مهمان‌داران آمریکایی خود به ارمغان ببرد. به دستور او دولت پانزده تابلو از سهراب سپهری خریداری کرد و همین تابلوها را به آمریکایی‌ها هدیه کرد.[۷۵] در مقابل، آمریکایی‌ها هم به نوبه‌ی خود، به احترام «ذهن فعال و زنده‌ی» هویدا، به او یک جای پیپ حکاکی شده، یک جعبه‌ی تزئینی روی میزی، چند پیپ و منتخبی از آثار جدید در زمینه‌ی سیاست و تاریخ و دولت، هدیه کردند.[۷۶]

به‌رغم این همه تدارکات و برنامه‌ریزی‌ها، وقتی بالاخره زمان سفر هویدا به آمریکا فرا رسید، چند هفته بیشتر به پایان دوران ریاست جمهوری جانسون باقی نبود. او در مفهوم واقعی، رئیس‌جمهوری دست و پا شکسته بود. همان‌طور که از متن مذاکرات هویدا و رئیس‌جمهور در کاخ سفید برمی‌آید، در این دیدار نکات مشخص یا چندان مهمی بحث نشد. برعکس، این دو به بحث و ارزیابی کلی از اوضاع بین‌المللی بسنده کردند. هویدا از سویی ابراز امیدواری کرد که، «تعداد بیشتری از شرکت‌های آمریکایی در ایران سرمایه‌گذاری کنند.» جانسون هم در پاسخ گفت: «از این برخورد روشن بینانه‌ی [دولت ایران] سخت خرسند است ... او گفت که به کشورهای متعددی سفر کرده، اما در هیچ جا به رهبریِ داهیانه و مؤثرتری [از ایران] برنخورده است.»[۷۷]

جالب‌ترین جنبه‌های این گفتگو به مسائل تسلیحات نظامی، بودجه ارتش ایران و امنیت آینده‌ی خلیج فارس مربوط می‌شد. جانسون با احتیاط و ظرافت فراوان، و به هزار و یک تمهید و تلویح، به مسئله‌ای اشاره کرد که در تمام ده

سال پیش، مهم‌ترین محور اختلافات ایران و آمریکا بود. می‌گفت: «من همواره نگرانم که مبادا حجم بودجهٔ نظامی ایران و گسترشش رشد اقتصادی مملکت را به خطر بیندازد.» آقای نخست وزیر در جواب گفت: «در این زمینه، مطمئن باشید که میان این دو رابطه‌ای متعادل برقرار است.»[۷۸] می‌بینیم که لحن سخت محتاط جانسون با لحن بیش و کم آمرانه‌ی مقامات دولت کندی تفاوتی اساسی داشت. به‌علاوه، در سال ۱۳۴۰، کندی و همراهانش ابایی از طرح "مسائل حساسی" چون دمکراسی، و مشارکت مردم در سیاست نداشتند. برعکس، به قول خود شاه، «مصرّ بودند حتی جزئیات چند و چون نفرات و تسلیحات ارتش ایران را تعیین کنند.»[۷۹]

بخش اعظم دوران صدارت هویدا همزمان با سالهایی بود که در آن شاه و ایران از استقلال بی‌سابقه‌ای برخوردار بودند. در سال ۱۳۴۵، سازمان سیا در گزارش ویژه‌ای تحت عنوان "نظرات کنونی شاه"، ادعا کرد که، « شاه پس از بیست و پنج سال سلطنت، برای نخستین بار چون حاکمی مستقل عمل می‌کند. او سرنوشت خویش را به عنوان پادشاهی منجدد و ترقی‌خواه در دست خود گرفته است.»[۸۰] در گزارشی دیگر، سیا حتی هشدار می‌دهد که، «استقلال روزافزون شاه قاعدتاً میان او و آمریکا تنش پدید خواهد آورد.» در قسمت دیگری از همین گزارش آمده است که در چند سال اخیر، شاه موفقیت‌هایش را «اغلب به‌رغم توصیه‌های آمریکا به دست آورده و در نتیجه پیروزی‌های قابل ملاحظه‌ی خود را به حساب درستی سیاست‌ها و درایت سیاسی خویش می‌گذارد. همین باورها او را از شاهی متزلزل و بی‌قدرت به سلطانی مقتدر و از خود مطمئن بدل کرده است.»[۸۱] در واقع می‌توان خرید کارخانه‌ی ذوب آهن از شوروی و تأمین سرمایه‌ی این کار از راه فروش گاز به آن کشور را از جمله مصادیق این استقلال تازه‌یاب دانست. نقش ایران در سازمان اوپک، آمادگی شاه برای رویارویی با غرب، پافشاری‌اش بر افزایش قیمت نفت، برخورد قاطعش با نیکسون در این مورد از دیگر نشانه‌های مهم این استقلال

بود.

اما وقایع غمبار دههی بعد آشکارا نشان داد که این احساس استقلال شاهانه سخت شکننده و سست بنیاد بود. با پیدا شدن نخستین علایم ترک خوردگی در ظاهر بنای پرحشمت پادشاهی، این احساس استقلال و قدرت شاه یکسره و یک شبه به سیاستهایی گاه بی منطق و گاه متزلزل بدل شد و بالمآل هم از انقیاد کامل در برابر حکم و رأی دولتهای غربی سر در آورد. در جستجوی کلیدی برای حل این معما، طرفداران شاه و سلطنت اغلب داروهایی را مقصر میدانند که شاه برای مقابله با سرطان استفاده میکرد، یعنی همان بیماری که بالاخره هم باعث مرگش شد. قاعدتاً در عوارض سوء و زیانبار برخی از این داروها شکی نمیتوان داشت. بهعلاوه، شاه در آن دوران به حالت افسردگی شدید هم دچار بود و داروهایی هم برای درمان این درد میخورد. ترکیب این دو نوع دارو چه بسا که پیامدهای زیانبار هر کدام را دو چندان میکرد. اما به گمان من ریشهی رفتار گاه غریب شاه را باید در عوامل درونی او و سرشت ویژهی شخصیتش سراغ کرد. از همان سال ۱۳۲۰، یعنی در لحظاتی که انگلستان و شوروی رضا شاه را ناچار به استعفا کردند، ولیعهد جوان هم میخواست همراه پدرش کشور را ترک کند. در سال ۱۳۳۲، حتی پیش از آن که تکلیف کودتا روشن شود، از ایران گریخت. بهعلاوه میدانیم که در سال ۱۳۴۰ هم سودای ترک مملکت را در سر داشت و سال بعد هم آمریکا را تهدید کرد که اگر او را تحت فشار بیشتری قرار دهند، از سلطنت استعفا خواهد داد. سرانجام هم در سال ۱۳۵۵، وقتی موج مخالفتها بالا گرفت، او برای ترک مملکت دقیقه شماری میکرد. اما در سال ۱۳۴۷، زمانی که هویدا به آمریکا میرفت، دوران شوکت و قدرقدرتی شاه هنوز در پیش بود و ابعاد استقلال طلبیاش روز به روز فزونی میگرفت.

هویدا بیگمان باعث و بانی این استقلال تازه یاب نبود. ولی جهاندیدگی و پختگی فرهنگی او و اطرافیان و همکاران تکنوکراتش که مرعوب غرب

نبودند هم دست به دست هم داد و روحیه‌ی استقلال جدید را قوام و قدرت بخشید. به‌علاوه حتی هواداران هویدا هم به این نکته اذعان دارند که، «او به لحاظ درایت و تیزهوشی‌اش نیک دریافته بود که شاه تشنه‌ی تمجید و تکریم است. می‌دانست که شاه خوشش می‌آید اگر او را با دوگل مقایسه کنند.»[۸۲] مهم‌تر از همه این که افزایش ناگهانی درآمد نفت پشتوانه‌ی مالی جسارت سیاسی و استقلال روزافزون شاه را فراهم می‌آورد. در عین حال، هر روز او را به درستی نظرات خود مطمئن‌تر می‌کرد. به تدریج این اطمینان تازه‌یاب شاه به آراء و افکار خود چنان قوت گرفت که به آستانه جنون رسید. به راستی گمان می‌کردکه بهتر از هر کس مصالح ایران را می‌شناسد. پس از چندی حتی ایران هم بلند پروازی‌هایش راکفایت نمی‌کرد. بیشتر و بیشتر با زبانی تند و گزنده برای جوامع غربی هم حکم و دستور صادر می‌کرد. ضعف‌هاشان را برمی‌شمرد و نصیحت‌شان می‌کرد. شکی نیست که درایت هویدا و شناخت دقیقش از روحیات شاه از سویی سبب می‌شدکه با تمجیدات گاه غلوآمیزش از شاه، دوران صدارت خویش را تداوم بخشد، و از سویی دیگر، از این طریق به کیش شخصیت شاه دامن زند.

البته اگر تحولات آن زمان ایران را در چشم‌اندازی تاریخی بنگریم، آن گاه شاید ریشه‌های روانی پیدایش این کیش شخصیت و این غرور و نخوت زیانبار، اما شاید اجتناب ناپذیر، شاه را بهتر بشناسیم. کافی است به یاد آوریم که در سال اول صدارت هویدا، بانک مرکزی ایران برای پرداخت مخارج یومیه‌ی دولت، محتاج یک وام اضطراری پنج میلیون دلاری بود. مهدی سمیعی،که در آن زمان رئیس بانک بوده، ناچار شد از دوستی خود با روسای بانک‌های خارجی استفاده کند و وام لازم را تأمین کند. ده سال بعد، همین دولت به مرحله‌ای از ثروت رسیده بودکه شاه، به گفته‌ی سازمان سیا، به «خاصه خرجی» افتاد و در فاصله‌ای کوتاه حکم کرد که ایران نزدیک به دو میلیارد دلار به کشورهای خارجی، از جمله فرانسه و انگلیس، وام و کمک

بلاعوض بدهد. طبعاً میان دولتی که محتاج پنج میلیون دلار بود و دولتی که در سال می‌توانست دو میلیارد دلار وام به کشورهای دیگر پرداخت کند تفاوت از زمین تا آسمان بود. شاه نیز، به درستی، خود را معمار اصلی این جهش عظیم می‌دانست و لاجرم به راحتی به وسوسه‌ی کیش شخصیت افتاد و خود را عقل کل دانست. اما در هر حال نشانه‌های اولیه این دگرگونی در موقعیت بین‌المللی ایران را آشکارا می‌توان در لحن گفتگوی جانسون با هویدا سراغ گرفت.

هویدا، در دیدارش با جانسون به دو نکته‌ی مهم دیگر نیز اشاره کرد و هر دو بعدها به ارکان سیاست خارجی ایران بدل شد. در زمینه‌ی خروج نیروهای انگلیس از خلیج فارس، که قرار بود تا سال ۱۳۵۰ به اتمام برسد، هویدا با قاطعیت گفت: «امنیت خلیج فارس» را باید «به عهده‌ی مردم منطقه» گذاشت و هیچ نیروی دیگری حق دخالت در این زمینه ندارد. هویدا به علاوه «به گزارش‌های نگران‌کننده‌ای درباره‌ی عراق» اشاره کرد. می‌گفت: «عراق در صدد تهیه تسلیحات و ابزار لازم برای جنگ شیمیائی است. شوروی‌ها تا کنون از همکاری در این زمینه امتناع کرده‌اند. عراقی‌ها هم فعلاً دست به دامن بلغارستان شده‌اند. او می‌گفت فکر وجود سلاح شیمیایی در دست حکومت ناپایداری چون عراق لرزه بر اندامش می‌اندازد.»[۸۳] امروزه متأسفانه می‌دانیم که این واهمه‌های هویدا بی‌اساس نبود. درست دوازده سال بعد، همین «حکومت ناپایدار» و به راستی خونخوار در جنگ طولانی و خونینش علیه ایران- جنگی که از قضا به لحاظ سرسختی‌های [ی استقلال‌طلبانه] آیت‌الله خمینی حتی طولانی‌تر هم شد- از این سلاح‌های شیمیایی استفاده کرد و هزاران ایرانی را به کشتن داد.

گفته‌های هویدا درباره‌ی امنیت منطقه‌ی خلیج فارس از چند جنبه‌ی مهم دیگر نیز قابل عنایت‌اند. از سویی می‌توان آنها را در حکم بخشی از زمینه‌ی تاریخی "دکترین نیکسون" دانست. می‌دانیم که "دکترین نیکسون "بر اساس این اصل استوار بود که دولت آمریکا دیگر نه می‌تواند، نه باید نقش ژاندارم و

پلیس جهان را بازی کند. در عوض، می‌باید در هر منطقه از جهان، یکی از دولت‌های محلی را که از توش و توان کافی برخوردارند، تسلیح و تقویت کند و از آنان به عنوان ژاندارم و ضامن امنیت و ثبات منطقه بهره گیرد. نیکسون این نظریه را نخستین بار در سخنرانی معروفش در جزیره‌ی گوام*، در سال ۱۳۴۸ طرح کرد. یکی از مهم‌ترین پیامدهای دکترین نیکسون سیاست تازه‌ی آمریکا در قبال مسأله فروش اسلحه به ایران بود.** از آن پس آمریکا قبول کرد که، «ایران بهتر از هر کشور دیگری می‌تواند ثبات و امنیت منطقه‌ی خلیج فارس را تضمین و تأمین کند. لاجرم، آمریکا کماکان به همکاری‌های لازم با ایران در زمینه‌های [نظامی و دفاعی] ادامه خواهد داد ... آمریکا از آن پس پذیرفت که ... تصمیمات مربوط به چند و چون خرید اسلحه برای ارتش ایران را باید عمدتاً به عهده‌ی ایران واگذاشت.»[۸۴] به عبارت دیگر، برای آن‌که شاه بتواند نقش ژاندارم منطقه را به انجام برساند، به او اختیار تام داده شد که

تسلیحات مورد نیاز خود را، بدون هرگونه نگرانی از محدودیت‌های احتمالی از سوی آمریکا، به آمریکا سفارش دهد. این تصمیم نیکسون، به گمان من، نقطه عطف مهمی در تاریخ ایران بود. شاید می‌باید، از خود پرسید که اگر نیکسون به سیاق دیگر روسای جمهوری آمریکا ـ از آیزنهاور تا جانسون ـ کماکان می‌کوشید بودجه نظامی ایران را محدود کند، به عبارت دیگر، اگر دست شاه را در خرید اسلحه، از لحاظ کیفیت و کمیت، باز نمی‌گذاشت، آینده‌ی ایران و رژیم پهلوی چه تغییری می‌کرد. واقعیت این است که در سالهایی که دکترین نیکسون صورت‌بندی می‌شد، دیگر هیچ کس در ایران نبود که بتواند در برابر اشتهای سیری ناپذیر شاه برای اسلحه مقاومت یا مخالفت کند. هویداکه بی‌شک در این زمینه مقاومتی علنی نشان نمی‌داد، در عوض اغلب در خلوت از این واقعیت می‌نالید که بیش از هفتاد درصد بودجه‌ی سالانه‌ی مملکت تحت نظر ارگان‌هایی چون ساواک و نیروگاه‌های اتمی تعلق دارد و کابینه و نخست وزیر از حق هرگونه دخالتی در این امور محروم‌اند.۸۵

افزایش قیمت و درآمد نفت دست به دست دکترین نیکسون داد و شرایطی فراهم آوردکه در آن شاه توانست ارتش ایران را در سطحی بی‌سابقه تقویت و نوسازی کند. استفاده از نیروهای ضربتی ایران برای مهار و بالمآل سرکوب جنبش مارکسیستی انقلابی ظفار را قاعدتاً باید یکی از مصادیق موفقیت‌آمیز دکترین نیکسون دانست. در عین حال، به رغم اهمیت این مسأله، تصمیم مربوط به ارسال نیروهای ارتش ایران به ظفار حتی یک بار هم در کابینه هویدا مورد بحث قرار نگرفت. شواهد متعددی نشان می‌دهد که هویدا تنها زمانی از مسأله ارسال نیروهای ایرانی خبردار شد که خبرگزاریهای بین‌المللی مطالبی در این باب نوشتند. به‌علاوه، مسائل مربوط به سیاست خارجی، امنیت داخلی، نفت، گاز، انرژی اتمی و ارتش هم هرگز در هیأت دولت بحث نمی‌شد. وقتی بودجه‌ی اضافی در هر کدام از این زمینه‌ها ضرورت پیدا می‌کرد تصویب

نامه‌ای تدوین می‌شد و وزرا هم همه نیک می‌دانستند که شاه هیچ گونه بحث و گفتگوی اعضای هیأت دولت را در این زمینه برنمی‌تابد. مجیدی که از وزرای معتمد هویدا بود حتی مدعی است که هنگام طرح این گونه لوایح در هیأت دولت، هویدا همواره جلوی هرگونه بحث جدّی را می‌گرفت و به وزرای ناراضی فرصت بحث و اظهارنظر نمی‌داد. [۸۶] البته مجیدی به‌این پرسش پاسخ نمی‌دهد که این وزرای ناراضی چرا نظرات خود را مثلاً در مجلس، یا عرصه‌ی دیگری، طرح نمی‌کردند و مهم‌تر این که چرا، به احترام این عقاید مخالف، از دولت استعفا نمی‌دادند.

تلاش شاه برای تبدیل ایران به قدرت غالب و فائق در منطقه‌ی خلیج فارس، و نیز تأکید و اصرار او در افزایش قیمت نفت، او را آشکارا رو در روی انگلستان قرار داد. گزارش‌های متعددی از وزارت امور خارجه‌ی آمریکا و سفارت آمریکا در ایران و در انگلیس همه دال بر، «تیره شدن روابط ایران و انگلیس» است. برای مثال، والتر آننبرگ*، سفیر وقت آمریکا در لندن، در گزارشی نوشت، «به نظر ما دولت انگلیس چندان مایل نیست که ایران نقش مهم و تعیین کننده‌ای در منطقه‌ی خلیج فارس بازی کند، یعنی نقشی که ایران خود را مستحق آن می‌داند ... منافع سیاسی انگلیس بیشتر با اعراب سواحل خلیج [فارس] عجین است. دست کم تا زمانی که خروج انگلستان از منطقه خلیج به اتمام برسد، وضع به همین منوال خواهد بود. تا زمانی که وابستگی [انگلیس به اعراب] ادامه پیدا کند، تنش‌های میان ایران و انگلیس نیز قاعدتاً ادامه خواهد داشت.» [۸۷] از نشانه‌های گویای این تنش، اعتراض ایران به انگلستان در تیر ماه ۱۳۵۰ بود. دولت ایران سخت معترض بود که، «اخیراً، علیاحضرت ملکه هم در سخنرانی‌های رسمی و گاه حتی در گفتگوهای خصوصی، به جای واژه‌ی خلیج فارس از کلمه‌ی خلیج استفاده می‌کند.» [۸۸] اندکی پس از این ماجرا، سفارت آمریکا در ایران هشدار داد که، «بحرانی در

---

* ANNENBERG

روابط ایران و انگلیس» پدیدار شده و «علایم و نشانه‌های مختلفی در این زمینه به چشم می‌خورد و همه از قضا گویای رشد تمایلات ضدانگلیسی در دولت ایران است.»[۸۹]

این بحران هر روز شدیدتر می‌شد و مسأله نفت هم مزید بر علت بود. بالاخره در دی ماه ۱۳۵۱ وزیر امور خارجه‌ی وقت انگلستان، داگلاس هوم* پیام شدیداللحنی برای شاه فرستاد. به سفیر انگلستان دستور داده شد که، «شخصاً این پیام را به شاه برساند و نامه لحنی تهدیدآمیز و صریح داشت.»[۹۰]

مسأله‌ی نفت فقط برای انگلستان اهمیت نداشت. دولت آمریکا هم به همان اندازه نگران افزایش قیمت‌ها بود و به همین خاطر، حتی در دیدار هویدا با جانسون نیز مسأله نفت نقش مهمی بازی کرد. در گفتگوی این دو که در کاخ سفید صورت گرفت، هویدا، «یادآور شد که دولت آفریقای جنوبی، معادن متروک را به انبار نفت بدل کرده»[۹۱] و معتقد بود آمریکا هم می‌تواند سیاستی مشابه پیشه کند و آن‌گاه با استفاده از این انبارهای جدید، نفت بیشتری از ایران بخرد. مشاوران جانسون به او از پیش نه تنها هشدار داده بودند که هویدا مسأله نفت و فروش نفت بیشتر را پیش خواهد کشید بلکه جواب مقتضی را هم تدارک کرده بودند. به جانسون گفته بودند در جواب این پرسش بگوئید که آمریکا در صورتی حاضر است نفت بیشتری از ایران بخرد «که قیمت آن مقرون به صرفه باشد.»[۹۲] جانسون هم عین این عبارت را تکرار کرد و در عین حال تذکر داد که مسائل عمده‌ی سیاسی، از جمله مسأله نفت، همه دیگر به عهده‌ی دولت جدید نیکسون‌اند. قبل از عزیمت هویدا از دفتر کار رئیس‌جمهور، جانسون، والت راستو** و هنری کیسینجر را برای گفتگو با نخست‌وزیر به داخل اطاق فرا خواند و پیش‌بینی کرد که دولت جدید آمریکا نیز روابط حسنه‌ی ایران و آمریکا را حفظ خواهد کرد.[۹۳]

جانسون، ناخواسته و ندانسته، پیش‌بینی دیگری هم کرد. در مراسم شامی

---

* DOUGLUS-HOME   ** ROSTOW

که در کاخ سفید به افتخار هویدا برگذار شد، سر میز شام ابیاتی از **شاه لیر**، شاهکار شکسپیر، نقل کرد. این چند بیت بی‌آن‌که جانسون بداند، پیش‌بینی‌ی به راستی دقیقی از آینده‌ی هویدا از آب در آمد. شکسپیر گفته بود:

آنان که به سودای سود خدمت می‌کنند
و تنها سودای ظواهر را در سر می‌پزند
با نخستین دانه‌های باران، عزم رحیل می‌کنند
و در برابر طوفان تنهایت خواهند گذاشت[۹۴]

هویدا در دوران اقامتش در آمریکا از انجمن روزنامه‌نگاران و "شورای روابط خارجی" دیدار کرد؛ ملاقات با این دو گروه، بخشی از برنامه‌ی بیشترِ رهبران خارجی مهمی است که به آمریکا سفر می‌کنند. در نیویورک، هویدا در عین حال با نیکسون و دیوید راکفلر هم ملاقات کرد و به‌علاوه با «روسای شرکت‌های نفتی آمریکا که عضو کنسرسیوم بودند مذاکراتی به عمل آورد. او تأکید داشت که ایران بر آن است که روزانه پنج میلیون بشکه نفت تولید کند. در عین حال یادآور شد که چنین افزایش تولیدی ... در آینده دست اعراب را در رویارویی با غرب و محدودکردن صادرات نفتی خواهد بست.»[۹۵] تذکار و پیش‌بینی هویدا درست از آب در آمد. وقتی در اکتبر ۱۹۷۳، کشورهای عرب در نتیجه‌ی جنگ اعراب و اسراییل، از فروش نفت به غرب امتناع کردند، ایران به این تحریم نفتی نپیوست و کماکان نه تنها به غرب که به اسراییل هم نفت فروخت.

گرچه هنگام دیدارش با جانسون تلاش هویدا در فروش نفت بیشتر به آمریکا ناکام ماند، اما چند ساعت بعد از این ملاقات، او موفقیت غیرمترقبه‌ای به‌دست آورد. سفارت ایران آن شب به افتخار هویدا مهمانی داده بود. ناگهان جانسون بدون اطلاع قبلی به مهمانی آمد. حضور جانسون از آن رو تعجب‌آور بود که بنا بر رسوم دیپلماتیک، رئیس جمهور آمریکا تنها در مهمانی‌هایی شرکت می‌کند که به افتخار سران ممالک دیگر برگزار می‌شود.

آمدن جانسون به مهمانی سفارت ایران به این معنی بود که دولت آمریکا می‌خواست هویدا را به سطح بالاترین مقام یک کشور برکشد و با او چون رئیس یک مملکت رفتار کند. اطرافیان هویدا همه از این احترام ویژه‌ی آمریکایی‌ها سخت خشنود شدند. اما انگار هویدا عاقل‌تر از همه بود. می‌دانست که چنین عزت و احترامی برایش بالقوه خطرناک می‌تواند باشد. نگران واکنش شاه بود. نحوه برخوردش با این ماجرا را می‌توان تمثیلی از نحوه‌ی برخوردش با شاه دانست. گرچه از نظر کاخ سفید، «دلیل محرمانه‌ی دعوت [از هویدا] تأکید بر این واقعیت بود که ایران صرفاً حکومت یک نفره نیست»۹۶، اما پایداری هویدا در مقامش دست کم تا حدی نتیجه‌ی این واقعیت بود که او نه‌تنها پذیرفته بود که ایران حکومتی یک نفره است، بلکه خود منادی و مبلغ این نظریه بود. بارها گفته بود که در ایران شاه شخص اول مملکت است ولا غیر. می‌گفت شخص دومی هم در کار نیست. تأکید داشت که شاه فرمانده و رهبر و مرشد ملک ایران است. خود را رئیس دفتر شاه معرفی می‌کرد. از همان آغاز صدارتش دریافته بود که اندیشه‌های لیبرالی او با گرایشات خودکامه‌ی شاه نه تنها سازگاری ندارد که در تضادی حل ناشدنی است. اما او نیز مانند نسلی از تکنوکرات‌های ایران نوعی شرط‌بندی تاریخی کرده بود. امیدوار بود که رشد اقتصادی و گسترش طبقه متوسط، سرانجام تمایلات استبدادی شاه را تخفیف، و حتی تغییر خواهد داد. این شرط‌بندی در رفتار روزانه هویدا در عرصه سیاست تأثیر می‌گذاشت. ناچار بود برای آن بهایی بپردازد. در سفرش به آمریکا، بهای "شرط بندی" اش این بود که نگذاشت روزنامه‌نگار ایرانی که همراهش به سفر آمده بود در گزارش مطبوعاتی خود به رفتار ویژه دولت آمریکا با هویدا اشاره کند. در نتیجه در گزارش مطبوعات ایران از این سفر هم اشاره‌ای به عزت و احترام ویژه‌ای که دولت آمریکا برای هویدا نایل شده بود نمی‌یابیم.۹۷

این واقعیت که در این سفر هویدا پیرامون مسائل نظامی و نفت نیز

مذاکراتی به عمل آورد از جنبه‌ی دیگری نیز محل اعتنا است. شاید گفتگوهایش در این زمینه بخشی از تلاش حساب شده برای پنهان کردن ابعاد واقعی قدرت شاه و پرده‌پوشی از سترونی مقام نخست‌وزیر بود. در سفرهای دیگر نیز هویدا با قاطعیت درباره‌ی مسائل سیاست خارجی و حتی مسأله نیروی اتمی در ایران صحبت می‌کرد. حتی وانمود می‌کرد که در این زمینه‌ها از اطلاعات دقیق برخوردار است اما واقعیتِ رابطه‌ی او با برنامه اتمی ایران به مراتب پیچیده‌تر بود.

به گفته اکبر اعتماد، نخستین رئیس سازمان انرژی اتمی در ایران، در اواخر سال ۱۳۵۲، رضا قطبی*، که خویشاوند ملکه و از مشاوران اصلی او بود، با اعتماد تماس گرفت و خبر داد که شاه تصمیم گرفته که ایران باید یک برنامه انرژی اتمی داشته باشد و اکبر اعتماد را برای ریاست این نهاد نو پا برگزیده است. اعتماد تنها یک ماه به مطالعه پرداخت و آن گاه گزارشی در پانزده صفحه تدارک کرد. روزی که متن گزارش تقدیم شاه می‌شد، هویدا هم در جلسه حضور داشت. شاه به دقت متن گزارش را سه بار خواند و سپس به هویدا رو کرد و گفت: «برنامه اتمی مملکت همین است. نه یک لغت کم، نه

---

* از اوایل دهه‌ی پنجاه، رضا قطبی، که ریاست سازمان رادیو و تلویزیون ایران را به عهده داشت، روز به روز نقشی فعال‌تر و مهم‌تر در سیاست مملکت به عهده گرفت. بسیاری بر این قول‌اند که در واپسین روزهای حکومت پهلوی، او یکی از چهره‌های اصلی سیاسی جامعه بود و در بسیاری از تصمیمات مهم، از جمله بازداشت هویدا، نقش داشت. به همین خاطر، کوشیدم با او مصاحبه کنم. پیشنهادم را پذیرفت و اندکی هم، بر سبیل معارفه، در برخی زمینه‌های مورد نظر گفتگو کردیم. اما اندکی بعد به اطلاع رساند که از تصمیم پیشین خود انصراف حاصل کرده و حاضر به انجام مصاحبه نیست.

چند روز پیش از آن که متن نهایی کتاب زیر چاپ برود، دوباره با او تماس گرفتم. مواردی را که نامی از او در کتاب آمده برایش یادآور شدم و تقاضا کردم که در هر مورد، نظر و روایت خود را با من در میان بگذارد. دوباره پیشنهادم را پذیرفت. پس از تذکر چند مورد که خاطرات او با آن‌چه دیگران گفته بودند تفاوت داشت، ناگهان تغییر رأی داد و حاضر به ادامه‌ی گفتگومان نشد. تجربه‌ی من با او عین تجربه‌ام با فرح دیبا بود. هر دو در آغاز حاضر به گفتگو شدند و هر دو پس از ملاحظه‌ی پرسش‌های من، از انجام مصاحبه امتناع کردند.

یک لغت زیاد. همین است. من همه را قبول دارم.»[۹۸] و چنین بود که یکی از مهم‌ترین طرح‌های جدید دولت هویدا، که مستلزم حدود دو میلیارد دلار سرمایه‌گذاری سالانه بود، بدون کلامی از سوی نخست‌وزیر، بدون مشورت قبلی با هیأت دولت، و بدون اظهارنظر و تمایل مجلس آغاز شد.[۹۹] هویدا نیز به جای اعتراض به این جریان غریب و غیرقانونی، در جا پیشنهاد کرد که اعتماد را به مقام معاون نخست‌وزیر منصوب کند. از آن پس نیز او هیچ گونه علاقه‌ای به چند و چون کار سازمان انرژی اتمی نشان نمی‌داد. می‌دانست که مسأله‌ی اتم از جمله مسائل مورد علاقه‌ی شخص شاه است و به همین خاطر حتی‌الامکان از دخالت در آن دوری می‌جست. هرگز از اعتماد نپرسید که هدف برنامه‌های اتمی ایران چیست؟ هرگز این پرسش را طرح نکرد که آیا اهداف نظامی هم در پس این برنامه‌ها نهفته است یا خیر. برعکس، این اعتماد بود که روزی از هویدا پرسید که آیا «در پشت سر دولت و اعلیحضرت یک همچین چیزی هست و اگر صحبتش شده من باید بدانم.» هویدا پرسش او را با پرسش دیگری پاسخ گفت. پرسید: «تو چرا باید بدانی؟» و بالمآل هم اذعان کرد که، «واقعاً من نمی‌دانم. باور کن من نمی‌دانم.»[۱۰۰] البته هویدا ظاهراً تنها کسی نبود که نسبت به اهداف واقعی برنامه اتمی ایران کنجکاوی جدی نشان نمی‌داد. خود اعتماد هم که هدایت این برنامه را به عهده داشت در این زمینه گویا کنجکاوی جدی چندانی به خرج نمی‌داد. می‌گفت: «من خیلی راحت می‌فهمیدم که چه می‌خواهند و چه در سر دارند. به روی خودم نمی‌آوردم ... می‌دیدم که نقطه‌هایی از یک موزائیک بزرگ به تدریج ایجاد می‌شوند.»[۱۰۱]

تنها کسی که از طرح اساسی این «موزائیک بزرگ» اطلاع داشت شخص شاه بود. او مصمم بود که در واقع وضع به همین منوال هم باقی بماند. دستور داده بود که رئیس سازمان انرژی اتمی شخصاً به شاه گزارش بدهد. ظاهراً چنین ساختاری با نفس قانون اساسی ایران مغایرت داشت. وقتی یکی از سناتورها در مذاکرات مربوط به طرح لایحه‌ی ایجاد سازمان انرژی اتمی این

نکته را متذکر شد، شریف امامی، رئیس مجلس سنا، وارد کار شد و به کمک او «مسأله را حل کردند.»[۱۰۲] البته هویدا از سویی مصلحت سیاسی خویش را در این می‌دید که از هر گونه دخالت و کنجکاوی درباره‌ی سیاست اتمی ایران خودداری کند، اما در عین حال ابایی هم نداشت که در سخنرانی‌ها و مصاحبه‌های خود، با قاطعیت از این سیاست و هدف‌های صلح‌جویانه آن جانبداری نماید.

برای مثال، وقتی او در سال **۱۳۵۵** به فرانسه سفری رسمی کرد، در گفتگویی اعلان داشت که «ایران قراردادهای لازم برای خرید دو نیروگاه اتمی فرانسوی» را امضا کرده است و آن گاه با قاطعیتی تمام وعده داد که، «ایران به هیچ وجه قصد ندارد از نیروگاههای اتمی فرانسه برای ساختن تسلیحات اتمی استفاده کند.»[۱۰۳] در واقع، حتی در همان سفر **۱۳۴۷** به آمریکا نیز هویدا، پیش از تأسیس سازمان انرژی اتمی، در مورد طرح‌های ایران برای استفاده از انرژی اتمی داد سخن داد. اعلامیه مشترکی که در روز آخر سفر هویدا به آمریکا صادر شد به، «همکاری در زمینه‌ی کاربرد غیرنظامی از انرژی اتمی»[۱۰۴] اشاره می‌کرد.

البته سفر هویدا به آمریکا یکسره هم خالی از تنش نبود. او ابراز تمایل کرده بود که رئیس‌جمهور منتخب جدید، ریچارد نیکسون را ملاقات کند. هویدا نیکسون را جزو «دوستان نزدیک و شخصی» خود می‌دانست. اما وزارت امور خارجه آمریکا، «پس از تبادل نظر با مشاوران رئیس جمهور منتخب ... به مقامات ایرانی اطلاع دادند که آقای رئیس جمهور قادر نیست با آقای نخست‌وزیر ملاقات کند چون نمی‌خواهد قبل از بیست ژانویه با هیچ مقام عالیرتبه‌ی خارجی دیدار کند. اما اندکی پس از آن که هویدا کالیفرنیا را ترک گفت، نیکسون با موشه‌دایان وزیر دفاع اسراییل و امیر کویت ملاقات کرد.» مقامات ایرانی طبعاً از این ماجرا دلگیر شدند، چون، به قول اسناد وزارت امور خارجه، «هویدا با این کار در موقعیت بدی قرار گرفت.»[۱۰۵]

دولت آمریکا هرگز توضیحی برای این ماجرا که در حکم نوعی بی‌احترامی به هویدا بود نداد. هویدا به همراهی لیلا کالیفرنیا را به قصد هاوایی و چند روزی استراحت و سفر غیررسمی ترک گفت. اما در ایران قضا در کمین بود. دردسرهای هویدا هر روز انگار فزونی می‌گرفت.

فصل دوازدهم

دره‌ی جنی

تنها معیار من برای یک سیاستمدار واقعی این است که در او سودای تثبیت نظم موجود همزاد اندیشه‌ی تغییر و تکمیل آن نظم باشد. هر چیز دیگر، در مفهوم مبتذل و در عمل مخاطره‌انگیز است.

ادموند برک

در پائیز ۱۳۴۷، شایعه‌ی سقوط قریب‌الوقوع کابینه‌ی هویدا از رونق افتاد. در عوض، تنش‌های درون هیأت دولت دایم رو به فزونی بود. البته در دولت همواره کسانی بودند که بالقوه رقیب هویدا به حساب می‌آمدند. در میان این رقبا، جمشید آموزگار و هوشنگ انصاری از جایگاهی ویژه برخوردار بودند. اولی تکنوکراتی کارکشته و درستکار و تلخکام بود. از اوایل سال ۱۳۴۴ در مذاکرات نفت نقشی فعال پیدا کرده بود و مستقیماً به شاه گزارش می‌داد. دومی سرمایه‌داری جنجالی بود. ثروتی فراوان به‌هم زده بود و در چند پست مهم، از جمله وزارت دارایی، مصدر کار شد.[1] واپسین مقام او مدیر عامل شرکت نفت بود.

در هیأت دولت تنها این دو "وزیر ویژه" نبودند که با شاه به طور مستقیم در تماس بودند. بسیاری دیگر از اعضای کابینه هم نخست طرح‌های مورد نظر خود را به "شرف عرض" می‌رساندند و پس از کسب موافقت شاه تازه طرح را با هیأت دولت در میان می‌گذاشتند. البته در این موارد هیچ کس، از جمله

هویدا، دیگر جرأت نمی‌کرد با طرحی که به "شرف عرض" رسیده بود مخالفت کند. هویدا اغلب گله می‌کرد که وزرای کابینه‌اش خبرهای خوش را خود مستقیماً به عرض می‌رسانند و تنها هنگامی به سراغ هویدا می‌آیند که به مشکلی برمی‌خورند. خاطرات علم مؤید این روال کار وزرا است. به روایت او، «هر وزیری به طور علیحده گزارشاتی به عرض شاهنشاه می‌رساند و شاهنشاه هم اوامری صادر می‌فرمایند. روح نخست‌وزیر بدبخت و بی‌لیاقت هم اطلاع از هیچ جریانی ندارد. شاید علت بقای او هم همین باشد، کسی چه می‌داند.»[۲] در اواخر دوران صدارتش، وقتی هویدا احساس قدرت بیشتری می‌کرد، سعی داشت وزرای تازه‌کار و کم‌قدرت کابینه را از تماس مستقیم با شاه برحذر دارد.[۳]

هویدا با ظرافت و نرمش خاصی با آموزگار و انصاری برخورد می‌کرد. در جلسات هیأت دولت مقام و احترامی ویژه برای این دو نفر قایل می‌شد. در ظاهر روابط این سه نفر البته دوستانه می‌نمود، اما ناظران مطلع می‌گفتند پشت پرده جنگ و گریزی دایمی میانشان جریان دارد. می‌گفتند هویدا با درایت و تیزهوشی تمام برآمدن آموزگار و انصاری را سد می‌کند. البته گرچه روابط این سه نفر پر از تنش بود، اما رابطه‌ی هویدا با اردشیر زاهدی حتی بیش از مناسباتش با این دو "وزیر ویژه" پر پیچ و خم و پیچیده و پر از برخوردهای تند بود.

اردشیر زاهدی یکی از چهره‌های سخت بحث‌انگیز و جنجالی سی سال آخر سلطنت دودمان پهلوی بود. به روایت سازمان سیا، او نخست در جریان کودتای ۲۸ مرداد طرف توجه شاه قرار گرفت. پدرش البته کارگزار اصلی کودتا بود و اردشیر «نقش رابط پدرش با طرفداران شاه را به عهده داشت.»[۴] اردشیر، اندکی پس از کودتای ۲۸ مرداد، در حالی که پدرش هنوز نخست‌وزیر ایران بود، به ژنو سفر کرد. می‌گفت: «سفری محرمانه و در رابطه با مسأله نفت»[۵] بود. همان جا برای نخستین بار با امیرعباس هویدا آشنا شد.

می‌گفت: «به نظرم آدم دوست داشتنی، مؤدب و مهربانی بود.»[۶] زاهدی در سال ۱۳۳۶ با دختر شاه، شهناز پهلوی ازدواج کرد. این وصلت هفت سال بیش دوام نیاورد و در سال ۱۳۴۳ به پایان رسید. جالب این جا است که زاهدی حتی پس از جدا شدن از دختر شاه هم قدرت خود را از کف نداد. در واقع تنها پس از چندی حتی مشاغل مهم‌تری به او محول شد. زمانی سفیر ایران در انگلیس و مدّتی سفیر ایران در آمریکا بود. در سال ۱۳۴۶ شاه وزارت امور خارجه را به او محول کرد. از همان آغاز معلوم بود که این انتصاب ره به جایی نخواهد برد. حتی پیش از آن که زمام امور وزارت خارجه را به عهده گیرد، در گفتگویی با هویدا تصمیم گرفت که در اغلب جلسات هیأت دولت شرکت نجوید. زاهدی به زبان مألوف و معروف خود، که اغلب از تعارفات و احترامات دیپلماتیک عاری بود و چه بسا که به اصطلاحات گاه تند عامیانه هم در می‌آمیخت، می‌گفت آن‌چه در این جلسات می‌گذشت اغلب یکسره بی‌اهمیت بود. او به وعده و قرار خود وفا کرد، و در تمام دوران وزارتش، به‌جز چند جلسه‌ی مهم، هرگز خود در جلسات هیأت دولت حاضر نمی‌شد و در عوض یکی از معاونان خود را به این جلسات می‌فرستاد.[۷]

بنا بر گزارش وزارت امور خارجه آمریکا، «زاهدی سبکی یکسره نو و پرتجمل، روحیه‌ای فعال و تازه به وزارت خارجه ایران ارمغان آورد ... در چند هفته‌ی اول وزارتش، نه تنها همه روز که گاهی تمام شب را در وزارتخانه می‌گذراند ... رولزرویس آبی متالیک او گاه ساعت دو صبح و زمانی حتی دیرتر، جلوی در وزارتخانه دیده می‌شد.»[۸] در عین حال، نخستین برخورد تند هویدا و زاهدی نیز در همان هفته‌های اول وزارتش صورت گرفت. به روایت آرمن مایر، سفیر وقت آمریکا در ایران، «اخیراً برخوردی در درون کابینه [میان زاهدی و هویدا] رخ داد که در آن بی‌شک زاهدی برنده شد. او بی‌اطلاع هویدا و بی‌اعتنا به او به طور مستقیم با شاه تماس گرفته بود. دعوا بر سر بودجه‌ی وزارت امور خارجه بود. به گمان زاهدی بودجه قبلی مخارج

وزارت را کفایت نمی‌کرد. او به وسیله‌ی تلگرافی مستقیماً استعفای خود را تقدیم شاه کرد ... و حرف خود را از این راه به کرسی نشاند.»۹

برخورد بعدی جنبه‌ی بیشتر خصوصی داشت. دولت آلمان سفیر جدیدی به تهران فرستاد که از دوستان قدیمی هویدا بود و او را از روزگار اشتوتگارت می‌شناخت. قاعدتاً می‌توان حدس زد که این دوستی دیرین در انتخاب دولت آلمان بی‌تأثیر هم نبود. روزی که سفیر جدید به تهران می‌آمد، هویدا شخصاً در فرودگاه به دیدار و استقبال دوست قدیمی‌اش شتافت. اما بر اساس ضوابط دیپلماتیک، یک سفیر جدید تنها پس از تقدیم اعتبارنامه خود به شاه می‌توانست با مقامات دولت ایران دیدار کند. وقتی زاهدی از دیدار هویدا با سفیر جدید در فرودگاه خبردار شد، اول از طریق تلفن، سپس از طریق یک نامه‌ی رسمی که لحنی سخت گزنده داشت به کار هویدا اعتراض کرد. در حالی که هنوز هم، پس از حدود سی و پنج سال، در چشمانش شیطنت موج می‌زد، درباره‌ی برخوردش با هویدا می‌گفت: «فارسی من خیلی خوب نیست. از یکی از کارمندانم که می‌دانستم نثری خوب دارد خواستم که به امیر نامه‌ای بنویسد. گفتم بنویسد که او نباید مسائل خصوصی زندگی شخصی‌اش را با کار دیپلماسی مخلوط کند.»۱۰ هویدا که از لحن نامه برآشفته بود، آن را به شکایت نزد شاه برد. شاه در اساس طرف زاهدی را گرفت. گفته بود بر اساس ضوابط دیپلماتیک، حق با زاهدی است. در مورد لحن تند و گزنده‌ی نامه هم به ذکر این نکته بسنده کرد که، «سعی کنید اختلافاتتان را حل کنید.»۱۱ به عبارت دیگر، هویدا باید فکر برکناری وزیر یاغی را از سر بیرون کند. قاعدتاً کمتر سیاستمداری سراغ می‌توان کرد که پس از چنین شکست و سرشکستگی، از مقام خود استعفاء نکند. اما هویدا انگار صبر ایوب داشت. نخست‌وزیر ماند و منتظر فرصت نشست تا در موقع مقتضی خود را از دست زاهدی خلاص کند.

مهم‌ترین برخورد سیاسی میان زاهدی و هویدا در "قضیه اتوبوسرانی"

پدیدار شد. در اوایل سال ۱۳۴۹، دولت برای حل مسأله کسری بودجه، قیمت بلیط اتوبوس را افزایش داد. دانشجویان در اعتراض به خیابان‌ها ریختند و تظاهراتی برپا کردند. بسیاری از تظاهرکنندگان بازداشت شدند. هیأت دولت جلسه‌ی ویژه‌ای برای رسیدگی به این قضیه تشکیل داد. زاهدی، برخلاف معمول، در جلسه شرکت داشت. برخی از رؤسای دانشگاه‌ها، از جمله عالیخانی، رئیس دانشگاه تهران، نیز در جلسه حضور داشتند. زاهدی و عالیخانی هر دو بر این گمان بودند که سیاست افزایش قیمت بلیط اتوبوس از آغاز اشتباه بود. می‌گفتند قبل از آن که ماجرا بیخ پیدا کند، دولت باید عقب بنشیند؛ قیمت‌ها را پایین بیاورد و دانشجویان زندانی را نیز آزاد کند. بحث جلسه‌ی دولت بالا گرفت و وحدت نظری حاصل نشد. شاه در آن زمان در سوئیس بود و تعطیلات زمستانی خود را می‌گذراند. از آن جا که تصمیم نهایی در هر حال با او بود، از دفتر نخست‌وزیر با او تلفنی تماس برقرار شد. نخست هویدا گزارشی از اوضاع داد. به گفته‌ی عالیخانی، «لحن گزارش هویدا بیش از حد محتاطانه بود.» سپس نوبت زاهدی شد. او با صراحتی تمام، تحلیل خود را از اوضاعی که به گمانش خطرناک بود عرضه کرد. شاه نظر عالیخانی و زاهدی را پذیرفت. دانشجویان آزاد شدند، قیمت‌ها پایین آمد، اما تنش و تلخی میان هویدا و وزیر امور خارجه‌ی دولتش تنها فزونی گرفت.[۱۲]

مسأله بحرین به تیره شدن این روابط کمک کرد. صد سال بود که ایران داعیه‌ی حاکمیت بر بحرین داشت. در سال ۱۳۴۷، انگلستان اعلان کرد تا سه سال دیگر تمامی نیروهای خود را از خلیج فارس خارج خواهد کرد. شاه در مذاکرات محرمانه‌ای که با سفیر انگلیس در ایران انجام می‌داد*، قرار گذاشت

---

* در متن انگلیسی، نوشته بودم که آمریکا و سازمان ملل هم در این مذاکرات محرمانه شرکت داشتند. چند ماه پیش فرصت پیدا کردم تا خاطرات دنیس رایت، سفیر انگلیس در ایران را بخوانم. او به تفصیل درباره‌ی این مذاکرات نوشته است. معلوم شد که مذاکرات تنها میان او و شاه صورت گرفته بود. (دنیس رایت، مصاحبه با نویسنده، ۱۰ دسامبر ۲۰۰۰)

که ایران داعیه‌ی حاکمیت بر بحرین را واخواهدگذاشت. در عین حال قرار شد سرنوشت بحرین را خود مردم آن جا، از طرق یک همه‌پرسی و زیر نظر سازمان ملل تعیین کنند. در مقابل، ایران نیز حاکمیت خود را بر سه جزیره‌ی ابوموسی و تنب بزرگ و کوچک احراز و اعمال می‌کرد.[۱۳] البته همزمان با این مذاکرات محرمانه، کمیته‌ی دیگری در وزارت امور خارجه مسأله بحرین را در دست بررسی داشت. کار این کمیته یکسره محرمانه تلقی می‌شد. ولی اعضای این کمیته، و نیز وزیر امور خارجه‌ی مملکت و حتی نخست‌وزیر هم، از واقعیت مذاکرات محرمانه شاه با انگلیس بی‌خبر بودند.[۱۴] ملت ایران هم به طریق اولی از این ماجرا بی‌خبر بود. از سویی دیگر، شاه در آن زمان کماکان بر آن بود که ظواهر حکومت مشروطه را حفظ کند. ناچار لایحه‌ای که در آن تصمیمات شاه به شکل قانون مصوب مجلس در می‌آمد تقدیم مجلس شد. به گفته‌ی علم، این قضیه سبب شد که اختلاف شدید تازه‌ای میان هویدا و زاهدی رخ بنماید. ظاهراً هیچ کدام حاضر نبود برای دفاع از لایحه در مجلس حضور پیداکند. قاعدتاً هر دو می‌دانستند که جلسات رسیدگی به این لایحه، برخلاف سنت رایج آن زمان، اندکی متشنج خواهد بود. البته زاهدی می‌گفت اختلافش با هویدا بر سر شرکت در جلسه مجلس نبود. می‌گفت دعوا بر سر چند و چون مواضع دولت هنگام ارایه‌ی طرح لایحه دولت بود. می‌گفت: «دو متن سخنرانی مختلف تهیه شد، یکی در وزارت امور خارجه، دومی در نخست‌وزیری. اعلیحضرت می‌بایست میان این دو متن پیشنهادی یکی را انتخاب می‌کرد.»[۱۵] حزب پان ایرانیست ـ که رهبر آن، به گفته‌ی سفارت آمریکا، با ساواک رابطه داشت و معمولاً از خط‌مشی دولت پیروی می‌کرد ـ طرح لایحه را مورد حمله قرار داده بود. فراکسیون این حزب حتی تهدید کرده بود که طرح "عدم اعتماد" به دولت را تقدیم مجلس خواهد کرد.[۱۶]

در هر حال، زاهدی و هویدا هر دو بالمآل در این جلسات شرکت کردند. همان‌طور که انتظار می‌رفت، "عدم اعتماد" رأی چندانی نیاورد. بحرین

مستقل شد، ولی نخست‌وزیر و وزیر امور خارجه ایـران کـماکـان از حـل اختلافاتشان عاجز بودند.* برای حدود یک سال با هم حتی قـهر بـودند و کلامی میانشان رد و بدل نشد. در مهمانی‌ها، زاهدی به هویدا پشت می‌کرد و یک بار به صدایی بلند، گفته بود که حاضر نیست با «این مردکه‌ی گه دست بدهد.»[۱۷]

چندین مسأله دیگر سرانجام آن‌چه را سفارت آمریکا «رقابت دایـمی و تنش‌های تلخ فردی» میان زاهدی و هویدا می‌خواند به مرحله‌ی انفجار رساند. در سال ۱۹۷۰، زاهدی، به رغم اعتراضات هویدا ۹۰۰ عدد ساعت واشرون کنستانتین سفارش داد. می‌خواست از ساعت‌ها در وزارت امور خارجه بـه عنوان هدیه استفاده کند.** علم مدعی است که هویدا را به خاطر تن در دادن به چنین ولخرجی‌هایی، آن‌هم در شرایطی که دولت با مسأله کسر بودجه روبرو بوده سخت سرزنش کرده بود. می‌گفت هویدا هم که دل پری از زاهدی داشت می‌خواست باب شکوِه و شکایت از او را بگشاید که صحبتش را قطع کردم و گفتم: «هیچ کس غیر از خودت مسئول نیست. زیرا، اولاً بسیار ضعف به خرج می‌دهی.» می‌گفت سپس ماجرای سفر پاکستان را به یادش آوردم که در آن

---

* میزان بی‌اعتمادی میان هویدا و زاهدی را می‌توان در یک جنبه از روایت زاهدی از این ماجرا سراغ کرد. می‌گفت: «من خیلی راحت عرق می‌کنم و آنها به‌رغم تقاضای من، میزان حرارت سالن مجلس را بالا برده بودند. ناچار وقتی صحبت می‌کردم، صورتم پر از عرق بود. چند دقیقه بعد از سخنرانی‌ام، اعلیحضرت زنگ زدند، فرمودند، «به ما گفته‌اند که وقت سخنرانـی گـریه کـردی». جواب دادم که گزارش دروغی بیش نبوده. اشکی هم در کار نبود. فقط عرق کرده بودم.» زاهدی می‌گفت هویدا در کار بالا بردن حرارت سالن دست داشت. البته اگر به یاد آوریم که در تدارک مناظره معروف تلویزیونی نیکسون و کندی در سال ۱۹۶۰، طرفداران کندی به عمد حرارت سالن استودیو را بالا بردند چون می‌دانستند نیکسون به راحتی عرق می‌کند، آن گاه ماجرای بخاری سالن مجلس شورای ملی و اختلافات زاهدی و هویدا چندان هم غریب به نظر نمی‌آید.

** زاهدی می‌گوید که اولاً فقط صد ساعت سفارش داد و ثانیاً بهای آنها را از جیب خـودش پرداخته بود، نه از بودجه‌ی وزارت امور خارجه. (اردشیر زاهدی، نامه به نـویسنده، ۱۲ ژانـویه ۲۰۰۰)

زاهدی او را سخت مورد حمله قرار داد و گفتم: «اگر من جای تو بودم، روزی که وزیر خارجه در کراچی به تو فحش داد، از قرار حق و حساب، او را تنبیه می‌کردم. یعنی امر می‌دادم آن قدر چوب به ماتحت او بزنند که به پای مرگ برسد.» ۱۸*

البته در روابط پیچیده و پرنفرت علم با هویدا، حتی این سرکوفت‌ها و خودستایی‌ها هم کفایت نمی‌کرد، بگذریم از این که "چوب به ماتحت" وزیر زدن، آن هم در سده‌ی بیست، حتی اگر آن را چیزی جز تهدیدی توخالی و نشانی از خودستایی علم ندانیم، باز هم فی‌نفسه حرفی حیرت‌آور و عملی شنیع و منسوخ جلوه می‌کند. در هر حال، علم، شاید به سودای آزردن بیشتر هویدا، نکته‌ای را به‌سان پیشگویی طرح کرد که به مراتب بیش از آن که شاید فکر می‌کرد درست از آب در آمد. به هویدا می‌گفت: «اما یک مطلب را فراموش نکن، که بالاخره اگر رشته‌های اقتصادی از هم [بگسلد]، آن‌ها تو را دراز می‌کنند. ببین با وزیر برنامه‌ریزی تونس که ده سال بر سر کار بود و بعد برنامه‌هایش شکست خورد، بورقیبه ـ رئیس‌جمهور ـ چه کرد. او را به ده سال حبس با اعمال شاقه محکوم کرد. آقا از این قاعده مستثنی نیستند و نوبت شما هم خواهد رسید.» علم می‌گوید هویدا «خیلی دستپاچه شد.» ۱۹

البته سوای تنش‌های شخصی، مسائل سیاسی هم به ابعاد اختلافات هویدا و زاهدی می‌افزود. برای مثال، زاهدی به شدت با انتصاب شاهدخت اشرف پهلوی به عنوان رئیس هیأت نمایندگی ایران در اجلاس عمومی سازمان ملل مخالف بود. در همان روزها بود که هویدا به مهمانی در منزل یکی از

---

* ظاهراً در عمل رفتار علم نسبت به زاهدی چندان متفاوت از رفتار محتاطانه‌ی هویدا نبود. زاهدی می‌گفت: «روزی نامه‌ای از علم دریافت کردم که در آن از چند سفیر ایران به لحن تندی انتقاد کرده بود.» زاهدی فوراً نامه‌ای، از جنس آنچه به هویدا نوشته بود، برای علم فرستاد علم هم به جای "چوب به ماتحت" زدن، فوراً نامه‌ای نوشت و پوزش طلبید و توضیح داد که نامه اعتراض اخیر را نه او که یکی از زیردستانش نوشته و از طرف او امضا کرده است. (اردشیر زاهدی. مصاحبه با نویسنده، ۱۲ ژانویه ۲۰۰۰)

ثروتمندان زمان رفته بود. از ثروت و مکنت مهماندار و ریخت و پاش مهمانی تعجب کرده بود و گفته بود فضای خانه او را به یاد پمپئی می‌اندازد. حال زنی که بیش از هر کس در افکار عمومی مردم تجسم و تمثیل افراط و تفریط‌های این پمپئی بود، به ریاست هیأت نمایندگی ایران در سازمان ملل منصوب شده بود و زاهدی این انتخاب را نمی‌پسندید. می‌گفت: «گناهکار اصلی هویدا بود. نه تنها سفر را میسر کرد، بلکه سیصد و پنجاه هزار دلار هم برای مخارج شخصی [شاهدخت اشرف] به او پرداخت.»*[۲۰]

به روایت سفارت آمریکا، مسأله بعدی در پانزدهم شهریور ۱۳۴۹ پیش آمد. این بار «زاهدی سیاهه‌ای از کسانی را که قرار بود نشان همایونی دریافت کنند به دفتر نخست‌وزیری فرستاد. هویدا هم از طریق یکی از منشیان خود لیست را پس فرستاد و توضیح داد که لیست بعد از موعد مقرر دریافت شده است.»[۲۱] روایت زاهدی اندکی متفاوت است. به گفته‌ی او، خشمش بیشتر از این بابت بود که هویدا و علم دست به یکی کرده و نام تنی چند از اطرافیان خود را به لیست وزارت خارجه افزوده بودند. در هر صورت زاهدی دوباره نامه‌ای تند و سخت گزنده به نخست‌وزیر نوشت. هویدا هم نامه را پیش شاه برد و استعفای خود را تقدیم کرد. شاه استعفایش را نپذیرفت. وعده داد که به مسأله رسیدگی خواهد کرد. زاهدی را از طریق رئیس دفتر مخصوص، معینیان، به وزارت دربار فرا خواند. در آن جا به اطلاع او رسانده شد که یا باید

---

*. زاهدی می‌گفت شاهدخت اشرف می‌خواست یکی از معشوقان خود را به جلسات سازمان ملل ببرد. این معشوق، در گزارش وزارت امور خارجه آمریکا به عنوان، «یکی از فارغ‌التحصیلان تیزهوش و از خیل عشاق جوان [شاهدخت]» وصف شده است. (ر.ک.به IRANIAN ROYAL FAMILY, NSA, NO.92B). به گفته‌ی زاهدی، این معشوق گفته بود برای چنین سفری سیصد هزار دلار می‌طلبد. به رغم مخالفت شدید زاهدی با پرداخت این مبلغ، هیأت دولت، به گفته زاهدی، با پرداخت آن موافقت کرد.

نسخه‌ای از یکی از مصوبات هیأت دولت در زمان مورد اشاره‌ی زاهدی را یافتم که در آن دولت از قضا پرداخت سیصد هزار دلار را به شاهدخت اشرف تصویب کرده بود، از محتوای سند معلوم نیست که این مبلغ به چه خرجی رسیده بود.

نامه‌ی تند لحن خود را پس بگیرد یا استعفا کند. زاهدی استعفا را برگزید. بلافاصله برای گذراندن تعطیلات به ویلای خود در مونتروی سوئیس رفت.[۲۲] مدتی در آن جا ماند اما دیری نپایید که دوباره مورد نظر شاه قرار گرفت و به سمت سفیر ایران در ایالات متحده برگمارده شد. در واشنگتن پس از مدّت کوتاهی شهرتی به هم زد. سالی کوئین* که از پرنفوذترین زنان واشنگتن بود، او را «مردی خوش قیافه، ثروتمند و پرقدرت» می‌دانست. می‌گفت: «بعضی از بهترین مهمانی‌های واشنگتن را» در سفارت ایران در واشنگتن سراغ باید کرد. معتقد بود، «اردشیر به سخاوتمندی شهره بود. به جای یادداشت تشکر، برای همه کسانی که او را به شام دعوت می‌کردند، یک بسته خاویار ایرانی می‌فرستاد.»[۲۳]

این واقعیت که شاه به هویدا اجازه نداد که زاهدی را خود از کار برکنار کند در واقع بخشی از همان قرار ناگفته‌ای بود که در شب انتصاب هویدا میان او و شاه به تلویح به تصویب رسیده بود. اگر هویدا وزیری به قدرتمندی زاهدی را عزل می‌کرد، آن‌گاه بی‌گمان ابعاد قدرتش در نظر مردم، و نیز در میان وزرای دیگر کابینه، به طور جدّی فزونی می‌گرفت. به‌علاوه در نفس این کار، نوعی استقلال مستتر بود و شاه دیگر مدت‌ها بود چنین استقلالی را در نخست وزیرانش تاب نمی‌آورد. با این همه، برکناری زاهدی، حتی اگر به دست شاه هم بود، قدرت هویدا را در نظر اغلب وزرای کابینه‌اش فزونی بخشید.

از همه مهمتر، شاه هرگز چنین استقلالی را در عرصه‌ی سیاست خارجی جایز نمی‌شمرد. در اسفند ۱۳۵۱، شاه به علم دستور داد که، «به وزارت خارجه گفته‌ام که هیچ مقامی غیر از خود من حق ندارد در کارهای وزارت خارجه مداخله بکند، حتی گفته‌ام برادر هویدا که نماینده ما در سازمان ملل است حق ندارد به نخست‌وزیر گزارش بدهد، حتی تلفن بکند. او را توبیخ کردم که چرا به برادرت گزارش‌های وزارت خارجه را می‌دهی. (معلوم نیست

---

* SALLY QUINN

این دو برادر چه غلطی کرده‌اند که این طور آبروی آنها بر باد می‌رود.)»[۲۴]*

روشن نیست شاه بر چه اساسی چنین دستوراتی صادر کرده بود، ولی در چشم‌اندازی کلی‌تر می‌توان گفت که رابطه‌ی شاه با هویدا با آن‌چه در قانون اساسی مشروطه ایران منظور شده بود شباهتی نداشت و بیشتر به مناسبات یک سلطان سنتی با وزیر یا اتابکش می‌مانست. این واقعیت دست کم از یک جنبه در روابط هویدا با وزرای کابینه‌اش نیز تجلی پیدا می‌کرد. گرچه هویدا با این وعده سر کار آمد که دستگاه دولتی ایران را نوسازی کند، گرچه از جوانی سودای تجددخواهی در سر داشت، اما با این همه حقوق وزرای کابینه‌اش به شکلی پرداخت می‌شد که ته رنگی از دیوانسالاری فئودالی در آن به چشم می‌خورد. هر ماه مبلغی برابر نصف حقوق هر وزیر از طریق بودجه محرمانه دولت پرداخت می‌شد. انگار وزرا نه در استخدام دولت که در خدمت هویدا بودند. شاه نیز گهگاه پاداشی به وزرا می‌پرداخت و از این راه نشان می‌داد که همه بالمآل خدمتکاران او هستند.[25]

* * *

برای هویدا، سال ۱۳۴۹، سال اختلافاتش با اردشیر زاهدی بود. در مقابل، سال ۱۳۵۰ شاهد افزایش روزافزون تنش در زندگی خصوصی‌اش بود. ازدواجش با لیلا در حال فروپاشی بود. طبق معمول، هیچ رخداد واحدی، هیچ رویارویی تکان‌دهنده‌ای نشان یا باعث پایان ازدواجشان نبود. برعکس،

* فریدون هویدا چنین فرمانی را به خاطر نداشت. برعکس، می‌گفت، هرگاه مذاکرات حساسی در جریان بود، شاه دستور داده بود که فریدون تنها با برادرش امیرعباس گفتگو کند. می‌گفت نمونه‌ی این مذاکرات را در سال ۱۹۶۷ سراغ باید کرد. در اکتبر آن سال شاه فریدون را محرمانه به تهران احضار کرد. از او خواست که به پاریس سفر کند و ببیند آیا می‌تواند از طریق تماس‌های خود با کمونیست‌های فرانسوی، با نمایندگان ویت‌نام جنوبی دیدار کند و نظراتشان را درباره صلح جویا شود. گویا شاه می‌خواست نقش میانجی صلح را در ویت‌نام بازی کند. مذاکرات فریدون و تلاش شاه هیچ کدام به جایی نرسید، اما در این ماجرا فریدون دستور داشت که در تهران تنها با امیرعباس هویدا در مورد چند و چون مأموریت خود صحبت کند. (فریدون هویدا، مصاحبه با نویسنده، ۲۱ اوت ۱۹۹۹).

سماجت فرسایندهی ناسازگاری‌های کوچک، بار خسته کننده‌ی مراسم پرملال و پرتنش رسمی، وظائف اغلب سخیف همسر نخست‌وزیر، و شاید مهم‌تر از همه بیزاری لیلا از سازش‌های کوچکی که هویدا به مددشان سرِکار می‌ماند ـ خنده‌ای این جا، لبخندی آن جا، تکان سری به نشان تشکر به این و سکوتی در برابر فساد آن ـ ادامهٔ زندگی مشترکشان را نامیسر می‌کرد. در واقع، مهم‌ترین امتیاز هویدا به عنوان یک سیاستمدار در عین حال مهم‌ترین نقطه ضعف او به عنوان یک شوهر بود. او در سیاست همواره به سازش گرایش داشت و از رویارویی گریزان بود. اما در عرصه‌ی زندگی زناشویی، همین گرایش او به مشکلی بدل شده بود. او هرگز حاضر نبود در مشاجرات لفظی که چاشنی اغلب ازدواج‌ها هستند، شرکت کند و بی‌رغبتی‌اش به این کار اسباب عذاب لیلا بود. واکنش هویدا در برابر یک یک ایرادات و انتقادات و شکایات همسرش سکوت بود. لیلا می‌گفت: « کم حرف و تودار بود. هیچ وقت با من درباره‌ی آنچه عذابش می‌داد، آنچه نگرانش می‌کرد، صحبت نمی‌کرد. برخلاف [حسن] علی [منصور] که هر شب شایعات سیاسی روز را با فریده در میان می‌گذاشت، امیر هرگز در منزل از سیاست صحبت نمی‌کرد.»[۲۶]

ناخرسندی لیلا هر روز بیشتر می‌شد و به توازی آن، هر روز با زبانی بی‌پرواتر و گزنده‌تر، در خلوت و جلوت از زندگی خود و دشواری‌های وظائف همسر نخست‌وزیر، و حتی از شخص هویدا، شکوه و شکایت می‌کرد. در آن روزها لیلاگاه در استفاده از مشروبات الکلی افراط هم می‌کرد، و همین واقعیت بر گزندگی گفتارش می‌افزود. ظاهراً شایعات مربوط به دشواری‌های زندگی زناشویی هویدا به گوش شاه هم رسیده بود. روزی در اواخر سال ۱۳۴۸، در یکی از مراسم رسمی، او به لحنی نیمه جدی از لیلا پرسیده بود، «این مرد را چرا این قدر اذیت می‌کنی؟»[۲۷]

یکی از اولین ریشه‌های تنش لیلا با هویدا، وجود و رفتار مأموران محافظ نخست‌وزیر بود. در نخستین سال صدارت هویدا یکی از این مأموران به سهو

باغبانی را که سال‌ها در منزل خانواده لیلا کار می‌کرد به ضرب گلوله به هلاکت رساند. از همان زمان لیلا به وجود محافظان در درون خانه اعتراض داشت. چند هفته بعد، لیلا شنید که یکی دیگر از مأموران از تلفن منزل هـویدا بـه فرمانده خود زنگ زد و در مورد نزاعی که دیشب میان هویدا و همسرش رخ داده بود گزارش داد. گفته بود: «دیشب آقای نخست‌وزیر روی کاناپه خوابید.» کاسه‌ی صبر لیلا هم به سر آمد و از آن پس ورود محافظان به درون خانه را منع کرد.[۲۸]

در طول سال‌های ازدواج، هویدا و لیلا چندین بار بـه طـور مـوقت از یکدیگر جدا شده بودند. در هر مورد هویدا به مـنزل مـادرش نـقل مکان می‌کرد. سرانجام روزی لیلا بر آن شد که چاره‌ای جز طلاق نیست. همان‌طور که میلش به ازدواج را بی‌مقدمه با هویدا در میان گذاشته بود، این بـار نـیز خواست طلاقش را به طوری یکسره ناگهانی با او در میان گذاشت. شبی که هویدا دیر از کار به منزل آمد، لیلا او را از تصمیم خود مطلع ساخت. گرچه هویدا عصبانی و دلشکسته بود، اما مقاومتی نکرد. چمدانی پر از لباس‌هایش تدارک کرد و فردا منزل لیلا را ترک گفت و دیگر هرگز به عنوان شوهر به آن بازنگشت.* یکی دو روز بعد، تنها و مغموم در دفتر کارش نشسته بود. ناگهان اشک در چشمانش جاری شد. رئیس دفترش، محمّد صفا، در اطاق بود. هویدا به او رو کرد و گفت: «لیلا طلاق می‌خواهد.» کلمه‌ی دیگری میان این دو رد و بدل نشد.[۲۹]

پنج روز بعد، لیلا به دفتر کار هویدا زنگ زد و او را به نهار دعوت کرد. لیلا می‌گفت: «به ندرت به دفتر کارش زنگ می‌زدم.» هویدا دعوت لیلا را

---

* هویدا در آن زمان خانه‌ای در تهران نداشت. فریدون و خانواده‌اش آن روزها در تهران و در منزل مادر هویدا زندگی می‌کردند و امیرعباس هم ناچار شد به اطاقی در دفتر کارش نقل مکان کند. پس از چندی شاه دستور داد که دولت یکی از کاخ‌های یکی از خواهرانش را بخرد و آن را به مسکن رسمی نخست‌وزیر بدل کند. هویدا بعدها در این مسکن رسمی زندگی می‌کرد.

پذیرفت. در روز موعد لیلا هویدا را متقاعد کرد که تنها با طلاق می‌توانند دوست یکدیگر باقی بمانند. وقتی درباره‌ی این دیدارش سخن می‌گفت، ته رنگی از غم بر چهره‌اش پدیدار شد. می‌گفت: «دیگر وجه اشتراکی میان ما باقی نبود.» هر دو اهل کتاب و فیلم و موسیقی کلاسیک بودند، ولی حتی این دلبستگی‌های مشترک نیز نمی‌توانست ازدواجشان را نجات بخشد.

لیلا، هنگام شرح چند و چون طلاقش، سخت احساساتی شد. چشمانش پر از اشک بود. می‌گفت: «وقتی به زندگی‌ام با امیر نگاه می‌کنم، می‌بینم حتی یک کار بد هم در حق من نکرد. همه‌اش خوبی کرد. تنها مسأله این بود که دیگر نمی‌خواستم زنش باشم.»[۳۰] او پس از بیست سال زندگی در مهاجرت و بازاندیشی در مورد گذشته، از هویدا، مردی که زمانی به همسری‌اش برگزیده بود، همواره محترمش می‌داشت و هرگز عاشقش نبود و امروز بیش از همیشه در سوگش نشسته بود، ارزیابی تازه‌ای داشت. چندین بار تکرار کرد که، «بزرگ‌ترین نقطه ضعف او این بود که همه‌ی زورگویی‌های مرا تحمل می‌کرد.»[۳۱]

هویدا هم بالاخره این واقعیت تلخ را که ازدواجش شکست خورده بود پذیرفت. در فروردین ۱۳۵۰، دوست معتمدش، ناصر یگانه را مأمور کرد که جزئیات حقوقی طلاق را، به وکالت از سوی هویدا، به انجام برساند. حکم نهایی طلاق در چهارم مرداد ۱۳۵۰ صادر شد. لیلا می‌گفت: «امیر هیچ چیز نمی‌خواست. فقط کتاب‌ها و لباس‌هایش را برد. حتی چند تابلویی را که خودش خریده بود و از آنها برای تزئین اطاق نشیمن‌مان استفاده می‌کردیم، و یک دست ظرف لیموژ را که از اروپا با خود آورده بود برای من گذاشت.»[۳۲] در دوم اردیبهشت ۱۳۵۰، لیلا در نامه‌ای به دوست قدیمی‌اش جین بیکر* به لحنی مشابه در مورد هویدا نوشته بود. می‌گفت: «ماه قبل من و امیر از هم طلاق گرفتیم. می‌خواستم زودتر بنویسم. ولی تا به حال یک دقیقه هم خلوت

---

* JEAN BECKER

پیدا نکردم. کار در گلخانه و دوستانی که نمی‌خواهند تنهایم بگذارند دست به دست هم داده‌اند و سرم را حتی از روزهایی که زن نخست‌وزیر بودم شلوغ‌تر کرده‌اند. البته من و امیر هنوز دوستان نزدیک همدیگریم و می‌خواستیم این رفاقت را حفظ کنیم و در واقع دلیل طلاقم هم همین بود ... می‌خواستیم دوست باقی بمانیم.»[۳۳] به راستی نیز پس از طلاق این دو دوستانی نزدیک باقی ماندند. از آن پس، اغلب تعطیلات را با هم می‌گذراندند. مرتب همدیگر را می‌دیدند و گل ارکیده‌ای که هر روز لیلا می‌فرستاد و هویدا بر یقه‌ی کتش می‌آویخت نشان و نماد این دلبستگی پایدار بود. نه تنها ازدواج و طلاق که دوستی پایدارشان نیز تابع و بازتاب ویژگی‌های منحصر به فرد کردار این دو نفر بود.

انگار هویدا هم پس از مدتی رنجوری و غم‌زدگی بالاخره هم به واقعیت جدایی‌اش از لیلا تن در داد و هم علل آن را بهتر درک کرد. در سال ۱۳۵۱، هنگامی که جین کروکر * یکی دیگر از دوستان لیلا به ایران سفر کرد، هویدا نه تنها ترتیبی داد که او در "هواپیما و هلیکوپتر و جیپ" نخست‌وزیری سرتاسر ایران را بگردد، بلکه وقتی لیلا مهمانی شامی برای دوستش ترتیب داد، «امیر هم آمد. می‌گفت: "لیلا مرا طلاق نداد. نخست‌وزیر را طلاق داد."»[۳۴] از آن پس، ترجیع‌بندش درباره‌ی طلاق همین بود. به تکرار می‌گفت لیلا وظایف روزمره‌ی همسر نخست‌وزیر مملکت را خوش نداشت.

البته طلاق هویدا تا مدت‌ها موضوع اصلی شایعات اغلب کینه‌توزانه‌ی تهران بود. این واقعیت که طلاق نخست‌وزیر بیش و کم با تصمیم دولت دایر بر بستن شمار فراوانی از روزنامه‌ها و مجلات کشور همزمان شد به رواج این شایعات و تبدیل برخی از آنان به نوعی شایعه‌ی کینه‌توزانه کمک کرد. ادعای دولت این بود که این نشریات را به خاطر تیراژ پایین بسته است.

وزارت اطلاعاتِ آن زمان به یکی از تصمیمات هیأت دولت در سال

---

* JEAN CROCKER

۱۳۴۲ استناد می‌کرد که در آن مقرر شده بود جواز انتشار نشـریاتی کـه
تیراژشان به حد نصاب معینی نمی‌رسد لغو خواهد شد. پرویز راجی کـه از
مشاوران نزدیک هویدا بود، معتقد است که، «بسیاری از روزنامه‌هایی که بسته
شدند حتی مستحق نام روزنامه هم نبودند. اکثریت آنها شبنامه‌هایی چهار
صفحه‌ای بودند که در آن با تیترهای درشت، سقوط قریب‌الوقوع این کابینه یا
آن وزیر پیش‌بینی می‌شد و ایـن پیش‌بینی‌ها صـرفاً تـابع عـلائق شـخصی
سردبیران هر یک از این نشریات بود. بـه‌علاوه ایـن نشـریات عـملاً هـیچ
خواننده‌ای نداشت و تنها ممر درآمدشان چاپ تبلیغات دولتی بود که با کمک
وزیری که نسبت به آن روزنامه نظری خوش داشت دریافت می‌کردند ... در
این میان توفیق که شمار فراوانی خواننده داشت در موقعیتی استثنایی بود. به
گمان من سرنوشت توفیق و تعطیل آن نتیجه‌ی این واقعیت بود که بـا اوج
گرفتن قدرت شاه، دیگر در مملکت هیچ نشانی از هزل و طنز باقی نمانده بود.
هویدا بی‌گمان مردی لیبرال مسلک بود که به خدمت اربابی خودرأی کمر بسته
بود و قاعدتاً [در زمینه‌ی بستن توفیق] آلت فعل شاه شد.»[۳۵]

با در نظر گرفتن همه‌ی شواهد موجود، از جمله این واقعیت که این شاه بود
که به کرّات دستور تنبیه این مجله یا آن سردبیر را صادر می‌کرد، و با در نظر
گرفتن اهمیت اجتماعی توفیق به‌سان یکی از محبوب‌ترین نشریات آن زمان
و از مهم‌ترین مجله‌های فکاهی تاریخ مشروطیت ایران، آن گاه توضیحات
راجی به نظر معقول می‌آید. به دیگر سخن، اهمیت توفیق بیش از آن بود که
هویدا بتواند، به تنهایی، دستور تعطیل آن را صادر کند. مجیدی نیز که یکی
دیگر از مشاوران نزدیک هویدا بود، او را در قضیه‌ی بسته شدن توفیق بی‌گناه
می‌داند. البته در قیاس با راجی، مجیدی به زبانی پراحتیاط‌تر سخن می‌گوید.
ظاهراً او خود نیز نسبت به ماجرای توفیق کنجکاو بود، چون می‌گوید در یکی
دو مورد از هویدا در این باب سئوالاتی کرده بود. می‌گوید «یکی دو مرتبه
هم» که درباره‌ی چگونگی بسته شدن توفیق پرسیدم، «هویدا از جواب دادن به

سئوال من سرباز زد.» و این قضیه به گمان مجیدی نشان می‌داد که «یک چیزهایی بود که هویدا نمی‌خواست بگوید.»[۳۶] به گمان مجیدی، «می‌دانیم که روزنامه توفیق خیلی از مسائل سیاسی را با وجود تمام محدودیت‌ها و سانسوری که وجود داشت می‌نوشت. به صورت هجو یا هجا و با یک قلم خاص به مسائل اشاره می‌کرد و در کاریکاتورها هم خیلی صریح‌تر و روشن‌تر "اتاک" می‌کرد. آن شماره از روزنامه توفیق که توقیف شد و به دنبال آن روزنامه بسته شد، شماره‌ای بود که راجع به هویدا و خانم ایشان یک شوخی زننده‌ای کرده بودند و روی آن صبر و حوصله دستگاه به حد نهایی رسید و جلوی آن را گرفتند. من تصور نمی‌کنم که هویدا کسی بود که راجع به یک شوخی، حتی اگر زننده باشد، که با او و همسرش کرده باشند جلوی کار را بگیرد. برای این که هویدا با خانواده توفیق‌ها آشنایی داشت و بعدها هم خیلی به آنها کمک کرد و حتی یکی از آنان که در سازمان برنامه بود و مدت‌ها بود که حقوق می‌گرفت ولی سر کار نمی‌آمد وقتی که من خواستم اخراجش کنم به من گفتند نکن و جلوی اقدام مرا گرفتند و این ترتیب نشان می‌داد که هویدا با آنها دوست بود. به‌خصوص که بعدش آن دولّو را تشویق کردند که روزنامه کاریکاتور را درست بکنند و ادامه بدهد، به این جهت و با فکر این که یک روزنامه فکاهی برای مملکت لازم است ... اما چرا جلوی روزنامه توفیق را گرفتند به آن صورت، آن‌هم در شماره‌ای که به هویدا "اتاک" شده بود. این را من نمی‌توانم که چیز داشته باشم که هویدا تنها تصمیم گیرنده این کار بوده، نمی‌توانم، برای خودم نمی‌دانم و بنابراین جواب درستی هم نمی‌توانم بدهم.»[۳۷]

روایت مجیدی از چند جنبه بحث‌انگیز و قابل تأمل است. نخست آن که به گفته‌ی عباس توفیق، او و برادرانش بیش از هر کس هویدا را مسئول بسته شدن توفیق می‌دانستند. به همین خاطر هم در وزارت دادگستری دوران شاه علیه او اقامه‌ی دعوا کردند. به‌علاوه به روایت توفیق، هویدا پیش از بسته شدن توفیق

چندین بار کوشید مجله را، به انحاء گونه گون، زیر نگین دولت خود ببرد. زمانی پیشنهاد کرد که دولت اکثریت سهام صاحبان مجله را خریداری کند و برادران توفیق زیر بار نرفتند. عباس توفیق می‌گفت وقتی هویدا از جذب **توفیق** ناامید شد به دفع آن کمر بست. با بودجه‌ای کلان، نشریه **کاریکاتور** را در برابر **توفیق** علم کرد و برخی از نویسندگان با سابقه‌ی **توفیق** را به نشریه‌ی جدید کشاند. به عبارت دیگر بر خلاف گفته مجیدی، آغاز کار **کاریکاتور** پیش از توقیف توفیق بود و گامی در جهت تخته کردن دکان آن به شمار می‌رفت. مهم‌تر از همه این که عباس توفیق این ادعای مجیدی را که او حتی پس از بسته شدن **توفیق** نیز، در حالی که عملاً کاری انجام نمی‌داد، کماکان از سازمان برنامه حقوق دریافت می‌کرد «کذب محض» می‌خواند. می‌گوید از قضا به دستور مجیدی نه تنها او را منتظر خدمت کردند، بلکه از استخدامش در دیگر دوایر دولتی نیز ممانعت کردند. به کلام دیگر، نه تنها کمکش نکردند که سنگ در راهش انداختند. در اثبات مدعای خود نسخه‌هایی از نامه‌های رسمی سازمان برنامه که مؤید روایت او و از وقایع‌اند در اختیارم گذاشت.*

از سویی دیگر، اشاره‌ی مجیدی به «شماره‌ای که به هویدا "اتاک" شده بود» نیز در واقع تکرار شایعه‌ای است که امروزه دیگر انگار به عنوان حقیقتی مطلق انگاشته می‌شود. گرچه چند و چون نقش دقیق هویدا در ماجرای توقیف **توفیق** را تنها زمانی به قطع تعیین می‌توان کرد که به تمام اسناد وزارت دربار و وزارت اطلاعات و ساواک و دفتر نخست‌وزیر دسترسی پیدا کنیم، اما در یک نکته شکی نباید داشت: شماره آخری که در آن «به هویدا "اتاک" شده»، در کار نبود. عباس توفیق امروزه خود به صراحت تأکید می‌کند که او و برادرانش وقتی خبر بسته شدن مجله را دریافت کردند، آگاهانه این شایعه را

---

* بخشی از این اسناد را پس از چاپ روایت انگلیسی کتاب و ملاحظه‌ی دعاوی مجیدی در اختیارم گذاشت از این بابت از او سپاسگزارم. به کلام دیگر، روایت فارسی را باید شرح جامع‌تری از روایت انگلیسی دانست.

در شهر و کشور رواج دادند که بستن توفیق به خاطر کاریکاتوری بود که در
آن به مسائل جنسی رابطه هویدا و همسرش اشاره شده بود. برادران توفیق به
مشتاقان و طرفداران مجله‌ی خود می‌گفتند که در آخرین شماره که توقیف شد
کارتونی بود که در آن «هویدا از لیلا می‌پرسد، چرا طلاق می‌خواهد و او نیز
در جواب می‌گوید که، "از دولت بپرس."»[۳۸]گرچه بسیاری از منابع مطلع دیگر
هم تأکید دارند که توفیق به دستور مستقیم خود شاه تعطیل شد ـ برخی
می‌گویند خشم شاه را کارتونی برانگیخت که در آن ایران به گورستان تشبیه
شده بود[۳۹] و برخی دیگر آن را به نقدی تند از خاندان سلطنتی تأویل می‌کنند
ـ و گرچه با در نظر گرفتن اهمیت توفیق در تاریخ مطبوعات معاصر، بعید
بتوان تصور کرد که هویدا، حتی اگر می‌خواست، می‌توانست بی اجازه شاه، به
توقیف توفیق مبادرت ورزد، با این حال شبهه و شایعه‌ی نقش هویدا در این
ماجرا به راحتی در میان توده مردم رواج و پذیرش پیدا کرد. به گمان من،
آمادگی مردم آن زمان به پذیرفتن شایعات ضد دولت و ضد هویدا خود نشان
گویایی از شکافی بود که میان ملت و رژیم وجود داشت. بدیهی است که
مردمی آزاده و مطلع و خرسند کمتر دل به شایعه می‌بندند و در رواج روایاتی
که در ذم رژیم است رغبتی ندارند.

*   *   *

نشانه‌های دیگر این شکاف را می‌توان در برخی از آثار ادبی آن روزگار
سراغ کرد. گاه هویدا خود موضوع اصلی این گونه اشارات ادبی انتقادی بود و
مصداق برجسته‌ی این گونه آثار را می‌توان در داستان‌ها و یکی از فیلم‌های
ابراهیم گلستان سراغ کرد. گلستان رابطه‌ی شخصی دیرپایی با هویدا داشت.
آشنایی‌شان به اواخر دهه‌ی سی می‌رسید. هویدا در آن زمان کماکان در
شرکت نفت بود و گلستان نیز معاون رئیس روابط عمومی کنسرسیوم در ایران.
سوای این سابقه‌ی کار مشترک، این دو دوستانی مشترک چون صادق چوبک
داشتند. در عین حال، گلستان مادر و برادر هویدا را هم ملاقات کرده بود.

برای مادر هویدا احترامی ویژه داشت و فریدون هم یکی از نـزدیکـترین دوستانش بود (و هست.) به گمانم اغراق نیست اگر بگوییم کـه هـویدا «در زندگی هیچ زنی را به اندازه‌ی مادرش و هیچ مردی را به اندازه‌ی فریدون دوست نمی‌داشت.»[۴۰] به‌علاوه سوای این همبستگی عاطفی، در تمام دوران فعالیت سیاسی هویدا، گلستان یکی از پـرنفوذترین چـهره‌های جـامعه‌ی روشنفکری ایران بود. دلبستگی هویدا به روشنفکران، این واقعیت کـه او خود را نیز جزئی از جمهور ادب می‌دانست همه دست بـه دست هـم مـی‌داد و شخصیت گلستان را برای هویدا سخت جالب و جذاب می‌کرد.

این مراودات عاطفی پیچیده میان این دو، زمانی کار گلستان را تسهیل می‌کرد و گاه هم اسباب دردسرش می‌شد. برای مثال، گلستان فیلم مستندی درباره‌ی جواهرات سلطنتی ساخت. فیلم تصاویری به غایت بکر و سـاختی بدیع داشت و زبان روایتش سخت فخیم بود. تهیه‌کننده‌ی فیلم بانک مرکزی ایران بود که ریاستش را در آن زمان مهدی سمیعی به عهده داشت. سمیعی هم از دوستان نزدیک گلستان بود. برای تکمیل جنبه‌های فنی فیلم، نسخه‌ای از آن باید به لندن فرستاده می‌شد. اما بـه دلایـلی کـه ریشـه در تـنگ‌نظری‌ها و کشمکش‌های پشت پرده‌ی دیوانسالاری ایران داشت، وزارت فـرهنگ از صدور جواز گمرکی لازم برای ارسال فیلم طفره می‌رفت و به هـزار و یک بهانه، کار فیلم را به تأخیر می‌انداخت. وقتی مهدی سـمیعی کـارشکنی‌های وزارت فرهنگ را به اطلاع هویدا رساند، او سخت «عصبانی شد و دستور داد که چهار حلقه فیلم را با استفاده از پست دیپلماتیک و بدون جواز وزارت فرهنگ، به لندن بفرستند.»[۴۱]

یکی دیگر از فیلم‌های مستند گلستان درباره‌ی اصلاحات ارضی بود. این یکی سرنوشتی یکسره متفاوت از فیلم مربوط به جواهرات سلطنتی پیداکرد. گلستان در این فیلم نشان داده بود که در نتیجه‌ی اصلاحات ارضی در ایران، طبقه‌ی «سرمایه‌دار روستایی تازه‌ای در حال رشد است.» هویدا فیلم را در

استودیو گلستان دید. به ظاهر آن را پسندید. گرچه می‌گفت گلستان خواسته، «برآمدن یک طبقه کولاک* ایرانی»[۴۲] را نشان دهد. در عین حال، در فیلم این کولاک تازه به دنیا رسیده عضو حزب ایران نوین هم بود. به دیگر سخن، گلستان این شخصیت را به نماد نقش روزافزون دولت در روستا، و حزب در دولت، بدل کرده بود. هویدا بلافاصله پس از دیدن فیلم پیشنهاد کرد که گلستان آن را به دولت بفروشد. در جا قیمتی تعیین شد و هویدا حلقه‌های فیلم را، که به گمانش نسخه‌ی منحصر به فرد آن بود، همراه خود برد. اما به‌رغم تلاش‌های مکرر، گلستان دیگر نه هرگز به دریافت مبلغ تعیین شده موفق شد و نه نسخه‌ی فیلم را توانست بازبستاند. هر بار هم که از هویدا در این باب پرس‌وجو می‌کرد، جوابی واحد می‌شنید. هویدا می‌گفت فیلم را به دربار فرستاده و هنوز جوابی دریافت نکرده است. در واقع طنین این تنش‌ها میان هویدا و گلستان را می‌توان در برخی از داستان‌ها و فیلم‌های گلستان مشاهده کرد.

در داستان بلندی به نام "از روزگار رفته حکایت"، گلستان با نثری که غایت ایجاز است و اغلب به شعر می‌ماند، تصویری سخت گویا از ابعاد هستی شناختی گذار جامعه‌ی سنتی ایران به تجدد ترسیم کرده است. هر یک از شخصیت‌های این داستان را با ظرافت و نکته سنجی تمام پرداخته و احوال درون و برونشان را باز گفته و تصویری جذاب و گویا از زندگی نسل پیشین ایرانیان ترسیم کرده است. راوی داستان مردی است که به بازاندیشی در باب سالهای جوانی‌اش نشسته؛ پدرش را به یاد می‌آورد که مردی سختگیر و کم حرف و مستبد بود و خود را گرفتار چنبر تغییرات ژرف و اجتناب‌ناپذیر جامعه می‌دانست. پهنا و پیامد این دگرگونی‌ها مستأصلش کرده بود. در میان دوستان پدر، مردی بود که، «لهجه‌اش مخلوط، هوشش مرتب و شوخی‌هایش از روی یادداشت‌هایش بود، و بی‌جهت عصا می‌زد، و حقه‌اش این بود که هر

---

* کولاک واژه‌ای است روسی و به روستاییان مرفه گفته می‌شد. در دوران استالین برچسب کولاک مرگ میلیون‌ها انسان را سبب شد.

چه حرص جاه و قدرت داشت، آن را در پشت ادعای بی‌حرصی، در پشت ادعای بی‌میلی، در پشت ادعای این که به تقدیر تسلیم است می‌پوشاند ـ هر چند اینها همه هویدا بود.»[۴۳] مشکل بتوان این عبارات را خواند و در نیافت که هویدای واپسین عبارت آن نه یک صفت که یک اسم خاص است و لبه‌ی تیز و برنده‌ی عبارات هم متوجه شخصیت امیرعباس هویدا است.

به‌علاوه، وقتی گلستان بخشی از نمایش **مرد و ابرمرد** جرج برنارد شاو را، با عنوان **دون ژوئن در جهنم** به فارسی برگرداند و بر صحنه آورد، شیطان را هم که یکی از شخصیت‌های داستان است به گل ارکیده‌ای که از کتش آویزان بود ملبس کرد که البته اشارتی سخت گزنده و آشکار دیگری به هویدا بود.[۴۴]

اما مهم‌ترین اشارات گلستان به هویدا را باید در **اسرار گنج دره‌ی جنی** سراغ کرد. **اسرار گنج...** در اصل فیلم بود. اما از آن جا که گلستان بیم آن داشت که فیلمش هرگز اجازه‌ی نمایش پیدا نخواهد کرد، نسخه‌ای از روایت مکتوب فیلم را نیز همزمان، به شکلی شبیه یک رمان، به چاپ رساند. از قضا هم فیلم و هم کتاب، در عین حیرت گلستان اجازه پخش و چاپ گرفت.

البته بخت‌یاری **اسرار گنج...** چندان دیر نپایید. چند روزی نگذشته بود که هم شهرت فیلم در شهر همه‌گیر شد و هم مأموران سانسور ناگهان به ابعاد معانی این اثر پرذکاوت و درخشان پی بردند و دستور توقیفش را صادر کردند.

اسرار گنج دره جنی حدود هفت سال قبل از انقلاب به نمایش گذاشته شد. در ساده‌ترین، و شاید ساده‌انگارانه‌ترین سطح، می‌توان آن را حکایتی پرطنز و تیزبین از مخاطرات ثروت باد آورده دانست. اما با اندکی تأمل در ظرایف این اثر می‌توان آن را چون تمثیلی به غایت بکر و زیرکانه از گذار کژ و معوج ایران به تجدد تفسیر و تحلیل کرد. در عین حال، می‌توان آن را از صائب‌ترین پیش‌بینی‌های تاریخی در مورد مسیر تحولات ایران دانست. درست در اوج دوران قدر قدرتی سیاسی و اقتصادی شاه، گلستان زوال حکومتش را

پیش‌بینی می‌کرد.

محور داستان، فراز و فرود زندگی روستایی فقیر و بی‌فرهنگی است که همه جا از او به عنوان «مرد» یاد شده. روزی مرد، حسب معمول، با خیش خود «خاک را می‌خراشانید.» ناگهان چاهی در زیر زمین کشتزار خود کشف کرد. در آن چاه ثروتی بی‌کران نهفته بود. در چشم به هم زدنی روستایی فقیر، به ثروتمندی بدل شد که مال و منالش حدی نمی‌شناخت. همه چیز در دسترسش بود. در این روستا در عین حال معلمی هم کار می‌کرد که فرهیخته و درستکار بود. خوش زبان هم بود، گرچه مغلق‌گویی و حرفهای قالبی را اغلب ورد زبانش می‌کرد. عصا هم داشت و اغلب گلی زینت بخش یقه‌ی کتش می‌شد. دیری نپایید که معلم مشیر و مشار مرد نوکیسه شد. اندیشه‌های معلم شباهت‌های گریزناپذیری به آرا و اندیشه‌های امیرعباس هویدا داشت. این تشابه را به ویژه زمانی می‌توان مشاهده کرد که معلم می‌گفت: «غرضم اینه که اصلِ کار کارکردنه. آدم باید اقدام کنه، عمل کنه، بیفته وسط کار کنه؛ نه تنبلی، نه نق و نق، فایده نداره. کار خودش توجیه خودشه. از نق نق آدم نباس جا خالی کنه.»[۴۵]

ثروت تازه‌یافته مرد را به فکر تجدید فراش وا می‌دارد. دختر جوانی می‌جوید و به بهانه‌ی ازدواج دومش، مهمانی مجللی در ده به راه می‌اندازد که در آن، «از هر چه فکر کنی روی میزها بود. از کله پاچه تا آواکادو، از خیار و بادمجان تا خاویار و بلینی، از اسلامبولی پلو تا پاته جگر غاز استراسبورگی با برچسب فوشون، پنیر از نوع لیقوان تا سیلون با مارک فورتستم اند میسن.» طبعاً در این مهمانی مجلل، که بی‌شباهت به جشن‌های دو هزار و پانصد ساله‌ی دوران شاه نیست، اهالی ده حضور و دعوت نداشتند. به مدد سیم خاردار از خیل مهمانان منفصل بودند و از دور سفره‌های رنگین امتعه و اشربه‌ی آشنا و ناآشنا را، و نیز صف طولانی مهمانان را، نظاره می‌کردند.[۴۶]

«مرد» در عین حال دستور داد ساختمانی متشکل از «دو حجم گرد در دو

سوی برج مدور» برایش بسازند. وصف این بنا در کتاب و نمای آن در فیلم شباهتی تام به ساختمان میدان شهیاد داشت. در تمام این دوران، به‌رغم حماقت «مرد» و کژاندیشی‌هایش، و به رغم این واقعیت که طرح‌ها و خواست‌هایش اغلب یاوه‌اند و بی اساس، معلم هرگز از همکاری با او و از آئینه‌داری‌اش دست نمی‌کشد. البته در آغاز کوششی کرد تا «مرد» را از ظاهرسازی صرف برحذر کند. می‌گفت باید «توشو درست کنیم، جا برای حموم و آشپزخانه و این جور چیزا درس کنیم.» در عین حال، می‌خواست «روشو، ولی نیگهداریم، چون جالبه. سنتی‌یه.» اما «مرد» زیر بار این پیشنهادات نمی‌رفت. مرغ سوداهایش یک پا بیشتر نداشت. مصرّ و معتقد بود که «اصل کار روشه! تو میگی توشه؟ مردم میان روشو ببینن. روشو می‌بینن.»[۴۷] معلم هم در برابر این مهملات مقاومتی نمی‌کرد. جز فرمانبرداری کاری انجام نمی‌داد. در عین حال، احساس گناه هم می‌کرد. روزی، از سر درد دل، به دوستی می‌گفت: «من می‌خواهم این جاکاری بکنم. برج برام بهانه‌س. میخ منه. این بابا این جا یه پولی داره می‌خواهد بده من براش خرج کنم ... مشکله ولی. دور ورشو سفت مثل سداز هر طرف بسه‌ن. ولی، لاشخورای جورواجور، با هزار کلک، با ناخونک کش میرن ازش، تلکه می‌کنن، هر چه می‌تونن تیغ می‌زنن.»[۴۸]

«مرد» در عین حال می‌خواست جاده‌ی جدیدی برای ده بکشد. اما از بد حادثه، در جریان ساختن جاده، انفجاری صورت گرفت. لرزه بر اندام روستا افتاد. اما «مرد» به این لرزه‌ها اعتنایی نداشت. خطر در هوا موج می‌زد و او بی‌خبر از همه جا، مبهوت کار نقاشی بود که معلم اجیر کرده بود تا تصویری تازه از «مرد» ترسیم کند. به رغم بی‌خبری مرد، «زمین هنوز می‌لرزید و انفجار می‌غرید»، سرانجام نه تنها خانه قدیم مرد، که ساختمان ابلهانه جدیدش که در فیلم یکسره به عمودی لحمی می‌مانست، و هزار و یک تأویل روانکاوانه را برمی‌طلبید، همه زیر بار آوار این زمین لرزه رفت. وقتی هم که

معلم می‌خواست خود را از گزند این غرش وابرهاند، «مرد با یک جست دست زد، عصای او را برد، آن وقت با عصا به جان او افتاد ... فریاد می‌کشید، خونه خراب، خونتو خراب می‌کنم. این خونه بود ساختی برام.» گمان نکنم در هیچ اثر دیگری که تا آن زمان به چاپ رسیده بود، سرنوشت ایران و شاه و هویدا به چنین دقت و درایتی پیش‌بینی شده باشد.

جالب این جا است که به‌رغم این همه اشارات آشکار و گریزناپذیر به شاه و شهیاد و هویدا و درآمد نفت، مأموران سانسور ساواک و وزارت اطلاعات چند و چون این اشارات را نفهمیدند و **اسرار گنج دره جنی** در سینماهای تهران به نمایش در آمد. البته پس از مدت کوتاهی، فیلم ناگهان توقیف شد و هرگز هم دیگر در ایران دوران پهلوی به روی صحنه نیامد. در مورد چند و چون ماجرا دست کم با دو روایت یکسره متفاوت و متضاد روبـروییم. بـه روایتی که گلستان خود از برخی از دوستانش شنیده، شبی **اسرار گنج دره جنی** را در کاخ سلطنتی به نمایش گذاشتند تا شاه و ملکه خود فیلم جنجالی را ببینند و درباره‌اش حکم و قضاوت کنند. گویا همان‌جا هویدا اشارات نمادین فیلم را برای حضار تفسیر و تبین کرد و حاصل کار دستور توقیف فیلم بود.[۴۹] از سوی دیگر، به گفته "مقام امنیتی" هم او بود که دستور جمع آوری نسخه‌های فیلم و کتاب **اسرار گنج دره جنی** را صادر کرد. می‌گفت: «گزارشی در پانزده صفحه نوشتم و پیام خطرناک فیلم را معنا کردم. گزارش را برای شاه فرستادم. نسخه‌ای از آن را نیز در اختیار هویدا گذاشتم و به‌رغم مخالفت دولت، نمایش این فیلم در ایران را ممنوع کردم. گفتم این فیلم به مسأله امنیت مملکت ربط دارد، نه مسائل فرهنگی.»[۵۰]

لحن تند انتقادات گلستان از هویدا در این فیلم و در برخی داستان‌ها و گفتگوهای خصوصی دیگر روابط این دو را هر روز پرتنش‌تر می‌کرد. چند ماه پس از صدور دستور توقیف **اسرار گنج دره جنی**، شبی گلستان در منزل فریدون هویدا مهمان بود. از قضا امیرعباس هویدا هـم آن شب بـه دیـدن

برادرش آمده بود. با ورود گلستان به اطاق، جدالی لفظی میان او و امیرعباس درگرفت. هر لحظه هم لحنی تندتر پیدا می‌کرد. طولی نکشید که به یک رویارویی جدّی بدل شد. گویا هویدا چیزی از سر طعن درباره‌ی پیراهن گلستان گفته بود. گلستان به خشم آمد و پیراهن از تن به در کرد و آن را در هم پیچید و به طرف هویدا پرتابش کرد و به صدایی رسا گفت، «بوش کن. بوی وجدان می‌دهد ... نه بوی عفن کسی که روح خود را فروخته.»[۵۱] محافظان هویدا بلافاصله به طرف گلستان حمله‌ور شدند. اما هویدا با تکان آرام عصایش، آنان را از هرگونه اقدامی واداشت. چند دقیقه بعد، گلستان را به کنار خویش خواند. از مستخدمی خواست که «یک بطر از جعبه مخصوص که سفیر فرانسه فرستاده بود بیاورد. کنیاک هورداژ* بود.» آن‌گاه هویدا به صدایی ملتهب و مضطرب، صدای "انسانی مغموم" داد سخن داد. می‌گفت «احساس می‌کند به‌او خیانت شده.» از خودکامگی روزافزون شاه می‌گفت و «از اندیشه‌ی سخیف نظام تک حزبی در ایران می‌نالید.»[۵۲]

چند هفته بعد، هویدا دوباره گلستان را در یک مهمانی رسمی که به افتخار ژاک شیراک برگزار شده بود ملاقات کرد. هویدا بی آن‌که نشانی از کدورت در منش و گفتارش رخ بنماید، به سوی گلستان آمده او را به مهمان فرانسوی دولت ایران معرفی کرد و گفت: «ایشان بهترین نویسنده و فیلمساز مملکت ما هستند و ما هم همیشه کارهایشان را توقیف می‌کنیم.»[۵۳] و این آخرین دیدار گلستان و هویدا بود.

---

* HOR´S DAGE

فصل سیزدهم

سقوط پمپئی

ماه‌رنگ باخته با نگاهی خونین خیره‌ی زمین است
و پیامبرانِ چهره تکیده، دگرگونی‌هایی خوف‌انگیز
نوید می‌دهند.
اغنیا غمگین‌اند و الوات دست‌افشان و پاکوبان
اولی از بیم از کف دادن اموال
و دومی به سودای جنگ و جدال:
اینان همه آیات مرگ یا سقوط پادشاهانند.

شکسپیر، ریچارد دوم

دو کودتای نافرجام علیه سلطان حسن مراکشی شاه ایران را به وحشت انداخت. کودتای اول در تیرماه ۱۳۵۲ رخ داد و دومی حدود یازده ماه بعد.[1] شاه همواره به سلاطین جهان دلبستگی خاصی نشان می‌داد. نگران احوالشان بود. در اوایل دهه‌ی پنجاه، بخشی از ثروت تازه‌یاب ایران را صرف کمک به پادشاهان برافتاده، سلاطین طماع و حاکمان مستمند دیروز و اشرافیت از سکه افتاده‌ی امروز می‌کرد. به‌علاوه، هرگاه پادشاهی برمی‌افتاد، یا حتی کودتایی تهدیدش می‌کرد، شاه نگران می‌شد. در عین حال، گمانش این بود که آمریکایی‌ها در کودتای مراکش دست داشتند و همین باور، نگرانی‌هایش را دو چندان می‌کرد. به گمان علم، این واقعیت که در زمان کودتا، «این پدر سوخته استوارت راکول»، سفیر آمریکا در مراکش بود، واقعیت نقش آمریکا

در این توطئه را تأیید می‌کرد.[۲]

اندکی پس از کودتای دوم، شاه هویدا را به ملاقاتی طولانی احضار کرد. این بار دیدارشان نُه ساعت به درازا کشید. سند و مدرک دقیقی در مورد آن‌چه در این جلسه گذشت در دست نیست.[۳] اطلاعات ما در این باب صرفاً به مطالبی محدود است که هویدا در مورد چند و چون جلسه با دوستان خود در میان گذاشته بود. در عین حال می‌دانیم که در نتیجه‌ی این جلسه، لحن هویدا در زمینه‌ی بحث پیرامون برخی از مسایل مملکتی دست کم برای مدّتی تغییر کرد. در هفته‌های پس از دیدارش با شاه، به طور مشخص با یکی از گروه‌های طرف مشاوره‌اش با صراحت و آزادی بیشتری سخن می‌گفت.

تشکیل خود این گروه در واقع نتیجه‌ی سفر هویدا به آمریکا بود. آن جا این واقعیت را که رئیس‌جمهور با شخصیت‌های سرشناس و خبره در عرصه‌های مختلف اقتصادی و صنعتی و فرهنگی رأی‌زنی و مشاوره می‌کند سخت پسندیده بود. می‌خواست چیزی در همین مقوله در ایران پدید آورد. لاجرم شش نفر از نخبگان آن زمان را برگزید و رسالتی دوگانه بر عهده‌شان گذاشت. از سویی می‌بایست هویدا را از چند و چون تحولات افکار عمومی جامعه مطلع سازند و از سویی دیگر می‌بایست چون رابط و حلقه‌ی واصله‌ی او با محافل مالی و صنعتی کشور عمل بکنند. اعضای این گروه، که معمولاً سه‌شنبه‌ها با هویدا نهار می‌خوردند، عبارت بودند از: سیروس غنی، فریدون مهدوی، رکن‌الدین تهرانی، محمّدرضا امین، شاهین آقایان و عبدالعلی فرمانفرمائیان.[۴] البته از همان آغاز میان اعضای این گروه نوعی تنش و بی‌اعتمادی پدیدار شد.* دست کم سه نفر از شش نفر حاضر نبودند در حضور

---

* این بی‌اعتمادی در آن روزگار ابعادی سخت گسترده داشت. فرض همه انگار بر این بود که در هر جلسه‌ی مهم، دست کم یک نفر به طور مستقیم با شاه در تماس است و مضمون مذاکرات را به اطلاعش خواهد رساند. اهل سیاست در ایران قاعدتاً همه داستان جلسه منزل علاء را می‌دانستند. در آن زمان علاء وزیر دربار بود. پس از سرکوب ماجرای پانزده خرداد، علاء تنی چند از سیاستمداران سابقه‌دار ایران را برای تبادل نظر به منزل خود فرا خواند. نگران بود که اوضاع رو به وخامت

سه عضو دیگر سخنی به جدّ بگویند. این بی‌اعتمادی متقابل نتیجه‌ی این واقعیت بود که سیاست پیشگان ایران اغلب بر این گمان بودند که در هر جمعی، کسی گوش و چشم شاه است و کافی بود کسی یک کلمه‌ی بی‌ربط، یک حرکت ناشایست، یک عبارت انتقادی به زبان بیاورد، و چه بسا که همین یک لغزش برکناری‌اش از مقام را کفایت کند. در هر حال، اعضای این گروه دو بار در ماه، معمولاً سه‌شنبه‌ها، با هویدا دیدار می‌کردند. از همان جلسات نخست، تنش‌های موجود میان اعضا، نشست‌ها را از هرگونه محتوای جدّی عاری کرد. انگار اتلاف وقتی بیش نبود.

اما ناگهان در سه‌شنبه‌ی پس از کودتای ۱۳۵۱ در مراکش، هویدا جلسه را با لحنی جدّی‌تر آغاز کرد و برای گروه رسالت تازه‌ای قائل شد. می‌گفت فساد مالی پاشنه‌ی آشیل رژیم شده و بیش از هر چیز بقای آن را تهدید می‌کند. در حالی که رسم رایجش این بود که همواره با احتیاط تمام سخن بگوید، این بار بی‌پروا حرف می‌زد و اسباب حیرت جمع شد. از گروه خواست آن‌چه در مورد فساد مالی در مملکت می‌دانند با او در میان بگذارند.[۵]

از زمان انتصابش به عنوان نخست‌وزیر، هویدا اغلب، به‌خصوص در خلوت، از فساد مالی موجود در مملکت می‌نالید. در عین حال، گاه از درگیری‌های مالی روزافزون بسیاری از اعضای خاندان سلطنتی در حیات اقتصادی مملکت ابراز نگرانی می‌کرد. بیش و کم همه‌ی دوستان هویدا دست

خواهد گذاشت. می‌دانست که ارتش شماری از تظاهرکنندگان را به گلوله بسته است و این واقعیت را بالقوه خطرناک می‌دانست. جعفر شریف امامی و تیمسار مرتضی یزدان‌پناه از جمله مدعوین بودند. وقتی این دو نفر دریافتند که جلسه بدون اجازه‌ی شاه تشکیل شده، فوراً منزل علاء را ترک کردند و خبر تشکیل جلسه را به شاه رساندند. او از اقدام علاء سخت برآشفت. دیری نپایید که علاء را از وزارت دربار و انتظام را هم از ریاست هیأت مدیره شرکت نفت برکنار کرد. گمان شاه این بود که تشکیل جلسه به دستور انگلیس‌ها بوده؛ در ملاقاتش با مقامات آمریکایی، به زبانی سخت گزنده از اغلبِ شرکت‌کنندگان یاد می‌کرد. در عین حال، ر.ک. به **یادداشتهای علم**، جلد دوم، ص ۱۲۸.

کم یک بار شاهد شِکوه‌های او در این زمینه بودند.

البته منتقدین هویدا روایتی یکسره متفاوت دارند. می‌گویند هویدا نه تنها این فساد را تحمل می‌کرد، بلکه درگیری‌های مالی خاندان سلطنتی و تلاش‌هاشان در جهت دلالی و به دست آوردن قراردادهای دولتی را حتی تشویق می‌کرد.[۶] هوشنگ نهاوندی که از برآوردگان عَلَم بود، می‌گفت: «هویدا سعی می‌کرد برای والاحضرت اشرف و والاحضرت فاطمه و والاحضرت عبدالرضا، غلامرضا و محمود رضا حق دلالی دست و پا کند. می‌خواست آنها به عنوان واسطه‌ی معامله، درآمدی جور کنند.»[۷] نهاوندی سند و مدرکی در اثبات مدعی خود ارائه نمی‌کند و این نکته را نمی‌توان از یاد برد که در وادی تیره و تار معاملات مالی غیرمشروع، رد پای اسناد و مدارک محکمه پسند به ندرت یافتنی‌اند. در مقابل، کسانی چون فرخ نجم‌آبادی، ادعای نهاوندی‌ها و علم‌ها را یکسره باطل می‌دانند و انکار می‌کنند. نجم‌آبادی می‌گفت هویدا از قضا اغلب می‌کوشید «سپر بلای وزرای خود در برابر فشارهای اعضای خاندان سلطنتی» باشد. می‌افزود که: «هویدا به ما گفته بود که همه‌ی خرده‌فرمایشات اعضای خاندان سلطنت را به دفتر او ارجاع کنیم. وقتی چنین می‌کردیم، در اغلب موارد دیگر هیچ چیز در مورد این خرده‌فرمایشات نمی‌شنیدیم، چون هویدا مسأله را زیر سبیلی رد کرده بود.»[۸] تا زمانی که دولت ایران آرشیوهای خود را برای مدّاقه و مطالعه‌ی اهل تحقیق باز نکند، به دقت نمی‌توان گفت که هویدا تا چه حد اقدامات گاه غیرقانونی خاندان سلطنت را تأیید و تشویق می‌کرد و تا چه حد از قدرت خود برای جلوگیری از این اقدامات بهره می‌جست.

ولی شکی نیست که در سال **۱۳۵۱**، هویدا، ظاهراً با توافق شاه، دست کم به محدود کردن ابعاد مسأله فساد در ایران همت کرد. چندین بار با سه نفر از اعضای گروه سه‌شنبه‌ها، غنی، مهدوی و فرمانفرمائیان، ملاقات کرد و به بحث و کاوش بیشتر در چند و چون مسأله فساد پرداخت. البته پس از مدّتی کوتاه،

ناگهان شور و شوق هویدا در این جلسات فروکش کرد. به دلایلی که روشن نیست، عملاً کارگروه به محاق تعطیل افتاد. اما این گفتگوها، دست کم در کوتاه مدّت، پیامدهایی هم به همراه داشت. برای مثال، شهرام، پسر ارشد شاهدخت اشرف، در آن روزها به عنوان دلال و کار چاق کن شهره‌ی شهر بود. سازمان سیا معتقد بود، شهرام «در برخی زمینه‌ها، راه مادرش را دنبال می‌کند»، و در «تهران به عنوان کارچاق کن شهرت بدی پیدا کرده و در حدود بیست شرکت مختلف صاحب سهم است. ... بی‌پرواترین و لاابالی‌ترین عمل او فروش آثار ملی و عتیقه‌های مملکت بود.»[9] همین شهرام، به‌رغم این شهرت سوء، به اعتبار فرمان ویژه‌ای از سوی شاه، اجازه پیدا کرده بود که از نام‌خانوادگی پهلوی نیا استفاده کند. اما ناگهان، پس از جلساتی در دفتر نخست‌وزیر که در آن فعالیت‌های شهرام موضوع بحث بود، شاه، بدون البته هیچ‌گونه محاکمه، و بدون اعلان رسمی قضیه، به شهرام حکم کرد که از فعالیت‌های اقتصادی خود دست بکشد و برای مدّتی از ایران خارج شود. اما این ممنوعیت‌ها چندان دیر نپایید. طولی نکشید که شهرام رخصت رجعت پیدا کرد و فعالیت‌هایش را هم از سر گرفت. ظاهراً اعضای خاندان سلطنت شاه را متقاعد کرده بودند که برای گذران امور خود هم که شده، باید در فعالیت‌های اقتصادی مملکت شرکت کنند و حق دلالی بگیرند. موضع مبهم و متزلزل شاه در رابطه با فعالیت‌های اقتصادی خاندان سلطنتی را می‌توان در گزارش دیگری از سازمان سیا سراغ کرد. در آنجا آمده که «اخیراً رئیس یکی از بزرگ‌ترین بانک‌های ایران به یکی از مقامات سفارت گفته است که چندی پیش، توجه شاه را به یکی از معاملات اشرف جلب کرده بود. گفته بود اگر جزئیات این معامله علنی شود، بازتابی منفی خواهد داشت. شاه به این گزارش اعتنایی نکرد. رئیس بانک می‌گفت اگر کسی دیگر جز اشرف این کار را کرده بود، ده سال حبس می‌کشید.»[10] حتی پرویز ثابتی هم تجربه‌ای مشابه رئیس بانک داشت. گزارشی درباره‌ی فعالیت‌های غیرمجاز برخی از اعضای خاندان

سلطنت تدارک کرد و گزارش نه تنها مفید فایده‌ای نشد، بلکه خشم شاه را نیز برانگیخت.[۱۱]

برخی از دوستان نزدیک شاه نیز به‌سان اعضای خاندان سلطنتی، گویی از نوعی مصونیت قانونی برخوردار بودند و وارد گود فعالیت‌های اقتصادی شده بودند.* از یک سو، علم بود که حتی به اذعان دوستان و برآمدگانش در بسیاری معاملات مشکوک شرکت داشت. در سوی دیگر، امیر هوشنگ دولو بود که "سلطان خاویار" نام داشت. اما از همه غریب‌تر و مرموزتر دکتر کریم ایادی بود. در یکی از گزارش‌های سفارت آمریکا در ایران از ایادی به عنوان "طبیب ویژه شاه" نام برده شده و در عین حال آمده که او «در شرکت‌هایی متعدد از قبیل شرکت نفت پارس سهام دارد.** معمولاً بین ۱۵ تا ۴۰ درصد سهام این شرکت‌ها از آن اوست. او در این گونه موارد از اسامی گونه گون

---

* یکی از نمونه‌های جالب تلاش هویدا برای مبارزه با فساد درگیری پرپیچ وخمش با یکی از سرمایه‌داران بهائی جنجال‌آفرین آن روزگار بود. این سرمایه‌دار از آن‌چه بانکداران "فلوت" (FLOAT) می‌خوانند استفاده‌های نامشروع می‌کرد. در واقع، با صدور چک بی‌محل از حساب یک بانک، سهام همان بانک را می‌خرید و پیش از برگشت خوردن چک، مبلغ لازم را به حساب واریز می‌کرد. در سال ۱۳۵۴ حسنعلی مهران، رئیس وقت بانک مرکزی، ناگهان متوجه شد که میزان این چک‌های بی‌محل به بیش از یک میلیارد تومان رسیده است. مهران دست به کار شد و از هویدا کمک خواست. هویدا سرمایه‌دار خاطی را به دفتر نخست‌وزیر فرا خواند و به لحنی تند و حتی تهدیدآمیز، از او خواست که از دخالت در کار بانکهای مملکت دست بردارد و فکر خرید بانک تازه‌ای را هم وابگذارد. یکی دو روز بعد، بانک مرکزی نامه‌ای از دربار دریافت کرد. در آن شاه تأکید کرده بود که سرمایه‌دار نام‌برده انسانی زحمتکش و سخت‌کوش است و دولت نباید در راه رشد و گسترش او مانع ایجاد کند. یکی دو روز پس از آن که بانک مرکزی این نامه را دریافت کرد، سرمایه‌دار ظفرمند، این بار بی‌دعوت، به دفتر نخست‌وزیر رفت. انگشت شست برآورده‌اش را به رئیس دفتر هویدا نشان داد و به مسخره گفت: «به اربابت بگو، بفرما، بانک را خریدم.» بالمآل پس از مذاکراتی که شاه در آن دخالت مستقیم داشت، قرار شد این سرمایه‌دار همه‌ی سهام خود را در بانک‌های مختلف بفروشد و در عوض چهل درصد از سهام یکی از بانک‌ها را حفظ کند.

** خانم فاطمه سودآور فرمانفرما، که شوهرش از بنیانگذاران این شرکت بود هرگونه نقش ایادی در این شرکت را انکار می‌کند. می‌گوید سیا در این باره یکسره اشتباه کرده بود. فاطمه سودآور فرمانفرما، گفتگو با نگارنده، ۲۰ مارس ۲۰۰۱.

استفاده می‌کند. گاه خود را عبدالکریم، زمانی کریم، و برخی اوقات ایادی می‌خواند. تیمسار ایادی در عین حال از حق انحصاری بهره‌برداری از میگوی خلیج فارس برخوردار است.»[۱۲] در گزارش دیگری، سازمان سیا ایادی را «کانال اصلی فعالیت‌های اقتصادی شاه» می‌داند و می‌افزاید که، «ایادی گویا از دوران کودکی دوست شاه بوده ... حتی می‌گویند در زمانی که شاه با همسرش ثریا در ماه عسل بودند، ایادی هم همواره همراهی‌شان می‌کرد. زمانی حتی شایع بود که سهام شاه در شرکت ماهیگیری جنوب هم به اسم ایادی ثبت شده بود ... ایادی بهایی است و برخی از ناظران معتقدند که حامی اصلی بهائیان ایران است. می‌گویند هم اوست که پیروان این مسلک را در برابر فشار و حملات مسلمانان متعصب حراست و حمایت می‌کند.»[۱۳]

در هر حال، در اوایل دهه پنجاه، برخی از اعضای خاندان سلطنت، شماری از درباریان، یکی دو نفر از رفقای هویدا و دست کم دو نفر از وزرای کابینه‌اش در میان مردم شهرتی سوء داشتند؛ متهم بودند که «دست در بیت‌المال دارند.» ابعاد این بدبینی مردم را می‌توان در یکی از گزارش‌های سال ۱۳۵۷ سفارت آمریکا در ایران سراغ کرد. آنجا می‌بینیم که بنا بر ارزیابی سفارت، «در هفته‌های اخیر، فساد مالی به یکی از مسایل سیاسی عمده ایران بدل شده؛ بخش اعظم انتقاد از شاه به قالب انتقاد از فعالیت‌های غیرقانونی اطرافیان نزدیک و حتی اعضای خانواده‌اش در آمده است. ... قاعدتاً این مسأله به راحتی حل شدنی نیست و تنها زمانی از میان خواهد رفت که بنیاد اساسی‌ترین نهاد سیاسی در ایران، یعنی سلطنت را، به لرزه انداخته باشد.»[۱۴]

* * *

با افزایش درآمد نفت، توسعه اقتصادی ایران نیز شتابی سرسام‌آور پیدا کرد. با آن که از سال ۱۳۴۷ تا ۱۳۵۱، تولید بخش صنعت سالیانه چهارده درصد رشد کرده بود، اما جهش بزرگ هنوز در پیش بود. از آذر ماه ۱۳۵۱،

قیمت نفت به سرعت رو به افزایش گذاشت. ظرف یک سال، بهای یک بشکه نفت خام از پنج دلار به نزدیک دوازده دلار رسید، درآمد ایران هـم، بـه موازات آن، افزایش یافت. برنامه‌های اقتصادی مملکت همه در پرتو ارقـام جدید درآمد مورد تجدیدنظر قرار گرفت. از همین زمان بود که شاه هم به تدریج اشاراتش را به "تمدن بزرگ" آغازیده بود. وعده می‌داد که ایران پیش از پایان قرن، پنجمین کشور صنعتی جهان خواهد شد. می‌گفت ژاپن را پشت سر خواهد گذاشت و برای همیشه از دایره فـقر و فـلاکت و عـقب‌مـاندگی واخواهد رهید. حتی پیش از جهش ناگهانی قیمت نفت هم البته به آینده ایران سخت خوش‌بین بود. در سال ۱۳۴۵ به هاریمن گفته بود: «در بیست سـال آینده، تنها ژاپن و ایران می‌توانند به مرحله‌ی رشد کنونی کشورهای اروپایی برسند.» در عین حال، به سرفرازی گفته بود: «ایران حتی از ژاپن نیـز مـنابع طبیعی بیشتری دارد.» ۱۵

بسیاری از اقتصاددانان بر این گمان‌اند که در پس اندیشه‌ی "تمدن بزرگ"، نوعی نظریه و استراتژی اقتصادی نهفته بود، که به همان نظریه‌ی "فشار بزرگ" شهرت دارد. بنابر این نظریه، کشورهای جهان سوّم گرفتار چنبر "دور باطل فقر"ند. تنها از یک راه می‌توان از این دایره‌ی ادبار و فلاکت وارهید؛ در این گونه کشورها، دولت باید در «سطحی وسیع و همه جانبه»، به صنعتی کردن کشور همت کند. ۱۶ البته منادیان این نظریه اغلب می‌دانند که در هر کشور، ضرب و آهنگ این "فشار بزرگ" بالمآل تابع "توانمندی‌های جذب اقتصادی" در آن کشور است. ۱۷ شاه از سویی خواستار این "فشار بزرگ" بود، اما از سوی دیگر، مفاهیم مزاحم و مبهمی چون "توانمندی‌های جذب اقتصادی" را برنمی‌تابید. ولی واقعیت‌های اقتصادی سخت سرسخت‌اند. حتی از فرامین شاهانه هم تبعیت نمی‌کنند.

عجله شاه در این زمینه، و بی اعتنایی‌اش به قوانین اقتصادی از سـویی برخاسته از طبعش بود. از سوی دیگر، ریشه در این واقعیت داشت کـه او

تحصیلات دانشگاهی نداشت. آن‌چه از اقتصاد می‌دانست به تجربه و در عمل دریافته بود. در مقابل، هویدا، هم به لحاظ تحصیلاتی که داشت و هم به اعتبار طبع محتاطش، قاعدتاً نمی‌بایست سیاست اقتصادی شاه را بپذیرد. اما همان‌طور که پیشتر هم گفتم، هویت هویدا راگرایشات گاه متضاد و متناقضش تعیین می‌کرد. از سویی میانه‌رو بود و از افراط و تفریط گریز داشت. در عین حال در اندیشه‌های اقتصادی‌اش رگه‌هایی از تفکر اراده گرایانه نهفته بود، یعنی تفکری که اراده‌ی انسانی را برای نادیده گرفتن و برگذشتن از قوانین اقتصادی کافی می‌دانست. ریشه‌ی این گرایشش را باید به افکار و مطالعاتش در سالهای دهه‌ی سی قرن بیستم تأویل کرد. در آن دوران اندیشه‌های مارکسیست لنینیستی همه به نوعی تفکر "اقتصاد زده" دچار بودند. از لنین و تروتسکی تا مائو و استالین، همه وسوسه‌ی نوعی "جهش بزرگ" داشتند. می‌گفتند اگر زیربنای اقتصادی را دگرگون کنید، روبنای فرهنگی هم چاره‌ای جز دگرگونی همسو ندارد. می‌بینم که حتی در سالهای پنجاه، وقتی دیگر از مارکسیسم دوران جوانی هویدا تنها ته‌رنگی از شعارهای اجتماعی باقی مانده بود، باز هم وقتی در معیت ملکه به چین رفت، تحولات اقتصادی آن دیار را، که کماکان زیر لوای اندیشه‌های مائو بود، سخت پسندیده بود.[۱۸]

البته در سازمان برنامه‌ی آن زمان بودند کسانی که قوانین اقتصادی را خوب می‌فهمیدند و جرأت و جسارت بیان اندیشه‌های خویش را نیز دارا بودند. برای نمونه، در اسفند ۱۳۵۲، در گزارشی تصریح کردند که، «ایران نمی‌تواند تا پایان این سده، به پنجمین کشور صنعتی جهان بدل شود.» در همین گزارش تأکیدکردندکه «تقویت زیربنای ضعیف و ناتوان کنونی را باید هر چه زودتر طرف توجه قرار داد.»[۱۹] این گروه نظرات خود را در کنفرانس گاجره، که به ریاست هویدا تشکیل شد، صورت‌بندی و عنوان کردند و با استفاده از الگوها و معادلات اقتصادسنجی و با استناد به پیش‌بینی‌های آماری، به این نتیجه رسیدند که در شرایط کنونی، بودجه‌ی دولت را نمی‌توان و نباید یک

باره افزایش فراوان داد. آنها خواستار آهنگ افزایشی معقول و متوسط بودند. می‌گفتند روبنای ضعیف و شکننده ایران تاب سرمایه‌گذاری‌های چندان بیشتری را ندارد. معتقد بودند افزایش ناگهانی بودجه‌ی دولتی بالقوه خطرناک است. می‌گفتند ورود ناگهانی حجم بیشتری از کالاها صرفاً به گره‌های زیربنایی بیشتر و خطرناک‌تری دامن خواهد زد. یکی از این محققان که الکس مژلومیان نام داشت پا از این هم فراتر گذاشت و ادعا کرد که اگر دولت همه‌ی درآمد حاصله از نفت را هزینه کند، در ایران انقلاب خواهد شد.[۲۰]

هویدا در آغاز مخالف نظرات این گروه بود. می‌گفت ناتوانی‌های روبنایی را می‌توان با ساختن سریع راه‌ها و بندرهای تازه برطرف کرد. در این زمینه، به دو مقاطعه کار اشاره کرد که هم به فساد مالی شهرت داشتند، هم به این که می‌توانستند طرح‌های بزرگ را در اسرع وقت به اتمام برسانند. برخی از کسانی که در جلسه بودند اشاره‌ی هویدا به نام این دو نفر را، به خصوص در پرتو شهرت خود هویدا به مبارزه با فساد، غریب و در عین حال سخت معنی‌دار می‌دانستند. می‌گفتند مراد هویدا ظاهراً تأکید این نکته بود که دولت حاضر است در ازای انجام سریع و سروقت طرح‌های عمرانی، حد معینی از فساد مالی را نیز نادیده بگیرد.[۲۱] اما به‌رغم نظرات هویدا، آن دسته از متخصصان برنامه‌ریزی که با مژلومیان هم عقیده بودند کماکان با سیاست هزینه کردن تمام درآمد نفت مخالفت کردند و چنین سیاستی را برای آینده مملکت خطرناک خواندند. سرانجام هویدا هم، دست کم در ظاهر، متقاعد شد و نظرات این گروه را پذیرفت.[۲۲] در واقع از همان آغاز صدارتش اغلب در خلوت نکته‌ای را که یک بار به سفیر آمریکا گفته بود، تکرار می‌کرد. در سال ۱۳۴۶، هویدا در گفتگویی با آرمن مایر، گفته بود: «شاه می‌خواهد به سرعتی که واقع‌بینانه نیست مملکت را توسعه بخشد، حال آن که او [یعنی هویدا] مصمم است که سرعت آهسته و معقول را دنبال کند.»[۲۳] در گاجره هم بسیاری از مشاوران و محققان و برنامه‌ریزان سازمان برنامه دقیقاً همین سرعت آهسته

را توصیه کرده بودند.

پیشنهادات و مصوبات کنفرانس گاجره برای تصویب نهایی در جلسه‌ای در شهر رامسر تقدیم شاه شد. این کنفرانس روز دهم مرداد ۱۳۵۳ آغاز شد و دو روز ادامه داشت. شاه، در حالی که انگشتان دو دستش را در جیب جلیقه‌اش فرو کرده بود، و شست هر دست را در هوا تکان می‌داد، جلسه را با ذکر این نکته افتتاح کرد که، البته در مورد برنامه‌ریزی‌های آینده، او خود در موقع مقتضی، رهنمودهای لازم را صادر خواهد کرد. می‌گفت چون شما به هر حال در این زمینه کارهایی کرده‌اید، بیایید و حرف‌هایتان را بزنید.[۲۴] با این حال، تنها پس از شنیدن بخش‌هایی از چند گزارش آشکارا به خشم آمد. اقتصاددانان را به سخره گرفت و به تصریح گفت که دولت باید فکر آهنگ متوسط رشد را یکسره از سر بیرون کند. تأکید داشت که آن‌چه پیشتر خود گفته بود به اجرا در آید، و پیشتر اصرار کرده بود که دولت عملاً باید همه‌ی درآمد نفت را هزینه کند. گرچه کارشناسان سازمان برنامه، و قاعدتاً هویدا و دیگر وزرای کابینه او که در جلسه بودند، همه می‌دانستند که سیاست پیشنهادی فرجامی جز "تورم مضاعف"* نخواهد داشت، گرچه می‌دانستند که سیاستی بالقوه خطرناک و انقلاب‌زا است، اما همه سکوت کردند. هویدا هیچ مقاومتی نکرد. وزرای کابینه‌اش هم همه سکوت اختیار کردند. برخی از آن کارشناسان امروزه می‌گویند هویدا و وزرای کابینه‌اش می‌بایست در همان جلسه استعفا می‌دادند. در عین حال، به گمانم به درستی می‌گویند که زعمای قوم «نمی‌توانند ادعا کنند که در مورد پیامدهای احتمالی سیاستی که پیش گرفته بودند هشدار کافی دریافت نکردند.»[۲۵]

در شهریور ۱۳۵۴، در کنفرانسی که به خرج دولت ایران و به همت مؤسسه آسپن** تشکیل شد، هویدا و برخی از صاحبان صنایع، بانکداران،

---

*HYPER-BOOM   **ASPEN

تکنوکرات‌ها، سیاستمداران و محققان علوم اجتماعی ایـران* کـوشیدند از یک سو دستاوردهای اقتصادی ایران را در دهـه‌ی آخـر در چشـم‌انـدازی تاریخی بسنجند و بنمایانند، و در عین حال، از سویی دیگر، برای فرامین و احکامی که شاه صادر کرده بود، لعابی نظری دست و پا کنند. این بار هویدا به زبان یک معمار اجتماعی خوش‌بین سخن می‌گفت. مدعی بـود کـه، «اگـر اطلاعات کافی در دست داشته باشیم، و اگر بتوانیم ابعاد اراده‌ی انسانی را نیز تخمین بزنیم، آن‌گاه می‌توانیم آینده را نه تنها پیش‌بینی کنیم، که بـه سـیاق مطلوب خود آن را شکل بخشیم.» آن‌گاه از رشد سرانه‌ی تولید ناخالص ملّی سخن گفت که در سال **۱۳۴۲** صد دلار بود و قرار بود در سال **۱۳۵۶** تا **۲۰۶۹** دلار برود. به افزایش تعداد مراکز آموزش عالی اشاره کرد. می‌گفت ایران در سال **۱۳۵۲** تنها ده دانشکده داشت حال آن‌که این رقم در سال **۱۳۵۵** به **۱۸۴** رسیده بود. به تعداد دانشجویان اشاره کرد و می‌گفت: «در حال حاضر، بیش از چهارصد هزار دانشجوی ایرانی در اروپا و آمریکا و دیگر نقاط جهان مشغول تحصیل‌اند.»[۲۶]

دیگر شرکت‌کنندگان ایرانی کنفرانس از تحولات و پیشرفت‌های ایران در عرصه‌ی صنعت و کشاورزی سخنی راندند. یکی یادآور شد که، «آهنگ رشد بخش صنعت از پنج درصد در پاییز سال **۱۳۴۲** به بیش از بیست درصد در سال **۱۳۵۳** افزایش پیداکرده است.» صنایع اتوموبیل سازی را به عنوان یکی از نمونه‌های موفقیت‌آمیز سیاست "تقویت صـنایع بـومی" مـورد بـحث قـرار دادند.[۲۷] یکی دیگر از سخنرانان، به دستاوردهای عـظیم زنـان در عـرصه آموزش و پرورش اشاره کرد. می‌گفت در سال **۱۳۲۶** در ایران تنها **۷۸۴۰**

---

* در شرایطی که وصف آن را به تفصیل در جایی دیگر بیان کرده‌ام، من نیز بـه عـنوان استاد دانشگاه در این کنفرانس شرکت داشتم. برای شرح مفصل ماجرا، ر.ک. به

ABBAS MILANI: *TALES OF TWO CITIES: A PERSIAN MEMOIR.* NEWYORK, 1998

دختر دانش‌آموز بود، حال آن که این رقم در سال **۱۳۵۳** به **۳۳۷۷۵۷** رسیده است.[۲۸] در سایه‌ی ویرانه‌های پرشوکت تخت‌جمشید، ایرانیان با فخر و سربلندی به تحولات چشمگیری اشاره می‌کردند که در دهه‌ی اخیر در ایران پدید آمده بود و اقتصادی عقب افتاده و فقیر را به یکی از پویاترین کشورهای قاره‌ی آسیا بدل کرده بود. در واقع سخنرانی هویدا نوعی جمع‌بندی این رگه‌های گونه‌گون بود. ارقام و آمار پراکنده را در روایتی واحد و منسجم شکل و معنی می‌بخشید. مهم‌ترین مبحث نظری‌اش را می‌توان در نقد تند و تلویحی‌اش بر نظام سرمایه‌داری غرب و نظام شوروی سراغ گرفت. می‌گفت: «ما شاهد امپراطوری‌های بوروکراتیک بوده‌ایم ... دیده‌ایم که چگونه انسان ایدئولوژیک و انسان تکنولوژیک همواره میان یأسی ویرانگر و نوعی امیدواری کاذب پانگلاسی * نوسان می‌کند. ما نیز ناچار نه تنها حق بلکه وظیفه‌ی خود می‌دانیم که راه آینده‌ی خویش را خود بجوئیم.»[۲۹] و البته هویدا به تأکید و تکرار تذکر داد که در کار این جستجو، راهبر و پیش‌کسوت و فرمانده شاه بوده و خواهد بود.

شاه البته در آن سالها بیش از پیش یقین پیدا کرده بود که منافع ایران را بهتر از هر کس دیگری می‌شناسد. در جلسات اقتصادی و سیاسی، اغلب هر بحث جدی یا نظرات انتقادی را با طرح تلویحاً تهدیدآمیز این سوآل به پایان می‌رساند که: «مگر کتاب ما را در این زمینه نخوانده‌اید.»[۳۰] تا اواسط دهه پنجاه سه کتاب نوشته بود. اولی **مأموریت برای وطنم (۱۳۴۰)**، دومی **انقلاب سفید (۱۳۴۶)** و سومی **به سوی تمدن بزرگ** نام داشت. در این سه کتاب بیش و کم در مورد تمام زمینه‌های متصور اظهار نظر کرده بود. او دیگر به راستی حال و هوای یک پیامبر را به خود گرفته بود. گویی آمده بود تا رمه‌ی سرگردان و گمراه را به سرمنزل مقصود هدایت کند. این حالت را به خوبی می‌توان در تصویری سراغ کرد که آن روزها در بسیاری از ادارات

---

* PANGLASSIAN

دولتی بر دیوارها دیده می‌شد. لبخندی جدّی به لب داشت. فراز انبوهی ابر ایستاده بود. دستانش در هوا بود، انگار می‌خواست به حرکت دستی کرامات خود را تقسیم کند.

برخلاف ادعای بیش و کم تمام مخالفان شاه، که در تمام این دوران او را به تصریح و تأکید "نوکر امپریالیسم" می‌خواندند، به گمان من شواهد انکارناپذیریَ نشان می‌دهد که او از اوایل دهه چهل سیاست خارجی و نفتی نسبتاً مستقلی در پیش گرفته بود و اغلب در بسیاری از زمینه‌های مهم، با معتمدان و حامیان غربی خود در حال تعارض و تنازع بود. ولی تراژدی شاه در این بود که از سویی در آمال و آرزوهایش بلندپروازی نشان می‌داد، اما از سوی دیگر، در استفاده از ابزار لازم برای تحقق این اهداف مرغدل بود. می‌توان با استمداد از مقولات رایج روانشناسی، او را در مفهوم دقیق کلمه شخصیتی اقتدارگرا* دانست. به عبارت دقیقتر، با ضعیفان و زیردستان زورگو و پرتفرعن بود و در مقابل کسانی که قدرتمندشان می‌دانست ضعف و زبونی نشان می‌داد. وقتی احساس قدرت می‌کرد، گویی دیگر هیچ خدایی را بنده نبود. قاطعانه حکم می‌راند و در تصمیم‌گیری تردیدی روا نمی‌داشت. در مقابل به محض آن‌که اطمینان به خود را از دست می‌داد و ضعف بر او مستولی می‌شد، آن‌گاه دیگر مطیع هر بنده‌ای می‌نمود و از کوچک‌ترین تصمیم هم عاجز بود و این خصوصیات همه از وجوه ممیّز شخصیت اقتدارگرا به شمار می‌روند. وزارت امور خارجه‌ی آمریکا او را «شخصیت پیچیده و پر از تضاد» می‌دانست و در او «ترکیبی غیرقابل پیش‌بینی از نرمدستی و سنگدلی» سراغ می‌کرد.[۳۱] در گزارش دیگری از سفارت آمریکا در ایران آمده بود که، «حالات افسرده [شاه] در گذشته اعتماد به نفسش را یکسره سلب کرده بود.»[۳۲] بدتر از همه این که، وقتی مسأله دمکراسی واقعی در ایران پیش می‌آمد، شاه به هیچ وجه گوش شنوا نداشت. به‌علاوه، با افزایش درآمد نفت، او دیگر به

---

* AUTHORATARIAN

کمک‌های مالی غرب هم نیازمند نبود و می‌توانست به فراخور میل خود، هم سیاست‌های رفاهی پر دامنه‌ای را دنبال کند و هم ارتش را، آن چنان‌که می‌خواست، تقویت و تسلیح نماید. از جمله سیاست‌های رفاهی آن زمان، تحصیل رایگان در سطح دبستان، دبیرستان و دانشگاه و بیمه‌ی درمان رایگان، بیمه اجتماعی گسترده جدید، تغذیه رایگان برای تمام دانش‌آموزان بود. ۳۳ هرچه بر ابعاد این سیاست‌ها و موفقیت آنها افزوده می‌شد، برخورد شاه هم به پرسش‌های خبرنگاران خارجی در مورد دمکراسی غره‌تر و بی‌اعتناتر می‌شد. گاه به لحنی که ته رنگی از نژادپرستی هم در آن به چشم می‌خورد، می‌گفت دمکراسی دنیای چشم آبی‌ها به درد مردم ایران نمی‌خورد. می‌گفت: «یاوه است اگر بگوییم دمکراسی غربی را می‌توان به طور اتوماتیک به کشورهایی چون ایران منتقل کرد.» ایمان راسخ داشت که اگر روزی در ایران یک رفراندوم واقعی در مورد سبک رهبری او برگذار شود، همه‌ی مردم، به جز البته اقلیتی به غایت ناچیز از ایرانی‌های کژرفتار تحصیل کرده‌ی آمریکا و انگلیس «از او و سیاق حکومتش جانبداری خواهند کرد.» ۳۴

به گمان وزارت امور خارجه آمریکا، یکی دیگر از عواملی که بر نحوه تصمیم‌گیری‌های شاه تأثیر می‌گذاشت چند و چون میزان تحصیلات او بود. در گزارشی می‌گفتند تحصیلات شاه به «دوران دبیرستان در سوئیس و دانشگاه افسری در ایران» محدود بوده‌اند و لاجرم، به هنگام تصمیم‌گیری، «گاه در تصمیم‌گیری خردگرایانه ناکام می‌ماند و بیشتر به تصمیمات عاطفی ناچار می‌شود.» ۳۵ شواهد موجود همه نشان می‌دهد که شاه انسانی سخت خجالتی بود. به ندرت به چشمان کسی نگاه می‌کرد. چه بسا که در میان گفتگویی، ناگهان چشمانش به جایی، دور از آن زمان و مکان، خیره می‌شد. دوست داشت دوستش بدارند. عطشش برای محبت سیری‌ناپذیر بود و چه بسا که همین عطش، روحیه‌ی چاپلوسی را در اطرافیانش تقویت می‌کرد. بی‌گمان این گونه عطش نزد شاهان سخت خطرناک است و طرفه آن‌که شاید سرشت و

خطرات ذاتی این گونه گرایش را بهتر از هر کس مرشد و مراد هویدا، عبدالله انتظام برای شاه تذکر و توضیح داده بود. شایع است که در روزی که انتظام از سمت مدیرعامل شرکت نفت عزل شد، به شاه رو کرد و گفت: «هیچ کس جرأت نداشت به پدر شما دروغ بگوید، در حالی که به شما هیچ کس جرأت گفتن حقیقت را ندارد.» در کنفرانس رامسر، بسیار بودند کسانی که حقیقت را می‌دانستند، اما کسی جرأت بیانش را نداشت. هیچ کس به خود حق نداد که به شاه بگوید با واقعیت‌های سمج اقتصادی ستیز نمی‌توان کرد.

البته سیاستمداران ایرانی تنها کسانی نبودند که به نیاز روزافزون شاه بـه چاپلوسی تمکین می‌کردند.[۳۶] همیشه روزنامه‌نگاران و عکاسان و نویسندگان غربی فراوانی منتظر فرصت بودند تا در ازای حق‌الزحمه "مناسب"، مداحی شاه را پیشه کنند و در سجایای اخلاقی و سیاسی‌اش مقاله و متنی بـنویسند. حتی دولت‌های خارجی نیز به اشکال خاصی از همین چاپلوسی، دست می‌زدند. انگلیسی‌ها می‌دانستند که شاه خود را همسنگ دوگل مـی‌دانـد و مقایسه‌ی خود با دوگل را سخت دوست مـی‌دارد و بـه همین خاطر، در فرصت‌های مناسب، مقامات دولت انگلیس هم به این سودا تمکین می‌کردند. نمونه‌ی دیگر این سبک کار را در میان آمریکایی‌ها سراغ می‌توان کرد. در ژانویه ۱۹۵۸، وزیر امور خارجه‌ی وقت آمریکا، جان فاستردالس نامه‌ای به آیزنهاور نوشت و یادآور شد که، «خیلی خوب می‌شد اگر وقتی که شاه به واشنگتن می‌آید، شما و برخی مقامات عالی‌رتبه‌ی وزارت دفاع با او در مورد مسایل نظامی، که سخت مورد علاقه‌ی او هستند، گفتگو کنید. عذر می‌خواهم که شما را درگیر این کار کردم، ولی از آن جا که سفر او غیر رسمی است، چنین گفتگویی مستلزم مراسم یا تدارک چندانی نیست. در عوض، شاه هم از این که شما با او در باب مسایل نظامی جدید تبادل نظر کرده‌اید احساس غرور فراوان خواهد کرد. چه بسا که همین قضیه به تثبیت اوضاع ایران کمک کند.»[۳۷] هشت سال بعد، در تدارک سفر دیگر شاه به آمریکا، سفیر وقت آمریکا در گزارشی

نوشت که: «شاه خود را یک سیاستمدار جهانی می‌داند و به خود خواهد بالید اگر با او در مورد اوضاع بین‌المللی بحث کنید و به مسایل محرمانه هم اشاراتی داشته باشید.» [۳۸] در همین سفر به جانسون، رئیس‌جمهور وقت توصیه شده بود که، «در مورد مسایل دیگر بین‌المللی با شاه صحبت کنید و نشان دهید که در این زمینه‌ها به او اطمینان دارید.» [۳۹]

در این سالها، حتی لحن گزارش‌های سیا در مورد ایران به شکلی غریب دگرگون شد. در حالی که در اوایل دهه‌ی چهل، این گزارش‌ها پیوسته هشدار می‌داد که ایران در آستانه‌ی هرج و مرج و انقلاب است در سال ۱۳۵۶ همین سازمان سیا ادعا کرد که، «ایران در چند سال آینده تحت رهبری شاه قاعدتاً با ثبات خواهد بود. شاه که در دهه‌ی گذشته هر روز بیشتر به خود اطمینان پیدا کرده، کمتر و کمتر به توصیه‌های آمریکا و رأی‌زنی‌های مشاوران داخلی‌اش عنایتی نشان می‌دهد.» [۴۰]

شاه در دریایی از چاپلوسی غرقه بود و هر روز غرور و تکبرش و نیز ایمانش به درستی نظرات خویش فزونی می‌گرفت. اگر این قول صاحب‌نظران را بپذیریم که یکی از علل انقلاب اسلامی تلاش شتابزده‌ی شاه برای نوسازی جامعه بود، اگر درست می‌گویند که ناتوانی روبنای اقتصادی ایران در جذب کالا و سرمایه به آتش انقلاب دامن زد، آن‌گاه باید نتیجه گرفت که کنفرانس رامسر، و بی‌اعتنایی کامل شاه به نظرات مشاوران اقتصادی‌اش یکی از نقطه عطف‌های تاریخ معاصر ایران بود. در عین حال، اگر در شمار کسانی باشیم که می‌گویند مقاطع متعددی بود که هویدا حتماً می‌بایست استعفا می‌داد، آن‌گاه زمان پایان کنفرانس رامسر را قاعدتاً باید یکی از این مقاطع دانست. می‌دانیم که هویدا در نتیجه‌ی یک برنامه‌ی رشد و توسعه‌ی مفصل سـر کـار آمـد. شالوده‌ی این برنامه سهیم کردن طبقه متوسط در قدرت سیاسی شاه بود. رشد سریع اقتصادی ایران بی‌شک بر شمار و قدرت طبقه‌ی متوسط ایران افزود. از سویی دیگر، شاه تصمیمات مربوط به چگونگی این تحولات را به شیوه‌ای

یکسره استبدادی اتخاذ کرد. بعید هم به نظر می‌رسید که در آینده‌ای نزدیک به خواست‌های سیاسی این طبقه تن در دهد. در واقع، شاه نه تنها مخالف سهیم کردن طبقه متوسط در قدرت بود، بلکه حتی حاضر نبود هویدا را، پس از سالها خدمتگذاری صادقانه، در قدرت سهیم کند. به گفته‌ی ریچارد هلمز، که زمانی رئیس سیا و بعدها سفیر آمریکا در ایران بود، «هیأت دولت، زیر نظر هویدا، توانایی و نهادهای لازم برای تصمیم‌گیری و سیاست‌گذاری را پیدا کرده ... اگر البته شاه اجازه بدهد. از سال ۱۳۴۲ به بعد، شاه به طور روزافزونی در مسایل و تصمیمات روزمره‌ی دولت دخالت مستقیم پیدا کرد و دیگر حاضر نیست قدرت خود را به دیگران وا بگذارد.»[۴۱] هویدا و یاران تکتوکراتش به این امید دل خوش کرده بودند که رشد و رفاه اجتماعی سرانجام شاه را راغب، یا شاید ناچار، به تقسیم قدرت خود خواهد کرد. اما کنفرانس رامسر آشکارا نشان داد که این امید وهمی بیش نبود. یکی از دلایل مهم شکست تکتوکرات‌های ایران در این شرط‌بندی تاریخی تغییری بود که در هویدا پدیدار شد. او به امید و قصد ایجاد نهادهای لازم برای بسط دمکراسی در ایران سرکار آمد. اما پس از چندی، طمطراق و وسوسه‌ی قدرت بر این آمال و آرزوها سایه انداخت. از یک سو، اغلب مخالفان شاه سیاست براندازی نظام استبدادی را پیش گرفتند. هم و غمّ خود را صرف نابودی رژیم می‌کردند و هیچ گونه سازشی را برنمی‌تابیدند. در مقابل، سیاست هویدا هم که بر اساس تسلیم مطلق در برابر شاه استوار بود، خطرناک و زیانبار از آب درآمد و برخلاف گمان هویدا و همکارانش، به دمکراسی ره نبرد.

* * *

اگر بپذیریم که کنفرانس رامسر تجسم این استبداد در عرصه‌ی اقتصادی بود، آن گاه باید گفت که عرصه‌ی سیاست حتی بیش از اقتصاد جولانگاه این خودکامگی بود، و فرمان انگار فی‌البداهه‌ی شاه در مورد تأسیس نظام تک حزبی در ایران گویاترین تبلور این استبداد فردیی سیاسی بود. به گفته‌ی

هلمز، دستور ایجاد حزب جدید، «در پاییز عمر یک شاه خودکامه» صادر شد. هلمز می‌گفت، «با تأسیس نظام تک حزبی دیگر در ایران حتی در ظاهر هم یک نیروی مخالف، اما وفادار به رژیم شاه باقی نمانده است. با در نظر گرفتن این تحولات، دیگر امید چندانی به ایجاد یک حکومت دمکراتیک در ایران نمی‌توان داشت.»[۴۲] آن‌چه هلمز بر سبیل نتیجه گیری‌های خود در این گزارش نوشته بود در واقع نوعی پیش‌گویی دقیق وقایع آتی ایران بود. هلمز معتقد بود، «ظرف پنج تا ده سال آینده، شاه یا داوطلبانه نیروهای دیگر را در قدرت سهیم خواهد کرد، یا به این کار ناچارش خواهند کرد. اگر در ظرف شش هفت سال آینده، بحرانی در مورد تعیین جانشین شاه رخ نماید، شورای سلطنت قاعدتاً تا مدّتی از پس اداره‌ی کار مملکت برخواهد آمد، ولی در عین حال اگر نیروهای گریز از مرکزی که منادی دگرگونی‌اند منافع گروهی خود را بر تمامیت ارضی یا امنیت ایران مرجح بدارند، آن گاه خلاء قدرت خطرناکی پدیدار خواهد شد.»[۱۴۳] سرنوشت حزب ایران نوین نشان می‌داد که شاه هیچ‌گونه شریک قدرتی را تحمل نمی‌کرد.

حزب ایران نوین در اصل به فرمان خود شاه تأسیس شد. اما در سال ۱۳۵۴ تشکیلاتی قدرتمند داشت و زیر نگین هویدا بود. جذابیت اصلی حزب این بود که، «نردبان ترقی اعضایش بود. در عین حال، حزب به وسیله‌ی بسط قدرت و نفوذ رهبران آن، به ویژه هویدا، بدل شده بود. تشکیلات حزب در

---

۱ هلمز در گزارش "پایان خدمت" خود بخوبی نشان داد که درک روشنی از مسایل ایران داشت. آن جا نوشته بود، "تضاد میان رشد سریع اقتصادی و نوسازی مملکت با حکومت کماکان خودکامه‌ی شاه مهم‌ترین عامل ناروشنی در آینده‌ی ایران است. اگر این تضاد وجود نمی‌داشت، آینده‌ی ایران هم یکسره روشن و امیدوارکننده می‌بود. اما هیهات که اگر تاریخ زندگی خوکامگان گذشته در واپسین سالهای زندگی‌شان را ملاک بگیریم، جای امیدواری چندانی نیست. من در این تاریخ حتی به یک مورد هم برنخوردم که در آن حاکم مطلق داوطلبانه بخشی از عنان قدرت خویش را واگذاشته باشد." ر.ک. به

US EMBASSY. "END OF TOUR REPORT: RICHARD HELMS" NSA, NO. 979.9

سرتاسر مملکت با نهادها و ادارات محلی رابطه‌ای تنگاتنگ داشت و در عین حال با دستگاه‌های امنیتی نیز در تماس نزدیک بود. حزب مشاغل اداری دولتی فراوانی در اختیار داشت که در موارد مقتضی اعضای خود را، به‌سان پاداش، به این مقامات برمی‌گمارد. در واقع، این اواخر تمام مشاغل مهم مملکت در اختیار اعضای حزب بود. این عوامل دست به دست هم داد و به حزب قدرتی واقعی بخشید.»[۴۴] علم در یادداشتهای خود به کرّات از وضع حزب مردم شِکوِه و ناله می‌کرد و می‌گفت عوامل گوناگونی مانع از آن‌ند که این حزب بتواند نقشش را به عنوان حزب مخالف به خوبی اجرا کند. گناه این کار را البته یکسره به حساب هویدا می‌گذاشت. می‌گفت او دایم در فکر توطئه و دسیسه است و هدفی جز بسط قدرت خود و تعطیل کار حزب مخالف ندارد. اما مضمون یادداشتهای علم بیش از هر چیز مؤید این واقعیت‌اند که شاه هم انتقادات حزب اقلیت، یا هر حزب مخالف دیگر را برنمی‌تابید. آنچه خود علم درباره‌ی سرنوشت یکی از رهبران حزب مردم نقل می‌کند مصداق بارز این بی‌شکیبی است. علم می‌گفت، شاه با عصبانیت رهبر حزب مردم را از کار برکنار کرد چون پا از گلیم خود فراتر گذاشته بود و گفته بود انتخابات در ایران کاملاً آزاد نیست.

هویدا نیک می‌دانست که بقای دوران صدارتش در گرو ایجاد یک پایگاه سیاسی است. گرچه بارها اعلان کرده که تنها موکل او در مملکت شخص شاه است و لاغیر، اما در عمل می‌دانست که قدرت واقعی‌اش را اساساً از طریق حزب استحکام می‌تواند بخشید. شاه هم، در مقابل، به این نکته نیک واقف بود. از همان آغاز کار حزب بر آن شد که تشکیلات حزب به ابزار قدرت شخصی هیچ یک از رهبران آن بدل نشود. به همین نیت، بنا بر گزارش سفارت آمریکا در ایران، عطاالله خسروانی را که از معتمدانش بود به ریاست حزب برگمارد.[۴۵] خسروانی در حزب طرفداران چندانی نداشت. طولی نکشید که تشکیلات حزب ایران نوین به دو دسته تقسیم شد. دسته اول از اعضای اولیه

حزب و کانون مترقی تشکیل می‌شد. این گروه خود را بیشتر جناح "روشنفکر" حزب می‌دانست. دسته دوم را عمدتاً تازه‌واردها تشکیل می‌دادند. به‌علاوه، اغلب کسانی که از مجرای اتحادیه‌های فرمایشی کارگری به حزب پیوسته بودند به همین دسته دوم تعلق داشتند. با افزایش قدرت حزب، هویدا نیز تسلط خود را بر تشکیلات آن تثبیت کرد و عملاً از آن به عنوان پایگاه مستقل قدرت خود بهره می‌جست. شاید همین واقعیت، به تنهایی، کفایت می‌کرد که شاه را به نابودی حزب متقاعد کند. می‌دانیم که پس از تجربه‌ی مصدق، شاه دیگر به نخست‌وزیری که از پایگاه سیاسی مستقلی برخوردار باشد رغبت نداشت. هویدا نه تنها بر حزب ایران نوین تسلط کامل داشت، بلکه سرانجام حتی موفق شد یکی از متحدان خود را به ریاست حزب مردم منصوب کند. پیچیدگی موقعیت سیاسی هویدا در آن سال‌ها را یکی از همکاران نکته‌سنج او به عنوان حالتی دوپاره وصف می‌کرد. می‌گفت: «در هویدا یک تضاد درونی بود. از سویی آلت دست شاه بود. اما از اواسط دوران نخست‌وزیری‌اش در عین حال خود به یک نهاد قدرتمند بدل شده بود. ابعاد قدرتش به تمام سطوح جامعه رخنه و رسوب کرده بود.»[۴۶] بی‌شک مهم‌ترین مصداق قدرت نهادی شده‌ی هویدا همان تسلطش بر تشکیلات حزب ایران نوین بود.

در سال ۱۹۷۵، حزب بزرگترین کنگره تاریخ خود را برگذار کرد. پنج هزار نفر از فعالین حزب از سرتاسر مملکت در کنگره حضور یافته بودند. حدود صد حزب خارجی مختلف هم نمایندگانی به این نشست گسیل کردند. هویدا در سخنرانی پرشوری دستاوردهای ده سال اخیر ایران را ستود. البته به کرات از رهبری داهیانه و انقلابی شاه یاد و ستایش کرد. شاید هدف هویدا از این مداحی مکرر این بود که می‌خواست هرگونه امکان بدبینی و واهمه‌ی شاه را در نطفه خنثی کند. شاید می‌خواست از طریق این عبارات گاه پراغراق تأکید و تکرار کند که حزب و نخست‌وزیر هیچ کدام در برابر شاه از قدرت مستقلی برخوردار نیستند. در یک کلام، شاید مدح شاهش به قصد خنثی کردن

واهمه‌های شاه و تفتین‌های دشمنان هویدا بود. در هر حال، هدفش هر چه بود، با ناکامی روبرو شد. هنوز طنین سخنانش در هوا بود که شاه به حرکتی سریع، بساط حزب ایران نوین و دیگر احزاب قانونی مملکت را برچید و در عوض به تأسیس یک نظام تک حزبی فرمان داد. حتی با معیارهای آن روزگار که استبداد و خودکامگی در آن رسمی رایج شده بود، کردار شاه در زمینه نظام حزبی مملکت خودسرانه‌تر از معمول جلوه می‌کرد. گرچه شکی نیست که پیامدهای سیاسی نظام تک حزبی در ایران چیزی جز فاجعه نبود، اما ریشه‌های این اندیشه، و هویت کسانی که نخست منادی آن شدند، در هاله‌ای از ابهام و ریا پیچیده است.

می‌دانیم که گروهی از مشاوران ملکه، طرحی در باره ایجاد یک رستاخیز ملی در ایران تدارک کرده بودند. این گروه از غلام رضا افخمی، امین عالیمرد، ابوالفضل قاضی، احمد قریشی و منوچهر گنجی تشکیل شده بود. اما در مورد چند و چون فعالیت این گروه، کیفیت و جزئیات طرح پیشنهادی، و مهم‌تر از همه زمان طرح و ربط آن با فکر حزب رستاخیز دست کم به سه روایت مختلف برخورده‌ام. اگر چه در زمان تأسیس حزب، بسیاری از روشنفکران وابسته به رژیم، با تبختری تمام، خود را نظریه پرداز اصلی و اولی حزب می‌دانستند، اما امروزه، به لحاظ پیامدهای فاجعه‌بار این حزب، دیگر این اندیشه عملاً یتیم مانده و اندک‌اند انسان‌های شریفی که بی پروا و بی‌پرده، به نقش خود در این زمینه اشاره و اذعان کنند.

از سویی غلام‌رضا افخمی مدعی است زمان طرح رستاخیز* سال ۱۹۷۱ بود.[۴۷] می‌گفت این طرح ربطی به آن‌چه بعدها حزب رستاخیز شد نداشت. از

---

* در اوایل دهه‌ی چهل، مصطفی مصباح‌زاده، صاحب روزنامه کیهان تشکیلاتی آفرید که رستاخیز نام داشت. این گروه به سرعت رشد کرد طولی نکشید که به شاه گزارش دادند که در جلسات گروه، عکسی از شاه به دیوار نیست. فرمان صادر شد که از این پس تمثال ملوکانه باید همواره بر دیوار باشد. چندی بعد این رستاخیز نوپا در اثر بی‌رغبتی مردم فرو خوابید.

سویی دیگر، امین عالیمرد جلسات این گروه و صورت‌بندی طرح نهایی را به دو سال پیش از مصاحبه‌ی معروف شاه در مورد ایجاد نظام تک حزبی تأویل می‌کرد. در مقابل، احمد قریشی، که گویا تنها در واپسین مرحله‌ی مذاکرات این گروه به جمع پیوست، می‌گفت این طرح حدود شش ماه قبل از همین مصاحبه تهیه شد. به روایت قریشی، طرح از طریق ملکه به شاه داده شد. شاه هم با عصبانیت پیشنهادات گروه را رد کرد و آن چنان که در آن روزها رسمش بود، گویا پرسیده بود: «مگر اینها کتاب ما را نخوانده‌اند.» به گفته‌ی قریشی، چند روز پس از آن که طرح ایجاد حزب واحد از طریق ملکه به دست شاه رسید، هویدا شبی در یک مهمانی از قریشی پرسید، «چکار کردید ارباب این قدر عصبانی شده؟»[۴۸] به راستی نیز شاه آن زمان یکسره مخالف اندیشه‌ی نظام تک حزبی بود. در مأموریت برای وطنم به تصریح نوشته بود که نظام‌های تک حزبی از وجوه مشخص و سخت مذموم نظام‌های کمونیستی‌اند. در سال ۱۳۴۷ نیز در مصاحبه‌ای دیگر، نظراتی مشابه ابراز کرده بود.[۴۹]

اعضای گروه پیشنهاد کننده‌ی فکر حزب رستاخیز بر این گمان بودند که طرح آنها، «گامی در جهت دمکراتیزه کردن فرایند سیاسی» در ایران است.[۵۰] می‌دانستند که شاه وجود یک حزب مستقل مخالف را بر نخواهد تابید. نگران بودند که حزب ایران نوین نیز جوانه‌های مشارکت سیاسی واقعی را در مملکت خشکانده است. لاجرم می‌خواستند از طریق این رستاخیز، مشارکت سیاسی مردم را فزونی بخشند و «گشایشی در فرایند سیاسی» پدید آورند.[۵۱] ظاهراً در نتیجه‌ی دربدری‌های برخاسته از تجربه‌ی انقلاب و مهاجرت، نسخه‌ای از متن این طرح پیشنهادی در دسترس نیست. به همین خاطر، چند و چون جزئیات آن و چگونگی ربطش به فکر حزب رستاخیز را به دقت تعیین نمی‌توان کرد. با این حال، حتی اگر این روایت را بپذیریم که توصیه‌های این گروه ربطی به حزب رستاخیز نداشت، باز هم مشکل مهمی لاینحل می‌ماند: چگونه گروهی که اعضای آن همه تحصیلاتی در علوم اجتماعی داشتند

کماکان، در نیمه دوم سده بیست، بر این گمان بودند که یک حزب واحد، یا یک جنبش توده‌ای، به رهبری شاه می‌توانست فرجامی دمکراتیک داشته باشد و «گشایشی در فرایند سیاسی» پدید آورد. امین عالیمرد می‌گفت اندیشه‌های اولیه این گروه، بیشتر برگرفته از الگوی خودگردانی کارگری در یوگوسلاوی بود.[۵۲] ولی در زمان طرح این فکر، شواهد تاریخی فراوانی نشان می‌داد که نظام‌های تک حزبی، جنبش‌های توده‌ای، نظام‌های سیاسی مبتنی به رفراندم، و حتی ظاهر فریبنده‌ی خودگردانی کارگری همه سرانجام به نوعی فاشیسم، یا در بهترین حالت، به نوعی ساخت قدرت توده گرا ره می‌برند. در یک کلام، از اندیشه‌ی رستاخیز، دمکراسی برنمی‌خاست و در عمل هم دیدیم که این اندیشه نه در میان مردم اقبالی پیدا کرد و نه در واقع «گشایشی» در فضای سیاسی پدید آورد. حاصلش نارضایتی روزافزون مردم بود.

گرچه رابطه‌ی دقیق پیشنهادات این گروه و فکر ایجاد حزب رستاخیز روشن نیست، ولی می‌دانیم که در سال ۱۳۵۳ شاه به مصر سفری کرد. سادات در آن زمان از دوستان و معتمدان نزدیک شاه شده بود. گویا در مصر سادات در مناقب نظام تک حزبی داد سخن داده بود، و این نظرات ظاهراً در شاه مؤثر افتاد.[۵۳] پس از مصر، شاه برای تعطیلات به سوئیس رفت. تا آن‌جا که می‌دانیم، درباره فکر ایجاد نظام تک حزبی با هیچ کس مشورت نکرد. در خاطرات علم می‌بینم که از چند ماه پیش از تأسیس حزب واحد، شاه گاه ساعت‌ها در دفتر خود تنها می‌نشست و به نظر می‌رسید که در فکر طرح‌هایی تازه برای مملکت است. با این حال، در مورد حزب به هیچ کس از قبل اطلاعی نداد. حتی علم هم یکسره از ماجرا بی‌خبر بود. در سوئیس شاه تصمیم خود را به اطلاع عبدالمجید مجیدی رساند. مجیدی برای تقدیم گزارشی درباره‌ی بودجه دولت به سوئیس رفته بود. شاه، به گفته مجیدی، پس از شنیدن گزارش رئوس نظرات سیاسی جدید خود را با مجیدی در میان گذاشت. این نظرات اسباب حیرت مجیدی شد. می‌گفت پس از شنیدن نظرات شاه، او خود

اظهارنظر کرده بود که به گمانش نظام تک حزبی الزاماً مشکلات ایران را حل نخواهد کرد. می‌گفت به شاه توصیه کرده بود که باید یک نظام چند حزبی واقعی و کارآمد پدید آورد. حتی گفته بود که به گمانش مسأله اساسی ایران فساد است. پاسخ شاه آشکارا نشان می‌داد که تا چه حدّ از افکار و عوالم عامه‌ی مردم ایران دور افتاده بود. پرسیده بود: «تعریف شما از فساد چیست؟» و وقتی مجیدی مصادیقی از فساد را برشمرده بود، شاه گفته بود: «غیر از این موارد، و در واقع مهم‌تر از همه اینها و فساد واقعی این است که مردم درست کار نمی‌کنند و کارمندان هم وظایف خود را به درستی انجام نمی‌دهند.»[۵۴] مردم از فساد بزرگان و خاندان سلطنت می‌نالیدند و شاه کم‌کاری مردم را فساد عمده‌ی مملکت می‌دانست. شاه در پایان گفتگو به مجیدی اجازه داد که مضمون کلی تصمیمات شاه را با هویدا، که در تهران بود، در میان بگذارد.

مجیدی با عجله به هتل سورتاهاوس * شتافت که ویلای خصوصی شاه در سن موریتس در واقع در باغ‌های اطراف این هتل واقع بود. مجیدی در زیرزمین هتل و از یک تلفن عمومی، به هویدا زنگ زد و فکرهای تازه‌ی شاه را با او در میان گذاشت. هویدا رغبتی به بحث مفصل در این باره نشان نداد. نمی‌خواست مسأله‌ی چنین با اهمیتی در خط تلفنی نامطمئن، که به اقرب احتمال اغیار هم به آن گوش فرا می‌دادند، به بحث گذارده شود. با این حال، در طول همان مذاکره‌ی مختصر، هویدا دریافت که نه تنها بساط حزبی که سالها برای بسط و تحکیمش کوشیده بود برچیده خواهد شد، بلکه نظام حزبی مملکت یکسره دگرگون خواهد شد.

همه‌ی شواهد حکایت از آن دارد که شاه فکر ایجاد حزب رستاخیز را با هیچ کس دیگری در میان نگذاشت. علم که در آن زمان قاعدتاً از همه‌ی سیاستمداران و اطرافیان شاه به او نزدیک‌تر بود هیچ اطلاعی در این باره نداشت.[۵۵] ظاهراً حتی ساواک هم یکسره از ماجرا بی‌خبر بود.[۵۶] شاه در

---

* SUVRETIA HOUSE

حالی از مصر و سوئیس به ایران بازگشت که چون پیامبری، ناگهان یقین پیدا کرده بود که نظام تک حزبی حلّال همه‌ی مشکلات سیاسی ایران است. تا آن جا که می‌دانیم هیچ کس از نزدیکان شاه جرأت نکرده در مورد این ماجرا با او به جدّ گفتگو کند. هیچ کس یارای تذکر این نکته را نداشت که نظام تک حزبی حق تجمع و تحزب را محدود می‌کرد و لاجرم خلاف قانون اساسی ایران بود. در آن روزها دیگر هیچ کس، شاید به استثنای ملکه، جرأت انتقاد از شاه را نداشت. سرپیچی از فرمانش هم برای اطرافیانش متصور نبود. مهم‌تر از همه این که ملکه هم قاعدتاً در این مورد در موقعیتی نبود که با طرح حزب واحد معارضه کند. چه بسا که اصل فکر در آغاز در صف مشاوران خود او طرح و صورت‌بندی شده بود. هویدا نیز بی‌شک در جلوت هیچ مخالفتی با تصمیم شاه نشان نداد. به جای استعفا از مقام خود ـ آن چنان که بسیاری از دوستان و اقوامش توصیه می‌کردند ـ تسلیم واقعیات شد و صبورانه به انتظار نشست تا ببیند در نظم نویی که شاه در انداخته بود، چه نقشی به او تعلق می‌گیرد.[۵۷]

در روز یازدهم اسفند ۱۳۵۳، شاه طی یک مصاحبه مطبوعاتی، که شکل و محتوای آن حتی با معیارهای آن روزگار حیرت‌آور می‌نمود، به ایجاد یک نظام تک حزبی تازه فرمان داد. حکم کرد که ملت ایران، همه، به این حزب خواهند پیوست. هویدا هم در این مصاحبه مطبوعاتی حضور داشت. برخی از همکارانش می‌گفتند وقتی شاه در مورد حزب واحد آغاز به سخن کرد، «در چهره‌ی هویدا علایم حیرت و ناباوری پدیدار شد.» می‌گفتند حالت صورت او، «بر همه روشن و مبرهن می‌کرد که این نخستین باری بود که او از این تصمیم مهم و اساسی خبردار شده بود.»[۵۸] واقعیت این است که هویدا دست کم یک هفته پیش از این مصاحبه، از طریق مجیدی خبر ایجاد حزب واحد را شنیده بود.* شاید حالات چهره‌اش را باید نشانی از تلاش آگاهانه‌ی او برای

---

* کاشفی که از معاونان نخست‌وزیر بود و سالها بودجه‌ی محرمانه‌ی نخست‌وزیری را اداره می‌کرد، می‌گفت حدود دو هفته قبل از مصاحبه‌ی مطبوعاتی شاه، هویدا دستور داد که هیچ کدام از

فاصله‌گرفتن از طرحی داشت که به‌گمانش سخت زیانبار بود. اغلب در خلوت از بیهودگی این اندیشه می‌نالید، اما با این حال حاضر شد رهبری همین حرب را به عهده‌گیرد.

برخی از صاحب‌نظران، و نیز سفارت آمریکا در ایران، بر این قول بودند که ایجاد حزب جدید در واقع بخشی از تلاش «شاه برای محدودکردن قدرت روزافزون نخست وزیر» بود. با این حال در همان کنفرانس مطبوعاتی کذایی، شاه هویدا را به دبیر اولی حزب جدید برگمارد.*[۵۹] هیچ کس جرأت نکرد از شاه بپرسد که او بر اساس کدام ماده‌ی قانونی دبیر حزبی راکه هنوز تأسیس هم نشده بود تعیین کرده است. در حقیقت، شاه نه‌تنها دبیر حزب را منصوب می‌کرد، بلکه تکلیف تمام کسانی راکه رغبتی به پیوستن به حزب نداشتند نیز تعیین کرد. به لحنی پر تمسخر، می‌گفت این دسته می‌توانند پاسپورتی دریافت کنند و ایران را ترک بگویند. افخمی در کتابش در حالی‌که ظاهراً همین لحن

قراردادهای مربوط به اجاره‌ی ساختمان‌های حزب را تمدید نکنند. هویدا در آن زمان دلیلی برای دستور خود ارایه نکرد. ولی پس از مصاحبه شاه کاشفی متوجه علت اصلی دستور هویدا شد. (کاشفی، مصاحبه با نویسنده، ۳۱اکتبر ۱۹۹۷). فریدون هویدا نیز در این مورد نکته‌ای مهم طرح می‌کند. می‌گوید شاه دست کم دو بار، در ماه‌های قبل از مصاحبه مطبوعاتی معروف، فکر ایجاد حزب واحد را با هویدا در میان گذاشته بود و هر دو بار هویدا توانسته بود رأی شاه را عوض کند. (فریدون هویدا، مصاحبه با نویسنده، ۱۰ اکتبر ۱۹۹۹)

* دکتر منوچهر شاهقلی، که از دوستان نزدیک و از معتمدان هویدا بود، در دیداری با مقامات سفارت آمریکا گفته بود که به‌گمانش بر چیدن بساط حزب ایران نوین نتیجه‌ی این واقعیت بود که: «شاه ابعاد قدرت حزب را دریافته بود. در یک مورد، به‌رغم تلاش شاه، به رغم استفاده از بودجه‌ی بنیاد پهلوی که از طریق شریف امامی صورت گرفت، رأی مردم شهر رامسر تغییر نکرد و کاندید حزب ایران نوین بر حزب مردم چیره شد. وقتی شاه در این زمینه شکست خورد، به نابودی حزب ایران نوین مصمم شد. فکر می‌کرد قدرت حزب بیش از حد فزونی گرفته.» (ر.ک. به:
US EMBASSY, TEHRAN. "HOVEYDA'S LOYAL FRIEND," 25 JAN, 1977, NSA 2177.

انتخابات مورد اشاره‌ی شاهقلی در واقع در شهر شهسوار صورت پذیرفت. انتخابات میان دوره‌ای بود و کاندیدای حزب ایران نوین پیروز شد.

شاه مرادش بود، می‌گوید: «فکر اولیه [رستاخیز] بیشتر برای تحقق بخشیدن به نوعی آشتی ملی بود ... اما اعلیحضرت [هنگام صدور فرمان ایجاد حزب] بیشتر حالتی خصمانه داشت.»[۶۰] ظاهراً در آن زمان به ذهن شاه خطور نکرده بود که طبق قانون اساسی ایران، هر شهروند ایرانی، به اندازه خود شاه، از حق سکنی در ایران برخوردار است. ولی واقعیت این بود که شاه دیگر در آن سالها ایران را ملک طلق خود می‌دانست. مملکت ظاهری مدرن داشت، ولی انگار شاه آن را ملک خود و مردم را هم رعیت خویش می‌دانست، و برای آنها حقوق شهروندی قایل نبود.*

هویدا به‌رغم همه‌ی تردیدهایی که درباره‌ی ماهیت نظام تک حزبی داشت، بلافاصله حکم انتصاب شاه را پذیرفت و مشغول به کار شد. اما انگار دیگر بارگران سالها صدارت بر شانه‌اش سنگینی می‌کرد. شاید هم وجدانش به خاطر سازش‌هایی که به آن تن در داده بود عذابش می‌داد. گاه در مهمانی‌ها، دیروقت، از حال می‌رفت و از میزی متکایی می‌ساخت و در میان خیل مهمانان حیرت‌زده چرت می‌زد. اغلب مردم نمی‌دانستند که از اوایل دهه‌ی هفتاد، فشار کار چنان شده بود که هر روز صبح، کار خود را با خوردن ده میلی‌گرم والیوم می‌آغازید.[۶۱] حتی در عکسهای این دوران هم سایه و شیار خستگی را همواره بر چهره‌اش سراغ می‌توان کرد. چشمانش گود افتاده بود، و چهره‌ی پرشور و حیاتش به صورت مردی خسته و وامانده می‌مانست.

در برخورد هویدا به حزب جدید نوعی تلخکامی پرتردید حیرت‌آور به چشم می‌خورد. برخی در کردارش «نوعی احساس پوچی می‌دیدند که ریشه در جهان‌بینی اغلب جذاب و فرهیخته‌ی او داشت.»[۶۲] به گمان من، تمکین

---

* علم در **یادداشتها**یش به لحظه‌ای سخت گویا اشاره می‌کند که در آن می‌خواست سند مالکیت بخشی از جزیره کیش را تقدیم شاه کند. و این قضیه اسباب خشم شاه شد. علم می‌گوید: «چندی پیش که من کاخ کیش را به نام شخص شاه ثبت کردم، شاه سند را پیش من پرتاب کرد. فرمودند مگر می‌خواهی فقط یک وجب خاک ایران مال من باشد؟ تمام ایران مال من است.» (**یادداشتها**، جلد دوم، ص ۲۶۵)

هویدا در مقابل حزب جدید را باید حضیض اخلاقی او دانست. اغلب در خلوت اذعان داشت که فرجام کار حزب جدید «چیزی جز شکست»[۶۳] نیست. حتی پیش از آغاز رسمی فعالیت‌های حزب، دسته‌بندی‌های درونی، تشکیلات آن را چند پاره کرده بود. جناح‌های قدرت هر یک می‌خواستند کار تدوین اساسنامه و مرام نامه‌ی حزب را قبضه کنند و به همین خاطر در کار جناح‌های دیگر سنگ می‌انداختند. به‌علاوه، موجی از نارضایتی توده‌ای بدرقه‌ی راه حزب نوپا بود. با این حال، شهرها، کارخانه‌های بزرگ، دانشگاه‌ها و ادارات دولتی هر یک تبلیغی بزرگ در مطبوعات مملکت می‌خریدند و پیوستن دسته‌جمعی خود را به صف حزب اعلان می‌کردند. این شور و شوق ساختگی و تحمیلی، این تظاهرات فرمایشی گسترده که در اقصی نقاط کشور در دفاع از حزب برپا می‌شد همه از جنم جنبش‌های توده‌ای مضحک دوران استالین و مائو بود. پیوستن به حزب رستاخیز عملاً در نظر مردم امری اجباری شده بود. شایع بود که پاسپورت تمام کسانی که به حزب نپیوندند توقیف خواهد شد. معلوم نبود این فضای ارعاب عمومی و شایعات همزاد آن تا چه حد نتیجه اقدامات مستقیم دولت بود و تا چه حد واکنش مردمی هیجان‌زده. در هر حال، هویدا و کانون مترقی‌اش با این وعده سر کار آمدند که برای ایران دمکراسی بیشتر به ارمغان خواهند آورد، اما او با پذیرفتن دبیر اولی حزبی که سرشتی یکسره شبه توتالیتریستی داشت در واقع به خادم و عامل استبداد بدل شد. البته این تغییر یک شبه صورت نگرفت. تدریجی و گام به گام بود. وزارت امور خارجه‌ی آمریکا از همان فروردین ۱۳۴۷، متوجه این دگردیسی شده بود. در آن سال، دفتر اطلاعات و تحقیقات این وزارت خانه در گزارشی متذکر شده بود که، «به رغم رفاه روزافزون، و به رغم این واقعیت که قدرت نیروهای مخالف هر روز کاهش بیشتر پیدا می‌کند، اما شاه کماکان به مردم اجازه‌ی فعالیت سیاسی آزاد نمی‌دهد و آنها را از حق تشکل محروم داشته است. حزب ایران نوین هم که در سال ۱۳۴۲ تشکیل شد، پس از مدت

کوتاهی عملاً از هر گونه درگیری سیاسی دوری می‌جست و آشکارا به آلت فعل رژیم کنونی بدل شد. شاه ظاهراً آگاهانه تصمیم گرفته که با بالا بردن سطح زندگی مردم، آنان را از مشارکت در امور سیاسی منصرف کند.»[۶۴]

در کنار این تحولات، وضع اقتصادی هم اندکی نابسامان شد. قیمت‌ها سیر صعودی داشت و کمبود کالا در سرتاسر کشور بیداد می‌کرد. تهران که پایتخت و نماد "تمدن بزرگ" به شمار می‌رفت، به کمبود برق مزمن دچار شد و گه‌گاه بی آبی هم مزید بر علت می‌شد. در اطراف و اکناف شهر، حلبی‌آبادهایی سبز می‌شد و وقتی دولت سعی کرد به زور از رشد این محله‌ها جلوگیری کند، مردم فقیر و مستأصل سرسختانه مقاومت نشان می‌دادند. کار اغلب به زد و خورد می‌کشید. گاه خون‌ریزی هم می‌شد. علائم بحران، در یک کلام، فراوان بود، اما شاه به هیچ کدام اعتنایی نداشت. «حاضر نبود آهنگ رشد اقتصادی را کُند کند. دولت در عوض مالیات‌ها را افزایش داد و از برخی کشورهای خارجی وام گرفت ... در سال **۱۳۵۳** ایران دو میلیارد دلار مازاد بودجه داشت، اما طولی نکشید که این مازاد به کسری بودجه بدل شد. دولت **۷/۳** میلیارد دلار کم داشت ... مالیات بر درآمد حقوق بگیران را افزایش دادند. این رقم در سال **۱۳۵۴** بالغ بر **۴/۰۲** میلیارد دلار می‌شد و در سال **۱۳۵۷** به **۵/۸۶** میلیارد رسیده بود.»[۶۵]

در این میان عامل جیمی کارتر هم بر مشکلات شاه می‌افزود. او بارها در دورانی که کاندیدای ریاست جمهوری بود، از ضرورت دفاع از حقوق بشر سخن گفته بود. گاه حتی به لحنی سخت گزنده، از حکومت غیر دمکراتیک شاه انتقاد کرده بود. ناگهان مطبوعات غربی در سطحی بی‌سابقه، به بحث و گزارش در مورد شرایط خفقان و شکنجه در ایران پرداختند. این عوامل همه دست به دست هم داد و مخالفان شاه را نیز به حرکت و تجمع واداشت. برای هویدا، انتصاب سالیوان به عنوان سفیر آمریکا در ایران وضع را به طور اخص پیچیده‌تر کرد. سالیوان همان گونه که خود نیز به صراحت اذعان دارد، در

مسایل ایران هیچ ورود و تخصصی نداشت. فارسی نمی‌دانست و نسبت به فرهنگ و زبان و تاریخ ایران هم یکسره بیگانه بود. شهرتش را، هر چه بود، مدیون مراوداتش با مستبدان آسیای جنوب غربی بود. می‌گفتند مستبدان آن منطقه را با درایت مهار کرده بود. حتی پیش از آن که پایش به تهران برسد، مزه فضای سیاسی ایران و تنش‌های موجود میان دسته‌های مختلف را چشیده بود. در خاطراتش از نخستین دیدارش با اردشیر زاهدی روایت می‌کند. می‌گوید این ملاقات در تدارک عزیمتش به ایران بود و در آن زاهدی، «از شاه با احترامی خاص یاد می‌کرد ... تنها زمانی لحنش عملاً بی احترامانه بود که از امیرعباس هویدا سخن می‌گفت. او آشکارا هویدا را نمی‌پسندد و از او به دیده‌ی تحقیر یاد می‌کند.»[۶۶] اندکی پس از این دیدار، سالیوان راهی تهران شد. آن جا با بسیاری از قدرتمندان مملکت دیدار و گفتگو کرد. سرانجام هم به این نتیجه رسید که نخبگان ایرانی هیچ کدام شخصیت‌هایی برجسته و استثنائی نیستند. می‌گفت تنها استثنای این قاعده دو نفر بودند. اولی هویدا بود که به گمان سالیوان «از سلک روشنفکران کافه‌نشین است و ذهنی تیز چون تیغ و شخصیتی چون یک سیاستمدار» دارد. استثنای دوم، به گمان سالیوان جمشید آموزگار بود که در ضمن از جمله رقبای اصلی هویدا به نظر می‌رسید.[۶۷]

در تهران، سالیوان جلساتی با برخی از برگزیدگان اقتصادی و سیاسی ایران ترتیب داد. موضوع بحث اصلی این جلسات آینده‌ی رشد اقتصادی ایران بود. سالیوان در عین حال در یکی از دیدارهایش با شاه کوشید بر اساس آن چه در این جلسات شنیده بود، چشم‌اندازی از آینده‌ی اقتصادی ایران ترسیم کند. واکنش شاه به حرف‌های سفیر جدید آمریکا غریب بود. به قول سالیوان، شاه «فوراً حالت دفاعی به خود گرفت. به دقت به حرفهایم گوش داد و بعد به لحنی تند و ستیزنده جوابم داد ... وقتی حرف می‌زدم، او انگار در صندلی خود فرو می‌رفت. سخت عصبانی می‌نمود ... بعد از این گفتگو در

مورد وضع اقتصادی، مدّتی طول کشید تا شاه دوباره با من تماس گرفت. حدسم این بود که این دوران سکوت در واقع در حکم تنبیه من بود ... ولی در همین دوران، از مسئولان امور اقتصادی سفارت و از برخی از ایرانیان می‌شنیدم که شاه وزرای مسئول امور اقتصادی را به حضور طلبیده و از آنها خواسته که در برنامه‌ی صنعتی شدن مملکت تجدیدنظر کامل کنند ... آن‌گاه شاه به من خبر داد که تغییراتی در شرف تکوین است. طولی نکشید که کابینه [هویدا] استعفا داد و نخست‌وزیر سابق به وزارت دربار برگمارده شد. نمی‌دانم میان گفتگوی من با شاه و تغییراتی که او در زمینه‌ی اقتصادی ایجاد کرد چه رابطه‌ی علت و معلولی وجود داشت. ترجیح می‌دادم جواب این سوآل را ندانم. برایم مشکل بود که آن‌چه را که در چنین جوابی مستتر بود بپذیرم.»[۶۸]

به راستی هم معلوم نیست گفته‌های سالیوان تا چه حد در تعیین سرنوشت هویدا مؤثر بود. در اواخر سال **۱۳۵۵** وضع اقتصادی بدتر شد. علاوه بر کسر بودجه و مشکلات مالی دیگر، مسأله‌ی تازه‌ای نیز به مسایل دولت افزوده شد. شمار روزافزونی از نویسندگان و روشنفکران مملکت در نامه‌هایی سرگشاده، که اغلب هم خطاب به هویدا نوشته می‌شد، رژیم را مورد انتقاد قرار می‌دادند. یکی از نخستین نشانه‌های این طغیان قلمی نامه‌ی سرگشاده علی‌اصغر حاج سید جوادی بود. در دی ماه **۱۳۵۴**، درست در زمانی که شاه فساد را به عنوان یکی از مسایل اصلی مملکت نکوهیده بود، حاج سیّد جوادی در نامه‌ی شدیداللحنی، دولت هویدا را متهم می‌کرد که نه تنها با فساد نجنگیده و نمی‌جنگد، بلکه در واقع با دشمنان واقعی فساد عناد ورزیده و کاری جز سرکوبشان نکرده است.[۶۹] در ماه‌های بعد، حاج سیّد جوادی چند نامه‌ی دیگر هم نوشت. در بسیاری از آنها، هویدا را مورد حمله قرار داد. امروزه او خود البته اذعان دارد که حملات آن روزش به هویدا در واقع مستمسکی برای حمله به شاه بود.[۷۰] به دیگر سخن، هویدا محملی شد برای حمله به شاه. ولی به هر

حال برخی از این نامه‌ها بعدها در دادگاه هویدا نقش مهمی بازی کرد.

هویدا دیگر می‌دانست که دوران صدارتش به پایان رسیده. پیش از هر نخست‌وزیر دیگر در تاریخ مشروطه ایران بر سریر قدرت مانده بود. ولی در اسفند **۱۳۵۵**، به اذعان دوستان و آشنایانش، «سخت خسته، سخت بداخلاق و به راستی مستأصل» شده بود.[۷۱] روزی در لحظه‌ای که در خلوت به نقد و بازبینی نقش سیاسی خود نشسته بود، به یکی از وزرای معتمدش گفته بود: «هر بلایی سر این مردم ایران در می‌آوریم، هیچ چیز نمی‌گویند و فقط سکوت اختیار می‌کنند.»[۷۲] می‌دانیم که در این مورد سخت اشتباه می‌کرد. تاریخ سالهای انقلاب گواه گویای این خطای او بود. این خطا برای او پیامدهایی به راستی تراژیک داشت.

فصل چهاردهم

قربانی

پس زندگی خواهیم کرد،

و دعا خواهیم خـواند و آواز خـواهیم خـواند و
قصه‌های قدیم خواهیم گفت و خواهیم خـندید به
شاپرک‌های زرین.

و خواهیم شنید که مشتی مفلوک بدفرجام بدطینت از
تازه‌های دربار سخن خواهند راند ـ و ما نیز با آنها
از برآمدگان و برافتادگان، از مـغضوبان و مـحبوبان
سخن خواهیم گفت،

و در باب رمز و راز جهان خواهیم اندیشید.

انگار که از خفیه نویسان خدائیم.

و ما بر جا خواهیم ماند، در چهار دیوار زندان،
شاهد خواهیم بود رمه‌ها و دسته‌ها، بزرگانی را که فراز
و فرودشان به جزر و مد ماه باز بسته است.

شکسپیر، شاه لیر

در نخستین هفته مرداد ۱۳۵۶، هویدا تعطیلات تابستانی خود را آغاز
کرد. شاید حتی پیش از رفتن هم می‌دانست که این واپسین سفرش به عنوان
نخست‌وزیر ایران خواهد بود. به یکی از جزایر یونان رفت. همسر سابقش لیلا
امامی، و نیز عباسعلی خلعتبری و همسرش همراهی‌اش مـی‌کردند. ادوارد

سابلیه هم پس از چندی به این جمع پیوست.[1] هویدا اغلب اوقات در شن‌های گرم ساحل لم می‌داد و رمان پلیسی می‌خواند.

در سیزدهم مرداد **۱۳۵۶** به تهران بازگشت. روز بعد به دیدن شاه رفت که در آن روزها خود در نوشهر مشغول استراحت بود. به محض آن که شاه آغاز به سخن کرد، هویدا انگار ذهنش را خواند. کار را بر شاه آسان کرد. نگذاشت این گفتگوی پردرد به درازا بکشد. کم و بیش میان حرف شاه دوید و گفت اوضاعِ تازه به گمانش، خون و روحیه‌ی تازه‌ای می‌طلبد[2] و با همین عبارات در واقع از مقام خود استعفا داد. شاه هم البته استعفای هویدا را پذیرفت و همان روز جمشید آموزگار را به عنوان نخست‌وزیر جدید برگزید. در حقیقت، یک هفته پیش، هنگامی که هویدا هنوز در یونان بود، شاه به آموزگار ندا داده بود که به فکر تشکیل و ترکیب کابینه‌اش باشد.[3] البته استعفای هویدا به هیچ وجه به معنای شکست و سرشکستگی کاملش نبود. در همان جلسه، شاه او را به جای علم به وزارت دربار برگمارد. همان‌طور که در گزارش مرداد **۱۳۵۶** سیا آمده، با این انتصاب هویدا در واقع از آن پس با شاه در تماس دایمی قرار می‌گرفت. به‌علاوه، «شاه دوباره به شیوه‌ی مألوف خود» عمل کرده بود. از سویی هویدا را از صدارت عزل می‌کرد و از سویی دیگر، او را، «که به‌خاطر سالهای طولانی صدارتش از نفوذ و روابط گسترده‌ای [در تشکیلات سیاسی ایران] برخوردار بود، چون وزنه‌ای در برابر آموزگار، مصدر کاری تازه می‌ساخت. قاعدتاً در آینده این دو هر کدام برای تقرب بیشتر به شاه خواهند کوشید و رقابت شدیدی از این بابت میانشان پدیدار خواهد شد.»[4]

حتی گویاتر از این سیاست "تفرقه و حکومت"، نحوه‌ی برخورد شاه با علم بود. می‌دانیم که علم سالها نزدیک‌ترین دوست شاه بود. گاه با شاه سواری می‌رفت؛ در بیشتر مسایل سیاسی، دیپلماتیک و مالی و خانوادگی، معتمد شاه بود. حتی در مراودات عاشقانه شاه با زنان هم او گاهی نقش واسطه داشت و

زمانی به عنوان مترسک به کار می آمد. ولی شاه انگار فی نفسه از رفاقت واقعی عاجز بود. می توانست حتی با دوست وفادار و رازداری چون علم هم به سنگدلی و بی اعتنایی رفتار کند. در حالی که علم در فرانسه با سرطان دست و پنجه نرم می کرد، شاه در یک تماس تلفنی از او خواست که از مقامش استعفا کند و در عین حال به اطلاعش رساند که دشمن دیرینه‌اش، هویدا، را به وزارت دربار برگمارده است. از **یادداشت‌های** علم آشکارا برمی آید که از این کار شاه رنجیده بود و انتصاب هویدا را «مرموز»[5] می‌دانست. علم اندکی پس از گفتگوی تلفنی‌اش با شاه، دل شکسته و رنجیده حال، درگذشت و سرنوشتش قاعدتاً می‌باید برای هویدا درس عبرتی می‌شد.

به نظر هویدا، دربار تشکیلاتی سخت نامنظم داشت و در چنبر سنت‌هایی خشک و پوسیده از یک سو، و دار و دسته‌های سودجوی خودمحور از سوی دیگر گرفتار بود. به یکی از دوستانش در همان زمان گفته بود: «دستگاه دولت فقط فاسد بود، حال آن که دربار یک لانه‌ی افعی واقعی است.»[6] به‌علاوه، بسیاری از کارمندان دربار به علم وابستگی عاطفی داشتند و او را از بزرگان می‌دانستند و گمان داشتند که هویدا به گزاف تکیه بر جای او زده است. در یک کلام، روابط هویدا با بسیاری از کارمندانش تیره و پرتنش بود، اما در مقابل با تحولاتی که در سطح جامعه در شرف تکوین بود، اختلافات دربار یکسره بی‌مقدار جلوه می‌کرد.

اندکی پس از استعفای هویدا از نخست‌وزیری، موجی از تظاهرات ضددولتی آغاز شد. روح سرکشی‌ی تازه‌ای در مردم پدیدار شده بود. به تدریج ترس از دولت و ساواک می‌ریخت و هر روز شمار تازه‌ای از توده‌ی مردم به صف مبارزه وارد می‌شد. آموزگار تکنوکراتی قابل و بداخلاق بود. در عین حال، به ظرایف و طرایف عالم سیاست هم ورود چندانی نداشت. وقتی دامنه‌ی تظاهرات بالا گرفت، نخستین واکنش و تحلیل آموزگار از اوضاع این بود که هویدا و متحد اصلی‌اش در ساواک، پرویز ثابتی را گناهکار

بداند. می‌گفت این دو این اغتشاشات را برای برانداختن و بی‌ثبات کردن دولت او به راه انداخته‌اند. دوستش احمد قریشی را واسطه کرد و از این دو نفر خواست که از دسایس خود دست بردارند. هر دو نفر هرگونه مداخله در این تظاهرات را به شدت انکار کردند. به ناباوری پرسیده بودند که: «مگر فکر می‌کند دیوانه‌ایم که به چنین تحریکاتی دست بزنیم.»[۷]

برخی از ایرانیان، به سیاق آموزگار، نخستین تظاهرات زمینه‌ساز انقلاب را چیزی جز دسیسه‌های دسته‌های رقیب قدرت در درون رژیم نمی‌دانستند. برخی دیگر خودِ آموزگار را مقصر و عامل اصلی این نابسامانی‌ها می‌دانستند. می‌گفتند بی‌جهت، و بدون در نظر گرفتن پیامدهای قضیه، مستمری روحانیون را که از بودجه محرمانه نخست‌وزیری پرداخت می‌شد قطع کرد و همین مسأله به انقلاب دامن زد. گروهی دیگر، به تأسی از شاه، انقلاب را یکسره محصول توطئه‌های شرکت‌های نفتی می‌دانستند. مارکسیست‌ها هم انقلاب را بخشی از تحولات اجتناب‌ناپذیر تاریخ می‌شمردند. البته برخی موافق و بعضی مخالف انقلاب بودند و به همین مناسبت، یا آن را حرکتی قهقرایی یا گامی به پیش می‌دانستند. نیروهای مذهبی هم می‌گفتند انقلاب کار خدا است. می‌گفتند معمار نهایی تاریخ کسی جز خدا نیست و انقلاب اسلامی را هم نباید چیزی جز لحظه‌ای از این تاریخ الهی دانست. به‌رغم تفاوت‌های ظاهری میان این نظرات گونه‌گون، همه در یک نکته مشترک‌اند: همه مسئولیت خود را انکار می‌کنند. هیچ کدام حاضر نیستند به این امکان بیندیشند که در مقاطع مختلف، جامعه‌ی ایران به آسانی می‌توانست راه دیگری پیش گرفته باشد. به دیگر سخن، به گمان من، می‌توان لحظات تاریخی متعددی برشمرد که در آن اگر یکی از بازیگران عالم سیاست تصمیمی متفاوت می‌گرفت، یا گاه حتی اگر همان تصمیم را چند ماه زودتر به مرحله‌ی اجرا در می‌آورد، چه بسا که از انقلاب اجتناب می‌شد. یکی از بارزترین مصادیق این گونه لحظات، تصمیم چاپ مقاله‌ای به نام "ایران و امپریالیسم سرخ و سیاه" بود که در هفدهم دی

ماه ۱۳۵۶ منتشر شد.

چند روز قبل از چاپ این مقاله کذایی، نصیری، در دیـدارش بـا شـاه گزارشی در مورد واپسین اعلامیه‌ی آیت‌الله خمینی تقدیم کرده بود. اعلامیه به مناسبت مرگ فرزند ارشد آیت‌الله خمینی صادر شده بود و در آن آیت‌الله گفته بود که غم و درد مرگ فرزند، در مقابل غمی که به خاطر جنایات رژیم پهلوی در ایران احساس می‌کند، یکسره رنگ می‌بازد. لحن تند اعلامیه شاه را به خشم آورد. در جا دستور داد ساواک مقاله‌ای در جواب اعلامیه تدارک کند و در آن آیت‌الله خمینی را از روی کینه بـه عـنوان هـندی‌زاده‌ای کـه جاسوس بیگانه بود به باد حمله بگیرد. [۸]

شاه در همان روز، بی آن‌که به ساواک چیزی بگوید، به هـویدا هـم دستوری مشابه داد. هویدا هم بلافاصله کار تـهیه‌ی مـقاله را بـه دو نـفر از همکارانش محول کرد. چهل و هشت ساعت بعد از فرمان خشم‌آگین شاه، هویدا به داریوش همایون، که در آن زمان وزیر اطلاعات بود، زنگ زد و گفت: «مقاله‌ای هست که باید آن را به فرمان اعلیحضرت چاپ کنید. آن را به وسیله‌ی پیک مخصوص به دفتر کارتان فرستادم.» [۹] دقـایقی بـعد، یکـی از کارمندان دفتر هویدا وارد اطاق کار همایون شد. پاکتی مهر و موم شده به همراه داشت. از پاکت‌های رسمی وزارت دربار بود. زرد رنگ و منقش به علامت ویژه‌ی دربار. همایون بی‌آن‌که مقاله را بخواند، یا حتی پاکت را باز کند، آن را برای سردبیر روزنامه‌ی اطلاعات فرستاد. دستور داد که به چاپش اقدام کنند. وقتی از او پرسیدم که چرا پاکت را باز نکرد، جوابی ساده داشت می‌گفت: «چون می‌دانستم اگر امر شاه باشد، دیگر چاره‌ای جز چاپ مقاله نخواهیم داشت.» [۱۰]

وقتی متن مقاله به دست دبیران اطلاعات رسید، بلافاصله سراسـیمه بـه همایون زنگ زدند. می‌گفتند از چاپ این متن معذوراند. مـی‌گفتند لحنـی آشوب‌زا دارد. همایون به جمشید آموزگار متوسل شد. شرح ماجرا را گفت و

پاسخ نخست‌وزیر هم کوتاه و قاطع بود. می‌گفت اگر اعلیحضرت به چاپ مقاله فرمان داده‌اند، چاره‌ای جز چاپ آن نیست. به هر حال، به‌رغم این تردیدها و هشدارها، سرانجام نه سردبیر **اطلاعات**، نه نخست‌وزیر و نه وزیر اطلاعات مملکت هیچ کدام جرأت سرپیچی از فرمان شاه را پیدا نکرد و مقاله چاپ شد و غوغایی برانگیخت. در شهرهای مختلف تظاهرات خونینی علیه مقاله آغاز شد. به‌علاوه، انگار این تظاهرات مسری بود. هر کدام به چندین تظاهرات تازه دامن می‌زد و بالاخره تب تظاهرات چنان بالا گرفت که تنها انقلاب درمانش بود.

گرچه از همان زمان، نقش هویدا در تدارک این مقاله بیش و کم مسجل و معروف بود، اما انگیزه‌ی او در تدوین سریع چنین متنی روشن نبود و نیست. طبعاً یکی از علل مشارکت او در این کار این واقعیت بود که او نیز چون آموزگار و همایون و دبیران اطلاعات سرپیچی از فرمان شاه را یکسره نامیسر می‌دانست. ولی در عین حال از همان زمان این شایعه هم بر سر زبان‌ها بود که هویدا پیامدهای بالقوه خطرناک چنین مقاله‌ای را نیک می‌شناخت و با این حال به تدوین و چاپش کمک کرد چون می‌خواست رقیبش را از صحنه به‌درکند و از کار براندازد. ژوزف کرافت*، که از طرف مجله‌ی **نیویورکر** در آن زمان به ایران سفر کرده بود، در گزارش خبری خود چیزی به همین مضمون نوشته بود. می‌گفت: «احساس من این است که بخشی از انگیزه‌ی [چاپ مقاله] درگیر کردن دولت آموزگار با مخالفان مذهبی است.»۱۱

چاپ مقاله جرقه‌ای شد که پس از چندی به آتشی همه گیر بدل گشت. ابعاد تظاهرات مخالفین به تدریج بالا گرفت. به‌علاوه، آشکار بود که یکی از علل اصلی‌ی نارضایتی‌ها، فساد مالی در میان قدرتمندان است. به همین خاطر، هویدا پس از تلاش فراوان، بالاخره شاه را متقاعد کرد که فعالیت‌های اقتصادی خاندان سلطنتی را محدود کند. به کمک هویدا دستورالعمل تازه‌ای

---

* KRAFT

در این زمینه تدارک شد که از بیست ماده مختلف تشکیل می‌شد و در مرداد ۱۳۵۷ به تصویب نهایی شاه رسید. اعضای خاندان سلطنت را از، «کردار مغایر با ارزش‌های اجتماعی» بر حذر می‌داشت. هرگونه «تماس با شرکت‌های خارجی ... دریافت هرگونه کمیسیون ... مشارکت مستقیم یا غیرمستقیم در شرکت‌هایی که با دولت معامله می‌کنند ... عضویت در هیأت رئیسه شرکت‌ها» را برای اعضای خاندان سلطنت منع می‌کرد.[۱۲] هویدا به دوستان و اقوام خود بارها گفته بود که تصویب این دستورالعمل را مهم‌ترین دستاورد خود در دوران وزارت دربار می‌داند. ولی غافل بود که اینها همه نوشداروی بعد از مرگ سهراب بود.

آموزگار از سویی بحران سیاسی جامعه را به دسایس دشمنان خود تأویل می‌کرد و از سوی دیگر، راه حلش برای بحران اقتصادی هم سفت کردن کمربندهای مملکت بود. همزمان با این تحولات، شاه هم تغییر رأی داده بود و پیوسته نوید دمکراسی سیاسی می‌داد. امروزه که رخدادهای زمان انقلاب را باز می‌نگریم، به گمان من آشکار و بدیهی به نظر می‌آید که حرکت همزمان جامعه به سوی آزادی سیاسی، و انقباض و فشارهای تازه اقتصادی، فرجامی جز فاجعه نمی‌توانست داشت. باید به خاطر داشت که از همان زمان ارسطو، فلاسفه خوب می‌دانستند که برای سلاطین مستبد، واگذاشتن بخشی از قدرت کاری خطیر و خطرناک است. می‌دانستند که حکام زورگویی که ناگهان سلوک بایزید و شبلی پیدا می‌کنند به راحتی و بی‌خطر نمی‌توانند سبک و سیاق حکومت خود را دگرگون کنند. در یک کلام، می‌دانستند که فرایند دمکراتیزه کردن یک جامعه‌ی مستبد فرایندی به غایت پیچیده و مخاطره‌انگیز است. اما به رغم این واقعیت، رژیم شاه درست در زمانی که با بحران اقتصادی خطرناکی مواجه بود به اصلاحات سیاسی هم دست زد و گام در راه پرمخاطره‌ی دمکراتیزه کردن جامعه گذاشت.

دست کم دو عامل مهم به همزمانی خطرزای این دو سیاست مختلف ـ

یعنی حل بحران اقتصادی و فضای باز سیاسی ـ کمک کرد. مهم‌ترین عامل را قاعدتاً باید بیماری شخصی شاه دانست. او دریافته بود که به مرضی مهلک دچار است و می‌دانست که از آن پس، زمان دشمن اوست و با او سر یاری ندارد. به‌علاوه، با روی کار آمدن جیمی کارتر در آمریکا، مسأله‌ی دمکراسی سیاسی در ایران هم فوریت بیشتری پیدا کرده بود. پیش از آغاز فرایند دمکراسی در ایران، شاه قره‌باغی را احضار کرد و به اطلاعش رساند که، «در نتیجه‌ی فشارهای بین‌المللی»، و نیز برای «تضمین ثبات دودمان پهلوی و تثبیت انتقال قانونی قدرت»، تدابیری تازه اندیشیده است. می‌گفت: «آزادی‌های بیشتری به مردم خواهد داد.» تأکید می‌کرد که، «فرماندهان ارتش بدانند که سرنخ همه‌ی این تحولات در دست خود ما است و جای هیچ گونه نگرانی نیست.»[۱۳] به‌علاوه، چند روز بعد هم جلسه‌ای با شرکت فرماندهان ارتش تشکیل شد. هویدا و ازهاری رئیس وقت ستاد ارتش، برای جمع حاضر سخنرانی کردند و هر دو تأکید داشتند که «کلیت تحولات» همه «حساب شده»اند و جایی برای نگرانی نیست.[۱۴]

از نخستین نشانه‌های دمکراسی جدید، آزادی بیشتر مطبوعات بود. در عین حال، نمایندگان مجلس هم رخصت پیدا کردند که با آزادی بیشتری از دولت و سیاست‌های آن انتقاد کنند. بسیاری از این نمایندگان بر این گمان بودند که انتخابات دور بعد مجلس به راستی آزاد خواهد بود. گمان می‌داشتند که تنها به مدد رأی واقعی مردم بخت بازگشت به مجلس را خواهند یافت و چون مردم ناراضی به نظر می‌رسیدند، این نمایندگان دست‌چین شده‌ی حزب رستاخیز هم ناگهان، یک شبه، انقلابی و منتقد دولت از آب در آمدند. مجلس که تا دیروز مطیع و منقاد بود به عرصه‌ی دایمی سخنرانی‌هایی سخت تند و پیشنهادهایی انقلابی بدل شد. موجی ناگهانی از حملات و انتقادات شدید علیه دولت، رسانه‌های عمومی جامعه را یکسره در برگرفت. آتش حملات هر روز تندتر می‌شد. انگار می‌خواستند با کلام به ظاهر انقلابی در مجلس، حرکت

خشمگین مردم را در خیابان‌ها مهار کنند. شاید هم امید داشتند که با این حملات تند، نه تنها گناهان گذشته‌ی خویش را پاک کنند، بلکه جایی هم در اوضاع جدید و هرم قدرت آینده بیابند. نیتشان هر چه بود، حاصل لفاظی‌هایشان چیزی جز دامن زدن به موج نارضایتی و تقویت روحیه‌ی انقلابی در مردم نبود.

محور عمده‌ی این حملات، دست کم در آغاز، دولت هویدا بود. جملگی مسایل اجتماعی، از سانسور مطبوعات و انتخابات فرمایشی گرفته تا دشواری‌های اقتصادی و فساد مالی در ادارات دولتی، همه به حساب هویدا گذاشته می‌شد. معلوم نیست این حملات تا چه حدّ خود انگیخته بود. به‌علاوه، نمی‌دانیم که آیا شاه یا دیگر اعضا خاندان سلطنت در شکل بخشیدن به این حملات نقشی داشتند یا نه. در عین حال، نقش دشمنان هویدا در کل این ماجرا و در این واقعیت مشخص که لبه‌ی تیز حملات متوجه او بود روشن نیست.

پس از چندی، نه تنها موج مخالفت‌های سیاسی بالا گرفت، بلکه بهبود چندانی هم در وضع اقتصادی حاصل نشد. شاه هم ناچار آموزگار را به استعفا واداشت. او بیش از ده سال در انتظار نوبت صدارتش نشسته بود، اما از بخت بدش دولتی سخت مستعجل داشت.* شاه می‌خواست به جای آموزگار یک دولت "وحدت ملی" سر کار بیاورد. بی‌شک تشکیل چنین کابینه‌ای در آن شرایط امری خطیر بود. اما مشکل بتوان تصور کرد که برای این امر حساس، شخصی نامناسب‌تر از جعفر شریف امامی هم یافت می‌شد. از قضا در همان روزها، شاپور بختیار، در دیداری با یکی از اعضای سفارت آمریکا، هشدار داده بود که، «دولت شریف امامی خود عمیقاً آغشته به همان فسادی است که ظاهراً با آن مبارزه کند ... بختیار در مورد فساد مالی خودِ شریف امامی

---

* چندین بار سعی کردم با آموزگار گفتگو کنم و روایتش از اوضاع را بدانم و بازگو کنم. تلاش‌هایم همه ناکام ماند. هر بار جوابش این بود که به گمانش، صحبت کردن درباره‌ی هویدا، «تف سر بالا است.» احمد قریشی، مصاحبه با نویسنده، ۲۲ سپتامبر ۱۹۹۹.

اطلاعات دست اولی داشت.»[15] همه می‌دانستند که نخست‌وزیر کابینه‌ی "وحدت ملّی" به "آقای پنج درصد" شهرت دارد. می‌گفتند وجه تسمیه‌ی لقبش هم این بود که از بیش و کم تمامی قراردادهای دولتی، پنج درصد حق حساب می‌گرفت. به‌علاوه، بالاترین مقام فراماسونری در ایران بود، و با این همه، شاه کار مبارزه با فساد و "وحدت ملّی" و بالمآل نجات رژیم پهلوی را، در حساس‌ترین لحظات تاریخ آن، به همین شخص محول کرد.[16]

البته علل متعددی شاه را در جهت این انتخاب غریب سوق داد. یکی از این عوامل را قطعاً باید خواست‌های نیروهای میانه‌رو مذهبی دانست. شاه بر آن بود که به این خواستها تمکین کند و جبهه‌ی مذهبیون را در هم بشکند. چند و چون این جنبه از تحولات پشت پرده‌ی انتخاب شریف امامی را می‌توان در تلگرافی مشاهده کرد که در ۲۶ مرداد ۱۳۵۷ از طرف سفارت آمریکا در تهران مخابره شد. آن جا می‌خوانیم که، «منبع بسیار حساسی، مضمون مذاکرات مقدم [رئیس ساواک] با عباسی، داماد شریعتمداری را در اختیار ما گذاشته. این دیدار در شب ۲۴ مرداد صورت گرفت. مقدم پرسیده بود که محافل مذهبی چه خواستهایی دارند. عباسی هم نکات زیر را برشمرده بود: الف) دولت باید عوض شود ... ب) دولت بعدی باید دست‌کم برخی از کسانی را که به فساد شهرت دارند محاکمه کند ... ج) فعالیت‌های شاهدخت اشرف منفور محافل مذهبی‌اند. جلوی کارهای او را باید گرفت ... د) مردم باید از آزادی بیان و مذهب برخوردار شوند. اطرافیان شریعتمداری از سخنرانی شاه در روز مشروطیت [که در آن شاه وعده داد که از این پس قانون اساسی را کاملاً رعایت خواهد کرد] ستایش کردند.* عباسی از مقدم خواست که این نکته را حتماً به شاه بگوید. مقدم در جواب گفته بود که شاه را همان شب خواهد دید. منابع موثق مذهبی در عین حال اضافه کردند که در طول مذاکرات

* اهمیت این نکته زمانی بیشتر روشن می‌شود که سخنرانی غریب شاه را در آستانه‌ی تشکیل دولت ازهاری به یاد آوریم.

آن شب، اسامی کاندیداهای نخست‌وزیری هم مورد بحث قرار گرفت. گویا دو نام ذکر شد: علی امینی و جعفر شریف امامی، رئیس مجلس سنا... یکی از منابع می‌افزاید که در میان این دو نفر، شریف امامی را کاندیدای بهتر و مناسب‌تری دانستند. چون گویا خود انسانی سخت مؤمن است و به‌علاوه از پشتوانه‌ی سیاسی محکمی هم برخوردار است.»[۱۷]

علاوه بر اظهار علاقه‌ی برخی از محافل مذهبی، قاعدتاً عامل دیگری که در این انتصاب مؤثر بود گمان شاه درباره‌ی نقش انگلیس در تحولات انقلاب بود. شاه یقین داشت که دولت انگلستان از محرکان اصلی انقلاب اسلامی است. شاید به همین خاطر فکر می‌کرد که فراماسون پرسابقه‌ای چون شریف امامی از عهده‌ی تشکیل کابینه "وحدت ملّی" یا در مفهوم دقیقتر، از پس تطمیع انگلستان برخواهد آمد.

اما هویدا با این انتصاب موافق نبود. می‌خواست علی امینی را جانشین آموزگار کند. در اواسط تیر ماه به این نتیجه رسیده بود که ترکیبی از مشکلات اقتصادی و نوعی فلج سیاسی، «مردم را به دولت آموزگار کم اعتماد کرده»، و لاجرم می‌خواست، «پیش از آن که کنترل اوضاع از دست خارج شود، تغییری در دولت ایجاد کند.»[۱۸] به همین خاطر، با علی امینی تماس گرفت و به او توصیه کرد که بیانیه‌ای در مورد ضرورت تشکیل یک "دولت وحدت ملّی" صادر کند. هویدا در عین حال از دوستش فریدون مهدوی که در آن زمان در اروپا بود خواست که هر چه زودتر به ایران بازگردد و از جبهه‌ی ملّی بخواهد که به تشکیل دولت آشتی ملّی همت کنند. هویدا حتی باکمک مهدوی با مظفر بقایی هم دیدار کرد.[۱۹] به هر دری می‌زد که راه حلی پیداکند. اما این تلاش‌ها هیچ کدام مفید فایده‌ای نشد. شاه کماکان به سابقه‌ی دلِ چرکینی که از امینی داشت، حاضر به دیدارش نبود. جبهه ملّی هم به نجات دادن شاهی مستأصل رغبتی نداشت و دوران شخصیت‌هایی چون مظفر بقایی هم به راستی به سر آمده بود.[۲۰]

محور اصلی سیاست‌های دولت شریف امامی باج دادن به مخالفان بود. به قیاس تاریخ، او چمبرلن زمان و اهل تسلیم و تمکین بود و به گمان بسیاری، همین سیاق سیاسی‌اش راه را برای انقلاب هموار کرد. با هر یک امتیازی که می‌داد، مخالفان دو امتیاز تازه می‌طلبیدند. او از همان روز نخست صدارتش، بی‌پرده و پروا تأکید داشت که می‌خواهد با محافل مذهبی از در آشتی در آید. بلافاصله پس از آغاز کار، «پست وزیر امور زنان را از میان برداشت؛ وزارت خانه‌ی جدیدی برای رسیدگی به امور اوقاف تشکیل داد. همه‌ی کازینوهای مملکت را [که از قضا جملگی به بنیاد پهلوی تعلق داشت و ریاست بنیاد هم سالها در کف خود او بود] تعطیل کرد. دستور بستن بسیاری از کاباره‌های تهران را صادر کرد؛ تقویم اسلامی را از نو برقرار ساخت؛* فعالیت احزاب سیاسی را آزاد اعلام کرد؛ سانسور مطبوعات را برچید؛ پخش مشروح مذاکرات مجلس را مجاز داشت؛ مبارزه با فساد را در رأس برنامه دولت قرار داد و به همه‌ی کارمندان دولت اضافه حقوق پرداخت ... و حزب رستاخیز را هم یکسره منحل کرد.»[۲۱]

از سویی شریف امامی به مخالفان باج می‌داد و از سوی دیگر سبک کار شاه یکسره دگرگون شده بود. آن چنان که از **یادداشتهای علم** بر می‌آید، شاه هرگز رغبت چندانی به استفاده از گروه مشاور نداشت. اما با اوج گرفتن بحران، شاه نیز بر آن شد که از رأی و مشورت دیگران بهره جوید. ناگهان انگار سیلی از مشاوران گونه‌گون راهی دربار شد. کمتر روزی بود که شاه با گروهی به مشورت ننشیند. بسیاری از سیاستمداران پرسابقه‌ی ایران که هر یک

---

* تا اوایل دهه پنجاه، هجرت پیامبر اسلام ازمکه به مدینه سرآغاز تاریخ شمسی و قمری اسلامی بود. وقتی شاه به چیرگی کامل "انقلاب سفید" ایمان پیدا کرد، وسوسه‌ی تغییر تقویم به جانش افتاد. می‌بینیم که همین وسوسه، دست کم برای مدتی، در فرانسه‌ی بعد از انقلاب و شوروی بلشویکی هم رواج پیدا کرد. در فرانسه و روسیه هر دو می‌خواستند سرآغاز تقویم جدید را سال پیروزی انقلاب تعیین کنند. شاه در مقابل، تاریخ فرضی آغاز سلطنت در ایران را مبنا قرارداد و تقویم جدید از سال ۲۵۳۵ رسمیت پیدا کرد و عمر چندانی نداشت.

به دلیلی سالها مغضوب دربار بودند، دوباره به دیدار شاه فرا خوانده شدند.[۲۲] عبدالله انتظام و علی امینی و مهدی پیراسته از جمله این مشاوران تازه بودند. طبعاً هر یک از این مشاوران راه حل متفاوتی پیشنهاد می‌کرد. برای مثال، برخی چون شریف امامی، منادی سیاست آشتی و باج بودند. بعضی دیگر می‌گفتند در شرایط بحرانی کنونی، رژیم نباید از خود ضعف نشان دهد. برخی می‌گفتند روحانیون تنها زبان قدرت را درک می‌کنند و از نشانه‌های ضعف برای تقویت هرچه بیشتر خود بهره می‌گیرند. مهدی پیراسته می‌گفت به شاه گفتم: «آخوندها را من می‌شناسم. تنها چیزی که می‌فهمند زور است. به شاه توصیه کردم مجلس را منحل کند، مدتی با اختیارات ویژه امور را اداره کند، به تدریج تغییرات و اصلاحات لازم را به مرحله‌ی اجرا در آورد.»[۲۳] در عین حال، به نظر مقامات آمریکایی چنین می‌رسید که پیراسته در آن روزها سودای صدارت هم در سر داشت. در دیداری با یکی از نمایندگان سفارت آمریکا، گفته بود: «سندی در دست دارد که نشان می‌دهد هویدا، به رغم دعاوی مکررش که بهایی نیست، در واقع بهایی بود. به‌علاوه، می‌گفت هویدا نخست‌وزیری سخت ضعیف بود»[۲۴] خواهیم دید که چه بسا بی‌مهری پیراسته به هویدا سرانجام نقشی در تعیین سرنوشت او بازی کرد.

البته پیراسته تنها منادی سیاست سرکوب نبود. هویدا هم به تدریج نگران‌تر و مستأصل‌تر می‌شد. می‌گفت: «دولت هیچ برنامه‌ی دراز مدتی برای حل بحران جامعه ندارد.» بارها بر سبیل انتقاد تذکر داده بود که، «کارهای فعلی دولت همه واکنش است.» می‌گفت ابتکار عمل را از دست داده‌اند.[۲۵] معتقد بود دولت باید با قدرت‌نمایی کافی و لازم اوضاع را آرام کند و از این آرامش، برای آرایش مجدد نیروهای وفادار به رژیم بهره گیرد. می‌گفت استیصال و واماندگی فعلی سخت خطرناک است و بر همه‌ی شئون سیاسی مملکت سایه انداخته است. وقتی برخی از دوستان هویدا به تشکیل "گروه‌های ضربت" از سوی دولت اعتراض کردند، هویدا در جواب گفته بود، «اوضاع

جدید واکنش جدیدی می‌طلبد. باید صبر داشت و امیدوار بود که فشار از هر دو طرف کمتر شود.»۲۶

اما قاعدتاً مهم‌ترین طرفدار سیاست سرکوب پرویز ثابتی بود. او همواره تأکید داشت که دولت باید با قاطعیت تمام، تظاهرات را سرکوب کند. سپس به تدریج دست مخالفان وفادار به رژیم را باز بگذارد که از نظام حاکم، و حتی از اعضای خاندان سلطنت انتقاد کنند.۲۷ در اواسط بهار ۱۳۵۷، ثابتی از طریق هویدا پیامی به شاه فرستاد. از او خواست که عنان کار را دست کم برای مدّتی کوتاه به ساواک بسپارد و بگذارد آنها تدابیر لازم را برای سرکوب قیام مردم و آرام کردن کشور اتخاذ کنند. می‌گفت هنوز شیرازه‌ی اوضاع مملکت یکسره از هم نگسیخته و راه بازگشت هست. ثبات قدم می‌خواهد و نمایش قدرت. شاه این پیشنهادات را یکسره رد نکرد. از ثابتی خواست که طرح مشخص عملیات مورد نظرش را تدارک و تقدیم کند. ثابتی هم به سرعت مشغول به کار شد. سیاهه‌ای از ۱۵۰۰ تن از مخالفان عمده‌ی رژیم فراهم آورد. معتقد بود با بازداشت این عده، آرامش هم بلافاصله به شهرها باز خواهد گشت. این سیاهه در اختیار شاه قرار گرفت. او یک روز تمام قضیه را سبک و سنگین کرد. آن روزها تردید و بی‌تصمیمی چون خوره‌ای به جانش افتاده بود. سرانجام دستور داد که ساواک تنها کسانی را بازداشت کند که شاه در کنار نامشان علامت گذاشته بود. وقتی سیاهه‌ی اسامی مخالفان به ثابتی باز پس فرستاده شد، شاه تنها در کنار نام سیصد نفر علامت گذاشته بود.

شاه در پاسخ به تاریخ خود به این مسأله به شکلی غیرمستقیم اشاره می‌کند. می‌گوید، «ژنرال‌ها می‌خواستند با زور حکومت قانون را از نو در خیابان‌ها برقرار کنند. امروز می‌دانم که اگر آن روزها به ارتش اجازه تیراندازی می‌دادم، خونی که از مردم می‌ریخت صدها برابر کمتر از خونی بود که از زمان تأسیس رژیم به اصطلاح اسلامی ریخته شد. ولی حتی این واقعیت هم مشکل اصلی مرا حل نمی‌کند. پادشاه نمی‌تواند با ریختن خون

مردم تاج و تخت خود را حفظ کند.»[۲۸] سوای بی‌رغبتی شاه، عامل مهم دیگری نیز در آن زمان کاربرد خشونت را دشوارتر کرد. دولت‌های آمریکا و انگلیس هر دو به کرّات و به تصریح به شاه گفته بودند که دولت ایران باید در برابر خواست‌ها و تظاهرات مردم نرمش و انعطاف نشان دهد. در مقاطع مختلف و مهمی هر دو دولت، یا دست کم جناح‌هایی از هر کدام از دو دولت، بر ضرورت تداوم فرایند دمکراسی در ایران تأکید کرده بودند. می‌گفتند دولت ایران نباید از خشونت استفاده کند. برای نمونه، در اواسط آذر **۱۳۵۷**، شاه به سفیر آمریکا گفت که، «سه نحوه‌ی برخورد یکسره متفاوت با مخالفان را در دست مطالعه دارد. می‌گفت یا باید یک دولت ائتلافی ایجاد کند، یا تسلیم خواست‌های مخالفان شود و مملکت را ترک گوید و یا یک دولت نظامی سر کار بیاورد و سیاست سرکوب و "مشت‌های کوبنده" را پیش گیرد. سفیر آمریکا در طول مذاکرات متعدد خود با شاه همواره او را تشویق کرد که به تشکیل یک دولت ائتلافی همت کند.»[۲۹] به دیگر سخن، آمریکا از سیاست سرکوب جانبداری نمی‌کرد و شاه هم نمی‌خواست بدون موافقت آمریکایی‌ها به چنین سیاستی اقدام کند.

در هر حال، در اوایل آوریل، همان‌طور که دیدیم، شاه به شکلی محدود با طرح عملیاتی ساواک موافقت کرد. ساواک هم به محض دریافت اجازه‌ی شاه وارد کار شد. در فاصله‌ی چند ساعت، بیش و کم تمام سیصد نفری که شاه در کنار نامشان علامت ضرب گذاشته بود، بازداشت کردند. تأثیر این بازداشت‌ها فوری بود. موج تظاهرات رو به کاهش نهاد. دوباره گزارشی از سفارت آمریکا نشان می‌داد که، «به‌رغم برخی درگیری‌های متفرقه ... اخیراً آرامشی نسبی جانشین هرج و مرج و شلوغی‌ها شد.» در قسمت دیگری از همین گزارش به مسأله بازداشت این چند صد نفر اشاره شد و سپس سالیوان، که نویسنده اصلی گزارش بود، با لحنی محتاط و خوش‌بینانه، درباره‌ی آینده نوشته بود و به این نتیجه رسیده بود که به‌رغم کاهش ابعاد خشونت و تظاهرات،

دولت، «هنوز نجات کامل پیدا نکرده. رهبران سیاسی، مانند وزیر دربار، هویدا، باید کماکان با دقت و فراست به فعالیت‌های خود ادامه دهند و فضای [پرآشوب] چند ماه آخر را به راستی آرام و اصلاح کنند. ولی در هر حال می‌توان گفت فرایند بهبود اوضاع از هم اکنون آغاز شده است.»[۳۰]

ولی به دلایلی که روشن نیست ـ و شاید تنها زمانی روشن خواهد شد که به تمام آرشیوهای دولت‌های ایران و انگلیس و آمریکا دسترسی بتوانیم یافت ـ پس از مدتی کوتاه، دولت سیاست سرکوب و "مشت‌های کوبنده" را واگذاشت. به‌علاوه ثابتی هم که معمار اصلی این سیاست بود از کار برکنار شد و به فاصله‌ی کوتاهی ایران را ترک گفت. شب قبل از عزیمتش، او به دیدار هویدا رفت. هویدا مأیوس به نظر می‌رسید. می‌گفت: «به گمانم شاه دیگر دست از مبارزه برداشته. برکناری تو نشان آن است که دیگر نمی‌خواهد بجنگد.» در عین حال آن شب هویدا نکته‌ی جالب دیگری نیز طرح کرد. گویی آینده‌ی خود را در آئینه‌ی حوادث می‌دید. به ثابتی رو کرد و گفت: «شاه اجازه داد تو از ایران بروی چون می‌دانست جلوی دهان تو را نمی‌توانند بگیرند. اما او از من و نصیری مطمئن است و به همین خاطر ما را برای روز مبادا نگاه داشته.»[۳۱] آن روز مبادا چندان هم دور نبود و برکناری ثابتی در حکم هشداری جدّی به هویدا و نشان وخامت روزافزون وضع رژیم بود.

از سویی دیگر، دولت هم دایم میان سیاست سرکوب و سازش نوسان می‌کرد. یک روز مخالفان را بازداشت می‌کرد و روز دیگر، از موضعی آشکارا ضعیف، به هر امتیازی که همین مخالفان می‌خواستند تن در می‌داد. تا این که سرانجام در ۱۷ شهریور **۱۳۵۷** ارتش در میدان ژاله گروهی از مردم را به گلوله بست. با این کشتار درِ سازش و راه حل مسالمت‌آمیز گویی یک‌باره بسته شد. شب قبل، دولت در تهران حکومت نظامی اعلان کرده بود. وقتی در روزی که به "جمعه سیاه" شهرت گرفت، ارتشیان به استناد همین حکومت نظامی، به مردمی که در میدان جمع شده بودند دستور تفرق دارند، مردم،

شاید به عمد، و شاید هم به سهو و به لحاظ بی‌اطلاعی از اعلان حکومت نظامی، از اجرای فرمان سر پیچیدند و سربازان هم آتش گشودند و عده‌ای را که رقم دقیق آن هرگز روشن نشد، به هلاکت رساندند. دیری نپایید که این کشتار به یکی از مهم‌ترین و کارآمدترین اساطیر انقلاب بدل شد. حربه‌ای بود سخت مؤثر برای بسیج و برای تهییج توده‌ی مردم. می‌گویند هر انقلاب و حرکت اجتماعی توده‌ای، محتاج اسطوره‌ای است. می‌گویند توده‌ی مردم را به ظاهر نه شعور و خرد، که شعار و اسطوره به حرکت وا می‌دارد. انقلاب ایران هم از این قاعده مستثنی نبود و "جمعه سیاه"، در کنار ماجرای "سینما رکس آبادان"، به دو اسطوره‌ی مؤثر انقلاب بدل شدند. دولت در آن زمان سخت کوشید که مسئولیت سینما رکس و کشتار میدان ژاله را متوجه روحانیون کند، ولی تلاش‌هایش یکسره ناکام ماند. در عوض، نیروهای مخالف به راحتی توانستند مردم را متقاعد کنند که هیچ کس جز دولت و شاه مسئول این کشتارها نیست. امروز که بیش از بیست سال از انقلاب می‌گذرد، هنوز هم مسأله مسئولیت سینما رکس و شمار کشته شدگان میدان ژاله، و مسئول اصلی این کشتار در هاله‌ای از ابهام و پرده‌پوشی فرو مانده است.*

روز بعد از "جمعه سیاه"، هویدا از پست وزارت دربار استعفا کرد. بعدها در نامه‌ای که از زندان به خارج فرستاد ـ و متن آن در بخش بعدی این کتاب آمده ـ ادعا کرد که علت اصلی استعفایش اعتراض به کشتار میدان ژاله بود. اما در همان زمانِ استعفا به برخی از دوستان و اقوامش می‌گفت کناره‌گیری‌اش از وزارت دربار نتیجه‌ی مستقیم تحریکات اردشیر زاهدی است. هویدا معتقد

---

* می‌دانیم که در نتیجه‌ی پی‌گیری خانواده‌هایی که در ماجرای سینما رکس عزیزی از دست داده بودند، دولت جمهوری اسلامی چند تنی را از شهر اصفهان، همراه با چند مأمور ساواک، به جرم همدستی و دخالت درآتش زدن سینما و قتل بیش از چهار صد انسان بی‌گناه به محاکمه کشیدند. گرچه بسیاری از مهم‌ترین مسایل مربوط به این فاجعه هرگز در دادگاه طرح نشد ولی برخی از مطبوعات ایرانی ـ به‌خصوص نشریه سازمان وحدت کمونیستی که به طور غیرقانونی و زیرزمینی چاپ می‌شد ـ مطالب گویایی درباره‌ی چند و چون نقش برخی از افراد نوشتند.

بود که زاهدی شاه را متقاعد کرده که تنها راه توافق و تفاهم بـا روحـانیون میانه‌رو همانا برکناری هویدا از وزارت دربار است.۳۲

البته در آن زمان دیگر رژیم به مفهوم واقعی در چنبر هـرج و مـرج و نابسامانی کامل گرفتار بود. ظرف چند ساعت سیاست سازش و باج دادن‌های شریف امامی به سیاست "حکومت قانون" و سرکوب جدّی مخالفان بدل شد. یک دولت نظامی جانشین دولت "وحدت ملّی" شریف امامی شد. بسیاری از مشاوران شاه معتقد بودند ریاست دولت جدید را باید به علی اویسی سپرد. او که به خاطر نقشش در ماجرای میدان ژاله به "قصاب تهران" شهرت گرفته بود، در افکار و انظار عمومی، افسری پرهیبت و خوف‌آور بـود. اگـر مـراد از برگماردن یک حکومت نظامی ایجاد رعب و وحشت در میان مردم بود، اگر منظور این بود که در سایه‌ی همین ترس و واهمه آرامشی برقرار گردد و هرج و مرج و بی‌تدبیری دولت به پایان برسد، آن گاه بدیهی به نظر می‌رسید که اویسی، دقیقاً به خاطر سوابقش و به لحاظ همان شهرتش به عنوان "قصاب تهران"، بهترین کاندید این کار بود. اما شاه به دلایلی که روشن نیست، در عوض ازهاری را به نخست‌وزیری برگزید و او ساخته‌ی این کار نبود و طولی نکشید که به مضحکه‌ای بدل شد.

حتی عجیب‌تر از انتخاب ازهاری نطقی بود که شاه روز بعد از روی کار آمدن دولت نظامی ایراد کرد. به گمان من هیچ چیز به اندازه‌ی این سخنرانی حالت روحی نابسامان شاه و بی‌تدبیری و بی‌منطقی سیاست‌های آن روزهای آشفته‌اش را نشان نمی‌داد. می‌گویند در آستانه‌ی انقلاب فـرانسـه، لویی شانزدهم در روز ۱۴ ژوئیه ۱۷۸۹، به سودای تسکین خشم خروشان ساکنان پاریس پیاده از کاخ مسکونی خود راهی مجلس شد. می‌خواست از این راه بگوید که به راستی به گناهان گذشته خود واقف است و به خاطرشان از بارگاه مردم استغفار می‌طلبد. در عین حال، مورخان هم اغلب بر این قول‌اند که هیچ چیز به اندازه‌ی همین "پیاده‌روی استغفار طلبانه" برچیده شدن بساط دودمان

بوربن‌ها را تسریع و قطعی نکرد. سخنرانی روز بعد از انتصاب ازهاری هم به گمان من از جنم همین "استغفار طلبی"ها بود و پیامدی مشابه داشت. نه تنها مضمون سخنان شاه که لحن و نحوه‌ی بیان آن نیز رقت‌بار بود. از ضعف سیاسی مطلق رژیم حکایت می‌کرد و با ضعف شخصی تمام به زبان می‌آمد. به گمان من آنان که شاه را به ایراد این سخنان واداشتند و آنان که متن سخنرانی را تدارک کردند، دانسته یا ندانسته، گام بلند و برگشت‌ناپذیری در شکست رژیم پهلوی و پیروزی انقلاب برداشتند. وقتی شاه می‌گفت: «من نیز پیام انقلاب شما را شنیدم»، وقتی قسم می‌خورد که دیگر قانون‌شکنی‌ها و فساد و خفقان گذشته را بر نخواهد تابید، حال و هوای چهره‌اش، صدای لرزانش، چشمان غم‌زده‌اش همه به حالات انسان گناه کاری می‌مانست که در برابر ذات احدیت زانوی استغفار بر زمین زده است.[۳۳]

* * *

روزی که هویدا از وزارت دربار استعفا داد، شاه پست سفارت ایران در بلژیک را به او پیشنهاد کرد. شاه در پاسخ به تاریخ به این نکته اشاره می‌کند و می‌نویسد، «ولی هویدا که هنوز هم مورد احترام من بود، آماج اصلی حملات مخالفین بود، گرچه هدف واقعی خود من بودم. اندکی بعد از این ماجرا به هویدا پیشنهاد کردم به خارج برود و سمت سفارت ایران در بروکسل را بپذیرد.»[۱۳۴] هویدا در آن جلسه نه پیشنهاد شاه را پذیرفت، نه آن را رد کرد. چند روزی فرصت خواست تا جوانب کار را بسنجد. با برخی از دوستان و اقوامش مشورت کرد و سرانجام به این نتیجه رسید که پست سفارت را قبول نکند و در ایران بماند. به گمان من، علل متعدد و پیچیده‌ای به این تصمیم مهم انجامید و نمی‌توان آن را به یک عامل و یک علت تأویل کرد. مهم‌تر از همه، مسأله مادر هویدا بود. او بارها به افراد مختلف ـ از جمله آنتونی پارسونز،

---

۱ در متن انگلیسی، عبارت را از ترجمه‌ی انگلیسی کتاب شاه برگفتم. برگردان فارسی از ترجمه‌ی فارسی همان کتاب است (ص ۴۰۲).

سفیر انگلیس در ایران ـ گفته بود که به خاطر مادرش نمی‌تواند ایران را ترک کند. می‌گفت افسرالملوک سخت بیمار است و حاضر به سفر نیست و در عین حال اضافه می‌کرد که مادرش را هرگز تنها نخواهد گذاشت. به‌علاوه، هویدا از زندگی در تبعید هم نفرت داشت. در سال ۱۳۳۶، پس از بازگشت به ایران، بارها به دوستان و خویشاوندانش گفته بود که دیگر هرگز ایران را ترک نخواهد گفت. به‌علاوه، مسأله علاقه و وفاداری هویدا به شاه هم مهم بود. هویدا یقین داشت که دوران دودمان پهلوی هنوز به سر نیامده؛ معتقد بود در پس تظاهرات به ظاهر خود انگیخته‌ی مردم "سناریویی" در کار است. می‌خواست در ایران بماند و پایان سناریو را ببیند و بالاخره واپسین عاملی که به ماندن هویدا در ایران کمک کرد توصیه‌های همسر سابقش لیلا امامی بود. لیلا پست سفارت را "دون شأن" هویدا می‌دانست. می‌گفت نوعی "باج سبیل" است. توصیه می‌کرد که به جای پذیرفتن این پست ناقابل، باید به آرزوی دیرینه‌اش جامه‌ی تحقق بپوشاند و یک کتاب‌فروشی به راه بیندازد. در این گفتگوها، حتی نامی هم برای این کتاب‌فروشی خیالی برگزیدند. قرار بود آن را "کتاب‌فروشی پرزیدنت" بخوانند.[۳۵]

پیشنهاد شاه درباره‌ی سفارت ایران در بلژیک نخستین فرصت فرار هویدا نبود. تحولات بعدی نشان داد که واپسین فرصتش هم نبود. در خرداد ۱۳۵۷، یکی از دوستان فرانسوی هویدا به نام کلود دو پرون* که با مراکز قدرت در فرانسه پیوندی تنگاتنگ داشت به ایران سفر کرد. برای هویدا پیامی از طرف شابان دالماس داشت که در آن روزها، رئیس‌مجلس فرانسه بود. مضمون پیام ساده بود: «ما می‌دانیم که اوضاع ایران رو به وخامت دارد. به زودی وضع به مراتب بدتر از قبل خواهد شد. توصیه می‌کنیم به بهانه‌ی معالجه‌ی پزشکی ایران را ترک کنی. وقتی به پاریس رسیدی، در بیمارستانی بستری‌ات خواهیم کرد و سپس تمهیدات لازم برای اقامتت در فرانسه را فراهم خواهیم آورد.»[۳۶]

---

* CLAUDE DE PEYRON

دو پرون می‌گفت روزی که به تهران رسید، بلافاصله به دیدن هویدا رفت که کماکان در وزارت دربار بود. می‌گفت شب را با بحث درباره‌ی سرنوشت ایران و ضرورت خروج هویدا از مملکت به صبح رساندیم. می‌گفت هر چه می‌توانستم کردم تا هویدا را به ترک ایران متقاعد کنم. اما هویدا قانع نشد. ماندنش را به دو دلیل اصلی ضروری می‌دانست. دلیل اول مادرش بود و دلیل دوم شرایط سیاسی ایران. هویدا می‌گفت: «اوضاع مملکت نابسامان است. شاه هم دیگر توان تصمیم‌گیری ندارد. باید در این جا بمانم.» دو پرون می‌گفت: «هویدا به نظر من در مورد آن‌چه در ایران در انتظارش بود توهم داشت.»[۳۷]

در هر حال، شایعه‌ی بازداشت هویدا، که با آغاز نخست‌وزیری شریف امامی رواج پیدا کرده بود، هر روز داغ‌تر می‌شد. حقیقت این بود که چند روزی پس از انتصابش به مقام نخست‌وزیری، شریف امامی در جلسه‌ای که شاه و ملکه نیز در آن حضور داشتند، به تصریح گفته بود که: «برای نجات مملکت به تصمیمات قاطع نیازمندیم.» در آن جلسه، همه می‌دانستند و می‌پذیرفتند که فساد مالی یکی از شکایات اصلی و از علل عمده‌ی نارضایتی‌های مردم است. سوای شاه و ملکه و شریف امامی، شرکت‌کنندگان دیگر جلسه عبارت بودند از آزمون، نهاوندی، باهری، اویسی، صمدیان پور، گنجی، قطبی و مقدم. در این میان، چند نفر از جمله آزمون و نهاوندی و باهری، تأکید داشتند که، «باید همه‌ی کسانی را که در فساد نقش مهمی داشتند به شدت مجازات کرد.» گرچه نام هویدا هرگز به زبان نیامد، اما انگار بر همه روشن بود که مراد از این حکم کلی هویدا است. در عین حال این نکته را نیز باید در نظر داشت که در آن روزها، بسیاری از مشاوران شاه از وضع واقعی مملکت بی‌خبر بودند و چه بسا که در عوالم خیالی خود سیر می‌کردند. مصداق این نوع خیال‌پردازی‌های خام و بی‌اساس را می‌توان در پیشنهادات آزمون سراغ کرد. می‌گفت: «مردم انقلاب می‌خواهند ... شاهنشاه هم باید خود رهبری این انقلاب را در دست گیرند.» می‌گفت باید دادگاههای صحرایی تشکیل داد

و «منادیان فساد را به شدت، و به طور علنی، در ملأ عام مجازات کرد.» مذاکرات این گروه آن شب به جایی نرسید. جلسه با این عبارت شاه به پایان رسید که، «در این مورد فکر خواهیم کرد.»[۳۸]

البته اگر روایت خود هویدا را از چند و چون بازداشش بپذیریم، آن گاه باید بیفزاییم که سوای کسانی که در این جلسه شرکت داشتند، کسان دیگری نیز در پی بازداشت هویدا بودند. به گفته هویدا، بیش از هر کس اردشیر زاهدی و طرفدارانش در این زمینه فعالیت می‌کردند. می‌خواستند از هویدا به عنوان قربانی استفاده کنند. او را مقصر اصلی بدانند و کاسه کوزه‌ها را سرش بشکنند و با مجازاتش خشم مردم را فرو بنشانند.* سوای هویدا، کسان دیگری هم هستند که معتقدند زاهدی نقش مهم و مؤثری در بازداشت هویدا بازی کرد. برای نمونه، شاهین آقایان، که خود از دوستان نزدیک هویدا بود، می‌گفت، وقتی در آستانه‌ی انقلاب ایران را با هواپیما ترک می‌کرد، برحسب تصادف، اردشیر زاهدی در صندلی کنار او نشسته بود. آقایان مدعی است که زاهدی آن روز خوشحال می‌نمود. می‌گفت: «بالاخره اعلیحضرت را متقاعد کردم که این هویدای مادرسگ را بازداشت کند.»[۳۹] زاهدی منکر این نیست که در آن پرواز بود. در عین حال می‌گفت در طول سفر، با آقایان هم صحبت کرد. ولی زاهدی می‌گفت: «حرفی که در هواپیما زدم این بود که اعلیحضرت باید مادر قحبه‌هایی مثل آقایان را کنار دیوار ردیف کنند و مملکت را از شر وجودشان خلاص کند.»[۴۰] به‌علاوه تأکید می‌کرد که، «من برای مادر امیر احترام زیادی قایل بودم. یک بار حتی برای دیدار به منزلش رفتم. ممکن نیست به او فحش داده باشم."[۴۱] معلوم نیست کدام یک از این دو روایت به حقیقت نزدیک‌تراند.

شاه تا مدتی در مقابل تلاش‌هایی که برای بازداشت هویدا صورت

---

* هویدا در نامه‌ای که از زندان بیرون فرستاد، نظرات خود را در این باب برشمرده است. مضمون نامه را در فصل‌های ۱۵ و ۱۶ این کتاب بررسی کرده‌ام.

می‌گرفت مقاومت کرد. دست کم به دو نفر مختلف گفته بود بازداشت هویدا در حکم محاکمه‌ی رژیم پهلوی است. حتی در روز پیش از بازداشت هویدا شاه به سفیر انگلستان در ایران اطمینان خاطر داد که، «هـویدا را بـازداشت نخواهند کرد، تکرار می‌کنم، نخواهند کرد.»[۴۲] ولی دو روز بعد، همین سفیر خبر بازداشت هویدا را از رادیوی ایران شنید. جالب این جا است که سـفیر انگلیس ظاهراً وعده‌های اطمینان‌بخش شاه را باور نکرده بود و همان شب، پس از بازگشت از کاخ سلطنتی به هویدا زنگ زد و از خطر قریب‌الوقـوع بازداشتش سخن گفت و توصیه کرد که هر چه زودتر از ایران فرار کند. اما هویدا به پند این دوستش هم اعتنایی نکرد. در روزی که شاه به پارسونز قول داد که هویدا بازداشت نخواهد شد، با دو نفر دیگر نیز در این باره صحبت کرد. هر دو از دوستان هویدا و هر دو نگران حالش بودند. اولی عبدالله انتظام بود و دومی مهدی سمیعی. شاه به هر دو قول داد که بازداشت هویدا اصلاً مطرح نیست.[۴۳] می‌دانیم که هویدا با این دو نفر در تماس نـزدیک بـود، و لاجرم می‌توان فرض کرد که او نویدهای امیدبخش شاه را از طریق این دو دوست شنیده بود.

درست در همان روزهایی که شاه با وسوسه‌ی بازداشت هـویدا دست و پنجه نرم می‌کرد، هویدا، به غلط گمان داشت که به حمایت خلل‌ناپذیر شاه مستظهر است و ناچار، بی‌خیال از خطری که تهدیدش می‌کرد، به فکر ایجاد یک حزب سلطنت طلب میانه‌روی جدید افتاد. چند و چوی این تلاش را در یکی از گزارش‌های سفارت آمریکا سراغ می‌توان گرفت. می‌بینیم که، «هویدا و برخی از همکاران سیاسی‌اش مشغول بحث ... درباره‌ی احیای حزب ایران نوین بودند. هویدا بی‌شک از حمایت شماری از سیاستمداران سطوح پایین‌تر ایران برخوردار است. این گروه بـا یک مسأله اصلی روبرو است. آنها نمی‌دانند که آیا تا چه حد مشاغل سیاسی پیشین هویدا دامن سیاسی‌اش را لکه‌دار کرده است. دست کم یکی از روزنامه‌نگاران ایرانی ادعا کرده که

هویدا به زودی وارد گود سیاست خواهد شد. در عین حال، این شایعه هم سر زبان‌ها است که به زودی او را نیز مانند برخی از وزرای سابق و به اتهامی مشابه، بازداشت خواهند کرد.» این گزارش را سالیوان نوشته بود. برای «حسن ختام» نوشته‌اش را با "یادداشتی فکاهی" به پایان رساند. می‌گفت: «سیاستمدارانی که این روزها جامی برازنده‌ی شراب تازه‌ی سیاسی خود می‌جویند ... در عین حال دایم هم گوشه چشمی به شاه دارند؛ می‌خواهند شاید به اعتبار لبخندی ملوکانه اطمینان پیدا کنند که فعالیت‌هایشان مورد حمایت شاه هم هست.»[۴۴]

در این میان، نیروهای طرفدار بازداشت هویدا پشت پرده سخت مشغول فعالیت بودند. سرانجام در هفدهم آبان ۱۳۵۷ شاه تنی چند از مشاورانش را به جلسه‌ای احضار کرد. ملکه هم حضور داشت. به‌علاوه، مهدی پیراسته، جواد شهرستانی، هوشنگ نهاوندی، رضا قطبی، حسن پاکروان و علی‌قلی اردلان (که تازه به وزارت دربار منصوب شده بود) نیز در جلسه شرکت داشتند. جلسه با بحثی اجمالی درباره‌ی نوسازی تشکیلات بنیاد پهلوی آغاز شد. سپس فعالیت‌های اقتصادی خاندان سلطنت مورد بحث قرار گرفت و از ضرورت شفافیت هر چه بیشتر در این زمینه صحبت شد. قرار شد این فعالیت‌ها از این پس حتی‌الامکان علنی باشند و مورد بازبینی مردم قرار گیرند. این مباحث هیچ‌کدام وقت چندانی نگرفت. شاه ناگهان دستور جلسه را تغییر داد. می‌گفت مدتی است برخی مشاورانش، به‌خصوص فرماندهان ارتش، خواستار بازداشت هویدا شده‌اند. آن‌گاه از جمع خواست که در این باره بحث و رأی زنی کنند.

گرم صحبت بودند که تلفن زنگ زد. شاه گوشی تلفن را برداشت. برای چند لحظه سکوت برقرار شد. شاه حرفی نمی‌زد و فقط گوش می‌داد. سپس، بی‌مقدمه گفت: «اتفاقاً گروهی این جا جمع‌اند و درباره‌ی همین موضوع صحبت می‌کنند.» هویت کسی که زنگ زده معلوم نبود. البته بعضی از کسانی

که در جلسه حضور داشتند بعدها به این نتیجه رسیدند که ناشناسی که با شاه صحبت می‌کرد اویسی بود. پس از چند لحظه سکوت، شاه در حالی که لبخند تلخی بر گوشه‌ی لبانش نقش بسته بود دستش را روی دهانی تلفن گذاشت و گفت: «او هم فکر می‌کند بازداشت هویدا از شام شب واجب‌تر است.»۴۵

دقایقی بعد از این گفتگوی تلفنی، شاه از مشاورانش خواست که هر یک در مورد پیشنهاد بازداشت هویدا نظر خود را اعلان کنند. هنوز به یقین و دقت نمی‌دانیم که یک یک افراد چه رأی و نظری دادند. پیراسته که کماکان معتقد است رأیش به بازداشت هویدا، در چهارچوب شرایط آن زمان، تصمیمی معقول و منطقی بود. می‌گفت: «هیچ کس در آن اطاق به پیشنهاد بازداشت هویدا رأی مخالف نداد. شاه در واقع طوری حرف می‌زد که معلوم بود تصمیمش را از پیش درباره‌ی بازداشت هویدا گرفته. فکر می‌کنم حتی آن تلفن هم به دستور خود شاه بود. می‌خواست از این طریق به افراد حاضر در جلسه قوت قلب بدهد.»۴۶

در روایت نهاوندی از جلسه نیز کسی با بازداشت هویدا مخالفت نکرد. در این روایت نکته‌ی جالب دیگری نیز یافتنی است. نهاوندی به لحنی که خالی از غرور هم نیست مدعی است وقتی بازداشت هویدا قطعی شد، او به شاه پیشنهاد کرد که اولاً خود شاه، از طریق تلفن، هویدا را از این تصمیم مطلع کند و دوم این که حتماً برای بازداشت نخست‌وزیر سابق از امیران ارتش استفاده کنند!*۴۷

---

* برای شرح مذاکرات این جلسه از چند منبع مختلف استفاده کردم. با مهدی پیراسته مصاحبه کردم؛ به نوشته‌های نهاوندی ـ هم کتابش که به فرانسه است و هم مصاحبه‌اش در تاریخ شفاهی ایران ـ هم مراجعه کردم. روایت دست دوم جلسه را می‌توان در مصاحبه‌ی تاریخ شفاهی هاروارد با فاطمه پاکروان سراغ کرد. ترجمه‌ی فارسی این مصاحبه، زیر عنوان **خاطرات فاطمه پاکروان** به چاپ رسیده است. روایت داستان‌وار این جلسه را می‌توان در **بازداشت هویدا** به قلم سعیده پاکروان یافت. هم در **خاطرات فاطمه پاکروان** و هم در **بازداشت هویدا** ادعا شده که پاکروان با بازداشت هویدا مخالف بود.

پس از پایان رأی گیری وقتی بازداشت هویدا محتوم شد، شاه به ملکه روکرد و از او خواست که با هویدا تلفنی تماس بگیرد و خبر بازداشش را با او در میان بگذارد.* ملکه با عصبانیت این پیشنهاد را رد کرد. می‌گفت حاضر نیست بار این مکالمه را بر دوش بکشد. گویا مشاجره‌ای تند میان شاه و ملکه در گرفت. شاه بلافاصله دیگران را از اطاق بیرون کرد و گفتگو را در خلوت ادامه داد.[۴۸] آن‌چه در آن لحظات میانشان گذشت روشن نیست.**

---

* شاه حتی در **پاسخ به تاریخ** نیز از پذیرفتن هرگونه مسئولیتی در قبال بازداشت هویدا سرباز می‌زند و می‌گوید: «[ازهاری] نیز کوشید با تدابیری مخالفان را آرام کند و پیش از هر چیز تصمیم به بازداشت دوازده تن از شخصیت‌ها، از جمله امیرعباس هویدا گرفت.» (ص ۴۰۲)

** می‌خواستم چند و چون این گفتگوی شاه و ملکه را بدانم. ناچار در آوریل ۱۹۸۸ نامه‌ای به فرح نوشتم. توضیح دادم که دست اندرکار تدارک زندگی‌نامه‌ی هویدا هستم و خواستار گفتگو با وی شدم. پس از چندی رئیس دفترش، کامبیز آتابای، اطلاع داد که تقاضای من رد شده. چون: «برای علیاحضرت سخن گفتن در مورد گذشته دشوار است.» می‌دانستم که شرح فرح از این ماجرا اهمیتی بی‌بدیل دارد و ناچار دست از تلاش برنداشتم. به کسانی که با وی در تماس بودند متوسل شدم. پس از چندی تلاش‌هایم به ثمر نشست. اوایل ماه مه ۱۹۹۸، کامبیز آتابای به من اطلاع داد که فرح تغییر رأی داده و به دو شرط حاضر به گفتگو شده: باید پرسش‌هایم را پیش‌تر، به صورت کتبی، بفرستم و دوم آن که قبل از فرستادن متن نهایی به چاپ، قسمت‌هایی را که از وی نقل‌قول مستقیم شده، برایش بفرستم و در صورت لزوم، حک و اصلاحشان کنم. هر دو شرط معقول بود و در این گونه گفتگوها بخشی از عرف رایج به شمار می‌آمد. بلافاصله در نامه‌ای شرح سئوالاتم را، به تفصیل، نوشتم. گفتم که، «سرکار یکی از مهم‌ترین منابع برای درک و شناخت برخی از مهم‌ترین نکات زندگی سیاسی آقای هویدا هستند.» سپس سئوالاتم را به شرحی مبسوط نوشتم. از جمله سئوالاتم، اینها بود، «آیا در کدام زمینه‌ها آقای هویدا از شما در تقابل با فشارهای گروه‌های مخالف خود، از جمله آقای علم، استدعای کمک می‌کرد؟ آیا، آن چنان که برخی منابع مدعی‌اند، آقای دکترنهاوندی تلاشی در تیره کردن روابط شما با آقای هویدا انجام می‌داد؟ روابط آقای هویدا با دکتر ایادی چگونه بود؟ [متأسفانه در متن نامه، ایادی را به غلط عیادی نوشته بودم.] آیا آقای هویدا برای تعیین کابینه‌های خود با شما مشورت می‌کرد ... آیا شما از کم و کیف تصمیم دولت آقای هویدا به بستن مطبوعات اطلاع داشتند؟ برخی منابع مدعی‌اند این تصمیم در نتیجه‌ی دستور مستقیم شاه بود. برخی دیگر مدعی‌اند آقای هویدا می‌خواست از این طریق مخالفان خویش را از میان بردارد. گروه سومی مدعی‌اند این تصمیم در جلسه‌ای که برخی از مسئولان دفتر شما هم در آن شرکت کردند اتخاذ و به دولت ابلاغ شد. آیا هیچ کدام از این روایات درست است؟ ـ برخی

البته هویدا حتی پیش از گفتگوی تلفنی با شاه، نشانه‌هایی در دست داشت که شاه به فکر بازداشت او افتاده است. نخستین نشان مستقیم این دگرگونی در فکر شاه در دیداری با رضا قطبی به دستش آمد. سه هفته پیش از جلسه‌ای که در آن سرنوشت هویدا سرانجام قطعی شد، شبی در منزل دکتر فرشته‌ی انشاء، رضا قطبی به هویدا رو کرد و گفت شاید تنها راه خروج از بحران و بن‌بست کنونی «تشکیل تریبونی است که در آن رهبران رژیم بتوانند از گذشته خود دفاع کنند و به پرسش‌هایی که در مورد سوابقشان در اذهان مردم است پاسخ گویند.»[۴۹] هویدا، در حالی که در تمام مدّت پیپش را در دهان داشت، به دقت به گفته‌های قطبی گوش داد. حرف قطبی تمام شد و هویدا جوابی نداد. از سر بی تفاوتی، شانه‌هایش را بالا انداخت و سکوت معناداری اختیار کرد.

* * *

سرانجام، عصر روز هفدهم آبان ماه، شاه به هویدا زنگ زد. آن روزها هویدا اغلب در منزل مادرش بود. شاه گفت: «به خاطر حفظ سلامت شما،

مدعی‌اند که نخستین طرح حزب واحد توسط گروهی از مشاوران علیاحضرت ـ از جمله آقایان دکتر گنجی، افخمی و قریشی ... تدوین شد. آیا این روایت در اساس درست است؟ ... آقای هویدا در دفاعیات خود در دادگاه آیت‌الله صادق خلخالی ادعا کرده بود که او به عنوان نخست‌وزیر در مسایل سیاست خارجی، امنیت داخلی، ارتش و نفت هیچ گونه دخالتی نداشت، و حتی اغلب از مسایل مهم در این زمینه‌ها بی‌اطلاع بود. این ادعا تا چه حد درست است؟ ... برخی منابع (از جمله آقای راجی) ادعا کرده‌اند که آقای هویدا در خلوت ادعا کرده بود که مسایل واقعی مملکت را با شاه در میان نمی‌توان گذاشت. آیا آقای هویدا هرگز سعی کردند گزارشی از چند و چون اوضاع از طریق شما به عرض شاه برساند؟ آیا آقای هویدا هرگز با خود شما مسایلی درباره‌ی چند و چون اوضاع ایران در میان گذاشت ... منابع مختلف مدعی‌اند جلساتی در کاخ سلطنتی برای مشورت در این باب تشکیل شده بود. در این زمینه دو سئوال مهم پیش می‌آید. آیا این روایت درست است؟ به گمانم آنها که منادی و موافق بازداشت آقای هویدا بودند استدلال‌هایی در جهت اثبات ضرورت حقانیت نظر خود ارایه می‌کردند. این استدلال‌ها کدام بود؟ آیا آقای هویدا در روزهایی که در زندان بود هرگز در پیامی به کاخ سلطنت تقاضای خروج از ایران کرد؟» در ۲۶ ماه مه ۱۹۹۸، طبق قرار قبلی، به دفتر ملکه زنگ زدم که زمان دقیق گفتگو را تعیین کنیم. کامبیز آتابای گفت: «خبر بد دارم.» و درست هم می‌گفت، «علیاحضرت تغییر نظر دادند، حاضر به گفتگو نیستند.»

دستور دادیم چند روزی شما را به محلی امن ببرند.»[۵۰] البته از چند هفته پیش از این گفتگو، هویدا عملاً در منزل محبوس بود. محافظانش دستور داشتند او را از فرودگاه مهرآباد دور نگه دارند.[۵۱]

لحظاتی پس از گفتگوی کوتاه با شاه، هویدا به منزل خانواده‌ی انشاء زنگ زد و از دکتر فرشته انشاء و مادرش خواست که هر چه زودتر به منزل مادر هویدا بشتابند. دکتر فرشته انشاء می‌گفت: «وقتی وارد شدیم، آقا داشت در اطاق قدم می‌زد. عصبی به نظر می‌آمد. گفت شاه به او زنگ زده و خبر داده که به زودی برای بازداشتش خواهند آمد. به او گفتم باید همین الان فرار کنید. گفتم ماشین حاضر است. جای امن هم برایتان پیدا خواهم کرد. لبخند تلخی بر لبانش ظاهر شد و با لحن طنزآمیز پرسید، «از کی تا بحال سیاستمدار شدی؟» آن‌گاه هویدا دلیل اصلی دیدارش با مریم و دکتر فرشته انشاء را به میان کشید. گفت: «می‌خواهم در غیبتم، مادرم را به شما بسپارم.» در چشمانش اشک حلقه زده بود. فرشته و مریم هم در آستانه‌ی گریستن بودند. دکتر فرشته انشاء می‌گفت: «بغض گلویم را گرفته بود. با این حال، سعی کردم با روحیه‌ی خوبی بگویم، اصلاً نگران نباشید. گفتم مثل مادر خودم از ایشان نگهداری خواهم کرد.»[۵۲] و دکتر فرشته انشاء، به رغم خطرات گرانی که خود و خانواده‌اش را تهدید می‌کرد، به این وعده وفا کرد.

حدود ساعت سه بعدازظهر، چند ساعتی بعد از تلفن شاه، دو امیر ارتش، با دو اتوموبیل بنز تیره‌رنگ به حیاط منزل مادر هویدا وارد شدند. لیلا امامی و برخی دیگر از دوستان هویدا به دعوت و توصیه‌ی او، به آن جا آمده بودند. هویدا به ویژه می‌خواست ناصر یگانه، که دوست معتمدش و زمانی رئیس دیوان عالی کشور بود، در لحظه‌ی بازداشت در منزل مادر هویدا حضور داشته باشد. یگانه را شاهد بازداشت خود می‌خواست.[۵۳]

لیلا، آن چنان که سیاق همیشگی‌اش بود، سرکشی می‌کرد و این بار به جان آن دو مأمور مفلوکی افتاد که برای بازداشت هویدا آمده بودند. می‌گفت:

«قیف گذاشتید و به این مملکت ریدید، حال هم آمده‌اید این بیچاره را قربانی کنید.» هویدا از زیر میز، نوک پایی به پای لیلا زد. می‌خواست از این طریق آرام‌اش کند. [۵۴] اما لیلا آرام‌پذیر نبود. فضایی سخت متشنج بود، و هویدا در این میان به امرای ارتش رو کرد و پرسید که آیا می‌تواند با ماشین خودش به زندان برود. می‌خواست با پای خود و نه تحت‌الحفظ منزل مادرش را ترک گوید. امیرانی که به نمایندگی از فرماندار نظامی برای بازداشت هویدا آمده بودند جواب دادند که از تصمیم‌گیری در این زمینه عاجزاند. گفتند باید از مقامات بالاتر کسب تکلیف کنند. کسب تکلیف کردند و جواب آمد که هویدا می‌تواند با استفاده از پیکان خود به زندان برود. از پیش چمدان کوچکی بسته بود. در آن چند دست لباس، مقداری از داروهای مورد نیاز و مشتی کتاب بود. آن‌گاه، تک و تنها، در پیکان آبی رنگ مألوف خود نشست و در حالی که دو بنز سیاه تعقیبش می‌کردند، او برای واپسین بار منزل مادرش را ترک گفت.

همان شب به منزل خانواده‌ی انشاء زنگ زد و از آنها خواست مادرش را فردا برای دیدار با او به زندان ببرند. در یکی از خانه‌های امن ساواک، در خیابان فرشته، در شمال تهران، زندانی بود. به غیر از چند محافظ و هویدا کسی دیگری در آن منزل نبود. روز بعد مادر هویدا، همراه دکتر فرشته انشاء به دیدار فرزندش رفت. یک بار دیگر هم، پس از چند هفته، این دیدار مادر و فرزند تکرار شد. هر دو دیدار کوتاه بود. هر دو بار مادر هویدا گریه می‌کرد. هر دو بار، هویدا سعی فراوان داشت که سر حال و امیدوار جلوه کند. می‌خواست هر طور شده به مادرش تسکین خاطر بدهد، اما مادر تسکین‌پذیر نبود. البته نگرانی و افسردگی افسرالملوک تازگی نداشت. از روزی که منصور ترور شد، مادر هویدا هم نگران بود که فرزند او نیز فرجامی خونین خواهد داشت. [۵۵]

خانواده‌ی هویدا آزادانه در زندان به دیدارش می‌رفتند. سعی فراوان

داشتند که اسباب راحتی نسبی او را در زندان فراهم کنند. اما هر روز که می‌گذشت، هویدا نیز بیشتر تلخکام و غم‌زده می‌شد. غذایش را همیشه از منزل می‌آوردند. نهارها را دکتر فرشته انشاء تدارک می‌کرد و شام را لیلا. تلفنی هم در دسترس هویدا بود. می‌توانست با هر کسی که می‌خواهد صحبت کند. مرتب با دوستان و همکاران سابقش، و گاه حتی با اعضای خانواده‌ی این همکاران، تماس داشت.

چند روز پس از آغاز دوران زندانش، هویدا از طریق دکتر فرشته انشاء پیامی به شاه فرستاد. می‌خواست بداند "سناریو چیست؟" و چه کسانی خواستار بازداشت او بودند. شاه هرگز خود به پیام هویدا جوابی نداد. اما از طریق فریدون جوادی، که از معتمدان ملکه بود، پیامی به هویدا باز پس فرستاده شد. در پیام آمده بود که سناریویی در کار نیست و فشار برای بازداشت هویدا نه از یک طرف و یک جناح که همه جانبه بود.[۵۶]

سوای اعضای خانواده‌اش، هویدا در زندان به طور مرتب با تیمسار مقدم، که در آن زمان رئیس ساواک بود، ملاقات می‌کرد. در مذاکراتی که در آن زمان میان دولت و جناح‌های مختلف مخالفان در جریان بود، مقدم نقشی کلیدی به عهده داشت. در عین حال، هفته‌ای یک بار هم به دیدار هویدا می‌رفت و او را در جریان تحولات جامعه قرار می‌داد. شاید در نتیجه همین گزارش‌های مقدم بود که هویدا تا روز ورود آیت‌الله خمینی وقوع یک کودتای نظامی را قطعی می‌دانست. قاعدتاً خاطره‌ی کودتای ۲۸ مرداد این انتظار هویدا را تقویت می‌کرد.[۵۷]

تا آن جا که می‌دانیم، یک نفر دیگر هم در زندان به ملاقات هویدا رفت. یوری لوبرانی نام داشت و در عمل سفیر اسرائیل در ایران بود. البته اسرائیل در ایران سفارت رسمی نداشت، اما دفتر منافعش «را دولت ایران در هر زمینه‌ی اصلی، چون یک سفارت تلقی می‌کرد.»[۵۸] از اوایل دهه‌ی پنجاه، ریاست دفتر اسرائیل را لوبرانی به عهده داشت و او روابط ویژه و نزدیکی با

هویدا پیدا کرده بود. نه تنها به بسیاری از مهمانی‌های شام هویدا دعوت داشت، بلکه مرتب با او در دفتر نخست‌وزیر هم دیدار و گفتگو می‌کرد. از یک جنبه، لوبرانی تنها استثنای قاعده‌ای بود که هویدا خود در دوران صدارتش برقرار کرده بود. هر وقت سفیری از یکی از کشورهای خارجی به دیدار هویدا می‌آمد، او تأکید داشت یکی از منشیانش در جلسه حضور داشته باشند. تنها استثنا لوبرانی بود.[۵۹] وقتی در این مورد از لوبرانی پرسیدم، جواب داد: «تا آن‌جا که من می‌دانستم، هویدا در مورد من استثنایی قایل نمی‌شد»، در عین حال، می‌گفت همواره احساس می‌کرد از روابط دوستانه ویژه‌ای با هویدا برخوردار بود. می‌گفت: «به خاطر همین دوستی بود که وقتی به زندان افتاد، من هم از تمام قدرتم استفاده کردم تا پیش از خروج از ایران، یک بار با او در زندان دیدار و وداع کنم.»[۶۰]

در دورانی که هویدا هنوز در زندان شاه بود، حدود سه هفته پیش از ورود آیت‌الله خمینی به ایران، مقامات فرانسوی بار دیگر از طریق رابط معتمدی، با دکتر فرشته انشاء تماس گرفتند و از او خواستند موافقت هویدا را برای یک عملیات کماندویی جلب کند. قرار بود کسی زندان‌بان‌های هویدا را به مدد دوایی مخصوص به خواب کند. آن‌گاه یک گروه کماندوی مزدور و زبده‌ی آمریکایی هویدا را از زندان به فرودگاه ببرد و به وسیله‌ی هواپیما ویژه‌ای از ایران خارجش کند. می‌گفتند حتی پیش از این که مقامات ایرانی بدانند که هویدا از زندان گریخته از خاک ایران خارج خواهد بود. هویدا به جزئیات طرح فرانسوی‌ها گوش داد و آن‌گاه به خنده‌ای تلخ گفت: «مثل این که زیادی فیلم‌های جیمز باند دیده‌اند.»[۶۱]

اما روزی که هویدا از مقدم شنید که شاه و ملکه به زودی ایران را ترک خواهند گفت روحیه‌اش یکسره دگرگون شد. افق دیگر، کاملاً تیره و تار می‌نمود. هویدا پیش از این تاریخ همواره خانواده‌اش را از تماس با شاه یا ملکه منع کرده بود. اما وقتی یک هفته پیش از عزیمت شاه از ایران، مقدم خبر

این سفر را به هویدا داد، نه تنها نگرانی‌اش دو چندان شد، بلکه این بار، وقتی دکتر فرشته انشاء توصیه کرد که با خاندان سلطنت تماس بگیرد و از آنها بخواهد که هنگام ترک ایران هویدا را هم با خود ببرند، هویدا مقاومت و مخالفتی نکرد. تنها به ذکر یک نکته بسنده کرد و گفت: «تماس بگیر، ولی بدان که جوابت را هم نخواهند داد.»[۶۲]

حدسش از قضا درست درآمد. دکتر فرشته انشاء چندین بار، به ویژه از طریق فریدون جوادی، کوشید با ملکه دیدار کند. تلاش‌هایش همه ناکام ماند. به واسطه‌های دیگر توسل جست و آنها نیز هیچ کدام مفید فایده‌ای نشدند. وقتی هویدا شنید که خاندان سلطنت حاضر به دیدار با فرشته نشدند، ناگهان حالتی از یأس و دلزدگی شدید بر چهره‌اش مسلط شد. گفت: «اگر روزی از تو پرسیدند که در این لحظه چه احساسی داشتم، بگو، "j´ai été ecoeure" یعنی، در او حالتی از انزجار بود.»[۶۳]

شاه در حالی که اشک در چشمانش حلقه زده بود، در **۲۶** دی **۱۳۵۷** ایران را ترک گفت. خبر سفر شاه تظاهرات شورانگیز و به ظاهر خودانگیخته‌ای را در تهران به همراه داشت. انگار همه می‌دانستند که با این سفر، تومار دودمان پهلوی هم بسته شد. در مرداد ۱۳۵۶، سالیوان پیش‌بینی کرده بود که، «فشارهای ناشی از دمکراسی واقعی ممکن است بافت جامعه‌ی ایران را از هم بپاشد ... پیشتر هم تحولات مشابهی در ایران رخ داده بود و هر بار آمریکا کمک کرد تا "امنیت داخلی" برقرار گردد. اگر منافع خود را در ماندن شاه می‌بینیم، ... باید دقیقاً ببینیم چه کاری در این زمینه از دست ما بر می‌آید.»[۶۴] ولی ظاهراً آمریکا به این نتیجه رسید که ماندن شاه دیگر با منافع‌اش عجین نیست. نه تنها از آن پس گامی در جهت کمک به شاه برنداشتند، بلکه اصولاً از سیاست واحدی هم پیروی نمی‌کردند. برخی طرفدار سیاست سرکوب بودند؛ بعضی دیگر، چون سالیوان دایم به شاه توصیه می‌کردند که یک "دولت ائتلافی" سرکار بیاورد.[۶۵] به‌علاوه، همین سالیوان دست کم از دی ماه **۱۳۵۷**

به این نتیجه رسیده بود که آمریکا باید شاه را واگذارد. می‌گفت، «شاه را باید فراموش کنیم و در پی منافع ملّی خویش باشیم.»[۶۶] در واقع می‌توان گفت که حتی از آذر سال پیش سالیوان به این نتیجه رسیده بود که شاه چاره‌ای جز ترک ایران ندارد. می‌گفت شاید از این راه، «بتوان ظاهر قانون اساسی را حفظ کرد و نیروهای ارتشی را دست نخورده باقی گذاشت.»[۶۷]

شاه در ۲۶ دی ماه، درست یک روز بعد از رأی اعتماد مجلس به کابینه شاپور بختیار، از ایران خارج شد. بختیار عمری در جبهه ملی علیه رژیم شاه مبارزه کرده بود و زمانی نخست‌وزیر شد که از جلال و جبروت این مقام و قدرت سیاسی آن، جز هاله‌ای رنگ باخته چیزی باقی نمانده بود. در واقع از همان روز اول صدارت بختیار، معلوم بود که بخت پیروزی چندانی ندارد. نیروهای عرفی مسلک جامعه از او حمایتی نکردند. جبهه ملّی او را از صفوف خود اخراج کرد و ارتش هم به او اعتمادی نداشت. به‌علاوه از اوایل فوریه سفارت آمریکا نیز نظر خود را در مورد آینده‌ی ایران تغییر داد و به این نتیجه رسید که، «به تخمین ما، جنبش اسلامی شیعیان ایران، به رهبری آیت‌الله خمینی، به مراتب متشکل‌تر، روشن‌اندیش‌تر، و ضدکمونیست‌تر از آن چیزی است که مخالفان اسلام تاکنون به ما القاء کرده بودند. بعید نیست در جریان حکومت کردن، نوعی وحدت و همکاری میان نیروهای روشنفکری ضدروحانی و روحانیون پدید آید و حاصل چنین دمکراسی، چیزی در مقوله‌ی دمکراسی غربی می‌تواند بود.»[۶۸]

بختیار در نخستین هفته صدارتش، ساواک را منحل کرد. ولی آن‌چه به راستی نشان پایان عصر پهلوی و صدارت بختیار محسوب می‌شد، "اعلامیه بی‌طرفی ارتش" بود. می‌بینیم که در ۲۲ بهمن ۱۳۵۷ دیدار مهمی میان قره‌باغی و بختیار و بازرگان صورت گرفت. در واقع قره‌باغی پس از خروج از ایران، همواره تأکید و تصریح داشت که اعلان بیطرفی ارتش در جلسه فرماندهان ارتش به تصویب رسید و هیچ زمینه دیگری نداشت. ولی اسناد

سفارت آمریکا در ایران از داستانی دیگر حکایت می‌کند. بر اساس این اسناد، در عصر یازدهم فوریه، قره‌باغی، رئیس ستاد ارتش، بختیار نخست‌وزیر، و بازرگان با یکدیگر دیدار کردند «و قرار شد که قره‌باغی نیروهای ارتش را از تهران خارج کند و شهر را در اختیار نیروهای انقلابی بگذارد.»[۶۹] بدین سان، گام نخست در خنثی کردن ارتش، و تسهیل روی کار آمدن روحانیون برداشته شد.

با اعلان بیطرفی ارتش سربازان یا از پاسگاه‌ها و سربازخانه‌ها گریختند، یا اگر در خیابان‌ها مستقر بودند، به سربازخانه‌ها بازگشتند. در تمام این دوران، هویدا هنوز در انتظار یک کودتای نظامی بود. بعدها البته معلوم شد که انتظارش یکسره هم دون کیشوت وار نبود. روز پس از اعلان بیطرفی ارتش، درست چند ساعت بعد از آن که بسیاری از سران ارتش بازداشت شده بودند، سفارت آمریکا در تهران تلگرافی از کاخ سفید دریافت کرد. دولت آمریکا از این طریق موافقت خود را با یک کودتای نظامی از سوی ارتشیان ایران اعلام کرد.[۷۰] واقعیت این بود که پیشتر، همین کاخ سفید، ژنرال هویزر را به این کشور فرستاده بود تا ارتش ایران را از اقدام به کودتای در دفاع از شاه برحذر کند. به فرماندهان گفته بود آمریکا چنین کودتایی را برنخواهد تابید.[۷۱] طبعاً تصمیم جدید دولت آمریکا نیز مانند بسیاری از سیاست‌های خود شاه تنها نوشداروی بعد از مرگ سهراب بود.

با اعلان بیطرفی ارتش، نگهبانان هویدا که همه عضو ساواک بودند از بیم جان گریختند. به هویدا هم توصیه کردند فرار کند. برای تسهیل کارش کلید یک اتوموبیل و یک قبضه هفت تیر در اختیارش قرار دادند.[۷۲] هویدا توصیه نگهبانان خود را نادیده گرفت. به جای فرار، به دکتر فرشته انشاء زنگ زد و گفت می‌خواهد خود را تسلیم مقامات جدید کند و از فرشته خواست که ترتیب این کار را فراهم کند. در کشاکش این تصمیمات، هویدا به یک نفر دیگر هم زنگ زد. یک هفته پیش، لیلا امامی برای درمان دندان‌هایش به

پاریس رفته بود. آخرین دیدارش با هویدا به مشاجره‌ای لفظی انجامیده بود. لیلا از برخورد هویدا با شاه عصبانی شده بود. می‌گفت برخورد او انفعالی و زبونانه است. حال که هویدا چاره‌ای جز انتظار نداشت، به پاریس زنگ زد و جویای احوال لیلا شد. لیلا که اخبار ایران را از طریق مطبوعات فرانسوی دنبال می‌کرد پاسخ داد که، «من را ول کن، حال تو مهم است. چطوری؟» هویدا جواب داد که حال خودش بد نیست، ولی نگران وضع مملکت است. لیلا توصیه کرد که هویدا از فرصت استفاده کند و هر چه زودتر از محبسش فرار کند. هویدا پیشنهاد لیلا را هم نپذیرفت می‌گفت «دلیلی ندارد بترسم، کاری نکرده‌ام. می‌خواهم خودم را تسلیم کنم. به دوستان فرانسوی‌ام خبر بده.»[۷۳] و این واپسین گفتگوی تلفنی هویدا بود.

دکتر فرشته انشاء بالاخره توانست با داریوش فروهر، که از وزرای کابینه‌ی جدید بود، تماس برقرار کند. به کمک او گروهی متشکل از یک روحانی، یک گارد مسلح، یک نماینده‌ی وزارت دادگستری، همراه با فرشته‌ی انشاء و شوهر خواهرش در دو اتوموبیل سواری به ویلای ساواک در شیان، نزدیک تهران، شتافتند. هویدا چند هفته‌ی اخیر را در این ساختمان گذرانده بود. خیابان‌های شهر همه شلوغ بود. مردم هیجان زده در پیاده‌روها و خیابان‌ها پرسه می‌زدند. شور بی‌سامان و ترور خودانگیخته‌ی انقلاب در هوا موج می‌زد. جوانان، اسلحه به دست سرمست از باده‌ی پیروزی، اداره‌ی خیابان‌های شهر را در دست گرفته بودند. شب پیش برخی از انبارهای ارتش مورد حمله‌ی مردم قرار گرفته بود و هفت‌تیرها و مسلسل‌ها و تفنگ‌های "مصادره شده"ای که در دست این جوانان بود همه دستاورد همان یورش‌های شبانه بود. گروه‌های انقلابی نیز در این حملات شرکت داشتند و مقدار زیادی اسلحه از این راه به دست آوردند. یکی از این گروه‌ها حتی یک تانک "مصادره کرده" بود و آن را در یکی دو روز اول انقلاب در خیابان‌های تهران جولان می‌داد. نیروهای انقلابی به زندان‌ها هم یورش بردند. در انقلاب فرانسه، باستیل را فتح

کردند و از آن پس، فتح زندان از مناسک واجب هر انقلاب بود. ولی تا شب انقلاب، بیش و کم تمامی زندانیان سیاسی ایران از زندان آزاد شده بودند. حاصل "فتح باستیل" این بار رهایی آن دسته از سران رژیم سابق بود که کماکان در زندان بودند. البته همهی این زندانیان موفق به فرار نشدند. برخی به دست تودههای هیجان زده افتادند و مورد ضرب و شتم قرار گرفتند و اغلب هم تحویل مدرسه رفاه شدند که هم مقر آیتالله خمینی و هم مرکز فرماندهی انقلاب بود.

در نوردیدن خیابانهای تهران و رسیدن به زندان هویدا کار چندان آسانی نبود. البته این واقعیت که در جمعی که برای تحویل گرفتن هویدا میرفت یک روحانی هم بود کار عبور از خیابانها را آسانتر میکرد. اغلب خیابانها سنگربندی شده بود. جوانان هر محله، اغلب مسلسل به دست، نگهبانی از این سنگرها را به عهده گرفته بودند. هر بار به یکی از سنگرها میرسیدند، روحانی جمع به پاسداران خودانگیختهی انقلاب میگفت که، «ما از طرف امام مأموریت داریم»، و همین کلمات باز شدن راه و سنگر را کفایت میکرد.

به شیان که رسیدند، اوضاع اندکی خطرناک به نظرشان آمد. روستاییان ساکن ده که وجد انقلاب در پوستشان افتاده بود، در اطراف ویلای ساواک، که هویدا در آن حبس بود، جمع شده بودند. به نظر میرسید که نمیدانند چه کسی در آن چهاردیواری زندانی است. با این حال خشمگین به نظر میرسیدند. گویا میدانستند که خانه به ساواک تعلق داشته و همین واقعیت خشمشان را برانگیخته بود. دوباره به کمک آن روحانی، راهی از میان ازدهام روستاییان باز شد و درهای آهنین ویلا را هم، به هر تمهیدی که بود گشودند و وارد صحن ساختمان شدند. جادهای شنی به خود ویلا ره میبرد، و هنوز به انتهای جاده نرسیده بودند که هویدا را دیدند. در ایوان جلوی ساختمان، تنها و بیمحافظ ایستاده بود. بلوز یقه بلند خاکستری رنگی به تن و شلواری تیره رنگ به پا داشت. تازه اصلاح کرده بود. با زندانبانان جدیدش محترمانه روبرو شد و

خوش و بش کرد. می‌گفت چای تازه دم کرده ولی هیچ کس سودای چای در سر نداشت. بیشتر نگران بودند که هر چه زودتر هـویدا را از آنجـا، و از دسترس روستاییان هیجان‌زده خارج کنند. از شوریدگی مردم و هیجان‌زدگی آنها واهمه داشتند. می‌دانستند که هویدا مهم‌ترین زنـدانـی انقلاب است و می‌خواستند هر چه زودتر او را به جای امنی برسانند. اما هویدا افکار دیگری در سر داشت. دایم تأکید می‌کرد که او خود را داوطلبانه تسلیم مقامات انقلاب کرده؛[۷۴] ظاهراً به این دل خوش کرده بود که این واقعیت در هـر دادگاه منصفانه‌ای به نفع او تمام خواهد شد و از گناهانش، هر چه که باشند، خواهد کاست.

در راه آمدن به محبس هویدا، اعضای گروه در نزدیکی ویلای ساواک آمبولانسی دیده بودند که در یکی از خیابان‌های مجاور پارک بود. باکمک مسلسل گاردی که همراه گروه بود، آمبولانس را به تصرف در آوردند و به داخل ویلا هدایتش کردند. آن‌گاه هویدا را به داخل آمبولانس فرا خواندند. روحانی گروه توصیه کرد که هویدا در فضای خالی میان دو سکویی که در پشت آمبولانس قرار داشت، رو به زمین دراز بکشد. می‌گفت هدفش حفظ جان هویدا است. می‌گفت به این ترتیب اگر هم کسی از پنجره بـه درون آمبولانس نگاه بیندازد هویدا را نخواهد شناخت. می‌گفت اگر کسی در میان مردم، هویت هویدا را بشناسد، چه بساکه نتوان جلوی خشونت و حمله‌ی مردم راگرفت. هویدا زیر بار نرفت. در عوض، کلاه کپی تیره‌ای بر سر گذاشت و خود را در گوشه‌ی سکوی دست چپ آمبولانس، حتی‌الامکان دور از ورودی و پنجره، جای داد و فرشته انشاء کنارش نشست و نماینده دادگستری هم در کنار او جای گرفت. دیگران در سکوی مقابل نشستند. تخت آمبولانس دو گروه را از هم جدا می‌کرد. روحانی گروه در اطاق جلوی آمبولانس، کنار راننده نشست. گمان این گروه این بود که حضور روحانی در کنار راننده راه پرخطر بازگشت را بر ایشان هموار خواهد کرد. در طـول راه، هـر بـار کـه

آمبولانس ناچار به توقف می‌شد، گروهی از مردم آمبولانس را دور می‌کردند و همواره چند چشم کنجکاو به شیشه‌ی در عقب آمبولانس می‌چسبید و درون را می‌کاوید. اما هویدا کلاهش را تا نزدیک ابروانش پایین کشیده بود و یکسره در سایه‌ی فرشته نشسته بود و به همین خاطر، از بیرون درست دیده و شناخته نمی‌شد.

امید گروه که وجود روحانی سفرشان را بی‌خطر خواهد کرد دیر نپایید. نزدیک یکی از سنگرهای خیابان، جوانان محافظ و مسلسل به دست فرمان ایست دادند، اما راننده فرمانشان را به موقع نشنید و آنها هم آتش گشودند و از قضا تنها خود راننده را مجروح کردند. گروه بالاخره پس از دردسرهای زیاد همراه هویدا، به دفتر مرکزی جبهه‌ی ملّی ایران رسید. دولت آمریکا از اوایل دهه‌ی چهل کوشیده بود جبهه‌ی ملّی را در ایران سرکار بیاورد. طرفه آن که این تلاش‌ها بالاخره به فرجام رسید، اما نه در دوران سلطنت شاه، بلکه زیر نگین یک روحانی.

در دفتر مرکزی جبهه ملّی، آمبولانس حامل هویدا را به گاراژی زیرزمینی هدایت کردند. آن گاه هویدا را به سرعت به بخش خلوتی از ساختمان بردند. داریوش فروهر خود به استقبال زندانی آمد و با هویدا رفتاری سخت محترمانه داشت. میوه و نوشابه سفارش داد. چند دقیقه با هویدا گفتگو کرد. ساعت بعد را هویدا در همان اطاق گذراند. ساختمان پر از اعضای سابق و تازه جبهه‌ی ملّی بود. از تمام کسانی که در آن شب در آن ساختمان جمع بودند، تنها انگشت شماری از آنان می‌دانستند که هویدا در یکی از اطاق‌های آن جا موقتاً زندانی است. در این فاصله فروهر و دو تن از یارانش درگیر مسأله هویدا بودند. نمی‌دانستند او را باید به کجا تحویل داد. سرانجام بر آن شدند که او را به مدرسه رفاه ببرند که دیگر ستاد فرماندهی انقلاب به شمار می‌رفت. هویدا از این جهت با فروهر تماس گرفته بود که در واقع می‌خواست خود را تسلیم دولت موقت بازرگان کند. اما فروهر، پس از مدتی بحث و تبادل نظر با

همکارانش، سرانجام هویدا را به مدرسه رفاه تحویل داد. در حقیقت با این کار
قدرت دولت موقت به شدت تضعیف می‌شد. به گمان من این تصمیم به ظاهر
ساده، در چشم‌انداز تاریخی، اهمیتی ویژه داشت. می‌توان گفت که نشان و
نطفه‌ی تحولات ایران در چند ماه بعد از انقلاب، یعنی به طور مشخص
تضعیف تدریجی دولت موقت و تقویت روزافزون قدرت روحانیون و
کمیته‌ها را می‌توان در همان تصمیم ظاهراً ساده درباره‌ی هویدا سراغ کرد.
مهم‌تر از همه این که این تصمیم‌گیری چه بسا که در سرنوشت هویدا هم نقشی
تعیین‌کننده داشت. ولی در آن شب پرهیجان مسأله‌ی عمده‌ی فروهر و یارانش
چگونگی انتقال زندانی به زندان بود. هوا سرد بود. گروهی که هویدا را از
زندان شیان تحویل گرفته بود، دوباره به حرکت درآمد. برف آمده بود و
خیابان‌های شهر را می‌پوشاند.

خیل عظیمی از مردم در خیابان‌های اطراف مدرسه رفاه پرسه می‌زدند.
آمبولانس هویدا به زحمت راهی از این خیابان باز کرد و به در آهنین مدرسه
نزدیک شد. لحظاتی طول کشید تا در را از داخل باز کردند و آمبولانس به
صحن مدرسه راه یافت. دکتر فرشته انشاء و روحانی جمع، همراه همان گارد
مسلح، هویدا را به طبقه‌ی دوم ساختمان همراهی کردند. از پله‌ها بالا رفتند و به
راهرویی دراز و تاریک رسیدند. چند لامپ ضعیف تنها منبع نور راهرو بود.
میز فلزی فیلی رنگی دیدند که پشت آن جوانکی نشسته بود. دمپایی پلاستیک
به پا و مسلسل به دست داشت. ته ریشی چهره‌اش را تیره می‌کرد. وجناتش
ناآراسته می‌نمود. آن سوی میز، در نزدیکی جایی که جوانک نشسته بود،
جلوی در بسته‌ی اطاقی که تا چند روز پیش کلاس درس بود، تلی از کفش‌های
گونه گون و دمپایی‌های مختلف انبار شده بود. هویدا را به اتاق کوچکی در
طرف مقابل راهرو بردند. پنجره‌های اطاق را روزنامه‌های قدیمی پوشانده
بود. در یکی از آنها تیتر درشت روزنامه دیروز به چشم می‌خورد: «دیو که
بیرون رود فرشته در آید.» هویدا اکنون در ساختمانی زندگی می‌کرد که در

عین حال محل سکونت رهبر انقلاب نیز بود. وقتی دکتر فرشته انشاء خسته و درمانده از فراز و فرودهای آن روز پرآشوب، از در مدرسه رفاه بیرون آمد، شنید که مردم، به پچ پچ می‌گویند: «هویدا را الان آوردند.»۷۵

فصل پانزدهم

قاضی انقلاب

نام پاک من، زندگی فقیرانه‌ام،
شهادتم علیه تو، و مقامم در دولت
چنان بر دعاویت سایه خواهند انداخت
که تو در سایه‌ی روایتت جان خواهی باخت
آن‌چه دل تنگت می‌خواهد بگو، دروغ من زورآورتر
از حقیقت‌های توست.
شکسپیر

آنان که از شهره شدن به بدنامی در نزد مخالفانشان نمی‌هراسند، موجوداتی سخت خطرناک‌اند. بعد از انقلاب، سرنوشت هویدا در کف چنین شخصیتی بود. شیخ صادق خلخالی نام داشت و آن چنان که خود در خاطراتش می‌گوید از طرف مخالفانش به قاضی قاتل ملقب شد.[1] تصادف تاریخ و ضرورت انقلاب او را به جایگاهی به غایت پراهمیت برکشانده بود.

روستا زاده بود و تحصیل چندانی نداشت. به قم آمده بود تا درس طلبگی بخواند. چهره‌ی گِردش، لبان برآمده‌اش، ابروان پرپشتش، چشمان ریزش، ریشش که از چانه‌ی برآمده‌اش بیرون می‌زد، و بالاخره عمامه‌ی گل و گشادش همه او را به هیأت یکی از سوارانی در می‌آورد که در اغلب مینیاتورهای ایرانی دیده می‌شود. خلخالی ذهنی ساده داشت. در عین حال بی‌باک و بی‌پروا هم بود و همین خصلتش او را به یکی از پیروان آیت‌الله خمینی بدل کرده بود. کارهایی به او محول می‌شد که بیشتر شجاعت می‌طلبید. برای مثال،

در سال ۱۳۴۲ گویا شماری از مأموران ساواک قصد داشتند یکی از جلسات سخنرانی آیت‌الله خمینی را در مدرسه‌ی فیضیه به هم بزنند. آیت‌الله خمینی هم از طریق صادق خلخالی پیامی برایشان فرستاد. گفته بود اگر در سخنرانی‌ام اخلالی کنید، آن‌گاه عمامه‌ام را تحت‌الحنک می‌کنم و در پیشاپیش مردم به راه می‌افتم و آنان را به صحن حرم حضرت معصومه خواهم برد.[۲] چند ماهی پس از این رویارویی، آیت‌الله خمینی به ترکیه و بالمآل به عراق تبعید شد. خلخالی هم مدّتی در زندان افتاد و سپس به دهی در یکی از مناطق دور افتاده‌ی ایران تبعید شد.

در آستانه‌ی انقلاب، خلخالی خاطرات تبعیدش را به چاپ سپرد. اثری به راستی حیرت‌آور و تکان‌دهنده بود. شعارهای ضداستعماری را با مشتی شایعه‌ی بی‌اساس ترکیب می‌کرد و هر دو را به زبانی که از لحاظ سبک ضعیف، و از لحاظ لحن پر از یقین بود تحویل خوانندگان می‌داد. رشحات قلمی او عرصه‌ی تحقیقات تاریخی را هم در بر می‌گرفت. رساله‌ای پنجاه و هشت صفحه‌ای در مورد کورش کبیر نوشت. می‌گفت این تحقیق را در دوران شاه به قلم آورده بود و ساواک از چاپ و پخش آن جلوگیری می‌کرد. می‌گفت ساواک اجازه نمی‌داد که ثمره‌ی تأملات خود را با خلق خدا در میان بگذارد. معتقد بود کورش کبیر، جانی بالفطره و لواط دهنده‌ای بی‌مقدار بیش نبود.[۳]

اما غریب این است که خلخالی، به‌رغم همه‌ی این صفات و عقاید حیرت‌آور، بعد از انقلاب، به دستور مستقیم آیت‌الله خمینی، رئیس دادگاه انقلاب تهران شد. او را می‌توان از منادیان اصلی "نظریه‌ی املت انقلاب" خواند. منادیان این نظریه، خشونت‌ها و خون‌ریزی‌ها و ترور همزاد انقلاب را به‌سان ابزار و اسباب ضروری تحولات اجتماعی می‌پسندند و می‌ستایند. خلخالی نه‌تنها از این نظریه طرفداری می‌کرد، بلکه تجربیات کودکی و جوانی و دوران تبعیدش هم در او تلخی‌ی خوف‌آوری پدید آورده بود. سه ماه از

انقلاب نگذشته بود که روزی خلخالی، با افتخار تمام، به روزنامه‌نگاری خبر داد که تا کنون دست کم چهارصد نفر را به جوخه‌ی اعدام سپرده است. از همان وقت از طرف مخالفان جمهوری اسلامی لقبِ "قاضی قاتل" نصیبش شد.

در یک کلام، خلخالی، شاید بیش از هر کس دیگر، نماد خشن‌ترین نیروهای انقلاب اسلامی بود و از قضا کار تعیین سرنوشت یکی از فرهیخته‌ترین و با خردترین چهره‌های رژیم گذشته به او واگذار شده بود. تقابل این دو نفر، مصداق تقابل دو جهان‌بینی و دو سبک زندگی و دو نگرش تاریخی یکسره متضاد بود. انگار تاریخ، چون کارگردانی زبردست، عصاره‌ی افراطی‌ترین وجوه مثبت و منفی رژیم فاتح و مفتوح را در برابر یکدیگر قرار داده بود.

چند و چون نخستین بازجویی‌ها را به اعتبار نامه‌ای می‌دانیم که هویدا مخفیانه به خارج از زندان فرستاد. در روز دهم اسفند ۱۳۵۷، دکتر فرشته انشاء به عنوان طبیب معالج هویدا، در زندان به دیدارش رفت. در حین این دیدار، ناگهان سر و صدایی از جایی بلند شد. نگهبان اطاق ناچار لحظه‌ای از مراقبت هویدا و ملاقات‌کننده‌اش واماند و هویدا هم از همان یک لحظه بهره جست و نامه‌ای را به دست فرشته داد. فرشته هم در عین تردستی و ترس، نامه را در سینه‌بند خود جای داد. می‌گفت، «عرق از سر و صورتم جاری بود، قلبم از هیجان به شدت می‌زد.» از ملاقاتشان یکی دو دقیقه بیشتر نمانده بود. دکتر انشاء کیف طبابتش را برداشت با هویدا خداحافظی کرد و با آرامش به حیاط مدرسه‌ی رفاه وارد شد. در خروجی مدرسه در چند قدمی‌اش بود، اما می‌گفت به نظرش آن سوی دنیا بود. احساس خطر می‌کرد. می‌خواست هر چه زودتر از آن محیط خارج شود؛ در عین حال نمی‌خواست با شتابی بی‌رویه، شک و ظن نگهبانان را برانگیزد. دو قدم بیشتر به در نمانده بود که ناگهان صدای نگهبانی از پشت سر بلند شد. «خانم کجا می‌روی؟» دکتر انشاء برگشت. پیرمردی مسلسل به دست دید. می‌گفت می‌دانستم که باید هر طور شده بر

اعصابم مسلط بمانم. به زبان پراقتدار طبیبی از خودراضی گفت، «دکتر هستم. برای رسیدگی به مریض‌ها آمده بودم.» پیرمرد پوزش خواست و دکتر انشاء هم حرکت خود را به سوی در از سر گرفت. می‌گفت: «احساس می‌کردم هر لحظه ممکن است زانوهایم از کار بیفتند.»[۴]

وقتی سرانجام از حیات مدرسه رفاه خارج شد، ضعف و دلهره چنان بر او مستولی بود که دیگر توان رانندگی نداشت. اتوموبیلش را که در آن نزدیکی پارک بود، همان‌جا گذاشت. با تاکسی به منزل رفت و روز بعد برای برداشتن ماشینش به خیابان‌های اطراف مدرسه بازگشت. به منزل که رسید، قبل از هر چیز نامه‌ی چروکیده هویدا را از مخفی‌گاهش بیرون کشید. تکه کاغذی کوچک بود و در آن مطالبی به فرانسه نوشته شده بود.* هویدا آن‌جا از نخستین بازجویی گفته بود که همان روز صورت پذیرفته بود. نوشته بود مرا بی‌گمان در یک دادگاه اسلامی محاکمه خواهند کرد. می‌گفت، «وکیل مدافعی در کار نخواهد بود. از ما نفرت دارند. گمان می‌کنند هر آن‌چه را که عزیز می‌داشتند ویران کردیم. همه‌ی ما را خواهند کشت. شرایط به مراتب بدتر از چیزی است که تصورش را بتوانی کرد. مرگ در قیاس با این وضع فرجی خواهد بود.» دادگاه خلخالی تجسم این نفرت بود.

* * *

پاسی از نیمه شب می‌گذشت که هویدا را به دادگاه خلخالی وارد کردند. چند روزی به نوروز بیش نمانده بود و از انقلاب هم یک ماه نمی‌گذشت. تهران که در آن چهار فصل مختلف سال را تجربه می‌توان کرد واپسین شب‌های یخ‌زده‌ی زمستانی سرد را پشت سر می‌گذاشت. هویدا را از خواب

---

* اصل نامه در اختیار دکتر فرشته انشاء است. بخش‌هایی از آن به گمانش یکسره خصوصی‌اند و چاپشان مناسب نیست. با او توافق کردیم که متن کامل نامه را با هم بخوانیم و من تنها قسمت‌هایی را نقل کنم که او مناسب چاپ بداند. روزی در پاریس، در منزل مادر دکتر انشاء، نامه را با هم خواندیم. دکتر فرشته انشاء در گوشه‌ای نشسته بود و با شنیدن کلمات هویدا، آرام آرام می‌گریست.

بیدار کردند. دستور دادند لباسش را به تن کند. ضعیف و رنگ پریده به نظر می‌رسید. [۵] عینک تازه‌اش را بر چشم گذاشت. در بلبشوی ساعات اول انقلاب عینکش را گم کرده بود. در ملاقات بعدی از دکتر فرشته انشاء خواست که عینک تازه‌ای برایش فراهم کند. در عکسهایی که روزنامه‌ها از دادگاه اول هویدا منتشر کردند، فرشته همین عینک جدید را بر چهره‌ی متهم دید. [۶] دو روزی بود که اصلاح نکرده بود. ته ریشش، سایه‌ای بر چهره‌ی رنگ باخته‌اش می‌انداخت. به علاوه، در چند هفته اخیر، حدود ۲۰ کیلو وزن کم کرده بود. چهره‌ای تکیده و حالتی درمانده داشت. پیش از آن که از اطاق درسی که به زندان بدل شده بود بیرون بیاید، نگهبانان او را واداشتند تا مقوایی را که از دو سر به نخی وصل بود دور گردنش بیاویزد. این ارمغان سنگدلی‌های انقلاب فرهنگی چین بود. در آن روزهای پرآشوب، رهبران مغضوب حزب را، کلاه بوقی بر سر، و مقوایی بر سینه، در خیابان‌ها می‌گرداندند و گاردهای سرخ هم که خود را تنها پاسداران پالودگی انقلاب می‌دانستند، بر این بخت برگشتگان لعن و طعن می‌گفتند و گاه حتی مورد ضرب و شتمشان قرار می‌دادند. در مورد هویدا نیز، آویزه‌ی تحقیر و استغفارش تکه مقوایی بود که در آن به شلختگی دو سوراخ تعبیه کرده بودند و مقوا را در حالی که نامش بر آن نوشته بود، بر گردنش آویختند. [۷] لباس نامرتب هویدا، حالت بهت‌زده‌اش، و از همه بدتر زمان غیرمتعارف شروع دادگاه، همه جزئی از تلاش قاعدتاً سازمان یافته گردانندگان دادگاه برای تحقیر زندانی و در هم شکستن روحیه‌ی مقاومت او بود.

از وجنات هویدا، هنگام ورودش به دادگاه، بر می‌آمد که شاید این شگردهای تحقیرآمیز مؤثر واقع شده بود. او با حالتی گیج و منگ و با قیافه‌ای یکسره آشفته وارد اطاق بزرگ دادگاه شد. بر چهره‌اش عرق نشسته بود. روزنامه‌نگارانی که در جلسه حضور داشتند، در گزارش‌های خود نوشتند که وقتی هویدا وارد اطاق شد، هیچ نمی‌دانست کجاست و به چه علت او را به

درون این جمع کشانده‌اند.[۸] قاعدتاً قیافه‌ی عبوس خلخالی شأن نزول جلسه را برایش روشن کرد. حالات هویدا همه از التهاب و اضطراب درونش حکایت می‌کرد. چشمانش دو دو می‌زد و دلهره در چهره‌اش نمایان بود. حدود سیصد نفر در اطاق جمع بودند.[۹] از خانواده‌ی متهم کسی در آن میان نبود. به‌علاوه، از آن دسته مردمی که معمولاً از سر کنجکاوی به دادگاه رو می‌کنند نیز در جمع نشانی نبود. محکمه‌ی هویدا لحظه‌ای تاریخی بود. حضور در این صحنه در انحصار برگزیدگان انقلاب بود. هویدا به سرعت حضار جلسه را برانداز کرد. دریافت که در آن میان دو سه چهره‌ی نسبتاً آشنا بیشتر نیست. رئیس دادگاه را از قبل دیده بود و دو نفر از روزنامه‌نگاران را نیز از دوران صدارتش می‌شناخت.

هویدا را در تنها صندلی خالی اطاق نشاندند. با حالتی خموده در صندلی جای گرفت. سر در شانه فرو برد. دو دستش را، از سر استیصال، بی‌حرکت بر زانوهایش لماند. اما چند دقیقه بعد دوباره بر خود مسلط شد. همه عمر به انعطاف و سازش شهرت داشت. می‌گفتند از این راه از هر مهلکه‌ای جان سالم به‌در می‌تواند برد. دوران دراز صدارتش را هم به همین اصل تأویل می‌کردند. آیا او این بار نیز می‌توانست با تکیه به همین فضایل جان خود را نجات دهد؟ وقتی فهمید او را برای محاکمه به این اطاق آورده‌اند، خیالش اندکی راحت شد. می‌خواست پیش از شروع کار دادگاه فضای پرتنش و خشن اطاق را به نفع خود تغییر دهد. همه می‌دانستند که او انسانی سخت مبادی آداب است. به رئیس دادگاه رو کرد و از نحوه لباس پوشیدنش پوزش طلبید. می‌گفت تنها لباسم همین است که پوشیده‌ام. آن‌گاه به لحنی پرطنز اضافه کرد که، «این‌جا اسم من را همه می‌دانند» و از رئیس دادگاه اجازه خواست که مقوایی را که به گردنش آویخته بودند، از گردن بردارد.[۱۰] خلخالی موافقت کرد. یکی از روزنامه‌نگاران از فرصت استفاده جست و قبل از شروع مراسم، از هویدا پرسید که آیا نویسنده‌ی واقعی **به سوی تمدن بزرگ** را می‌شناسد. کتاب البته

به نام شاه چاپ شده بود، اما همه می‌دانستند که کار قلم او نیست. هویدا با احتیاطی کامل، زیر لب، جواب داد که، «از قول من ننویسید، ولی به کمک شجاع‌الدین شفا نوشته شده بود.»*[۱۱] البته آن روزنامه‌نگار هم فردا همین مطلب را از قول هویدا نقل کرد. هنوز گفتگوی کوتاه هویدا و روزنامه‌نگار پایان نگرفته بود که کسی تلاوت آیاتی از قرآن را آغازید. بسم‌الله الرحمن الرحیمی گفت و آیه‌ای از قرآن خواند. دیگر انگار رسمی واجب بود که همه‌ی مراسم رسمی را با تلاوت آیاتی از قرآن بیاغازند. مسلمانان بر این قول‌اند که زبان خدا عربی است. همان‌طور که در قرون وسطی، زبان لاتین را تنها زبان مجاز کلیسا می‌دانستند. در کشورهای مسلمان هم آیات قرآن و ادعیه‌ی گونه‌گون را تنها به عربی می‌خوانند. البته انگار هیچ کار خدا خالی از رمز و راز نیست. آن شب هویدا را به عنوان "محارب با خدا" و "مفسد فی‌الارض" محاکمه می‌کردند، اما در میان سیصد نفری که در اطاق جمع بود، قاعدتاً کمتر کسی عربی را به خوبی هویدا می‌دانست.

پس از تلاوت آیاتی از قرآن خلخالی آغاز به سخن کرد. او نیز نخست بسم‌الله الرحمن الرحیمی گفت و سپس اعلان کرد که دادگاه رسمی است. البته وقتی واژه‌ی "دادگاه" را به زبان می‌آوریم، پدیده‌ای مشخص، با خصوصیاتی ویژه، در ذهنمان نقش می‌بندد. فضایی به نظرمان می‌آید که در آن جای هر کس ـ از رئیس دادگاه گرفته تا متهم و دادستان و وکیل مدافع و هیأت منصفه و

---

* هویدا این کتاب را نیک می‌شناخت. در سال ۱۳۵۴ نوشته شده بود و بارها به عنوان طرح دقیقی برای عظمت ایران مورد ستایش مقامات دولت ایران قرار گرفته بود. قرار بود فریدون هویدا، سفیر وقت ایران در سازمان ملل، کتاب را به فرانسه برگرداند. شاه به دلایلی که چندان روشن نیست سخت عجله داشت که کتاب هر چه زودتر در غرب نشر پیدا کند. فریدون هویدا، که روشنفکری فرهیخته بود، نقطه ضعف‌های کتاب و به‌خصوص مصادیق متعدد بلندپروازی‌های حیرت‌آور آن را می‌شناخت. چندین بار در این باب به برادرش امیرعباس شکایت کرده بود. هویدا در جواب می‌گفت: «مگر فکر نمی‌کنی خودم هم اینها را می‌دانم.» در عین حال تأکید داشت که به‌رغم همه‌ی این نقطه‌ضعف‌ها، کتاب از اهمیتی ویژه برخوردار است. فریدون هم به‌رغم ایراداتی که به کتاب داشت، کار ترجمه آن را ادامه داد.

حضار ـ تعیین و تفکیک شده است. می‌دانیم که در چند و چون این فضا، و جایگاه نسبی هر یک از افراد، حکمت و معنایی نهفته است. در یک سو، رئیس دادگاه می‌نشیند. جایگاهش معمولاً بر مصطبه‌ای است فراز دیگران. این فاصله، و این برتری، هر دو نماد بی‌طرفی و عدالت خداگونه‌ی رئیس دادگاه‌اند. به‌علاوه، متهم و دادستان نیز هر دو، در فاصله‌ای مساوی، در مقابل رئیس جای می‌گیرند. این فاصله‌ی یکسان، این دوری مشابه، تصادفی نیست و از اهمیت نمادین ویژه‌ای برخوردار است. در آن این نکته مستتر است که متهم و دادستان، شاکی و متشاکی، هیچ‌کدام به رئیس نزدیک‌تر نیستند. هیچ‌کدام از امتیاز ویژه‌ای برخوردار نیستند. جمعیت حاضر در دادگاه را نیز معمولاً از رئیس و از دادستان و از متهم و از هیأت منصفه جدا و دور نگه می‌دارند. در یک کلام، فضای دادگاه فضایی است قدسی و مستقل از قیل و قال مردم.

اما در دادگاه خلخالی ـ و در دیگر دادگاه‌های انقلاب ـ دادستان و رئیس دادگاه و هیأت نظار بر دادگاه همه پشت میز واحدی می‌نشستند. انگار همگی در صفی واحد و متحداند و متهم هم خصم مشترک آنان است و در صف مقابل جای دارد. به‌علاوه، هویدا را در صندلی کوچکی، درست در میان مردم و ساعد به ساعد آنان، نشانده بودند. در واقع در پس این ظاهر بی‌پیرایش دادگاه، در پس بی‌اعتنایی آن به مناسک و مراسم مألوف حقوقی، نوعی خشونت خطرناک، نوعی اعلام بی‌قانونی، نوعی خون‌خواهی هیجان‌زده‌ی توده‌ای به خشم آمده نهفته بود. از همه بدتر این بود که کیفر خواست را نیز آشکارا چون وحی مُنزل می‌دانست. گویی حقانیت آن را خدا و تاریخ تضمین کرده‌اند. انگار نه انگار که مفاد هر کیفرخواست، چیزی جز مشتی اتهام نیست و کار دادگاه دقیقاً رسیدگی به چند و چون هر یک از اتهامات است. از گفتار و کردار خلخالی چنین برمی‌آمد که او وظیفه‌ی خود را نه داوری در مورد صحت و سقم اتهامات که صرفاً مجازات متهم می‌دانست. شاید به همین خاطر بود که برای هویدا میزی که بر آن بتواند مدافعات خود را در برابر

کیفرخواست صورت‌بندی کند، تدارک نکرده بودند. شاید در چند و چون فضای این دادگاه این اصل مهم و خطرناک مستتر بود که اصولاً اتهامات کیفرخواست دفاع بردار نیست، نه تنهاگناه که مجازات متهم هم از پیش تعیین شده است. شاید به همین خاطر بود که هویدا نیز با بی‌اعتنایی کامل به متن کیفرخواست گوش می‌داد.

کیفرخواست علیه هویدا، سندی پراهمیت بود. او بالاترین مقام رژیم گذشته بود که به دست رژیم اسلامی افتاده بود. پانزده سال در کانون قدرت بود. نامش همزاد ناکامی‌ها و دستاوردهای رژیم پهلوی شده بود. انقلاب اسلامی با تکیه بر شعارهایی کلی به قدرت رسیده بود. رهبران انقلاب هرگز جزئیات برنامه‌های احتمالی خود را شرح نمی‌کردند. می‌گفتند بر انداختن سلطنت درمان همه دردهای اجتماعی است. می‌گفتند بحث در جزئیات را باید "به بعد از رفتن شاه" موکول کرد. حال که شاه رفته و انقلاب به پیروزی رسیده بود، دادگاه هویدا فرصتی بود تا رهبران انقلاب مشروعیت خواستهای خود را به اثبات برسانند. به‌علاوه، نقض حقوق بشر، دادگاه‌های نظامی و فرمایشی از مهم‌ترین شکایات مردم و مخالفان علیه رژیم سابق بود. انقلاب ظفرمند اکنون می‌توانست با مثال و در عمل، مفهوم عدالت تازه‌ای را که مرادش بود به جهانیان نشان دهد. می‌توانست گذشته را به پای میز محاکمه بکشاند و گوشه‌های تاریک تاریخ معاصر را روشن کند. اما متأسفانه سودای قصاص عجولانه و مکافات خونین بر علم و حلم چیره شد. در دادگاه هویدا، نه از حقایق تاریخی‌ی تازه و اقاریر شگفت‌انگیز نشانی بود و نه از درایت قضایی. به جای این همه، مفهوم تازه‌ای از "عدالت" رخ نمود که خود را انقلابی می‌خواند و می‌دانست.

متن کیفرخواست چنین بود:

بر اساس کیفرخواست امیرعباس هویدا فرزند حبیب‌الله شماره شناسنامه ۳۵۴۲ صادره

تهران متولد ۱۲۹۵ وزیر سابق دربار شاهنشاهی منقرض و نخست‌وزیر اسبق شاه سابق تبعه ایران متهم به:

۱ـ فساد در ارض.

۲ـ محاربه با خدا و نایب امام زمان علیه‌السلام.

۳ـ قیام بر علیه امنیت و استقلال کشور با تشکیل کابینه‌های دست نشانده آمریکا و انگلیس در حمایت از منافع استعمارگران.

۴ـ اقدام بر ضد حاکمیت ملی، دخالت در انتخابات مجلس، عزل و نصب وزرا و فرماندهان به خواست سفارتخانه‌های خارجی.

۵ـ واگذاری منابع زیرزمینی نفت، مس، و اورانیوم به بیگانگان.

۶ـ گسترش نفوذ امپریالیسم آمریکا و همدستان اروپایی در ایران از طریق هدم منابع داخلی و تبدیل ایران به بازار مصرف کالاهای خارجی.

۷ـ پرداخت درآمدهای ملی حاصله از نفت به شاه، فرح و ممالک وابسته به غرب و سپس اخذ وام با نرخهای بالا و گزاف و شرایط اسارت بار از آمریکا و دول غرب.

۸ـ نابود ساختن کشاورزی و از بین بردن جنگل‌ها.

۹ـ شرکت مستقیم در فعالیت‌های جاسوسی به نفع غرب و صهیونیسم.

۱۰ـ دسته‌بندی با توطئه‌گران در سنتو و ناتو برای سرکوبی ملت‌های فلسطین و ویتنام و ایران.

۱۱ـ عضو فعال سازمان فراماسونری در لژ فروغی با توجه به اسناد موجود و اقرار شخص متهم.

۱۲ـ شرکت در اخافه و ارعاب مردم حق طلب همراه باکشتار و ضرب و جرح آنان و محدود کردن آزادی آنها با توقیف روزنامه‌ها و اعمال سانسور مطبوعات وکتب.

۱۳ـ مؤسس و اولین دبیر کل حزب استبدادی "رستاخیز ملت ایران."

۱۴ـ اشاعه فساد فرهنگی و اخلاقی و شرکت مستقیم در تحکیم پایه‌های استعمار و ایجاد قضاوت کنسولی در مورد آمریکایی‌ها.

۱۵ـ شرکت مستقیم در قاچاق هروئین در فرانسه در معیت حسنعلی منصور.

۱۶ـ گزارش خلاف واقع با انتشار روزنامه‌های دست نشانده و تعیین سردبیران دست نشانده در رأس مطبوعات.

۱۷ـ نظر به صورت جلسات هیأت دولت و شورای عالی اقتصاد و مقامات شاکیان خصوصی از جمله دکتر علی‌اصغر حاج سیدّ جوادی و با توجه به اسناد به دست آمده از ساواک و نخست‌وزیری با شهادت دکتر منوچهر آزمون، محمود جعفریان، پرویز نیک خواه و اقاریر شخص متهم، چون وقوع جرایم مسلم است دادستان دادگاه انقلاب اسلامی صدور حکم اعدام و مصادره اموال شما را از پیشگاه دادگاه تقاضا دارد.[۱۲]

در نگاه اول، متن کیفرخواست از جهات گوناگونی جالب توجه بود. نخست آن‌که مفاد آن به شکلی به راستی حیرت‌آور کلی بودند و در آنها کمتر جرم مشخص و اتهام شخصی سراغ می‌توان کرد. دیگر این که گاه آن‌چه در کیفرخواست نیامده به اندازه‌ی نکات برجسته‌ی آن از اهمیت سیاسی و تاریخی برخوردارند. می‌دانیم که در تمام دوران فعالیت سیاسی هویدا این شایعه سر زبان‌ها بود که او بهایی است. در عین حال می‌دانیم که در آستانه‌ی انقلاب، بسیاری از اسناد مهم مراکز بهایی در ایران بدست مقامات جمهوری اسلامی و فعالین تشکیلات حجتیه افتاد که از دیرباز مبارزه با بهائیان را در رأس برنامه‌ی سازمان مخفی خود قرار داده بودند. به گمان من، اگر سندی در تأیید وابستگی هویدا به مذهب بهائیت وجود می‌داشت، بی‌شک به بخش مهمی از کیفرخواست مبدل می‌شد. سی سال بود که روحانیون انتقاد از نفوذ بهائیت در دولت را به یکی از شعارهای اصلی خود تبدیل کرده بودند و از هر فرصتی برای تنقید این جنبه از کار رژیم شاه بهره می‌جستند. لاجرم، اگر در دادگاه شخصیتی مهمی چون هویدا کوچک‌ترین سندی در اثبات وابستگی او به این گروه در دسترس داشتند، قطعاً از کاربردش و تأکید بر آن، امتناع نمی‌کردند. به‌علاوه، متن کیفرخواست در مورد فساد مالی شخص هویدا نیز سکوت کامل اختیار کرده بود. هویدا همواره در زندگی سیاسی خود به این

نکته می‌بالید که دستش هرگز به رشوه و مال نامشروع بیت‌المال آلوده نشده. کیفرخواست دست کم از این جنبه ارزشمند بود که نشان می‌داد غرور هویدا بی‌جا نبود.

ولی اساس کیفرخواست، چیزی جز شعار نبود. زبان و محتوای آن ترکیبی بود التقاطی و شلخته از الفاظ و شعارهای چپی و مارکسیستی و شعارهای نیروهای انقلاب اسلامی. حملات مکرر کیفرخواست به آمریکا، زبان مشخص برخی از مواد آن («گسترش نفوذ امپریالیسم آمریکا و همدستان اروپایی ... تبدیل ایران به بازار مصرف کالاهای خارجی ... اخذ وام با نرخهای بالا و گزاف ... دسته‌بندی با توطئه‌گران در سنتو و ناتو») و بالاخره سکوت کامل آن در مورد شوروی همه طنینی از نفوذ اندیشه‌های حزب توده می‌توانست بود.

کیفرخواست در اثبات جرائم و اتهامات هویدا به دو نوع شواهد و ادله اشاره می‌کند. از سویی به اقاریر خود متهم و زندانیان دیگر استناد می‌کند و از سویی دیگر به «مقامات شاکیان خصوصی.» اول این که هرگز معلوم نیست کدام یک از اقاریر این «زندانیان دیگر» مورد استناد اند. شرایط به دست آمدن این اقاریر، و میزان فشار روانی یا جسمانی در کسب آنها هم، هیچ کدام محل اعتنای دادگاه نبود.

دوم این که اشاره کیفرخواست به کیفرخواست علی‌اصغر حاج سیّد جوادی نیز به علل متعدد محتاج تأمل و بررسی بیشتر است. اول از همه این که "کیفرخواست" حاج سیّد جوادی سند قانونی نبود. در هیچ دادگاهی هم به اثبات نرسیده بود. در واقع چیزی نبود جز یک اعلامیه‌ی سیاسی که در خرداد ۱۳۵۶ به قلم آمده بود و تعداد محدودی از آن در تهران تکثیر و پخش شده بود. نگارش آن را می‌توان از نخستین علایم احیای مجدد جنبش دمکراتیک در ایران دانست. به‌علاوه، حاج سیدّ جوادی خود اذعان دارد که مرادش از نوشتن این اعلام جرم، «در واقع حمله به شاه بود. اما در سال ۱۳۵۶ حمله‌ی

مستقیم به شاه هنوز میسر نبود.»۱۳ و لاجرم هویدا به عنوان بدیل شاه، مورد حمله قرار گرفت.

البته حتی در زمان خود دادگاه هم حاج سیّد جوادی نیک می‌دانست که هدفی جزء سوءاستفاده از "اعلام جرم" او ندارند. به همین خاطر هم از او دعوت کرده بودند که در جلسات دادگاه شرکت کند. اما حاج سیّد جوادی زیر بار نرفت. می‌گفت سبک کار دادگاه‌ها را نمی‌پسندیدم. به‌علاوه، شکی نیست که وقتی او، با جرأت و جسارت تمام، ترس و واهمه از ساواک را وا گذاشت و چنین نامه‌ی شجاعانه‌ای نوشت، گمان نداشت که چند سال بعد، مضمون همین «اعلام جرم» مستند دادگاهی خواهد شد که هدفی جز کشتن هویدا نداشت.

از قضا در همین «اعلام جرم خصوصی» مسأله‌ی مسئولیت قانونی و سیاسی هویدا و وزرای کابینه‌اش به مراتب دقیق‌تر و مفصل‌تر از متن کیفرخواست دادگاه انقلاب بررسی شده بود. حاج سیّد جوادی «آقای هویدا و همه‌ی وزرایش» را به نقض دست کم پنجاه و شش ماده از قانون اساسی ایران متهم می‌کرد. می‌گفت هویدا و همکارانش مواد قانون اساسی مربوط به آزادی تجمع و تحزب و استقلال قوه قضائیه را زیر پا گذاشتند. از شکنجه و سانسور نوشته بود و هویدا را متهم می‌کرد که همواره با قاطعیت وجود خفقان را در ایران انکار می‌کرد.۱۴ می‌گفت در متمم قانون اساسی تصریح شده که «شاه باید سلطنت کند نه حکومت. تصریح داشت که وزرا در قبال مجلس مسئول‌اند، نه در قبال شاه. می‌گفت طبق قانون اساسی ایران هیچ فرمان شاه، چه کتبی، چه شفاهی، از وزیر سلب مسئولیت قانونی نمی‌کند. از مسئولیت مشترک هیأت دولت سخن می‌گفت و به این نتیجه می‌رسید که یک یک وزرا، در مقابل همه اعمال ساواک مسئول‌اند.

واپسین بخش «اعلام جرم» به مسأله‌ی حق تجمع و تحزب تخصیص داشت. آن‌جا حاج سیّد جوادی آن دسته از ماده‌های قانون اساسی ایران و نیز اعلامیه حقوق بشر را که به مسأله‌ی آزادی تشکل و تحزب مربوط می‌شد

برشمرده و آن گاه به این نتیجه رسیده بود که تشکیل حزب رستاخیز این حق مهم را از مردم ایران سلب کرده است. می‌گفت این تنها بار نیست که حق تحزب ملت ایران لگدمال شده. در عین حال، تأکید می‌کرد که بسیاری دیگر از مواد قانونی نیز در نتیجه خودسری‌های دولت زیر پا گذاشته شده است. حاج سیّد جوادی تصریح داشت که در ایران قوه قضائیه‌ی مستقلی در کار نیست، با این حال هویدا را دعوت کرد که دادگاهی را در همین قوه قضائیه کنونی، برای رسیدگی و داوری درباره اتهامات مذکور در اعلام جرم تعیین کند.[۱۵] هویدا البته هرگز این دعوت را نپذیرفت. در مرداد ۱۳۵۶ به یکی از معتمدانش گفته بود: «ریشه‌ی تظاهرات اخیر و نامه پراکنی‌ها و اعلامیه‌نویسی‌های جدید در ایران نیست.»[۱۶] ریشه‌ی اعلامیه هر کجا که بود، این بار در کیفرخواست دادگاه انقلاب رخ نموده بود و هویدا به دقت به مفاد آن گوش می‌داد.[۱۷]*

قرائت کیفرخواست تمام نشده بود که هویدا اعتراض خود را آغاز کرد. روز بعد از انقلاب، او را به شرکت در یک مصاحبه‌ی مطبوعاتی واداشتند. در طول آن مصاحبه، او حالتی سرکش داشت. حتی به یکی از پرسش‌کنندگان پرخاش کرد که، «این‌جا یک مصاحبه مطبوعاتی است، نه دادگاه.»[۱۸] ولی وقتی در دادگاه آغاز به سخن کرد از گزندگی کلامش کاسته شده بود. انگار می‌دانست که فرجام کارش چیست و یأس و هراس بر جان و کلامش سایه

---

* تا چندی پیش، روزنامه‌های آن زمان و معدودی خاطرات، تنها منبع موجود در مورد کم و کیف دادگاه هویدا بود. جمهوری اسلامی ایران هرگز نوار کامل این دادگاه را پخش نکرد. اخیراً در ایران زندگی نامه‌ای به قلم خسرو معتصد و با نام **هویدا: سیاستمدار پیپ، عصا، گل ارکیده** منتشر شد. دو بخش آخر جلد دوم به شرح دادگاه اول و دوم هویدا تخصیص یافته و از سیاق عبارات و نحوه‌ی چاپ متن چنین برمی‌آید که روایت کتاب در اساس متن پیاد شده از نوار مشروح مذاکرات دادگاه است. اما متأسفانه معتضد هیچ منبعی برای روایت خود ذکر نمی‌کند. ناچار من هم تنها در مواردی از کتاب نقل و استفاده کردم که مضمون آن با آن‌چه پیشتر در مطبوعات آن روزها منتشر شده بود همخوانی دارد.

انداخته بود. می‌گفت، «من این کیفرخواست را هرگز ندیده و نخوانده‌ام.» پرسید مگر طبق قانون نباید به او فرصت داده می‌شد تا کیفرخواست را پیشتر بخواند و مدافعات خود را تدارک کند. به زمان شروع دادگاه هم اعتراض کرد. تذکر داد که عصر همان روز با دادستان دیدار کرده بود و در این دیدار، دادستان بیست سوآل مختلف طرح کرد، «و قرار شد به من فرصت کافی داده شود تا از خودم دفاع کنم.» می‌گفت، «توافق شد که ارقام و اطلاعاتی که درباره‌ی آن سئوالها و این اتهامات لازم بود، جمع‌آوری شود.» بی‌پروا گفت که پیش از آن‌که از خواب بیدارش کنند و به دادگاهش بکشند، قرص خواب خورده بود. می‌گفت قرص‌ها را دکتر زندان تجویز کرده بود. پرسید: «در چنین شرایطی چگونه می‌توانم به چنین کیفرخواستی پاسخ بگویم.»[۱۹] جواب خلخالی به این اعتراضات به راستی حیرت‌آور بود. به نظر هم نمی‌رسید که غرضش طنز و هزل باشد. می‌گفت زمان نامتعارف شروع کار دادگاه تصادفی بیش نیست. می‌گفت، دادگاه انقلاب اسلامی شب و روز نمی‌شناسد. کارش را «به سرعت و شبانه‌روزی» انجام می‌دهد، «همان‌طور که از اسمش پیدا است، انقلابی است.»[۲۰]

هویدا پس از اعتراض بر سبک کار دادگاه و زمان آغاز آن به مضمون مفاد کیفرخواست حمله کرد. لحن گفتارش سخت دقیق بود. پرخاش نمی‌کرد، اما با صراحت سخن می‌گفت. دوباره به رئیس دادگاه یادآور شد که، «با توجه به تفاهمی که با دادستان شده بود، قرار بود که ما اطلاعات را در اختیار ایشان بگذاریم.»[۲۱] به راستی هم هویدا از خانواده‌اش برای یافتن ارقام و آماری که برای دفاع از خود به آنها نیاز داشت کمک طلبیده بود. بیش از هر چیز در طلب آماری بود که میزان رشد اقتصادی ایران را در دوران صدارتش نشان می‌داد.[۲۲] خلخالی می‌گفت از زمان بازداشت تا کنون فرصت کافی برای تدارک مدافعات خود داشتید. هویدا به مخالفت برخاست و گفت از زمان انقلاب تا به حال تنها دو بار با یکی از مقامات رسمی نظام اسلامی صحبت

کرده و فرصت کافی برای گردآوری ارقام و آمار نداشته.[۲۳] جوابی که خلخالی به این اعتراض هویدا داد به گمان من حتی در تاریخ دادگاه‌های فرمایشی نیز بی‌سابقه است. رئیس دادگاه انقلاب می‌گفت، «بیشتر بندهای کیفرخواست مسایل کلی و اتهاماتی است که احتیاج به مدرک و سند ندارد.»[۲۴]

به تدریج روشن شد که قواعد و ضوابط مألوف و رایج یک دادگاه ـ از ضرورت شواهد محکمه‌پسند و بی‌گناهی متهم پیش از اثبات جرم گرفته تا بی‌طرفی و عدالت خواهی رئیس دادگاه ـ هیچ کدام برای خلخالی و دادگاهش محلی از اعراب ندارند. او در مقام رئیس دادگاه حتی بیش از دادستان به متهم ایراد می‌گرفت؛ به زبانی حتی پرخاشجویانه‌تر از دادستان متهم را خطاب و عتاب می‌کرد. در دادگاهش نه هیأت منصفه‌ای در کار بود، نه وکیل مدافعی. شایعات به اندازه‌ی حقایق اعتبار داشت و بارزترین مصداق این واقعیت را می‌توان در ماده ۱۵ کیفرخواست سراغ کرد. آن‌جا هویدا به قاچاق هروئین متهم شده و می‌دانیم که شایعه در اصل او را به قاچاق ارز متهم می‌کرد و در عین حال می‌دانیم که اسناد وزارت امور خارجه فرانسه آشکارا نشان می‌دهد که هویدا به هیچ روی گنهکار نبود. اما نزد خلخالی همین شایعه‌ی بی‌اساس چون حقیقتی مطلق انگاشته می‌شد. در واقع خلخالی خود بعدها در خاطراتش بی‌پروا به این واقعیت می‌بالید که در دادگاه هویدا را بی‌محابا مورد حمله قرار داد. می‌گفت، «او تقریباً گیج شده بود مانند کسی که سرسام گرفته باشد.»[۲۵]

خلخالی از این بابت عین حقیقت راگفته بود. رفتارش در دادگاه به راستی متهم را مستأصل کرد. هویدا به‌زودی دریافته بود که این دادگاه از لون آن‌چه او خود در انتظارش بود نیست. می‌دانست که سرنوشتش از پیش تعیین شده؛ می‌دانست که کیفرخواست و گفتگوهای دادگاه چیزی جز ظاهرسازی نیست. با این حال از حمله به کیفرخواست و دفاع از خود هم یکسره دست نکشید. گاه به ظرایف زبان شناسی توسل می‌جست و می‌پرسید که آیا به راستی انسانی فانی

و عارضی چون او می‌تواند با قدرت بی‌کران خداوند محاربه کند. می‌گفت من مسلمان‌زاده‌ام و مادرم زنی مؤمن بود و می‌پرسید انسانی چون من چگونه ممکن است به فکر حرب با خدا بیفتد.^{۲۶}

هویدا اذعان کرد که اهدای حق کاپیتولاسیون به آمریکایی‌ها در سال ۱۳۴۳ خطا بود. ولی بر سبیل دفاع از خود می‌گفت در آن زمان هنوز نخست‌وزیر نشده بود. می‌گفت تنها وزیر دارایی بود و به‌علاوه هنگام تصویب لایحه در خارج از ایران به سر می‌برد. پای استدلالش در این زمینه البته سخت چوبین بود. بی‌شک او خود خوب می‌دانست که بر اساس قانون اساسی ایران، اعضای هیأت دولت در قبال تصمیمات و اقدامات کابینه مسئولیت مشترک دارند.

در مورد اتهام قاچاق هروئین در پاریس، هویدا توضیح داد که منشأ اصلی این اتهام بی‌اساس، مندرجات یک روزنامه چپی بدنام بود. حق هم داشت. می‌گفت اگر دادگاه بخواهد به هر شایعه‌ی بی‌اساس اعتناکند و آن را مدرک و سند بداند، او هم یکسره در مقابل دادگاه سکوت اختیار خواهد کرد. در واقع در رد همین ماده از کیفرخواست بود که هویدا، با دلیری و درایت خود دادگاه را زیر سئوال برد. می‌گفت، «آقای رئیس این کیفرخواست ضعیف است. دادگاه باید این کیفرخواست را پس بگیرد.»^{۲۷} می‌گفت اگر به راستی در کار قاچاق دست داشتم، پس اسناد این ماجرا حتماً در وزارت امور خارجه و پلیس بین‌الملل مضبوط‌اند. می‌گفت اگر کوچکترین نشانی از گناه من در این زمینه پیدا شد، من هم در مقابل تمام موارد دیگرکیفرخواست را می‌پذیرم. رئیس دادگاه البته شرط هویدا را نپذیرفت و صرفاً به ذکر این نکته بسنده کرد که هویدا بهتر است مدافعات خود را ادامه دهد.^{۲۸}

در مورد اتهامات کلی‌تر چون خیانت و جاسوسی، هویدا برخوردی متفاوت پیش گرفت. در این موارد بار مسئولیت‌ها را بر دوش سیستم می‌گذاشت. می‌گفت فرد در آن نظام مسئولیت چندانی نداشت. می‌گفت نظام

سابق را من ایجاد نکردم؛ من فقط خادم آن نظام بودم. تأکید داشت که میزان مسئولیت او در حد مسئولیت تمام کسانی است که به حکومت شـاه گـردن گذاشتند. معتقد بود اکثر کسانی که در دادگاه حضور داشتند چون او جزیی از نظام پیشین بودند. می‌گفت من تنها پره‌ای در چرخ این ماشین عظیم بـودم. می‌پذیرفت که در دوران صدارتش حتماً اشتباهاتی هم صورت گرفته، امـا بلافاصله می‌افزود که در همان دوران دستاوردهای عظیمی نصیب ایران شد. آشکارا مصمم بود که از کارنامه‌ی دوره‌ی حکومتش دفاع کند. می‌گفت در مورد من اگر داوری می‌کنید، جنبه‌های مثبت را باید در کنار جنبه‌های منفی در نظر بگیرید. تأکید داشت که در اداره‌ی ساواک هیچ دخالتی نداشت و همه‌ی شواهد البته نشان می‌دهد که ادعای او در این باب درست بود. در عین حال منکر شد که نوچه‌های خود را به سر دبیری مطبوعات کشـور گـمارده بود.[۲۹] به دادگاه یادآوری کرد که مسایل مربوط به سیاست خارجی، ارتش، و سیاست نفتی ایران همه در انحصار کامل شاه بود. می‌گفت از حمله‌ی ایران به ظفار هیچ خبر و اطلاعی نداشت و یک ماه پس از آغاز مداخله‌ی ایران در آن جنگ، او، آن هم از طریق مطبوعات، از این ماجرا خبردار شد. وقتی این جملات را می‌گفت، خشم و ناخرسندی در صدایش موج می‌زد. بی‌پروا ادعا کرد که حتی اعضای دادگاه نیز نمی‌توانند در قبال رژیم سابق یکسره از خود سلب مسئولیت کنند، چون در هـر حـال آن‌ها نیـز در آن دوران در ایـران می‌زیستند و زیر نگین نظام حاکم بودند.[۳۰]

خلخالی در این‌جا سئوالی طرح کرد که بارها از سوی دوستان و اقوام هویدا هم با او در میان گذاشته شده بود. پرسید چرا وقتی فهمیدید کاری از دست شما برنمی‌آید، استعفاء ندادید.[۳۱] هویدا از زیر این سئوال در رفت، پاسخ دقیقی نداد. تنها به ذکر این نکته بسنده کرد که گناهش در این زمینه، صرفاً این بود که در دوران صدارتش از همه‌ی قدرت قانونی نـخست‌وزیر استفاده نکرده است.

این پرسش خلخالی را در حقیقت می‌توان مصداقی از یک واقعیت کلی‌تر دانست. گرچه خلخالی حتی در مقام رئیس دادگاه به بی‌طرفی تظاهر هم نمی‌کرد، اما با این حال، و شاید حتی به رغم خواست خود، پرسش‌هایی طرح کرد که هر کدام برای ارزیابی جدّی از جایگاه تاریخی هویدا اساسی و اجتناب ناپذیر اند. برای مثال، آیا هویدا به‌راستی تنها قربانی نظام استبدادی حاکم بود یا در پدید آوردن این نظام و صیقل دادن آن نقشی اساسی داشت؟ آیا به راستی، آن چنان که او خود بارها ادعا کرده بود، در دوران شاه هیچ کس جرأت استعفاء دادن نداشت؟ آیا میان همکاری یک نخست‌وزیر با شاه و فعالیت مثلاً معلمی که از همان رژیم حقوق می‌گرفت تفاوتی وجود نداشت؟

جالب این است که خلخالی تنها کسی نبود که ادعای هویدا را دایر بر این که او صرفاً قربانی رژیم شاه بود انکار می‌کرد. از قضا برخی از اعضای خاندان سلطنت و شمار قابل ملاحظه‌ای از طرفداران سلطنت هویدا را نه یک قربانی که مهره‌ای مهم و خطاکار می‌دانند. چندروزی پس از خروج شاه از ایران، ادوارد سابلیه در مراکش با او مصاحبه کرد. سابلیه درباره‌ی سرنوشت هویدا پرسید. می‌خواست بداند که آیا شاه نمی‌بایستی پیش از خروج از ایران هویدا را نیز از زندان آزاد می‌کرد. شاه در حالی که چهره‌ای برافروخته و عصبانی داشت، جواب داد که، «او به ما دروغ گفت.»[۳۲] شاهدخت اشرف پهلوی هم بخش قابل ملاحظه‌ای از گناه سقوط رژیم پهلوی را بر دوش هویدا می‌گذارد. گویا به یکی از معتمدانش گفته بود، «هویدا برای چهارده سال به برادرم دروغ می‌گفت. هرگز هم قدمی در راه بازداشت دزدها برنداشت.»[۳۳] نه ادعای شاه و نه حرف شاهدخت را جدّی نمی‌توان گرفت. حقیقت این است که شاه اصولاً گوش شنوایی برای اخبار بد و انتقاد از رژیمش نداشت. اگر خاطرات علم را به جدّ بگیریم، آن گاه باید بپذیریم که هفته‌ای نبود که در آن علم مطلبی در باب ابعاد نارضایتی مردم به شاه نگوید.[۳۴] به‌علاوه، در طول سالهای آخر سلطنتش، شاه به کرات از شخصیت‌های سیاسی گزارش‌هایی درباره‌ی

وخامت اوضاع می‌شنید و عملاً همه را یا نادیده یا به سخره می‌گرفت. نه تنها علم، در مرداد ۱۳۵۶، هنگامی که با سرطان دست و پنجه نرم می‌کرد و در فرانسه در آستانه مرگ بود، نامه‌ای به شاه نوشت و در باب آینده‌ی مملکت اظهار نگرانی کرد، بلکه منوچهر اقبال نیز پس از استعفا از ریاست هیأت مدیره شرکت ملی نفت ایران، در نامه‌ای خطاب به شاه به صراحت اعلام کرد که «مردم کشور از اوضاع ناراضی‌اند.» شاه این هشدارها را به پشیزی نمی‌گرفت. در جواب اقبال گفته بود که او در «جریان امور» نیست و خود شاه اوضاع مملکت را بهتر از هر کس می‌شناسد.[۳۵]

البته اگر دادگاهی که هویدا را محاکمه کرد در فضائی آرام و با حوصله برگزار می‌شد، چه بسا می‌توانست پرسش‌های مهمی از قبیل آنچه پیشتر به آنها اشاره کردم را مورد بحث و حلاجی قرار می‌داد و با غور دقیق در ابعاد اخلاقی و حقوقی و تاریخی هر یک، داوری درباره‌ی آنها را آسان‌تر می‌کرد. اما در عوض، رئیس دادگاه دایم شعار می‌داد، کلی‌بافی می‌کرد و وقتی بالاخره کار دادگاه به بن‌بست کشید، هویدا هم مدافعات خود را با اشاره به زندگی خصوصی خود به پایان رساند. می‌گفت، «دستان من نه به خون کسی آلوده است و نه به بیت‌المال.» تأکید داشت که «کینه‌ی هیچ کس را به دل ندارم.» می‌گفت اگر من هم به راستی گناهکار بودم فرار می‌کردم و امروز، مانند پنج نخست‌وزیر دیگر ایران در خیابان‌های اروپا یا آمریکا گردش می‌کردم. تأکید داشت که، «ماندم چون مملکتم را دوست می‌داشتم و یقین داشتم که گناهکار نیستم.» آن گاه از زندگی ساده‌اش گفت. می‌گفت از مال دنیا، فقط یک آپارتمان داشتم که آن هم به تصرف کمیته‌ی انقلاب در آمد. از دلبستگی‌اش به مادر پیرش سخن راند. می‌گفت، «هشتاد ساله است و من او را سخت دوست می‌داشتم.» به استدعا از دادگاه خواست که مادرش را به دادگاه نیاورند. می‌گفت، «بهتر است که این اوضاع را نبیند و با خاطرات گذشته دلخوش باشد.»[۳۶]

یاد مادرش هویدا را ظاهراً سخت برآشفت.* دستمالی از جیب بیرون کشید و قطره‌های اشک را از چهره‌اش زدود. آن‌گاه با صدایی که احساسات در آن لرزه انداخته بود، از رئیس دادگاه خواست که جلسه را تعطیل کند و به او فرصت دهد تا مدافعات خود را سر فرصت فراهم آورد. ساعت نزدیک سه صبح بود. خلخالی پیشنهاد هویدا را پذیرفت. قاعدتاً عوامل مختلفی به این تعطیل موقت کار دادگاه کمک کرد. سوای آن‌چه در آن شب در دادگاه گذشته بود، دولت بازرگان هم، در پشت پرده، به شدت با کار دادگاه‌های انقلاب مخالفت می‌ورزید. به ویژه می‌خواست ترتیبی فراهم کند تا هویدا را در یک دادگاه علنی محاکمه کنند. در هر حال، تعطیل موقتی دادگاه، به هر علت و انگیزه که بود، جان هویدا را نیز، دست کم برای مدّتی، نجات داد.

---

* هویدا، در دو نامه‌ی جداگانه برای شاه و ملکه، مادرش را به آنها سپرده بود. نامه‌ها را لحظاتی پیش از بازداشتش، در حالی که کماکان در منزل مادرش بوده نوشته بود. این نامه‌ها هرگز به مقصد نرسید. هر دو همراه بسیاری از دیگر اسناد هویدا، به آتش سپرده شد. نامه‌ها تنها در اختیار فرشته انشاء بود و هم او پیش از سپردنشان به آتش، آنها را خواند و مضمونشان را با من در میان گذاشت.

فصل شانزدهم

دریاچه‌ی یخ‌زده‌ی کاکیتوس*

هر نفسی
خوف دیرین خفته در خون را بیدار می‌کند.
دانته

خلخالی روایتش را از دادگاه دوم هویدا با وصف آن‌چه خود آن روز برای نهار خورده بود می‌آغازد. روز هجدهم فروردین ۱۳۵۸ بود. خلخالی حدود یک بعد از ظهر به زندان قصر رسید. گرسنه بود. به آشپزخانه زندان رفت. غذایی باقی نمانده بود. اما شنید که، «آن روز غذا باقلی پلو با شوید بود.» می‌گفت، «من نان و پنیر خوردم» و به تهیه‌ی زمینه‌ی دادگاه پرداختم.[۱]

گرچه در خاطرات به راستی آشفته‌ی او، لذات غذا خوردن همواره مقامی برجسته دارند، اما نمی‌توان و نباید ابعاد نمادین و سیاسی اشارت خلخالی به نان و پنیر را، آن هم در دو سطر اول روایتش از دادگاه دوم هویدا، نادیده گرفت.

می‌دانیم که در زبان فارسی، "نان و پنیر" هم وصفی ساده است و هم تمثیلی پربار. به عبارت دیگر، همان‌طور که مثلاً لنگ جوجه را تمثیلی از غذای اغنیا می‌دانیم، نان و پنیر را هم نشانی از افتادگی و فروتنی و سادگی زندگی می‌شناسیم. بدین سان می‌بینم که وصف خلخالی از دادگاه دوم هویدا با نوعی تمثیل و ادای سیاسی می‌آغازد. انگار می‌خواهد بگوید که او چون

---

* Cocytus: در دوزخ دانته، نهمین حلقه‌ی دوزخ دریاچه‌ی یخ‌زده کاکیتوس نام دارد.

فردی برخاسته از صف خلق، بار قضاوت و داوری درباره‌ی یکی از نوکران حکام برافتاده‌ی فاسد پیشین را بر دوش گرفته بود.

از قضا خلخالی برای اثبات فساد اخلاقی هویدا از حکایتی سخت گویا بهره جست. به همان زبانی که وجه مشخص همه‌ی آثار اوست، می‌گفت هویدا در زندان «خیلی می‌خوابید، ولی لخت مادرزاد که این عمل او چند بار مورد اعتراض پاسداران قرار گرفت.»[۲] در ایران مردان معمولاً برهنگی بدن را، حتی اگر بدن خودشان هم باشد، به آسانی برنمی‌تابند. نادرند کسانی که برهنه بخوابند. ریشه‌ی این واقعیت را باید در احکام سنت و مذهب و در مفاهیمی چون حجب و حیا سراغ کرد. در مقابل، در غرب، معیار اصلی‌ی تعیین این که هر کس چگونه می‌خوابد راحتی فردی است و لاغیر. انقلاب اسلامی، دست کم برای بسیاری از نیروهای مذهبی، نوعی جنگ فرهنگی بود. در یک سو اخلاق تازه‌ای بود که رژیم پهلوی را تجسم آن می‌دانستند. می‌گفتند ریشه در الگوها و ارزش‌های غربی دارد و با ارزش‌های سنتی اسلام معارضه می‌کند. در سوی دیگر طرفداران سنت مذهبی بودند. اگر تاریخ انقلاب را از این منظر، و به‌سان رویارویی این دو نیروی فرهنگی، بنگریم، آن‌گاه به گمانم به این نتیجه می‌رسیم که شکایت خلخالی از هویدا صرفاً جنبه‌ای فردی و خصوصی نداشت، بلکه مصداق طیف وسیع مسایلی بود که هویدا را از فاتحان انقلاب متمایز و متفاوت می‌کرد.

در آن روزها، زندان قصر به "مهمان‌خانه مرگ" بدل شده بود. همواره مشتی خبرنگار در اطراف درهای زندان در انتظار بودند تا دادگاه انقلاب شمار تازه‌ای از سران رژیم را به جوخه‌ی اعدام بسپرد و آنها نیز هر چه زودتر، خبر واقعه را به اطلاع مردم ایران و جهان برسانند. اما در هجدهم فروردین، حدود ساعت دو بعد از ظهر، ناگهان درهای زندان را از درون بستند. دیگر هیچ کس، از جمله خبرنگارانی که به دلیلی در درون صحن زندان بودند، حق خروج نداشت. سیم‌های تلفن هم همه قطع شد. محض احتیاط،

خلخالی دستگاه‌های تلفن را در داخل یخچالی پنهان کرد.[۳]

این حرکات حیرت‌آور را نباید به حساب ملاحظات امنیتی گذاشت. کسی نگران حمله‌ی کماندویی نبود. این در بستن‌ها و تلفن قطع کردن‌ها همه نتیجه‌ی مستقیم رقابت‌های شدیدی بود که میان جناح‌های مختلف قدرت در نظام اسلامی در گرفته بود. خلخالی خود بی‌پروا انگیزه‌ی اصلی این اقدامات شگرف را باز می‌گوید. می‌گفت نمی‌خواست دولت موقت بازرگان بداند که او کار محاکمه هویدا را از سر گرفته است. بازرگان از همان آغاز با خلخالی و درک‌اش از عدالت اسلامی مخالف بود. سه هفته قبل از شروع دادگاهِ دوم هویدا، روزی از سر تصادف بازرگان و خلخالی هر دو در اطاق انتظار منزل آیت‌الله خمینی منتظر دیدار رهبر انقلاب بودند. در این فاصله، گفتگو میانشان درگرفت. محور بحث کیفیت کار دادگاه‌های انقلاب بود. دیری نپایید که گفتگو به مشاجره بدل شد و لحظاتی بعد به آستانه‌ی زد و خورد رسید.[۴]

البته حتی پیش از این مشاجره و کشمکش، بازرگان و برخی از همکارانش مترصد برچیدن بساط دادگاه‌های انقلاب بودند. می‌گفتند کار این دادگاه‌ها آبروی انقلاب را در سرتاسر جهان برده است. می‌خواستند هویدا را حتماً در دادگاهی علنی، و طبق موازین بین‌المللی محاکمه کنند. برخی حتی مدعی‌اند کار تدارک چنین دادگاهی آغاز شده بود. قرار بود یک وکیل فرانسوی کار دفاع از هویدا را به عهده گیرد. بعضی می‌گویند این وکیل حقوق‌دانی به نام لوبلانک* بود و بعضی دیگر معتقدند که ادگار فور** که خود زمانی نخست‌وزیر فرانسه بود، دفاع از هویدا را عهده‌دار شده بود. می‌گویند وکلا چمدان سفر را هم بسته بودند و در فرودگاه منتظر اجازه‌ی پرواز بودند. فریدون هویدا که پس از برافتادن رژیم پهلوی در اروپا مانده بود، فعالانه می‌کوشید افکار عمومی غرب را به نفع یک دادگاه عادلانه برای برادرش بسیج کند. موفقیت‌های چشمگیری هم در این زمینه حاصلش شد. از جرزی

---

* LE BLANC ** EDGAR FAURE

کوزینسکی در آمریکا تا شمار گسترده‌ای از روشنفکران فرانسه و تمام نخست‌وزیران پیشین زنده آن کشور نامه‌های سرگشاده‌ای به مقامات ایرانی نوشتند و نجات جان هویدا را خواستار شدند.[۵]

هویدا در زندان از چند و چون این تلاش خبر داشت. خود نیز برای نجات جان خود فعال بود. در اواسط فروردین توانست، هر طور شده، نامه دیگری را مخفیانه از زندان به خارج بفرستد. نامه به خط خودش بود و سند مهمی بایدش دانست. اهمیت آن را به چند نکته تأویل می‌توان کرد. نخست آن که نامه در شرایطی سخت خطرناک نوشته شده بود. ارسالش به خارج از زندان هم کار آسان و بی‌خطری نبود. به‌علاوه، این نامه واپسین دستخط هویدا است. در عین حال سند مکتوبی است که در آن او از چند و چون دستگیری‌اش در دوران شاه سخن گفته، و مقصران و محرکان اصلی این ماجرا را، دست کم از منظر خود، معرفی کرده است. این نامه انگار در عین حال خطاب به نسل‌های آینده نیز نوشته شده بود. در آن هویدا آشکارا می‌خواست نقشی در تعیین جایگاه تاریخی خویش بازی کند. می‌خواست در برخی زمینه‌های مهم، روایت خویش از رخدادهای پراهمیت زندگی‌اش را به ثبت برساند. بالاخره این که از متن و لحن نامه می‌توان به روحیه‌ی او در زندان پی برد. می‌توان انتظاراتش از آینده را باز شناخت و طرحی را که برای دفاع از خود در انداخته بود باز شکافت. مضمون نامه آشکارا نشان می‌دهد که هویدا در زندان دست از تلاش برنداشته بود. برای نجات جان خود سخت می‌کوشید. پیشتر دیدیم که یک بار دیگر هم نامه‌ای از زندان خارج کرده بود. نامه اول، همان‌طور که در فصل پانزدهم دیدیم، لحنی مایوس و نومید داشت. اما در نامه‌ی دوم بارقه‌ای از امید سراغ می‌توان کرد. برخلاف نامه‌ی قبلی که به فرانسه بود، این بار یادداشتش را به انگلیسی نوشته بود. گاه عبارات متن مغلوط و مغشوش بودند. این لغزش‌ها را باید به حساب این واقعیت گذاشت که نامه در شرایطی سخت خطرناک، و به احتمال قوی در عین عجله، نوشته شده بود. در برگرداندن متن به فارسی،

تلاش در اصلاح سیاق عبارات نکردم و کوشیدم متن هر جمله را به فارسی برگردانم. متن نامه چنین است:

۱ـ پاراگرافی (به رنگ قرمز) به یادداشتم اضافه کردم و در آن خواهش کردم هر چه زودتر متون مربوط به محاربه و بهتان را به دستم برسانید. شرح و عنوان آیه‌های لازم را برای تشریح به دادگاه لازم دارم. در عین حال ممنون خواهم شد اگر لیست کتابهای مذهبی‌ای را کـه در مدافعاتم به دردم می‌خورد برایم بفرستید. اینجا می‌توانـم از ایـنها خواهش کنم کتابها را برایم بخرند.

۲ـ تلاش دارم هر چه زودتر دادستان کل را ببینم و با او در مورد آینده صحبت کنم و متن کیفرخواست را از او بگیرم.

۳ـ به نظرم شما باید در پی یافتن تیمی از وکلایی باشید که در این نوع کارها تبحر دارند. انجل* با کسی در این مورد صحبت کرده؛ بهتر است با او تماس بگیری.

۴ـ از دوستانمان که در بازار و در محافل مذهبی تماس‌هایی دارند بپرس که آیا می‌توانیم (علاوه بر وکلا) یک آدم وارد در زمینه‌ی مسایل مذهبی پیداکنیم. آیا او فکر می‌کند فلسفی حاضر است در این زمینه کاری بکند؟ (در دادگاه، و اگر این مقدور نیست، خارج از دادگاه؟) (تلویزیون ـ مطبوعات؟)

۵ـ چند نکته را می‌خواهم در اینجا توضیح بدهم: چرا مرا در ۱۷ آبان بازداشت کردند. این توطئه‌ای بود به دست زاهدی (که البته با شریف امامی و امینی شروع شد) و نیز افرادی در ارتش که شاه را متقاعد کنند که کاسه کوزه همه‌ی اتفاقات ۱۵ سال اخیر را بر سر من بشکنند. قرار بود شاه ادعا کند که از اوضاع بی‌خبر بود و چطور مردم به او اطمینان

---

* در متن انگلیسی ANGEL آمده که در انگلیسی به معنای فرشته است و در نامه هویدا بی‌گمان به دکتر فرشته انشاء اشاره دارد.

خاطر می‌دادند. روز از نو روزی از نو. این فکر احمقانه‌ای بود. مردم آن را به عنوان راه حل نپذیرفتند. فراموش نکن چطور بعد از استعفای من مطبوعات و نمایندگان مجلس حملاتشان را به من آغاز کردند. زاهدی و دار و دسته‌اش می‌خواستند مرا قربانی کنند و شاه بالاخره تسلیم شد. (آموزگار کمک کرد.)

۶- چرا و چه وقت از وزارت دربار استعفا کردم. شنبه ۱۸ شهریور یعنی روز بعد از جمعه سیاه، وقتی که تعداد زیادی از مردم کشته شدند. **این راه حل نبود.** به شاه این را گفتم و استعفا دادم. **چند روز بعد وقتی از محل مسکونی رسمی خودم خارج شدم او وزیر دربار تازه‌ای آورد.** [تأکیدها همه در اصل‌اند] من با کاری که کردند مخالف بودم.

۷- به نظرم این دو نکته‌ی اطلاعاتی را دوستان ما در بازار و در محافل مذهبی می‌توانند به طور علنی یا در خلوت طرح کنند.

۸- آدم‌های زیادی بازداشت شده‌اند - وزرا، ارتشی‌ها، کارمندان - مدت‌ها طول خواهد کشید تا وقت دادگاه همه‌ی آنها تعیین شود. در واقع تمام رژیم سابق را باید پاکسازی کنند و این شامل حال دو میلیون آدم می‌شود.

۹- به نظرم باید ببینیم دادگاه چه وقتی شروع خواهد شد و در مورد وکلا چه باید کرد- در این رابطه با آنجل تماس بگیر.

۱۰- نتیجه‌ی تقاضای شخصیت‌های بین‌المللی چه بود؟ به نظرم از طریق نخست‌وزیر سابق لبنان، تکی‌الدین صلح، می‌توانیم از شیعیان لبنان و دیگر مسلمانان استفاده کنیم - که هیأتی این‌جا بفرستند. به نظرم آنجل در این باره خبر دارد و باید با او تماس گرفت. **نمی‌دانم چه وقت برخواهد گشت.** [تأکید در اصل است.]

۱۱- در یادداشتی خلاصه خبرها را به من بده- این‌جا از همه چیز بی‌خبرم.

۱۲- در مورد "کانال" لطفاً به آنجل بگو هر کاری که لازم است بکند.

"کانال" مورد اشاره در بند ۱۲ نامه یکی از زندان‌بانان هویدا بود. به ابتکار خویش با خانواده‌ی هویدا تماس گرفت. می‌گفت در ازای حق‌الزحمه‌ی مناسب، واسطه‌ی تماس هویدا با خانواده‌اش خواهد شد. البته خانواده‌ی هویدا دیگر در آن زمان نسبت به این گونه پیشنهادات بدگمان شده بود. چندین نفر دیگر هم پیشتر باب چنین مراوده‌هایی را گشوده بودند. می‌گفتند از محافظان هویدا هستند، اما در عمل حقه‌باز از آب در می‌آمدند و معلوم می‌شد سودایی جز تلکه کردن خانواده‌ی نگران در سر نداشتند. ولی "کانال" به وعده‌ی خود وفا کرد. در ازای هر پیامی که می‌رساند، مزدی می‌گرفت. البته حرص چندانی هم نداشت. بالاترین مزدی که طلب کرد یک دستگاه تلویزیون رنگی بود و به همین خاطر اسم رمزش "کانال" شد.[۶]

فعالیت‌های هویدا در زندان به ارسال این پیام‌های مخفیانه محدود نبود. در اواسط فروردین، یادداشتی به اسدالله مبشری نوشت که در آن زمان هنوز وزیر دادگستری دولت موقت بود.* در نامه از مبشری تقاضای یک ملاقات خصوصی کرد. در عین حال، نوشته بود که اگر او را در دادگاه علنی محاکمه کنند، او نیز هر آن‌چه را درباره‌ی تاریخ دوران پهلوی می‌داند باز خواهد گفت. هویدا ظاهراً دریافته بود که تنها امکان زنده ماندنش در این است که سرنوشتش را به دست دولت موقت بسپارد. می‌دانست که تنها دولت موقت ممکن بود برای رسیدگی جدّی به پرونده‌ی هویدا، دادگاهی عادلانه و علنی تشکیل دهد. به همین خاطر نه تنها در روز نخست انقلاب با یکی از وزرای این دولت تماس گرفت، بلکه بعدها، آن چنان که از این نامه و شواهد دیگر برمی‌آید، می‌کوشید سرنوشتش را به دست این دولت بسپارد. اما واقعیت این بود که مبشری، به‌رغم آن‌که در ظاهر بالاترین مقام قضایی مملکت بود، در عمل هیچ قدرتی نداشت. حتی از ملاقات با هویدا در زندان هم عاجز بود.

---

* به گمان من، وقتی در بند دوم نامه، هویدا به دیدار با "دادستان کل" اشاره می‌کند، مرادش همین نامه و تلاشش در جهت دیدار با مبشری است.

گردانندگان زندان قصر، ظاهراً به تأسی از دستورات روحانیونی چون خلخالی، جلوی چنین ملاقاتی را گرفته بودند.[۷]

مبشری که از ناکامی تلاش‌هایش مستأصل شده بود، به بنی‌صدر توسل جست. هر دو می‌دانستند که در همه‌ی مسایل مهم مملکت، تصمیم نهایی با آیت‌الله خمینی است. می‌دانستند که سرنوشت هویدا و چند و چون دادگاه او نیز در زمره مهم‌ترین مسایل روزاند. به همین خاطر با هلی‌کوپتری به قم پرواز کردند و به دیدار رهبر انقلاب رفتند. کیسه‌ای پر از اسناد و همچنین یادداشت هویدا را که روی یک تکه کاغذ زرد رنگ کوچک نوشته بود همراه خود بردند. مبشری حتی در آن زمان با برخی از فعالان سابق کنفدراسیون هم تماس گرفته بود و خواسته بود اسناد و مدارکی علیه هویدا در اختیارش بگذارند. بنی‌صدر و مبشری به آیت‌الله خمینی گفتند که، «این کیسه پر از اسنادی است که توسط وزارت دادگستری جمع‌آوری شده و همه مؤید ابعاد فساد رژیم سابق‌اند»، گفتند هویدا هم حاضر است، در صورتی که در دادگاهی علنی مورد محاکمه قرار گیرد، هر چه می‌داند بگوید.[۸] بنی‌صدر تأکید کرد که چنین دادگاهی پیروزی بزرگی برای انقلاب محسوب خواهد شد. می‌گفت از این طریق می‌توانیم در دادگاه افکار عمومی ایران و جهان، رژیم سابق را محکوم کنیم. به مرشد و مراد آن روزگارش می‌گفت با این کار، «تاریخ نیز ما را تبرئه خواهد کرد.»[۹]

آیت‌الله خمینی زیر بار نمی‌رفت. می‌گفت این جنایتکاران مستحق دادگاه نیستند. ولی پس از چندی، دست کم به ظاهر، متقاعد شد. به بنی‌صدر و مبشری دستور داد که به تهران بازگردند و کار تدارک دادگاه علنی هویدا را بیاغازند. دیدار این سه نفر نزدیک غروب به پایان رسید. مبشری تصمیم گرفت روز بعد به دیدار هویدا برود و او را در جریان این تصمیمات تازه بگذارد.[۱۰]

اما به‌رغم این قول و قرارها، به‌رغم وعده وعیدهای آیت‌الله خمینی، روز

بعد از ملاقاتش با بنی‌صدر و مبشری، حدود ساعت سه بعدازظهر، هویدا را وارد دادگاه خلخالی کردند. بنی‌صدر به تأکید می‌گفت: «هیچ کس جز [آیت‌الله] خمینی قدرت نداشت در مورد دادگاه هویدا تصمیمی بگیرد.»[۱۱] خلخالی هم بارها در بیست سال اخیر، به تصریح و تلویح، این نظر بنی‌صدر را تأئید کرده است. به کرات گفته است هر چه کرده، به دستور امامش بود. برای نمونه، همزمان با بیستمین سالگرد انقلاب، خلخالی در گفتگویی با خبرنگار روزنامه **نیویورک تایمز** دوباره تأکید کرد که، «هر چه کردم، به فرمان مقدس امام بود. فقط آن‌چه را که او می‌خواست می‌کردم.»[۱۲]

در آن زمان، رژیم جمهوری اسلامی درگیر رقابت‌های درونی شدیدی بود. به‌علاوه، کارگزاران رژیم نگران کودتای سلطنت‌طلبان هم بودند. روحانیون تندرو، به رهبری آیت‌الله خمینی، به این نتیجه رسیدند که برپایی یک دادگاه علنی به ضررشان تمام خواهد شد. می‌دانستند که چنین دادگاهی دست کم دو سه هفته طول خواهد کشید و با تأکید بر ضوابط قانونی و عرف حقوقی، بالمآل دست نیروهای میانه‌رو را تقویت خواهد کرد. ناچار سیاست قصاص و کین‌خواهی سریع را بر داوری سنجیده و قانونی یک دادگاه واقعی رجحان نهادند. البته به گمان بنی‌صدر، آیت‌الله خمینی، خلخالی را به محاکمه‌ی هویدا واداشت. می‌گفت، «بعضی‌ها می‌ترسیدند که در طول دادگاه، زد و بندهایشان با آمریکایی‌ها رو شود. به‌علاوه، بعضی دیگر هم هرکدام می‌ترسیدند پرونده‌هاشان علنی شود و به همین خاطر سعی داشتند که رأی [آیت‌الله] خمینی را بزنند و نگذارند دادگاهی علنی برای هویدا تشکیل شود. در نخستین روز انقلاب، وقتی دفاتر ساواک به دست ما افتاد، ناگهان متوجه شدیم که حدود چهل پرونده محرمانه مفقودند. این آقایان نگران بودند که هویدا در دادگاه زد و بندهای آنها را با رژیم شاه فاش خواهد کرد. می‌ترسیدند از حق حساب‌هایی بگوید که بعضی از آنها از دولت می‌گرفتند. وقتی بعدها دو تن از کارمندان دفتر من گزارشی محرمانه، در صد صفحه،

درباره‌ی زد و بندهای آنها با آمریکا تدارک کردند، هر دو را بلافاصله به اتهاماتی واهی دستگیر و اعدام کردند.»[۱۳] بنی‌صدر می‌گفت در شورای انقلاب هم، که عملاً کار اداره‌ی مملکت را به عهده داشت، همه، بدون استثنا دست کم در ظاهر طرفدار یک دادگاه علنی برای هویدا بودند.[۱۴] به دیگر سخن، تنها کسی که قدرت و جرأت داشت که خلخالی را به محاکمه هویدا، آن هم در دادگاهی انقلابی بیش و کم مخفی وادارد آیت‌الله خمینی بود و لاغیر. انگیزه‌ی آیت‌الله خمینی هر چه بود، در یک نکته شکی نمی‌توان داشت: با محاکمه هویدا به دست خلخالی پاکسازی گسترده‌ی ادارات دولتی نیز آغاز شد و پس از چندی، لرزه بر اندام یک یک کارمندان، افسران ارتش، یهودی‌ها، بهایی‌ها و جملگی مخالفان رژیم اسلامی ایران انداخت. طولی نکشید که اسلام پناهی تنها ضامن بقا و ایمنی شد و مهم هم نبود که این تدین ریشه در ایمان واقعی داشت یا تظاهری بیش نبود.

* * *

وقتی هویدا را وارد دادگاه کردند، حدود چهل نفر در اطاق بودند. کتی چرمی و بلوز نازک یقه گردی به تن داشت. یقه پیراهن تیره رنگش از بلوز بیرون زده بود. شلوار کبریتی قهوه‌ای رنگی به پا داشت. یکی دو روز قبل از آغاز محاکمه، شخص ناشناسی به منزل دکتر فرشته انشاء زنگ زد و دستور داد یک دست لباس تازه برای هویدا به زندان بیاورند. به نظر روستایی می‌آمد. هم او پیشتر هم چند بار زنگ زده بود. در ایران نیز، مانند دیگر کشورهای جهان، زبان پدیده‌ای سخت اجتماعی است. واژگان و شگردهای زبانی هر کس لاجرم مهری طبقاتی دارد و ریشه‌های اجتماعی و جغرافیای گوینده‌ی سخن را باز می‌گوید. دکتر فرشته انشاء هم هویت احتمالاً روستایی مأمور زندان را از همین طریق دریافته بود. می‌دانیم که برای بیش و کم تمام مردان و زنان روستایی ایران، نام زن بخشی از ناموس اوست. قدسی است و خصوصی، و از گزند چشم و گوش و زبان نامحرم به دورش باید داشت. به

همین خاطر، مردان روستا معمولاً همسران خود را هرگز به نام واقعی‌شان خطاب نمی‌کنند. می‌خواهند نه تنها چهره که نام زن را نیز در پشت پرده پنهان و محفوظ کنند. ناچار حجابی برای نام همسرشان برمی‌گزینند. و از رایج‌ترین این حجاب‌های لفظی، نام پسر ارشد خانواده است. مأمور زندان هم، به تأسی از این سنت، در تماس‌های تلفنی خود، دکتر فرشته انشاء را، به اعتبار نام پسرش، "مادر علی" می‌خواند. این بار گفته بود، «مادر علی، یک دست لباس تازه و دواهایش را بیاورید زندان.»[۱۵]

هویدا که وارد اطاق شد، هوا دم کرده و فضا پرالتهاب بود. او را در صندلی ساده‌ای که در وسط اطاق جای داشت نشاندند. روبرویش رئیس دادگاه و مشاوران و دادستان پشت میز واحدی نشسته بودند. دو عسلی کوچک در کنار صندلی هویدا بود و برخلاف دادگاه اول، این بار می‌توانست در صورت لزوم از آنها برای نوشتن استفاده کند. دفترچه‌ی یادداشت قطوری را که جلدش از چرم بود روی یکی از عسلی‌ها گذاشت. هویدا در یکی از روزهای اولی که در زندان جمهوری اسلامی بود از دکتر فرشته انشاء خواسته بود که دفترچه‌ی یادداشتی برایش فراهم کند. می‌گفت: «می‌خواهم آن‌چه را در این‌جا بر من می‌رود در این دفتر بنویسم.»[۱۶] آخرین رد پای این دفتر یادداشت، تصاویری است که روزنامه‌ها در آن زمان از دادگاه هویدا به چاپ رساندند و در آنها دفترچه را می‌توان روی میز عسلی دید. معلوم نیست بعد از آن روز بر آن دفتر چه رفت و آیا امروز نشانی از آن سراغ می‌توان کرد یا نه.

چهره‌ی حضار به نظر هویدا عبوس‌تر و غیردوستانه‌تر از دادگاه اول آمد. تعداد روزنامه‌نگاران حاضر بی‌شک محدودتر بود. هادی غفاری که تندروی‌ها و فحاشی‌ها و لفاظی‌های به ظاهر انقلابی‌اش، و شایعه‌ی دلبستگی‌اش به خشونت شهره خاص و عامش کرده بود، چون شکارچی بی‌حوصله‌ای در کنار هویدا نشسته بود. دیگر از هویدایی که در روزهای اول انقلاب، بی‌پروا از دستاوردهای دولتش دفاع می‌کرد، نشان چندانی باقی نبود.

این بار انگار آرام و با وقار تسلیم سرنوشت محتوم خود شده بود. با لحنی نگران از خلخالی پرسید: «آیا اینها همه پاسداران انقلاب‌اند؟» خلخالی سئوال هویدا را بی‌جواب گذاشت. در عوض، با لحنی تند و سرزنش‌آمیز، پرسید، «مگر چه فرقی می‌کند؟ برادران پاسدار مثل ساواکی‌های شما که نیستند.»[۱۷]

حدود ساعت سه بعد از ظهر دادگاه رسماً آغاز به‌کار کرد. آیاتی از قرآن تلاوت شد و سپس متن کیفرخواست را، که بی‌کم و کاست عین همان کیفرخواست دادگاه اول بود، قرائت کردند. هنوز بر خواندن این هفده ماده به پایان نرسیده بود که ناگهان صدای پره‌های هلی‌کوپتری کار دادگاه را متوقف کرد. اضطراب و دلهره در هوا موج می‌زد. هلی‌کوپتر پایین آمد. در جایی، درست مقابل پنجره اطاقی که دادگاه در آن جریان داشت، لحظه‌ای توقف کرد. پروازش یکسره غیرمترقبه بود. حتی معلوم نبود از چه مقامی اجازه‌ی پرواز دریافت کرده بود. هدفش هم روشن نبود. آیا قصد قربت داشت یا مقاصدی خصمانه را دنبال می‌کرد؟ هیچ کس جواب هیچ یک از این پرسش‌ها را نمی‌دانست. ناچار ترکیبی از خوف و ابهام، و شاید حتی خوف و رجا، دادگاه را به فلج موقتی دچار کرد.[۱۸]

قاعدتاً خلخالی و هویدا هیچ کدام نمی‌دانستند که شب قبل، هنری پرشت*، مسئول بخش ایران در وزارت امور خارجه‌ی آمریکا، خبردار شد که دادگاه هویدا به زودی از سر گرفته خواهد شد و جان هویدا در خطر است. او نیز بلافاصله به چارلز ناس،** شارژدافر وقت آمریکا در ایران، تلگراف زد و از او خواست که هرچه زودتر با مقامات ایرانی ملاقات کند و مراتب نگرانی دولت آمریکا از وضع هویدا را به اطلاع دولت ایران برساند.[۱۹]

بعد از ظهر روز بعد، ناس با ابراهیم یزدی ملاقات کرد که آن روزها هنوز از چهره‌های فعال دولت موقت بود. به محض آن‌که ناس نام هویدا را بر زبان آورد، یزدی هم به لحنی که، «نه دوستانه بود، نه صادقانه»، از جنایات ساواک

---

* Henry Precht　　** Charles Nass

داد سخن داد. پروندههایی را از کشوی میزش بیرون کشید. میگفت اسناد جنایات ساواک است. میگفت هویدا در همهی این جنایات دست داشت.^{۲۰} بالاخره هم سخنانش را با ذکر این نکته به پایان برد که به رغم همهی این واقعیات، جان هویدا به هیچ روی در خطر نیست. بعدها معلوم شد که درست در زمانی که یزدی این وعدهها را میداد، هویدا در دادگاه خلخالی بود و چه بسا که حتی سرنوشتش هم تعیین شده یا رقم خورده بود. ناس میگفت: «هرگز نفهمیدم که آیا به راستی وقتی یزدی با من حرف میزد هنوز نمیدانست که بر هویدا چه رفته یا آنکه به من دروغ میگفت و تظاهر میکرد.»^{۲۱}

در هر حال انتظار دادگاه چندان دیر نپایید. هلیکوپتری که به گونهای مرموز به فضای زندان قصر وارد شده بود ناگهان به گونهای به همان سان مرموز، فضای زندان را ترک گفت و هرگز هم بازنگشت. شاید حضور این هلیکوپتر واپسین لحظات امیدواری هویدا بود. قرائت کیفرخواست از سر گرفته شد. پیش از پرواز هلیکوپتر، فضای جلسه ملتهب بود. وقتی دادگاه کار خود را از سر گرفت، ترس و وحشت هم بر این التهاب افزوده شده بود. پس از پایان قرائت کیفرخواست، دادستان آغاز به سخن کرد. حرف و سند و شاهد و استدلال تازهای نداشت. صرفاً دعاوی کیفرخواست را تکرار میکرد. تنها تفاوتش با خلخالی در این بود که در سیاق گفتارش ته رنگی از نظم و انصاف، به چشم میخورد.^{۲۲} البته بلافاصله پس از سخنان دادستان، دوباره نوبت خلخالی شد. بار دیگر متهم را مورد حملهی شدید قرار داد. حتی تظاهر به بیطرفی هم نمیکرد. در خاطراتش، با تبختر و تفاخر میگفت چهل و پنج دقیقه، بیوقفه، مورد حملهاش قرار دادم. میگفت جنایات رژیم پهلوی را باز گفتم و همدستی هویدا را در همهی آنها نشان دادم. حتی ابایی نداشت که بگوید سرنوشت هویدا قبل از شروع دادگاه قطعی شده بود. در خاطراتش اذعان داشت که، «ما هم شش دانگ حواسمان جمع بود و نمیخواستیم که کلاه سر ما بگذارند. لذا با کمال جدیت، قصدم این بود که تا پایان محاکمه و حتی

اعدام هویدا، کسی در خارج از زندان از سرنوشت او مطلع نشود.»۲۳

وقتی هویدا به دقت کیفرخواست و حملات تند رئیس دادگاه و دادستان را شنید، وقتی فضای سنگین و ملتهب دادگاه را سنجید، وقتی به زمان و شرایط نامتعارف کار دادگاه اندیشید، انگار یاس و تسلیم یکسره بر او چیره شد. گه گاه هم ناگهان از شرایط به خشم می‌آمد. به نحوه‌ی کار دادگاه اعتراض داشت. می‌گفت کسی به نمایندگی از دادگاه به او وعده داده بود که کیفرخواست تازه‌ای تنظیم خواهد شد و متن آن، پیش از آغاز کار دادگاه، در اختیار او قرار خواهد گرفت. می‌پرسید، «بنده این‌جا روشن نیستم که راجع بـه کـدام کیفرخواست صحبت می‌کنیم.» وقتی جواب‌های سربالا و اغـلب گـزنده‌ی خلخالی را شنید، بی‌پرواگفت، «باز هم عرض می‌کنم این‌جا قربانی لازم است. بنده تسلیمم.»۲۴ در عین حال، لحظاتی بعد، لبخندی بر چهره‌ی خلخالی دید و این بار، از در آشتی در آمد وگفت، «لبخند شما آقای رئیس مرا از نظر روحی تقویت می‌کند.»۲۵

مانند دادگاه اول، این بار نیز خلخالی در واقع همه‌ی موازیـن مـتعارف حقوقی را نادیده گرفت. در شکل و محتوای کار، گویی پابندِ هیچ اصلی جز اتمام هرچه سریع‌تر کار دادگاه و اجرای حکم نبود. در عین حال، مطالبی که او و دادستان در حمله به هویدا می‌گفتند در اساس تکرار همان نظراتی بود که در دادگاه اول طرح شده بود. هویدا هم استراتژی دفاعی خود را تغییر نداده بود. تنها بخشی از مسئولیت کارهای رژیم گذشته را می‌پذیرفت. اصرار داشت که گناهکار اصلی سیستم بود. از کسانی که در دست ساواک عذاب دیده بودند، پوزش خواست، اما در عین حال تکرار کرد که اداره‌ی ساواک به عهده‌ی شاه بود و لاغیر. می‌گفت از جنگ جهانی دوم به بعد، همه‌ی نخست‌وزیران، به استثنای دکتر مصدق، در چهارچوب سیستمی واحد عمل می‌کردند که در آن بخش اعظم اختیارات در دست شاه بود. می‌گفت من این سیستم را اختراع و ابداع نکردم، بلکه تنها تداومش بخشیدم.۲۶ دوباره یادآوری کرد که ساواک،

ارتش، شرکت نفت، سیاست خارجی و بیش و کم تمام عرصه‌های مهم تصمیم‌گیری در انحصار شاه بود. منکر بود که "نوکر آمریکایی" ها بود. می‌گفت، «اگر آمریکائیان اربابان من بودند، جناب آقای رئیس، من این‌جا چکار می‌کردم؟ الان بنده این جا خدمتتان نبودم.» می‌پرسید، «جناب آقای رئیس، بین تمام نخست‌وزیران که قبل از من و بعد از من بودند، کدامشان در این‌جا، در تهران هستند؟»[۲۷]

استراتژی دفاعی هویدا از جوانب گونه‌گون ضعف داشت و ضربه‌پذیر بود. شکی نیست که او می‌دانست از لحاظ قانون اساسی ایران، به هیچ روی نمی‌توان سیستم را یکسره مسئول دانست و از فرد، آن هم نخست‌وزیر مملکت، سلب مسئولیت کرد. می‌دانیم که هویدا در آغاز دوران صدارتش، روزی همراه شماری از وزرا و مشاورانش با شاه دیدار کرده بود. دستور جلسه‌ی آن روز "انقلاب اداری" بود. قرار بود این مسأله، به‌سان اصل جدیدی، به اصول به‌سرعت در حال افزایش "انقلاب شاه و مردم" افزوده شود. پس از پایان جلسه‌ای که ابعاد این انقلاب به اجمال مورد بحث و گفتگو قرار گرفت، هویدا از نراقی خواست که همراه او به شهر و به کاخ نخست‌وزیری بازگردد. نراقی در جلسه، و در حضور شاه گفته بود باید به کارمندان دولت تعلیم داد که چگونه از فرامین غیرقانونی سرپیچی کنند. هویدا، به رسم مألوف پشت فرمان پیکانش نشست و نراقی در صندلی کنار او جای گرفت و محافظان هویدا نیز در صندلی عقب نشستند. هویدا آغاز به سخن کرد و چون مطلبش را حساس می‌دانست، طبق معمول به فرانسه صحبت کرد. به نراقی می‌گفت: «اگر حرفی که امروز زدی درست باشد، پس همه‌ی ماگناهکاریم. در شرایط کنونی چاره‌ای نداریم جز این که فرامین گاه غیرمشروع رؤسایمان را به اجرا در آوریم.»[۲۸] در واقع، هویدا بارها به دوستان و همکاران نزدیکش گفته بود که ترقی در ایران در گروی گردن گذاشتن به همین فرامین گاه غیرقانونی است. گمانش این بود که ترقی بدون رهبری شاه شدنی نیست و در شرایط کنونی

بهای تداوم این رهبری را تسلیم در برابر فرامین شاه می‌دانست. البته بارها دوستان و اقوام هویدا با این استدلال او مخالفت می‌کردند. از سویی برخی می‌گفتند که اصولاً تسلیم در برابر فرامین استبدادی ره به ترقی نمی‌تواند برد. از سویی دیگر، برخی یادآور می‌شدند که هویدا دیگر هیچ گونه مقاومتی در برابر فرامین شاه نشان نمی‌دهد. می‌گفتند کردار او از حد مصلحت‌اندیشی سیاسی برگذشته و به مقوله‌ی تسلیم مطلق تبدیل شده. حال در دادگاه، هویدا تقاص سیاست مدارایش را می‌داد. می‌دانیم که این تسلیم و مدارا یکسره خلاف اصول قانون اساسی ایران بود. اما خلخالی خود آن چنان از اصول این قانون و مقدمات اصول حقوقی بی‌خبر بود، آن چنان به ظرایف مباحث اخلاقی بی‌اعتنا بود، آن چنان معتاد تکرار شعارهای توخالی و خطرناک بود که دادگاه او هرگز نتوانست به مرجعی صبور برای رسیدگی به خطاکاری یا بی‌گناهی هویدا بدل شود. خلخالی هم، به‌سان اُکرانت در مصاحبه‌ی تلویزیونی‌اش، باور نمی‌کرد که نخست‌وزیر مملکت نقشی در اداره ساواک نداشته و از تعیین سیاست‌های مملکت عاجز بوده است. ولی خلخالی، به‌رغم آن‌که اغلب چیزی جز حرف غیرحقوقی نمی‌زد، دست کم در یک نکته‌ی اساسی و مهم حق داشت. می‌گفت نخست‌وزیر طبق قانون اساسی ایران مسئول اعمال دولت است. می‌گفت در صورت نقض قانون و اصل حاکمیت ملّی، وزرا و نخست‌وزیران هیچ کدام نمی‌توانند از خود سلب مسئولیت کنند. از هویدا می‌پرسید چرا وقتی دریافتید کاری از دستتان برنمی‌آید، استعفا ندادید.[۲۹]

در طول مباحث دادگاه دوم، دو نکته‌ی تازه طرح شد. خلخالی از هویدا پرسید که: «به شدت شایع است که شما گفتید مدارکی علیه شاه دارم ... آیا تأیید می‌فرمائید یا خیر.» می‌خواست بداند که آیا هویدا حاضر است اسناد را در اختیار دادگاه، و جمهوری اسلامی بگذارد. هویدا از سویی وجود این اسناد را تأیید کرد و از سویی دیگر شکی باقی نگذاشت که حاضر نیست اسناد

را در اختیار دادگاه و جمهوری اسلامی بگذارد. می‌گفت: «بنده عرض کنم که اگر خدا به من عمر داد یک تاریخ از ۲۰ شهریور تا امروز بنویسم و در این تاریخ مسلماً نکاتی مبهم روشن می‌شود و مدارکی هم دارم.»[۳۰]

نکته‌ی دوم در مورد مخارج تعمیر یکی از اماکن مقدس مذهب بهائیت بود. خلخالی از هویدا پرسید که آیا در این کار، چه به طور مستقیم، چه از طریق تأمین مخارج، نقشی داشته است یا نه. هویدا به نظر سخت حیرت‌زده می‌آمد. در کیفرخواست هیچ اشاره‌ای به این قضیه نشده بود. در حقیقت این تنها موردی بود که در طول دادگاه اول و دوم به مذهب بهائیت اشاره می‌شد. هویدا هرگونه مداخله‌ای را در این کار انکار کرد.[۳۱]

پس از چندی، لحن پرخاشگر خلخالی بار دیگر هویدا را متقاعد کرد که این جلسه و گفتگوهای آن، همه چیزی جز حفظ ظاهر نیست. دریافت که سرنوشتش رقم خورده و این بار، به محض آن‌که خلخالی هویدا را مورد حمله قرار داد، او هم وسط حرفش پرید و گفت: «قربان، قاضی که نباید علیه متهم حرف بزند.»[۳۲] با استیصال از خلخالی پرسید، «از من چه می‌خواهید؟»[۳۳] خلخالی هم در پاسخ گفت که «شما مفسد فی‌الارض هستید.» و به او پیشنهاد کرد که آخرین دفاعیات خود را به سمع دادگاه برساند. خلخالی با این حرف آشکارا نشان می‌داد که حتی پیش از "شور" دادگاه رأی آن قطعی و تعیین شده بود. هویدا هم به جای آن‌که آخرین دفاعیات خود را بیان کند، با خلخالی در مورد عقلانیت اتهام "مفسد فی‌الارض" محاجه می‌کرد. در این نحوه‌ی استدلال، آن‌هم در آن زمان، حالتی غم‌انگیز و استیصالی قابل ترحم سراغ می‌توان کرد. شکی نیست که خلخالی به خون هویدا تشنه بود. داوری‌های شتاب‌زده‌اش دیگر در آن زمان شهرت کامل داشت.[۳۴] با این حال، هویدا در دادگاه چنین کسی از ظرایف زبان عربی و از عقلانیت اتهام "فساد در زمین" سخن می‌گفت.[۳۵]

هویدا اذعان داشت که در دوران صدارتش مرتکب اشتباهاتی شده بود،

اما در عین حال تأکید داشت که در این دوران، جامعه‌ی ایران از پیشرفت‌ها و ترقی چشمگیری برخوردار شد. می‌گفت دادگاه باید جوانب مثبت و منفی کارنامه‌ی من را در نظر بگیرد. انگار به تدریج روحیه‌ی مقاوم، حتی سرکش، خود را بازیافته بود. همین جا بود که بی‌پروا به دفاع از کارنامه‌ی دولت خود پرداخت. می‌گفت برنامه‌ی ما برای جامعه‌ی ایران هم مترقی بود و هم از حقانیت تاریخی برخوردار بود. تأکید داشت که متأسفانه فرصت کافی پیدا نکرد که این برنامه را، به شکلی کامل و تمام، به مرحله اجرا در آورد. ارقام و آماری که مؤید این پیشرفت‌ها بود تدارک کرده بود. خانواده‌ی انشاء در فراهم آوردن این اسناد کمکش کرده بودند.[۳۶] اما خلخالی جلوی صحبت‌های هویدا را گرفت و تأکید کرد که «وارد جزئیات نشوید.» هویدا به تندی و تلخی گفت که در این دادگاه، «از جانم دفاع می‌کنم.» می‌گفت: «من مجبورم جزئیات و آمار و ارقام را بگویم.» خلخالی قانع نشد و از هویدا خواست که به مدافعات، در سطحی کلی، ادامه دهد.[۳۷]

سرانجام هویدا به نشان سرکشی و دلزدگی از کار دادگاه، سکوت اختیار کرد. دست راستش را با ترکیبی از عصبانیت و بی‌اعتنایی در هوا تکان داد و با این حرکت نشان داد که دیگر در مقابل این دادگاه سخن نخواهد گفت. بدین سان، مرحله‌ای از کار خلخالی پایان یافت و او به اصطلاح "وارد شور" شد. سه روحانی دیگر ـ آذری، جنتی و گیلانی ـ[۳۸] ناظر و مشاور دادگاه بودند. طبق سنت اسلام، این مشاوران تنها در زمانی در کار دادگاه مداخله می‌کنند که ببینند بی‌عدالتی شده و چون در دادگاه خلخالی نشانی از بی‌عدالتی نیافته بودند، دخالتی هم نکردند و ساکت نشستند و کار دادگاه را نظاره کردند.

دقایقی پس از آغاز "شور"، خلخالی رأی دادگاه را اعلان کرد. گفت: «مفسد فی‌الارض بودن و خیانت امیرعباس هویدا به ملک و ملت محرز می‌باشد و مشارالیه محکوم به اعدام و ضبط اموال می‌باشد.»[۳۹]

ناگهان عرقی سرد بر صورت هویدا نشست. چهره‌اش رنگ باخت. برای

نجات جان خود بار دیگر به سخن آمد و گفت: «می‌دانم می‌خواهید مرا بکشید. یک ماه فرصت بدهید تا تاریخ دو دهه‌ی اخیر را بنویسم.» هویدا می‌دانست که زمان متحد اوست. خلخالی هم به این نکته واقف بود و به همین خاطر، بی‌لحظه‌ای تأخیر، پیشنهاد هویدا را رد کرد. می‌گفت بسیاراند کسانی که می‌توانند این تاریخ را به قلم بیاورند. سپس دستور داد متهم را از اطاق خارج کنند. در عین حال حکم کرد که هیچ کس حق خروج از اطاق را ندارد. کماکان نگران دخالت دولت موقت بود. ترسش این بود که کسی از اطاق خارج شود و به دولت بازرگان خبر کار دادگاه را برساند. می‌دانست که در چنین حالتی، بازرگان و کابینه‌اش قاعدتاً سعی خواهند کرد اجرای حکم را به تعویق بیندازند. خلخالی مصمم بود که فرمان امامش را به مرحله‌ی اجرا در آورد. نمی‌خواست کسی او را از سهمش در این لحظه تاریخی محروم کند.

از اطاق که بیرون رفتند. هویدا بار دیگر برای نجات جان خود اقدام کرد. از خلخالی خواست که بگذارد با احمد خمینی صحبت کند. می‌دانست که در گذشته به احمد کمک کرده بود که به پدرش که به عراق تبعید شده بود بپیوندد. امید داشت که شاید این کار خیر دیروز نجات جانش را کفایت کند. خلخالی دوباره، بی‌تأخیر و تردید، خواست هویدا را رد کرد. می‌گفت از احمد خمینی دیگر کاری برنمی‌آید. تأکید داشت که: «کار فوق‌العاده‌ای که برای احمد آقا کردید این بود که به فرض دستور دادید برای ایشان و یا همسر امام یا دختران ایشان گذرنامه صادر کنند. این مسأله‌ای نیست که بتواند به شما کمک کند تا تبرئه شوید.»[۴۰]

آن‌گاه خلخالی به هویدا دستور داد که وصیت‌نامه‌ی خود را بنویسد. هویدا از انجام این کار امتناع کرد. خلخالی سرپیچی هویدا را به تلاش برای نجات جان خود مربوط می‌دانست. می‌گفت هویدا به غلط گمان داشت که اگر وصیتی ننویسد، ما هم از اجرای حکم اعدام امتناع می‌کنیم.[۴۱] اما سرپیچی هویدا را می‌توان به علل دیگری نیز تأویل کرد. مهم‌تر از همه این که می‌دانیم او، اندکی

پیش از بازداشتش، وصیت‌نامه‌ای نوشته و آن را نزد یکی از منشیان خود به امانت گذاشته بود. به برادرش فریدون هم وجود چنین وصیت‌نامه‌ای را خبر داده بود.[۴۲] به‌علاوه، شاید هویدا نمی‌خواست با نوشتن وصیت‌نامه دادگاه انقلاب و رأیش را مشروعیت ببخشد.

هویدا را سپس از طریق یک راهرو به سوی حیاط زندان هدایت کردند. او قاعدتاً می‌دانست در انتها آن راهرو چه فرجامی در انتظار اوست. هادی غفاری که در طول دادگاه در کنار هویدا نشسته بود و خیره نگاهش می‌کرد، همراه خلخالی و گروه کوچکی از پاسداران و روحانیون پشت سر هویدا گام می‌زد.

به محض آنکه پای هویدا به حیاط رسید، یکی از کسانی که از پشت سرش می‌آمد هفت تیری به دست گرفت و گلوی هویدا را نشانه رفت و دو تیر خالی کرد. هویدا به زمین افتاد. خون از رگ گردنش فواره می‌زد. گویا آنکه به هویدای شصت ساله تیراندازی کرده بود می‌خواست او را به مرگی تدریجی و پرعذاب بکشد. انگار مرگ فوری جوخه‌ی اعدام را مناسب حال هویدا نمی‌دانست. هویدا که می‌دانست زخمی مهلک برداشته، به شخصی به نام کریمی، که در صف همراهان خلخالی بود رو کرد و به تمنا خواست که جانش را بستاند. کریمی هم، ظاهراً از سر لطف، هفت تیر را به دست گرفت و تیر خلاصی بر جمجمه‌ی هویدا زد.[۴۳] هویدا دیگر واپسین لحظات حیاتش را پشت سر می‌گذاشت. گویا به زمزمه گفته بود، «قرار نبود این طور تمام بشود.»[۴۴] به اعتبار عکس‌هایی که از جسد هویدا منتشر شد، و نیز به استناد گزارش رسمی پزشکی قانونی، و مشاهدات دکتر فرشته انشاء می‌توان گفت که بی‌شک هویدا را نه یک جوخه‌ی اعدام که سه گلوله‌ی یک هفت تیر کشت. دکتر انشاء می‌گفت، «آنها که توسط جوخه‌ی اعدام به قتل می‌رسند، صورتی کبود پیدا می‌کنند؛ درست مثل کسی که خفه شده است. اما در صورت هویدا این رنگ و حالت نبود.»[۴۵] به‌علاوه، خلخالی این هفت تیر قتاله را چون سند

افتخار خود، و به‌سان نشان روزهای پرعظمتی که عدالت اسلامی به دست او اجرا می‌شد، تصرف کرد و به منزلش برد. وقتی نویسنده‌ی پرآوازه انگلیسی، وی. اس. نیپال* در قم، و در منزل خلخالی با او دیدار کرد، او کماکان به اعدام هویدا و نقش خود در این ماجرا می‌بالید. به نیپال گفته بود، «می‌دانید که هویدا را من کشتم.» وقتی مترجم نیپال، در تکمیل حرف خلخالی اضافه کرد که، «در واقع فرزند یک روحانی معروف» هویدا را کشت، خلخالی بلافاصله، با غروری تمام افزود که، «ولی هفت‌تیرش پهلوی من است ... همین اطاق بغلی است.»[۴۶]

وقتی خلخالی از مرگ هویدا اطمینان پیدا کرد، به اطاق دادگاه بازگشت و حضار را از سرنوشت هویدا مطلع کرد و سپس خود، لحظاتی بعد، زندان قصر را ترک گفت. در حال خروج بود که یکی از مسئولان زندان به سوی خلخالی شتافت و پرسید که تکلیف هویدا چیست و باید با او چکار کرد. به دیگر سخن، تا آن لحظه، حتی بسیاری از مسئولان زندان هم از سرنوشت هویدا بی‌خبر بودند. خلخالی در جواب گفت که دیگر هویدایی در کار نیست و به راه خود ادامه داد.[۴۷]

در روز مرگ هویدا، نشریات پایتخت، سرمست از باده‌ی پیروزی، صفحات اول خود را به عکس‌هایی به راستی شنیع از جسد خون‌آلود هویدا تخصیص دادند. در روزهای اول انقلاب، تهران شهر بی‌دولت بود. با این حال، مردم شهر بیش و کم از جنون کینه‌توزی و خون‌خواهی‌های جمعی، که بلیه بسیاری از انقلابات عصر جدید بوده، مصون مانده بودند. در واقع، از زمان انقلاب فرانسه این نوع جنونِ لحظه‌ای از الزامات انقلاب‌های توده‌ای به شمار می‌رفت. ولی در ایران و تهران، انقلاب توده‌ای بود، و در عین حال اکثریت مردم نجابت نشان دادند و آرام ماندند و سودای خون‌ریزی و خون‌خواری پیدا نکردند. در مقابل، بخش‌هایی از دولت، و نیروهای شبه

---

* V.S.Naipal

نظامی‌اش خون‌ریزی و کین‌خواهی پیشه کردند. در انقلاب فرانسه، گیوتین را "ماشین" می‌خواندند و آن را در ملاء عام، و با مناسکی خاص، به‌کار می‌بستند و پس از چندی، همین "ماشین" به نماد خشونت انقلابی خلق بدل شد. در ایران، به‌گمان من، عکسهای خونین اجساد محکومان دادگاه‌های انقلابی نقشی شبیه همان "ماشین" انقلاب فرانسه را به عهده داشت.[۴۸]

در یکی از عکس‌ها، جسد هویدا را می‌بینیم که بر زمین پهن است و پتویی مندرس نیمی از بدنش را پوشانده؛ بر گلو و شقیقه‌اش لکه‌هایی از خون خشکیده مشهوداند. تکه مقوایی بر سینه‌اش نشسته و بر آن نام هویدا، به خطی کودکانه، به چشم می‌خورد. در تصویری دیگر، او را در کشوی سردخانه پزشکی قانونی می‌بینیم. دو مرد تفنگ به دست، بالای سر جسد ایستاده‌اند. در چهره‌هاشان نه شادی که حیرت می‌بینم. می‌گویند عذاب مرگ چهره و جسد انسان را کج و معوج می‌کند. اما در چهره‌ی هویدا نشانی از این اعوجاج نبود. برعکس، در آن آرامش و سکونی غریب، و حتی تکان‌دهنده، به چشم می‌خورد. در کنار این تصاویر شوم و مرگ زده، روزنامه‌ها در عین حال عکس‌هایی هم از دوران قدرت و شوکت هویدا به چاپ رساندند.

حتی در انتخاب این تصاویر قدیمی نیز نوعی سوءنیت به چشم می‌خورد. در یکی هویدا را می‌بینیم که چون زه کمانی تا شده بود و دست شاه را می‌بوسید. در دیگری، کلاه بزرگ گاوچران‌های آمریکایی را بر سر داشت. می‌خوانیم که کلاه هدیه‌ی ریچارد هلمز بود ـ یعنی کسی که زمانی سفیر آمریکا در ایران بود و پیش‌تر ریاست سازمان جاسوسی سیا را به عهده داشت. به گمانم پیام مستتر در این تصویر چندان هم پیچیده نبود. آمریکایی‌ها کلاه بزرگی سر هویدا گذاشته بودند.

در شرایط عادی، خبر مرگ را با هزار تمهید به خویشان و دوستان درگذشتگان می‌رسانند. اما گویی در دوران انقلاب، معیارها همه در هم می‌ریزد. محبت‌ها و ظرافت‌ها و نرم‌دستی‌های روزگارِ رفته محلی از اعراب

ندارند. مدارا و محبت اغلب جای خود را به خشونت و قساوت میسپرند. سنگدلی زیر لوای خشم خلق و کینهتوزی به هیأت خشونت انقلابی رخ مینمایند.

اول از همه تلفن بود. همان صدایی بود که همیشه از زندان زنگ میزد و "مادر علی" را میخواست. این بار حدود هفت و نیم غروب شنبه زنگ زد. از روزی که هویدا بازداشت شده بود، مادرش هم در منزل دکتر فرشته انشاء زندگی میکرد. از قضا آن روز افسرالملوک و تنی چند از بانوان هم سن و سالش در اطاق نشیمن منزل انشاء ختم انعام گرفته بودند. مادر هویدا گفته بود نذری داشته. بانوان هر یک قرآنی بر سر گذاشته بودند و عباراتی را به عربی، و به صدایی بلند، تکرار میکردند و به ندای غم درونشان پیش و پس میتابیدند. خلسهی خلوتشان را زنگ تلفن شکست. ناگهان دلهره و اضطراب جانشین جمعیت خاطر شد.

دکتر فرشته انشاء گوشی تلفن را برداشت. صدایی از آنسو بلند شد، «تو مادر علی هستی؟» وقتی صدا جواب مثبت شنید، به اختصاری که شاید از قساوت قلب برمیخاست. گفت، «دیگر لازم نیست برایش لباس بیاورید. چند دقیقهی پیش اعدامش کردند.» وحشت به جان دکتر فرشته انشاء افتاد. میدانست که چشمان بانوان جمع، از جمله مادر هویدا، خیرهی اوست. چارهای جز تظاهر به آرامش نداشت. به گفتن، «خیلی متشکرم» بسنده کرد. آنگاه در عین خونسردی، با آنکه چشمانش پر از اشک بود، لبخندی بر لبانش سراند و به شادی تظاهر کرد و گفت، «خانم مژده. آقا را به اروپا تبعید کردهاند.» مادر هویدا جوابی نداد. سئوالی نکرد. احساساتی هم نشان نداد. ختمش را از سر گرفت. اما انگار در آن لحظه چشمان پر از اشکش یکسره از نور و شوق زندگی تهی شد.[۴۹] گویی به غریزهی مادری، لحظهی مرگ فرزندش را میدانست.

آن شب قرنطینه کردن مادر هویدا از اخبار رادیو و تلویزیون، و از تلفن

دوستان و اقوام تنها مشغله‌ی ذهنی خانواده انشاء نـبود. بیشتر شب را بـه
سوزاندن اسنادی گذراندند که در منزلشان پنهان بود. دکتر انشـاء مـی‌گفت،
«اغلب اسناد به هویدا تعلق داشت. از جمله چیزهایی که آن شب سوزاندیم
نامه‌های هویدا به شاه و ملکه بود. او گفته بود اگر اتفاقی برایش افتاد، همه‌ی
اسناد را بسوزانیم.» [۵۰] تا پاسی از شب، یکی دیگر از دوستان هویدا نیز کـه
بیست سالی با او همکاری نزدیک داشت، به سوزاندن اسناد هویدا مشغول بود.
نگرانی این دوستان و اقوام البته دوگانه بودند. از سویی نمی‌خواستند این اسناد
بر خلاف میل و دستور هویدا به دست مقامات جمهوری اسلامی بیفتد. از
سوی دیگر همه نیک می‌دانستند که اگر پاسداران چنین اسنادی را در منزل این
دوستان و اقوام بیابند، اسباب دردسرشان را فراهم خواهند کرد. به گمان من
بخشی از اسنادی که آن شب به شعله‌های آتش سـپرده شـد هـمان اوراق و
مدارکی بود که هویدا از فرامین و فـعالیت‌های غـیرمجاز دوران صـدارتش
تدارک کرده بود. گمان داشت که این پرونده سلامت و آزادی‌اش را در رژیم
پهلوی تضمین می‌کند. در عین حال فکر می‌کرد که در صورت تغییر رژیم
چنین پرونده‌ای چون برگ برنده‌ای در دست او خواهـد بـود. امـا در ایـن
محاسبات از یک نکته مهم غافل مانده بود. شاید حتی تصور هم نمی‌کرد که
در ایران رژیمی روی کار خواهد آمد که یکسر زیر نگین روحانیون خواهد
بود. آن‌هم روحانیونی که برایشان قصاص و مجازات به مراتب مهم‌تر از حفظ
اسناد تاریخی بود. به‌علاوه، در شب مرگ هویدا، اقوام و دوستان او نـیز،
سوای اندوه مرگ عزیزشان، بیشتر در فکر رفع خطر از خود بودند و سودای
کنجکاوی‌های مورخان آینده را طبعاً در دل نداشتند.

ساعاتی پس از مرگ هویدا، روزنامه‌های تهران شماره‌های ویژه در مورد
اعدام او منتشر کردند. گاه تیترهای درشت این ویژه‌نامه‌ها نصف صفحه را در
بر می‌گرفت. یکی می‌گفت، «دادگاه عدل اسلامی هویدا را تیرباران کرد» و
دیگران نیز از تیترهایی به همین مضمون بهره جسته بودند. دقـایقی پس از

چاپ این شماره‌ی ویژه، کسی نسخه‌ای از صفحه اول روزنامه را به پشت شیشه‌ی پنجره اطاق نشیمن منزل خانواده انشاء چسباند. معلوم نیست که آیا افسرالملوک هرگز مضمون این روزنامه را دید یا نه. دکتر فرشته انشاء بلافاصله آن را از پنجره پایین کشید. به‌علاوه، آن شب رادیو و تلویزیون‌های خانه را خاموش کردند. می‌ترسیدند مادر هویدا خبر مرگ فرزندش را در یکی از برنامه‌های رادیو یا تلویزیون بشنود.[۵۱]

خانواده انشاء سعی تمام داشت که افسرالملوک را به راستی متقاعد کند که فرزندش، امیرعباس، به اروپا تبعید شده و مادر هویدا هم در این بازی همکاری تمام نشان می‌داد. همزمان با مرگ فرزند، او نیز هر روز بیشتر و بیشتر به درون خود می‌خزید. جهان خارج دیگر وسوسه‌اش نمی‌کرد. از بعد از ظهر روزی که داغ فرزند دید، تا زمان مرگش، چهار سال بعد، بیش و کم همواره سکوت اختیار کرد. اغلب اوقاتش را به دعا می‌گذراند. از کسی در مورد امیرعباس نمی‌پرسید. هرگز نخواست که او را به منزل خودش بازگردانند. وقتی خانواده انشاء تظاهر می‌کرد که مثلاً نامه‌ای از هویدا رسیده و متنی را به صدایی بلند می‌خواندند، افسرالملوک احساساتی ابراز نمی‌کرد. حتی هدیه‌هایی که ظاهراً هویدا فرستاده بود ـ «روسری، دمپایی، چند جفت جوراب» ـ واکنشی در او برنمی‌انگیخت.[۵۲]

شب روزی که هویدا اعدام شد، منزلی که او در آن با مادرش زندگی می‌کرد، و نیز آپارتمان کوچکی که اندکی پیش از استعفایش از مقام نخست‌وزیری در یکی از ساختمان‌های جدید تهران خریده بود تاراج شد. اشیاء قیمتی به غارت رفت. آلبوم‌های خانوادگی پاره پاره شد و عکس‌های آن، این جا و آن جا، در پیاده‌روهای اطراف خانه و راهروهای نزدیک آپارتمانش پراکنده بود. در آپارتمانش، «حتی دیوارها را سوراخ کردند. گمان می‌کردند اشیاء گرانقیمت و پول‌های نقد را قاعدتاً در آن‌جا در صندوقی پنهان کرده است.»[۵۳]

روزنامه‌های تهران همه سعی داشتند اعدام هویدا را مشروع جلوه دهند. در تمام صفحات متعددی که به گزارش کار دادگاه، کیفرخواست، حکم دادگاه و اجرای حکم تخصیص دادند، حتی یک نفر هم یک کلمه در انتقاد از سرشت این دادگاه و رأی عجولانه‌ی آن ننوشت. به جای انتقاد جدّی و اساسی، روزنامه‌نگاران و مفسران شعارهای انقلابی و باسمه‌ای سکه می‌زدند و شایعه می‌پراکندند. یکی می‌گفت گل ارکیده‌ی هویدا ظاهرسازی صرف بود. پشت گل میکروفونی نهفته بود و هویدا به مدد آن دشمنان خود را به دام می‌انداخت. دیگری ادعا می‌کرد که ارکیده‌ها را هر روز با هواپیما از پاریس به تهران می‌آوردند. آن سوّمی روابط زناشویی هویدا را به سخره می‌گرفت و نویسنده‌ی چهارم مدعی بود هویدا با ساواک قرار و مدارهایی سری داشت. هر جا می‌رفت، دشمنانش را به مدد علایم ویژه‌ای به ساواک نشان می‌داد و ساواک هم در جا دشمن هویدا را بازداشت می‌کرد. یکی دیگر از مقاله‌ها قصد اثبات این نکته را داشت که، «ساواک در دامن هویدا به غولی بدل شد.»

نزدیک نیمه شب بود که تلفن منزل انشاء بار دیگر زنگ زد. این بار کسی از پزشکی قانونی بود. می‌خواست به اطلاع خانواده برساند که جسد هویدا به آنجا منتقل شده. قرار شد، «فردا کسی از طرف خانواده به پزشکی قانونی برود» و کار کفن و دفن جسد و انجام دیگر مراحل قانونی را به عهده بگیرد. قرعه‌ی فال بار دیگر به نام دکتر فرشته انشاء زده شد. می‌گفت وقتی به پزشکی قانونی رسیدم، «سالنی دیدم سخت وسیع و پر از جسد، برخی از اجساد برهنه بودند، و قسمت‌هایی از تن عریان برخی دیگر را حوله‌ای یا پارچه‌ای می‌پوشاند.» می‌گفت از هویت هر یک از این اجساد تنها مقوای کوچکی باقی بود که با نخ پرچی به انگشت پای مردگان گره خورده بود. بوی مرگ فضای سالن را پر کرده بود و به آن حال و هوایی خوف‌انگیز می‌داد. ۵۵ سایه مرگ بر این محیط حاکم بود و فضایی مرگ‌زا در آن پدید آمده بود. ۵۶ می‌گفت: «حرفه‌ی من پزشکی است. بخش عمده‌ی زندگی‌ام با مرگ از نزدیک مانوس

بودم. اما حتی من هم از آن همه مرگی که در آن سالن بود به وحشت آمدم.»[۵۷] می‌گفت در گوشه‌ای جسد درشت مردی دیده می‌شد که انگار جانش را به هزار و یک ضرب چاقو از تنش بیرون کشیده بودند. جوانکی حدوداً پانزده ساله در کنار جسد ایستاده بود. آرام آرام می‌گریست. مـی‌گفت از سـرنوشت او پرسیدم و گفت، «مرد آژان بود و جوانک پسر اوست.»[۵۸]

دکتر فرشته انشاء را آن‌گاه به اطاقی بردند که دیوارهای آن، از سقف تا کف زمین، پوشیده از درهای فلزی فیلی رنگ سردخانه‌ی پزشکی قانونی بود. یکی از کشوها را بیرون کشیدند. بدن عریان هویدا نمایان شد. کسی با ماژیک، روی یکی از دنده‌های او، نوشته بود، "امیرعباس هویدا"، دکتر انشاء می‌گفت: «تکیدگی صورتش وحشتناک بود.» دیدن جسد عریان هویدا اشک به چشمان دکتر انشاء آورد. با خشم گفت، «چرا با او این‌طور رفتار کرده‌اید؟» یکی از دو پزشکی که حاضر بودند، جوابی کوتاه داد. «خانم چه فرقی مـی‌کند. او کـه مرده.»[۵۹] پس از احراز هویت جسد، دکتر انشاء را به دفترکار یکی از پزشکان قانونی هدایت کردند. آن جا نسخه‌ای از گزارش رسمی‌ی پزشکی قانونی در اختیار دکتر انشاء گذاشته شد. در عین حال از او خواستند که ترتیب کفن و دفن جسد را فراهم کند.

گزارش پزشکی قانونی به زبان خشک و بی‌عاطفه‌ی علمی بود. می‌گفت:

جسد مردی است ملبس به یک جفت جوراب ساق نیمه بلند نخی به رنگ سبز تیره... سفید پوست است. طول قامت ۱۶۷ سانتیمر. وزن حدود ۶۸ کیلوگرم. ختنه شده است. جلوی سر طاس. بقیه سر موهای نیمه بلند وکم پشت سفید و مشکی... دندان‌های فک بالا مصنوعی... سر و صورت و دست‌ها آغشته به خون خشک شده است. بر اثر ضربات جسم سخت... در روی تنش سوراخهایی که به صورت زخم‌اند به شرح آتی ملاحظه شده‌اند: ۱) زخمی سوراخ مانند دایره‌ای شکل به قطر شش میلیمتر روی ناحیه... ترقوه‌ی راست... ۲) سوراخ دومی که در

بالا و خارج کتف راست... به قطر شش میلیمتر... ۳) سوراخ سومی در ناحیه‌ی جمجمه... مغز آسیب دیده است... به موجب کیفیت آنها محل ورود گلوله‌هایی از اسلحه گرم است... هر چند اسلحه به‌کار برده شده یا فشنگ آن در اختیار ما نمی‌باشد، مع‌الوصف به‌موجب ابعاد زخم‌ها اسلحه به تقریب همطراز کالیبر ۳۸ نظر داده می‌شود... بر اثر ضربات جسم سخت که مربوط به دوران حیات است ساییدگی سطحی به‌طول یک سانتیمتر و عرض دو میلیمتر در چانه دارد...

رفتار ستودنی دکتر گرمان به این گزارش محدود نمی‌شد. مردی درشت اندام و کم‌حرف و جدّی بود. چهره‌اش اغلب به سرخی می‌زد. پس از انجام تشریفات قانونی، از دکتر انشاء خواست که او را تا دفترکارش همراهی کند. در خلوتِ نسبی اطاق کارش به این نکته اشاره کرد که این روزها، اغلب اوقات، توده‌ای هیجان زده در اطراف مقر پزشکی قانونی پرسه می‌زنند. منتظراند ببینند، چه کسی از بزرگان پیش، از پزشکی قانونی سر در آورده و گاه نسبت به اجساد این شخصیت‌ها حتی بی‌احترامی می‌کنند. دکتر گرمان می‌گفت، «دو راه حل پیشنهاد می‌کنم. می‌توانم جسد را بسوزانم. راه دیگر این است که جسد را مدّتی این جا، در جایی امن، حفظ کنم و وقتی آب‌ها از آسیاب افتاد، با شما تماس خواهم گرفت و آن وقت می‌توانید ترتیب کفن و دفن را فراهم کنید.»[۶۰] کار دکتر گرمان به راستی حیرت‌آور بود. او که خود هیچ تعلق خاطری به رژیم پهلوی نداشت از خانواده‌ای بود که در آن مبارزه و مخالفت با رژیم شاه سنتی دیرینه محسوب می‌شد. ولی در آن لحظه خطیر، دکتر گرمان که بازنشستگی‌اش نزدیک بود، همه چیز از جمله کار و حقوق تقاعدش را، به خطر انداخت تا دشمن سیاسی دیروزش در خلوت و سکونی برازنده‌ی مرگ به خاک سپرده شود. دکتر انشاء راه حل دوم را برگزید و به منزل بازگشت و خانواده‌اش به انتظار نشستند.

روز بعد به مقامات جمهوری اسلامی خبر رسید که دوستان هویدا از هرج

و مرج حاکم بر پزشکی قانونی بهره جسته و جسدش را ربوده‌اند. از این دروغ مصلحتی دکتر گرمان، خلخالی توطئه‌ای بین‌المللی ساخت که در آن همه کس، از جمله صهیونیستها، شرکت داشتند. می‌گفت، بازرگان و متین دفتری و سلطنت‌طلبان و فرانسوی‌ها و انگلیسی‌ها و اسرائیلی‌ها همه توطئه کردند و جسد هویدا را سه ماه در پزشکی قانونی مخفی کردند و سپس آن را ربودند و به فرانسه بردند و از آن‌جا به اسرائیل حملش کردند و در قبرستان یهودی‌ها در کنار پدرش به خاکش سپردند.[۶۱]

از این ماجرای دور و دراز، تنها یک جنبه‌ی آن به حقیقت نزدیک است. جسد هویدا به راستی حدود سه ماه در سردخانه‌ی پزشکی قانونی ماند. پس از این انتظار طولانی، بعد از ظهر روزی دکتر گرمان به خانواده هویدا زنگ زد و گفت فردا برای بردن جسد هویدا به پزشکی قانونی مراجعه کنند. می‌گفت، «صبح زود بیایید. تعدادتان زیاد نباشد. نباید جلب توجه کرد.» روز بعد، پیش از طلوع خورشید، کاروانی از دو ماشین منزل انشاء را ترک گفت. در یکی چهار نفر از خانم‌های خانواده‌ی انشاء بودند. در ماشین دوم یک مرد، تک و تنها، می‌آمد. برادر دکتر فرشته انشاء بود. از سر ترس نمی‌خواست به خیل سیاهپوشان بپیوندد و از فاصله‌ای نه چندان دور تعقیبشان می‌کرد.

در پزشکی قانونی، چهار بانوی سیاه‌پوش راهنمایی‌های لازم را از دکتر گرمان دریافت کردند. برای هویدا جواز دفنی به اسم مستعار صادر شده بود. دکتر گرمان می‌گفت: «اگر در قبرستان شناسنامه یا برگ هویت دیگری خواستند، بگویید او در نتیجه تصادف اتوموبیل درگذشته و اسناد و مدارکش همه به سرقت رفته است.»[۶۲] یکی از دوستان هویدا کفنی در اختیار خانواده گذاشته بود. جسد را در آن کفن پیچیدند. دکتر انشاء می‌گفت بدن هویدا، در نتیجه دواهایی که در پزشکی قانونی استفاده کرده بودند، به آبی لاجوردی می‌زد. می‌گفت: «روزی که برای کفن و دفن رفتم روز تعطیل بود. بعثت پیامبر بود. خیابان‌ها را چراغانی کرده بودند. به گمانم دکتر گرمان عمداً این روز را

انتخاب کرده بود. می‌خواست از این طریق امکان کشف هویت هویدا را تقلیل دهد.»[۶۳] خانواده انشاء هم، به همین دلیل، مراسم کفن و دفن را به سرعت برگذار کردند. تنها نشان آشکار سوگواری زمانی رخ نمود که می‌خواستند جسد را در خاک بگذارند. دکتر فرشته انشاء در کنار پای جسد زانو زد و به زمزمه کلماتی را به زبان آورد که به گمانش هویدا پیش از هر چیز مشتاق شنیدن بود. گفت، «آقا، قول می‌دهم از مادرت خوب نگهداری کنیم.»[۶۴] جسد را در خاک گذاشتند و خانواده انشاء هم به شهر بازگشت.

چند ماه بعد، بالاخره سنگی بر گور هویدا گذاشتند. تازه در آن زمان هم نام واقعی‌اش را بر سنگ ننوشتند و تنها به اشاره غیرمستقیم به هویت کسی که آن‌جا در خاک خفته بسنده کرده‌اند. پس از شصت سال زندگی پرفراز و نشیب، پس از پیروزی‌ها و شکست‌های متعدد، عشق‌های به کام و ناکام، پس از فلاکت‌ها و بدبختی‌های مهاجرت و شوکت و وسوسه‌ی قدرت، بعد از امیدهای مکرر به آزادی و دلشکستگی‌های مکرر از سرنوشت محتوم خویش، بالاخره از هویدا چیزی جز سنگی بر گوری ناشناس باقی نمانده بود.

در روز مرگش، روزنامه‌های تهران که همه تازه از قید سانسور رها شده بودند، تلاش همه‌جانبه کردند تا اعدام هویدا را یکسره مشروع جلوه دهند. اما به‌رغم تیترهایی که همه از جنایت و مکافات حکایت می‌کرد، در تصاویری که در صفحه اول کیهان چاپ شده بود، داستانی یکسره متفاوت و سخت غم‌انگیز به چشم می‌خورد. اولی او را در دادگاه نشان می‌داد. صورتی تکیده و غم‌زده داشت؛ دلزده به نظر می‌آمد. در حال نوشتن بود. هاله‌ای از اضطراب، از تسلیم به سرنوشت، بر چهره‌اش سایه انداخته بود. عکس دوم از جسدش بود. لکه‌های خون جای گلوله‌ها را نشان می‌داد. با این حال، در چهره‌اش سکون و آرامشی تکان‌دهنده موج می‌زد.

هویدا بیشتر عمرش گرفتار چنبری گریزناپذیر بود. در یک سو مخالفان رژیم بودند و اغلب جزم‌اندیش و انعطاف‌ناپذیر می‌نمودند. در سوی دیگر

شاهی بود که در پائیز پدر سالاری‌اش بیش از پیش خودرأی و خودکامه شده بود. انگار هویدا با آن خنده‌ی آرامی که بر چهره‌اش نقش بسته بود می‌گفت، "بر هر دو تبارتان لعنت باد." ۶۵

پایان ترجمه: ۱۵ ژوئیه ۲۰۰۰

بازنویسی: ۳ ژانویه ۲۰۰۱

یادداشت‌ها

اختصارات

AD = French Foreign Ministry, Archive Diplomatique, Serie Asie, 1944-1955

AD Carton 24 = French Foreign Ministry, Archive Diplomatique, Serie Asie, Sous-Serie Iran, 1944-1955, Serie E, Carton 42, Dossier 2 "Iran: Corps Diplomatique et Consulaire Iranien." This file is closed until 2007 but I was given special permission to look through it.

LBJ Library = LBJ Library, National Security File, Visit of PM Hoveyda of Iran, 12/5-6.68.

JFK Library = John Fitzgerald Kennedy Library and Museum, Boston, Massachusetts.

NSA = National Security Archive, Washington, D.C.

NA = National Archives, Washington, D.C.

پیشگفتار

۱. برای دستیابی به گزارشی از این ایام زندان، ر.ک. کتاب نگارنده با این مشخصات:
Tales of Two Cities: A Persian Memoir (Washington, D.C, 1996.)

2. Peter Levi, *The Life and Times of William Shakespeare* (New York, 1989).

۳. احمد اشرف، «تاریخچه‌ی کوتاه زندگینامه‌های ایرانی»، **ایران‌نامه**، مجلّد XX، شماره ۱، زمستان ۱۹۹۷، ص ۳.

احمد اشرف، «تاریخ، زندگینامه، و ادبیات داستانی» **ایران‌نامه**، مجلّد XIV، پاییز ۱۹۹۶، ص ۲۵.

4. Alexandr Popodopoli, *Islam and Muslim Art* (N. Y. 1979), 49.

برای دستیابی به شرحی درباره‌ی ظهور تک چهره‌ها، ن.ک.

Royal Persian Painting: The Qajar Epoch, ed. Layla Diba with Maryam Ekhtiar (London, 1998).

۵. سیروس غنی، ایران، برآمدن رضاخان، برافتادن قاجاریه و نقش انگـلیسیها انتشارات نیلوفر، ۱۳۷۹.

فصل اول: پل حسرت

۱. راجی، پرویز، خدمتگزار تخت طاووس: خاطرات آخرین سفیر شاه در لندن، انتشارات اطلاعات،

2. Christine Ockrent, *La Memoire du Coeur* (Paris, 1998), 15.

۳. فرشته انشاء، گفتگو با مؤلف، پاریس، فرانسه، ۴ ژوئن ۱۹۹۸. در میان اسنادیکه وی در ضمن گفتگویمان به من ارائه داد، نسخههایی از آخرین نامههای امیر عباس هویدا یافت میشوندکه تاکنون منتشر نشدهاند و فرشته انشاء آنها را مخفیانه از زندان خارج کرده بود.

۴. علاقه و تمایل هویدا به داستانهای پلیسی را از برادرش، فریدون هویدا، شنیدم که او خود از صاحبنظران این نوع داستانها است. ر.ک.

Fereydoun Hoveyda, *Petite Histoire du Roman Policier* (paries, 1956).

Fereydoun Hoveyda, *L' Histoire du Roman Policies* (Paris, 1969)

5. Marvin Zonis, *Majestic Failure: The Fall of the Shah* (Chicago, 1991).

۶. احتیاط و رازداری هویدا در مورد این خیاط در گفتگو با وجیهه معرفت در ژانویه ۱۹۹۸ بر من روشن شد. وجیهه معرفت به مدّت دوازده سال منشی خصوصی مورد اعتماد هویدا بود.

۷. دکتر عبدالحسین سمیعی، گفتگو با مؤلف، ۷ فوریه ۱۹۹۸. وقتی هـویدا در روز سانحهی اتومبیل به بیمارستان منتقل شد، دکتر سمیعی از پزشکان حاضر در بیمارستان بود. در طی سالهای بعد، وی کماکان یکی از پزشکان خاص هویدا باقی ماند، و سرانجام در مقام وزیر علوم و آموزش عالی، به کابینهی وی پیوست.

۸. برای دستیابی به گزارشی بسیار منفی و بدبینانه از زندگی هویداکـه آمـیزهای از

شایعات و کنایه با گزینه‌ای از خاطرات انتشار یافته‌ی هویداست، به **زندگی و خاطرات امیر عباس هویدا**، تألیف اسکندر دُلدوم، تهران، ۱۳۷۲، مراجعه کنید. این حقیقت که این کار تخریب کننده و سراسر غیرقابل اعتماد به چاپ چهارم رسیده است، حاکی از کنجکاوی رو به تزاید نسبت به زندگی هویداست.

۹. سمیعی، گفتگو با نویسنده.

۱۰. هویدا حدود ۳۱۰ پیپ و ۱۵۰ عصا گرد آورده بود. نگاه کنید به: دکتر مصطفی الموتی، **ایران در عصر پهلوی**، جلد دوازدهم، [لندن، ۱۹۹۲]، ۱۲۶. فریدون هویدا به من [نگارنده] گفت که خود امیر عباس هویدا در پی جمع‌آوری مجموعه‌های پیپ و عصا نبود، بلکه آنها عمدتاً هدیه‌ی همکارانش بودند. فریدون هویدا، گفتگو با نگارنده، سوم اوت ۱۹۹۸.

۱۱. برای دستیابی به شرح تأسیس این مدرسه و نقش این دو روحانی در ایجاد آن، بنگرید به: محسن هاشمی، **هاشمی رفسنجانی: دوران مبارزه**، تهران ۱۳۷۶، ص ۳۷.

۱۲. برای شرحی درخصوص نقش رفسنجانی در این ماجرا، ر.ک.: **هاشمی رفسنجانی: دوران مبارزه**، ص ۳۳.

۱۳. فریدون هویدا، گفتگو با نگارنده، ۱۷ ژانویه ۱۹۹۸.

۱۴. بنی صدر، گفتگو با نگارنده، دوم ژوئن ۱۹۹۸ و کلمات آیت الله مطابق آن‌چه که بنی صدر به خاطر می‌آورد، نقل شده است.

۱۵. بنی صدر، گفتگو با نگارنده. حرفهای سالار جاف مطابق آن چیزی نقل شده که در خاطر بنی صدر مانده است.

۱۶. جمهوری اسلامی رنگهای قرمز، سبز و سفید پرچم را نگه‌داشت، اما شیر و خورشید آن را حذف کرد و به جایش آیه‌های قرآن را به عربی بر روی پرچم حک کرد. برای تاریخچه‌ی نماد شیر و خورشید، بنگرید به: احمد کسروی، "تاریخ شیر و خورشید در کتاب **کاروند کسروی**، تهران، ۱۹۷۴، ص ۹۴ ـ ۱۰۹.

۱۷. فرشته انشاء، گفتگو با نگارنده، پاریس، فرانسه، ۴ ژوئن ۱۹۹۸. دکتر فرشته انشاء در همان اتاق با هویدا ملاقات کرد و آرایش آن را برای من توضیح داد.

۱۸. بنی صدر، گفتگو با نگارنده، رفتار کلّی هویدا، ظاهر موقر و آرام وی، آشکارا بنی صدر را تحت تأثیر قرار داده بود.

۱۹. احسان نراقی، گفتگو با نگارنده، پاریس، فرانسه، ۲ ژوئن ۱۹۹۸. نراقی،کـه از چهره‌های بارز رژیم پهلوی و از دوستان هویدا بود، بنی صدر را به هویدا معرفی کرده بود.

۲۰. اسداله علم،که سالهای متمادی وزیر دربار مورد اعتماد شاه و از دشمنان هویدا بود، در خاطراتش می‌نویسد که در فروردین ۱۳۵۲ این موضوع را محرمانه با شاه در میان نهاد که بقای هویدا قسماً نتیجه‌ی «پول دادن» به اعضای خانوادهٔ سـلطنتی، بـه‌خصوص منسوبین ملکه است. بنا به گفته علم، شاه در این مورد دستور رسیدگی داد. در خاطرات علم هیچ نشانه‌ای از این رسیدگی و نتایج آن یافت نشد؛ در هیچ منبع دیگری هم اثری از آن نیافتم. بنگرید به: اسداله علم، یادداشتهای علم، جلد سوم، ص ۲۳.

۲۱. در مورد مبلغ دقیقی که هویدا به روحانیون پرداخت می‌کرد، توافقی وجود ندارد. بعضی‌ها حدس زده‌اند این مبلغ حدود هشت میلیون دلار در سال بوده است. ر.ک.:

David Shumer, An Important Document Exposing Big Conspiracies, (Washington, D.C., 1982), 55.

۲۲. بنی صدر، گفتگو با نگارنده.

۲۳. دکتر فرشته انشاء، گفتگو با نگارنده، ۴ ژوئن ۱۹۹۸. هویدا اصل موضوع ایـن مکالمه را در خلال آخرین ملاقاتش با دکتر انشاء در زندان، برای وی تکرار کرد.

۲۴. کیهان، ۲۷ بهمن ۱۳۵۷، و ۲۸ بهمن ۱۳۵۷.

۲۵. ن.ک. کیهان، ۱۴ فروردین ۱۳۵۸.

۲۶. در آن روزها، بنی صدر درباره‌ی مزایا و محسنات حکومت اسلامی و نوع جدید قدرت و عدالت آن مطالب زیادی می‌نوشت و سخنرانی‌های زیادی ایراد می‌کرد. ن.ک.: «حکومت اسلامی حکومت عقیده است»، کیهان، ۳۰ بهمن ۱۳۵۷.

۲۷. بنی صدر، گفتگو با نگارنده.

۲۸. برای بحثی سخت هوشمندانه در باب فرزندکشی در شاهنامهٔ فردوسی، ر.ک.:

Dick Davis, *Epic and Sedition: The case of Ferdowsi's Shahnameh* (Fayetteville, Ar. 1992; Washington, D.C., 1998), 97 - 166.

۲۹. فریدون هویدا، در عرصه‌های فرهنگی و فیلم منتقدی برجسته است. سالها پیش از انتصاب برادرش به مقام نخست وزیری، در یکی از مقالات خود، در مورد اهـمیت

پدرسالاری در فرهنگ و اساطیر ایران نوشته بود. به‌گمان او میان هویدا و شاه رابطه‌ای از جنم همان رابطه‌ی پدر/پسر داستان‌های اسطوره‌ای ایران سراغ می‌توان کرد. برای نظراتش در این زمینه ر. ک. به: فریدون هویدا، «جمهوری اسلامی در پرتو اسطوره‌شناسی ایران»، اختر، ۱۹۹۱، شماره‌ی ۱۰، صص ۴۲ - ۵۵.

وی در این مقاله درباره‌ی آن چیزی می‌نویسد که در تقابل با عقده‌ی ادیپ، «عقده‌ی رستم» می‌نامد و آن را کلید تاریخ فرهنگ و سیاست ایرانی می‌داند. وی دیدگاههایش راجع به این موضوع را نخستین بار در سال ۱۹۵۹، در خلال کنفرانسی مربوط به روانکاوی در پاریس، بیان داشت.

۳۰. درباره‌ی این توافق مطالب خیلی زیادی نوشته شده است. بنی صدر با قطعیت اعلام کرد که چنین لیستی وجود داشته است. او گفت که از این لیست در چندین جلسه‌ی شورای انقلاب، که وی یکی از اعضای آن بوده، یاد شده است. گفتگوی بنی صدر با نگارنده، ۲ ژوئن ۱۹۹۸.

ویلیام سولیوان، سفیر وقت امریکا در ایران، در خاطراتش می‌نویسد که، پیش از عزیمت شاه، وی با مهدی بازرگان که پس از کوتاه زمانی نخست‌وزیر دولت موقت انقلابی ایران شد، و آیت الله موسوی، که «از جانب رکن مذهبی انقلاب صحبت می‌کرد»، دیدار و گفتگو کرد. سولیوان، با بهره گیری از زبان احتیاط‌آمیز یک دیپلمات، در تشریح این ملاقات می‌نویسد، «بازرگان و من به فرانسه صحبت کردیم، و آن‌گاه وی محترمانه جان کلام گفتگو را برای استفاده‌ی آیت‌الله، که در تمام مدت بسیار کم صحبت کرد، ترجمه می‌کرد. بازرگان آن چیزهایی را که همفکرانش از مدت‌ها پیش به کارمندان سفارت گفته بودند، برای من تکرار کرد. آنان می‌خواستند که نیروهای مسلح بی‌طرف بمانند و با دولت جدید همکاری کنند. آنان لیستی از افسران ارتش دراختیار داشتند و می‌خواستند آنان همراه با اموالشان کشور را ترک کنند و از کیفر بگریزند.» ر. ک.

William Sullivan, *Mission to Iran* (New York, 1981), 236 - 37.

۳۱. بنی صدر، گفتگو با نگارنده. وقتی ارتشبد نعمت‌الله نصیری در تلویزیون نشان داده شد، مورد ضرب و شتم قرار گرفته بود و به سختی می‌توانست صحبت کند.

۳۲. کیهان، ۲۶ اسفند ۱۳۵۷.

۳۳. دکتر فرشته انشاء، گفتگو با نگارنده، پاریس، فرانسه، ۴ ژوئن ۱۹۹۸. خانواده

معتقد شده بود که این تأخیر و انتقال به معنی گذشتن خطر اعدام است.

34. Ockrent, *La memoire*, 30.

لادن برومند، که در آن روز نقش مترجم را بر عهده داشت به یاد ندارد که اُکرانت، بر خلاف ادعایش در **خاطرات** خود، سخنی از قرارداد ژنو به میان آورده باشد. برومند می‌گفت اُکرانت آن چنان وسوسه‌ی انجام این مصاحبه را داشت، چنان مصر بود که این «پیروزی مطبوعاتی»ی خود را جامه‌ی تحقق بپوشاند که مسایل اخلاقی را یکسره وا گذاشته بود. لادن برومند، گفتگو با نگارنده، ۲۰ مه ۱۹۹۹.

۳۵. تمام نقل قولها از مصاحبه اُکرانت با هویدا است، مگر آن که خلاف آن ذکر شده باشد؛ این مصاحبه از نوار کانال سه فرانسه برگرفته شده است. ر.ک.:

Amir Abbas Hoveyda, Interview by Christine Ockrent, canal 3, France.

۳۶. برای شرحی از برخوردهای روزنامه‌نگاران با این سیاستمردان، ر.ک.:

Ockrent, *La Memoire*, 17 - 27.

۳۷. برخی منتقدانِ کریستین اُکرانت روایت وی را از رویدادهای منجر به مصاحبه [با هویدا] مورد تردید قرار داده‌اند. آنان ادعا می‌کنند که وی به توافقی پنهانی، و بسی غیراخلاقی، با صادق قطب زاده، یکی دیگر از کارگزاران با نفوذ آن زمان، تن داده است. صادق قطب‌زاده تا مقام وزارت خارجه‌ی ایران هم ارتقاء یافت، ولی بعد به جرم خیانت اعدام شد. این منتقدان، که برخی روزنامه‌نگاران برجسته‌ی فرانسه، چون ادوارد سابلیه، نیز در میان آنان یافت می‌شود، بر این گمان‌اند که قطب‌زاده، در عوض کمک در کار امکان بخشیدن به این مصاحبه، می‌خواست که در انتخاب پرسشها از هویدا، خود وی تصمیم بگیرد. به گفته‌ی این منتقدان، این تنها توضیح و توجیه لحن پرخاشگر مصاحبه‌ی اوکرنت می‌تواند بود. احسان نراقی، **خاطرات**، متن دست‌نویس انتشار نیافته (پاریس، ۱۹۹۸)، صص ۳۱۳ - ۳۳۲.

۳۸. لادن برومند، گفتگو با نگارنده، ٦ ژانویه‌ی ۱۹۹۸.

۳۹. ظاهراً در آن روزها در تهران، بیش از یک نفر شبیه فوکیه ـ تانویل یافت می‌شد. اُکرانت، در وصف سفرش به تهران از شباهت خلخالی به فوکیه تانویل می‌نویسد. ص ۲۵.

40. Ockrent, *La Memoire*, 15–16.

۴۱. برومند، گفتگو با نویسنده.

۴۲. عادت فرستادن خبرنگارانی به جهان سوم که نسبت به فرهنگ محلی بی‌اطلاع‌اند و زبان بومی را نمی‌دانند و گاه حتی خفیف‌اش می‌شمارند، به گمان من، مصداق بارز نخوت استعماری است. اُکرانت به هیچ یک از مذاکراتی که درباره‌ی مترجمان صورت گرفته بود اشاره‌ای نمی‌کند. مضمون این مذاکرات را از لادن برومند شنیدم. لادن برومند، گفتگو با نگارنده، ۶ ژانویه‌ی ۱۹۹۸.

۴۳. اُکرانت درباره‌ی «دل آشوب»شدنش به دیدن آن همه رنج انسانها نیز می‌نویسد:
Ockrent, *La Memoire*, 15.

۴۴. گفتگو با برومند.

۴۵. برومند و اوکرنت هر دو به این شادمانی اولیه اشاره کرده‌اند.

46. Ockrent, *La Memoire*, 31.

۴۷. اسدالله علم، که معتمد شاه بود، بارها در خاطرات خود به این واقعیت اشاره می‌کند که شاه نسبت به مقالات مجله‌ها و روزنامه‌های غربی حساسیت عجیبی داشت و از هرگونه انتقادی که در آنها طرح می‌شد بر می‌آشفت. به‌علاوه، شاه در پس هر مقاله و نوشته‌ای یک توطئه می‌دید. ر.ک.: **یادداشتهای علم**.

۴۸. مسعود بهنود، **از سید ضیاء تا بختیار**، تهران، ۱۳۶۹، ص ۵۱۰.

۴۹. اوکرنت درباره‌ی برخی از این انتقادها نوشته است. ر.ک.:
Ockrent, *La Memoire*, 33–40

۵۰. اگر خاطرات اُکرانت را که به لطف بازنگری و به کمک ویراستاران نوشته شده، بتوان معیاری از شناخت وی از سیاست در ایران و توجه روزنامه‌نگارانه‌ی وی به جزئیات تلقی کرد، پس اتهام هویدا را باید درست دانست. آن فصل از **خاطرات** اُکرانت که به مسافرتش به تهران اختصاص دارد سرشار از اشتباهات فاحش است. نه‌تنها در مورد جزئیاتی چون مکان تحصیلات عالی هویدا اطلاعات غلط داده ـ به جای بروکسل، فرانسه را محل تحصیلات وی بیان کرده ـ، حتی برای محل زندان هویدا هم نامی از خودش در آورده است. وی این زندان را «ارِوان، Erevan» می‌نامد. طبعاً چنین زندانی در تهران وجود ندارد. به نظر می‌رسد که زندانهای «اوین» و «قصر» را که هویدا در آن جا زندانی بود، با هم اشتباه کرده و نامشان را به نحوی در هم آمیخته است. برخلاف نوشته‌های وی، بنی‌صدر هرگز «استاد الهیات» نبوده است. قطب‌زاده هم در آن زمان وزیر اطلاعات نبود،

اصولاً در آن زمان وزارت اطلاعاتی در کار نبود.

۵۱. راجی درباره‌ی نقش هویدا در فراهم آوردن امکان دیدار صلیب سرخ از زندانها به تفصیل می‌نویسد. به نوشته‌ی وی، این هویدا بود که امکان تحقق دیداری مهم مابین شاه و مارتین انالز، دبیر کلّ عفو بین‌الملل، را فراهم آورد. (ر.ک. **خدمتگزار تخت طاووس.** ص ۵۵). اسناد سفارت امریکا در ایران حاکی از آن است که هویدا همچنین در ترتیب دادن مذاکراتی مابین شاه و ویلیام باتلر، رئیس کمیته‌ی اجرایی کمیسیون بین‌المللی حقوقدانان، نقش داشت. هویدا در شیراز در یازدهم اردیبهشت ۱۳۵۷ با باتلر دیدار کرد. وقتی بازدید عفو بین‌الملل از زندانهای ایران تحقق یافت، من زندانی سیاسی بودم. شرایط زندانیان پس از آن بازدی به نحو بارزی بهبود یافت.

فصل دوم: برزخ بیروت

۱. خطه‌ای که تهران در آن جای گرفته، برای نزدیک به هشت هزار سال مسکون انسان‌ها بوده است. در آغاز تهران روستایی بیش نبود. برای نزدیک به پانصد سال، در سایه‌ی شهر ری می‌زیست که از مراکز عمده‌ی فرهنگی و سیاسی و تجاری ایران قرون وسطی بود. با سقوط و ویرانی‌ی تدریجی ری، با حملات قبایل آسیایی که ویرانگری پیشه کرده بودند و هر آن چه در راه می‌دیدند نابود می‌ساختند، تهران هم به تدریج رونق و شهرتی نو یافت. برخی حتی می‌گویند نام تهران هم به معنی شهرت تحویل‌پذیر است. می‌گفتند تهرانیان خانه‌های خود را در زیر زمین باغستان‌های خود بنا می‌کردند و از دید و گزند مهاجمان در امان می‌ماندند. برای بررسی تاریخ اجمالی شهر تهران ر.ک. به: تهران، پایتخت دویست ساله.

۲. امیر عباس هویدا، «یاد ایام جوانی»، **سالنامه‌ی دنیا**، دوره‌ی بیست و دوم، ص ۳۲۸.

۳. **تاریخ معاصر ایران**، تهران ۱۳۶۸، صص ۱۷۱ - ۱۷۲؛ هویدا، «یاد ایام جوانی»، ص ۳۲۸.

۴. هویدا، «یاد ایام جوانی»، ص ۳۲۸.

۵. برای بحثی در باب این سفر، خاطرات شاه از سفرهایش، و عُلقه‌ی وی به تجدد، ر.ک.:

A. Milani, "Narratives of Moderinty: Perspectives of an Oriental Despot" in *Challenging Boundaries*, ed. Michael Shapiro (Minneapolis, 1996, 219–32.

برای ترجمه‌ی فارسی این مقاله ر.ک. به: عباس میرانی، «ناصرالدین شاه و مسأله‌ی تجدد»، در **تجدد و تجددستیزی در ایران**، نشر آتیه، تهران، ۱۳۷۸.

۶. برای بحثی پیرامون جنبه‌های تاریخی تهران، و نفوذ و تأثیر نقشه‌های اروپایی بر رشد این شهر، ر.ک.:

John D. Gurney, "The Transformation of Tehran in Late Nineteeth century" in Adle, *Tehran: Capitale Bicentenaire*, 53–71

۷. برای دستیابی به تصویری جامع از تهران در دو دهه‌ی نخست قرن بیستم، ر.ک.: جعفر شهری، تاریخ اجتماعی تهران، ٦ ج، تهران، ۱۳۶۹، صص ۸۹ - ۱۱۰.

۸. برای دستیابی به تشریح و توصیف دروازه ر.ک.: جعفر شهری، **تاریخ اجتماعی تهران**، ج ۱، صص ۸۹ - ۱۱۰.

۹. برای دستیابی به گزارشی از ایجاد این مدرسه، ر.ک.: باستانی پاریزی، **تلاش آزادی**، تهران، ۱۳۴۱، صص ۷۸ - ۸۴.

10. Willem Floor, "Les Premiere Regles de Police Urbaine à Tehran," in Adle, *Tehran: Capitale Bicentenaire*, 173 – 98.

۱۱. شهری گزارشی عالی از این رویداد در کتاب یک جلدی خود، **تهران قدیم**، ارائه می‌دهد. ر.ک. **تهران قدیم**، تهران، ۱۳۵٦، ص ۲۴.

۱۲. هویدا، «یاد ایام جوانی»، ص ۳۲۸.

۱۳. برای دستیابی به گزارشی درخشان از زندگی ناصرالدین شاه و رابطه‌ی نابسامان وی با امیرکبیر، ر.ک.:

Abbas Amanat, *Pivot of the Universe: Nasir al Din Shah Qajar and the Iranian Monarchy, 1831–1896* (Berley, 1997), 106 – 67.

تاریخ‌نگاران دیگر هم اشاره کرده‌اند که این شاهزاده وقتی به وی امر شد با صدراعظم ازدواج کند، شانزده ساله بود. ر.ک.: فریدون آدمیت، **امیرکبیر و ایران**، تهران، خوارزمی، ۱۳۴۸، ص ۲۴.

۱۴. برای دستیابی به تاریخچه‌ی «قهوه‌ی قجر» معروف، ر.ک. باستانی پاریزی، **تلاش آزادی**، ص ۱۱۸.

۱۵. دکتر فرشته انشاء، گفتگو با نگارنده، ۲۷ ژوئیه‌ی ۱۹۹۸. قسمت اعظم اطلاعات درباره‌ی خانواده‌ی مادر هویدا از مصاحبه‌ای با خواهر زاده‌ی افسرالملوک، دکتر فرشته انشاء، به دست آمده است.

۱۶. هویدا، «یاد ایام جوانی»، صص ۳۳۳ - ۳۳۰. فریدون هویدا، گفتگو با نگارنده، ششم دسامبر ۱۹۹۷.

۱۷. برای دستیابی به شرح زندگی وی، و فهرست کتابهایی که او برای ترجمه یا انتشار آنها در ایران کمک کرد، ر.ک.: سردار اسعد، **خاطرات سردار اسعد بختیاری**، به کوشش ایرج افشار، انتشارات اساطیر، تهران، ۱۳۷۲، صص ۳ - ۷.

18. E. G. Browns, *Material for the study of the Babi Religion* (Cambridge, 1918), 4.

براون که از طرفداران جنبش بابی، یکی از موثق‌ترین گزارشهای اولیه درباره‌ی ظهور باب و مذهب بابی را به زبان انگلیسی ارائه داده است. نیز بنگرید به: **یک سال در میان ایرانیان**، دیگر اثر ادوارد براون.

19. E. G. Browne, Materials.

نیز ر.ک. **یک سال در میان ایرانیان**، برای دستیابی به بررسی جدیدتر و اندیشمندانه‌ای از این مبحث، ر.ک.:

Abbas Amanat, *Resurrection and Renewal: The Making of the Babi Movement in Iran, 1840–1850*. (Ithaca, 1989).

۲۰. ادعای نقش عین الملک به عنوان کاتب را می‌توان در: بهرام افراسیابی. **تاریخ جامع بهائیت نوماسونی**، تهران، ۱۳٦۱، ص ۲۷ یافت. چنان که از عنوان کتاب بر می‌آید، روایت آن بر پایه‌ی نظریه‌ی توطئه‌ی ظهور آیین بهایی از ایده‌های فراماسونی، استوار است. در قسمت اعظم ادعاهای این کتاب، از جمله ماهیت پیوندهای مابین عین‌الملک و افندی، سند و مدرک قابل اعتنایی ارائه نشده است.

۲۱. هویدا، «یاد ایام جوانی»، ص ۳۲.

۲۲. پیشین، ص ۳۲۹.

23. T. E. Lawrence, *Seven Pillars of Wisdom* (New York, 1927), 34.

۲۴. هویدا، «یاد ایام جوانی»، ص ۳۲۸.

۲۵. پیشین، ص ۳۳۲.

۲۶. پیشین، ص ۳۲۸.

۲۷. پیشین.

28. Fereydoun Hoveyda, *Les Nuits Feodales: Tribulations d'un Persan au Moyen-Orient* (Paris, 1954), 23.

۲۹. هویدا، «یاد ایام جوانی»، ص ۳۳۱.

۳۰. پیشین، ص ۳۲۴.

۳۱. پیشین، ص ۳۳۷.

۳۲. برای دستیابی به گزارشی موجز درخصوص ایدئولوژی و ساختار سیاسی وهابی، ر.ک.:

Aziz Al Azmeh, "Wahhabi Polity", in *Islam and Modernities* (London, 1993), 104 – 22.

۳۳. پیشین، ص ۳۳۷.

۳۴. فریدون هویدا، گفتگو با نگارنده، ۳ سپتامبر ۱۹۹۸.

35. Hoveyda, *Les Nuits Feodale.*

36. Frank J. Sulloway, *Born to Rebel: Birth Order, Family Dynamics, and Creative Lives* (New York, 1997), 22.

۳۷. برای دستیابی به شرح جامعی درباره‌ی به قدرت رسیدن رضاشاه، ر.ک. سیروس غنی، ایران، برآمدن رضاخان، برافتادن قاجاریه و نقش انگلیسی‌ها، تهران ۱۳۷۸.

۳۸. هویدا، «یاد ایام جوانی»، ص ۳۳۰.

۳۹. پیشین.

۴۰. پیشین، ص ۳۳۱.

۴۱. پیشین، ص ۳۳۲.

۴۲. پیشین.

۴۳. پیشین، ص ۳۳۶.

۴۴. فریدون هویدا، گفتگو با نگارنده، ۲۶ ژوئن ۱۹۹۸. امیرعباس، در «یـاد ایـام جوانی»، محتاطانه به همین نکته اشاره‌ای ضمنی می‌کند و به وفاداری راسخ پدرش نسبت به دوستان خود اشاره دارد.

۴۵. فریدون هویدا، گفتگو با نگارنده، ۲۶ ژوئن ۱۹۹۸.

۴۶. هویدا، «یاد ایام جوانی»، ص ۳۳۶.

۴۷. پیشین.

۴۸. فریدون هویدا، گفتگو با نگارنده، ۲۶ ژوئن ۱۹۹۸.

۴۹. احمد قریشی، گفتگو با نگارنده، ۱۴ اوت ۱۹۹۸.

۵۰. امیر عباس هویدا، «یاد ایام تحصیل در اروپا»، سالنامه‌ی دنیا، دوره‌ی بیست و سوم، تهران، ۱۳۴۷، ص ۳۳۷.

51. Fereydoun Hoveyda, *Les Nuits*, 171.

۵۲. فریدون هویدا، در بیش از یک مورد از علاقه‌ی برادرش به بارون دوکلاپیک با من صحبت کرد. در خاطرات مالرو که (با اداهای خاص فرانسوی) ضد خـاطرات نـام گرفته، بارون دوکلاپیک در روایت به عنوان شخصی ظاهر می‌شود که مالرو وی را در دنیای واقعی ملاقات می‌کند. ر.ک. آندره مالرو، ضد خـاطرات، تـهران، خـوارزمـی، ۱۳۶۴.

۵۳. آندره مالرو، سرنوشت بشر، تهران، خوارزمی، ۱۳۶۵.

۵۴. پیشین.

۵۵. پیشین، ص ۴۶.

۵۶. پیشین، ص ۲۵۹.

۵۷. پیشین، ص ۲۷۹.

۵۸. پیشین، ص ۳۱۴.

۵۹. پیشین، ص ۲۵۷.

60. Sulloway, *Born to Rebel*, 316.

61. Simon Schama, *Citizens: A Chronicle of the French Revolution* (New York, 1980), 651.

۶۲. فریدون هویدا، گفتگو با نگارنده، ۶ سپتامبر ۱۹۹۸.

۶۳. رنه دومان، گفتگو با نویسنده، بلژیک، بروکسل، اول ژوئن ۱۹۹۸.

64. Peter Partner, *The Murdered Magicians: The Templars and Their Myth* (Rochester, 1987), XIV – XVII.

۶۵. هویدا، «یاد ایام جوانی»، ص ۳۳۲.

66. Jean Baptiste Racine, *The Complete Plays of Jean Racine,* Vol. 1, trans. Samuel Solomon (New York, 1967), 220.

۶۷. فریدون هویدا، گفتگو با نگارنده، ۲۶ ژوئن ۱۹۹۷.

۶۸. هم رنه دومان و هم فریدون هویدا ماجرای بداهه‌گویی امیر عباس را در نقش داندن به یاد داشتند.

۶۹. امیر عباس هویدا، مکاتبه‌ی خصوصی با رنه دومان.

۷۰. پیشین.

۷۱. رنه دومان، گفتگو با نگارنده، بلژیک، بروکسل، اول ژوئن ۱۹۹۸.

۷۲. لیلا امامی، گفتگو با نگارنده، فرانسه، پاریس، ۱۲ مارس ۱۹۹۹.

73. William Rees, ed. *French Poetry 1820 –1950* (New York, 1990), 20.

74. Percy Mansell Jones, and Geoffrey Richardson, *A Book of French Verse* (London, 1964), 73–74.

فصل سوم: زائر پاریس

۱. فریدون هویدا، گفتگو با نگارنده، ۷ فوریه ۱۹۹۹.

۲. هویدا، «یاد ایام تحصیل در اروپا»، ص ۳۳۶.

۳. پیشین، ص ۳۳۶.

۴. پیشین، ص ۳۳۷.

۵. پیشین.

6. Claude Levi-Strauss, *Tristes Tropiques* (Paris, 1983), 405.

۷. برای دستیابی به بحثی جامع‌تر در خصوص همین نگرش‌ها و گرایش‌های سنت نوین روشنفکری فرانسوی، یا به قول یکی از منتقدان «بی‌حسی‌ی معنوی‌ی جمعی، و

شیفتگی با ایده‌ها به زبان واقعیت» ر.ک.

Tony Judt, *The Burden of Responsibility: Blum, Camus, Aron and the French Twentieth Century* (Chicago, 1999).

هویدا خواننده‌ی حریص آثار آرون و کامو بود.

۸. هویدا، «یاد ایام جوانی»، ص ۳۳۷.

۹. برای بحثی درباره‌ی این مباحثه مابین روشنفکران عرب، ر.ک.

Fouad Ajami, *The Arab Predicament* (New York, 1992).

۱۰. برای دستیابی به بحثی درخصوص نقش خاص فرانسه در چشم‌انداز روشنفکری ایران در نیمه‌ی نخست قرن بیستم، ر.ک. کریستف بالای، **پیدایش رمان جدید فارسی**، تهران، ۳۷۷.

۱۱. هویدا، «یاد ایام تحصیل در اروپا»، ص ۳۳۷.

۱۲. پیشین.

۱۳. پیشین، ص ۳۳۸.

۱۴. پیشین.

۱۵. پیشین.

۱۶. پیشین.

۱۷. پیشین.

۱۸. برای دستیابی به بحثی پیشگام و روشن در باب **فکلی‌ها**، ر.ک.: سیّد فخرالدین شادمان، **تسخیر تمدن فرنگ**، تهران، ۱۳۲۶.

۱۹. هویدا، «یاد ایام تحصیل در اروپا»، ص ۳۴۴.

۲۰. پیشین، ص ۳۴۶.

۲۱. امیر عباس هویدا، «یاد ایام خدمت وظیفه‌ی افسری در دانشکده‌ی افسری»، در **سالنامه‌ی دنیا**، دوره‌ی بیست و پنجم، ص ۳۷۲.

۲۲. فریدون هویدا، گفتگو با نگارنده، دوم فوریه ۱۹۹۹.

۲۳. اطلاعات درباره‌ی علاقه‌ی او به پیراهن‌های سفید در گفتگوی نگارنده با همسرش، لیلا، در پاریس به تاریخ دوازدهم مارس ۱۹۹۹ کسب شد.

۲۴. هویدا، «یاد ایام تحصیل در اروپا»، ص ۳۴۴.

۲۵. امیر عباس هویدا، مکاتبه‌ی خصوصی با رنه دومان، ۲۸ آوریل ۱۹۳۹.

۲۶. پیشین.

۲۷. هویدا، «یاد ایام تحصیل در اروپا»، ص ۳۴۵.

۲۸. برای دستیابی به مروری مختصر بر برخی مباحثه‌های اخیر در باب ماهیت زندگی‌نامه‌نویسی به عنوان یک نوع ادبی و دیدگاه‌های ناباکف، ر.ک.:
Allison Light, "The Mighty Mongrel: Biography as a Literary Form," *New Statesmen and society*, 17 December 1993, 65.

29. Sigmund Freud, *The Psychopathology of Everyday Life,* trans. James Strachy (New York, 1997).

۳۰. هویدا، «یاد ایام تحصیل در اروپا»، ص ۳۴۵.

۳۱. امیر عباس هویدا، نامه‌های خصوصی به رنه دومان، ۱۳۱۸.

۳۲. برای شرحی در باب دیدگاههای فرانسه نسبت به فرهنگ بلژیک، ر.ک.:
Luc Sante, *The Factory of Facts* (New York, 1998).

۳۳. هویدا، «یاد ایام تحصیل در اروپا»، ص ۴۶ - ۳۴۵.

۳۴. در بلژیک، فقط دانشجویان و بستگان نزدیک آنها به کارنامه‌های دانشجو می‌توانند دست پیدا کنند. اما با یاری‌های مهربانانه پی‌یر مورلت، وکیل دعاوی ناحیه‌ی بروکسل، و برادرم دکتر حسین میلانی، که در دانشکده‌ی پزشکی آن دانشگاه درس خوانده است، رئیس دانشگاه با مهربانی موافقت کرد که من از مدارک تحصیلی هویدا رونوشت بردارم.

۳۵. برای دستیابی به شرحی درباره‌ی سخنرانی هویدا در این مراسم، من به صحبتهای محمد صفا، یکی از کارکنان دفتر وی و از معتمدانش که وی را در سفر بلژیک همراهی می‌کرد، استناد کردم. محمد صفا، گفتگو با نگارنده، ۲۱ نوامبر ۱۹۹۷.

۳۶. امیر عباس هویدا، «یادداشتهای زمان جنگ»، سالنامه‌ی دنیا، دوره‌ی بیست و یکم، صص ۳۳-۳۲.

۳۷. پیشین، ص ۳۶.

۳۸. پیشین.

۳۹. پیشین، ص ۳۴.

۴۰. پیشین، ص ۳۵.

۴۱. پیشین.

۴۲. پیشین، ص ۳٦.

۴۳. پیشین.

۴۴. پیشین، ص ۳۸.

۴۵. پیشین، ص ۴۳.

۴٦. پیشین، ص ۴۷.

۴۷. پیشین، ص ۵۵.

۴۸. پیشین، ص ۴۹.

۴۹. فریدون هویدا، گفتگو با نگارنده، هشتم فوریه ۱۹۹۸.

50. Ahmad Mahrad, "Iranian Jews in Europe during W.W.II," in *The History of Contemporary Iranian Jews,* Center for Iranian Jewish Oral History, vol. 3 (Beverly Hills, 1999), 59–109.

از سالها پیش، احمد مهراد بـه انجام کـارهایی ابتکاری و نـو، بـا بـهره‌برداری از آرشیوهای نازی، برای تهیه‌ی گزارشهایی مستند از سرنوشت یهودیان ایـرانی در اروپا مشغول است. وی چندین کتاب و رساله نیز در این باب در آلمان منتشر کرده، که از آن جمله است:

Ahmad Mahrad, *Das Schiksal Jüdischer Iraner im orient* (Hamburg, 1987).

51. Mahrad, "Iranian Jews," 34.

۵۲. فریدون هویدا، نامه به کمیته‌ی ملّی سیاست خارجی امریکا، ۱۹۹۷.

۵۳. فریدون هویدا، نامه به کمیته‌ی ملّی، ۱۹۹۷.

۵۴. هویدا، «یادداشتهای زمان جنگ»، ص ۵۰.

۵۵. فریدون هویدا، گفتگو با نگارنده، ششم دسامبر ۱۹۹۷.

۵٦. فریدون هویدا، گفتگو با نگارنده، ۱۷ فوریه ۱۹۹۸.

57. *Le Robert*, vol. 3 (Paris, 1984).

۵۸. هویدا، «یادداشتهای زمان جنگ»، ص ۵۷.

فصل چهارم: سرزمین عجایب

۱. غنی، **ایران، برآمدن رضاخان...**، صص ۳۹۵ - ۴۰۷.

۲. اسدالله علم، در یادداشتهایش، به بحث شاه در مورد این تحقیر، در حدود سی سال بعد از آن رویداد، اشاره می‌کند. ر.ک. اسدالله علم، **یادداشتهای علم**، جلد ۲.

۳. برای بحثی بیشتر در این باره، ر.ک.:

Isaiah Berlin, *The Crooked Timber of Humanity: Chapters in the History of Ideas* (New York, 1993), 133.

۴. برای دستیابی به بحثی پیرامون دسیسه‌های بریتانیا برای حفظ موقعیت انحصاری خود در ایران، ر.ک. غنی، **ایران، برآمدن رضاخان...**، فصلهای ۱ تا ۵.

5. James A. Bill, *The Eagle and the Lion: The Tragedy of American-Iranian Relations* (New Haven, 1988), 28.

٦. نورالدین کیانوری و احسان طبری، هر دو، و در زمانهای متفاوت، این ادعا را طرح کرده‌اند. ر.ک.: نورالدین کیانوری، خاطرات نورالدین کیانوری، تهران، ۱۳۷۱، ص ۱۴۴. وی مدّعی است که یکی از رهبران حزب با هویدا «روابط خیلی نزدیکی» داشت. انور خامه‌ای، که برای مدت کوتاهی از اعضای حزب توده بود و سپس سالیان متمادی از منتقدان سرسخت و جدّی آن حزب به شمار می‌آمد، در خاطرات خود می‌نویسد که هویدا در بیروت به یک «محفل چپگرا» پیوست. ر.ک. انور خامه‌ای، **پنجاه نفر و سه نفر**، تهران، ۱۳۷۱، ص ۱۱۲.

۷. برای دستیابی به بحثی درباره‌ی برخی از این جنبش‌ها و تأثیر و نفوذ افکار کسروی، ر.ک.:

Ali Rahnama, *An Islamic Utopian: A Political Biography of Ali Shariati* (London, 1999), 1–23.

۸. [آیت‌الله] روح الله خمینی، کشف‌الاسرار، تهران، ۱۳۲۰، صص ۱۱۰-۱۰۴.

9. Ryszard Kapuscinski, *Shah of Shahs.* trans. William R. Brand and Katarzyna Mroczkowska-Brand (New York, 1992).

۱۰. برای دستیابی به شرحی پر بار درباره‌ی منش شاه، و نیز قیاسی روشنگر مابین رفتار وی در واپسین روزهای قدرتش، با رفتار پدرش در آخرین روزهای قدرت، ر.ک.:

Kaveh Safa, "Melting Like Snow in Water: Patterns in the collapse of a consequential life".

این مقاله در کنفرانس "Writing Lives in South Asia and Middle East" که در دانشگاه ویرجینیا در ۲۲ و ۲۳ آوریل ۱۹۹۹ برگزار شد، ارائه شده است. نگارنده نیز در این کنفرانس مقاله‌ای تحت عنوان «مخاطرات زندگی‌نامه‌نویسی در ایران: سیاحتی در منظومه‌های فرهنگ» ارائه کردم، که روایت کاملاً تجدیدنظر شده و مختصر شده‌ی آن مقاله به صورت پیشگفتار کتاب حاضر در آمد.

۱۱. **خواندنیها**، شماره ۲۸، ۱۳۲۸.

۱۲. برای بحث ایام اقامت کوک در ایران، ر.ک. به:

Nesta Ramezani, "The Dance of the Rose and the Nightingale,".

13. Stephen Lee McFarland, "The Crisis In Iran, 1941–1947: A Society in Change and the peripheral Origins of the Cold War" (Ph.D. diss., University of Texas, 1988).

۱۴. ابراهیم گلستان، مکاتبات شخصی، ۲۲ ژانویه ۲۰۰۰.

۱۵. هویدا، «یاد از ایام خدمت وظیفه»، ۳۷۴.

۱۶. پیشین.

۱۷. پیشین.

۱۸. دلدم، **زندگی و خاطرات هویدا**، ص ۷۷.

19. Current Biography Year book, 1971 (New York, 1971), 200.

این کتاب مدعی است که هویدا از دانشگاه آزاد بروکسل «لیسانس علوم سیاسی» و «دکترای تاریخ از سوربن» گرفته است.

۲۰. **کتاب سال ایران**، تهران، ۱۳۴۵، ص ۷۶۲.

۲۱. جهانگیر بهروز، گفتگو با نگارنده، ۲ آوریل ۱۹۹۹.

۲۲. داشتن دکترای هویدا در داستان کوتاه پاکروان، **بازداشت هویدا**، ذکر شده است. وقتی من از وی درباره‌ی منبع این ادعا پرسیدم، وی اظهار داشت که هویدا، صراحتاً، درباره‌ی این «رساله‌ی دکترا» با وی صحبت کرده است. سعیده پاکروان، گفتگو با نگارنده، ۱۵ فوریه ۱۹۹۸.

۲۳. دلدم، **زندگی و خاطرات**، ص ۷۷.

۲۴. هویدا، «یاد از ایام»، ص ۳۷۵.

۲۵. دلدم، «زندگی و خاطرات»، ص ۷۷.

۲۶. هویدا، «یاد از ایام»، ص ۳۷۵.

۲۷. پیشین، ص ۳۷۴.

۲۸. پیشین، ص ۳۷۵.

۲۹. ابراهیم گلستان، مکاتبات شخصی، ۲۲ ژانویه‌ی ۲۰۰۰.

۳۰. فریدون هویدا، گفتگو با نگارنده، ۵ ژوئن ۱۹۹۹.

۳۱. هدایت، در نامه‌ای به دوستش حسن شهید نورایی ظاهراً اشاره می‌کند که امریکا را هویدا از طریق یک رابط فرستاده است. ر. ک. صادق هدایت، **نامه‌ها**، گردآوری محمد بهارلو، تهران، ۱۳۵۸، ص ۳۵۸. هدایت در نامه‌ی دیگری به تاریخ ۱۷ نوامبر ۱۹۴۶، می‌نویسد که دو کتاب که هویدا فرستاده دریافت کرده است؛ یکی از آنها اثری از سارتر، و دیگری اثری از هنری میلر است. ناصر پاکدامن که در آن زمان در کار ویرایش مجموعه‌ای از نامه‌های هدایت بود، با محبت تمام همه‌ی آنها را از نظر گذراند و نسخه‌هایی از تمام نامه‌هایی که در آنها از هویدا یاد شده بود، برایم فرستاد. این نامه‌ها، تحت عنوان: **صادق هدایت، هشتاد و یک نامه به حسن شهید نورایی**، گردآوری ناصر پاکدامن، در پاریس منتشر شده است.

۳۲. در سال ۱۳۳۸ که هویدا در شرکت ملّی نفت ایران به کار مشغول بود، یکی از دوستانش، منوچهر پیروز، از وی خواست که برای کمک مالی مورد نیاز انجوی شیرازی راهی بجوید. هویدا، به کمک عبدالله انتظام، که در رأس شرکت نفت قرار داشت، ترتیبی داد که مقرری منظمی به انجوی پرداخت شود. در ضمن یک ملاقات، هویدا به انجوی پیشنهاد کرد که وی نامه‌های هدایت را که ادعا می‌کرد در صندوق امانات امنی در سویس گذاشته است، ویرایش کند. منوچهر پیروز، گفتگو با نگارنده، پاریس، فرانسه، ۱۴ مارس ۱۹۹۹. (هر چند که پیروز سالیان متمادی استاندارد فارس بوده است، زندگی و معاشش از یک خواربار فروشی کوچک در پاریس می‌گذرد. ما در فروشگاه وی با هم دیدار کردیم.)

۳۳. کمتر کسی به اندازه‌ی اردشیر زاهدی از هویدا انتقاد داشت. او این روزها با

صداقتی دلپذیر در مورد نظرات اغلب قاطع و تند و انتقادی او سخن می‌گوید. با من از باده‌گساری‌های اغلب شرم‌آور هویدا صحبت می‌کرد و از «رقص‌های دلقک‌وارش» و این که در این گونه موارد، عصایش را به آرنجش می‌آویخت. اردشیر زاهدی، گفتگو با نگارنده، مونترو، سوئیس، ۵ ژوئن ۱۹۹۸.

۳۴. در نوبتهای مختلف، من با همسر هویدا، رئیس دفترش محمد صفا، برادرش فریدون، دوستش چوبک، صحبت کردم و جملگی درباره‌ی نظرات مذهبی وی مطالب یکسانی اظهار داشتند.

۳۵. صادق چوبک، گفتگو با نگارنده، ۱۵ فوریه ۱۹۹۸.

۳۶. بنگرید به: صادق هدایت، هشتاد و یک نامه به حسن شهید نورایی. از ناصر پاکدامن بابت کمکش به من برای یافتن این اطلاعات در آن نامه‌ها، بسیار سپاسگزارم.

۳۷. جلال آل احمد، کارنامه‌ی سه ساله، تهران، ۱۳۵۹.

۳۸. چوبک، گفتگو.

فصل پنجم: بازگشت به پاریس

1. AD, "Rhanema," Télégramme. Document 2.

2. Hoveyda (Fereydoun), *Les Nuits Feodales*, 270.

3. AD Carton 24, le Préfet de Police à Monsieur, no. 6511−4.

۴. تلگرامهای زیادی در پرونده‌های وزارت خارجه‌ی فرانسه گواه بر اقدامات کارمندان سفارت برای مسافرت به آلمان‌اند. هر یک از این سفرها در درجه‌ی اول باید با موافقت مقامات دول اشغالگر آلمان انجام می‌شد.

۵. هویدا، «یاد از ایام خدمت وظیفه»، ص ۳۷۵.

۶. فریدون هویدا، گفتگو با نگارنده، ۵ فوریه ۱۹۹۸.

۷. فاطمه‌ی سودآور فرمانفرمائیان، گفتگو با نگارنده، ۱۱ مه ۱۹۹۹.

۸. فریدون هویدا، گفتگو با نگارنده، ۱۰ مه ۱۹۹۹.

۹. برای شرح شخصیت حسنعلی منصور، به گفتگوهایم با فریدون هویدا، نصیر عصار، ضیاء شادمان، فاطمه‌ی سودآور فرمانفرمائیان و احسان نراقی استناد کردم. منابع فارسی درباره‌ی زندگی و افکار وی اندک‌اند.

۱۰. فریدون هویدا، گفتگو با نگارنده، ۲۵ ژوئیه ۱۹۹۹.

۱۱. فریدون هویدا، گفتگو با نگارنده، ۲۴ مه ۱۹۹۹.

۱۲. فاطمه سودآور فرمانفرمائیان، گفتگو با نگارنده، ۱۰ مه ۱۹۹۹.

۱۳. ادوارد سابلیه، گفتگو با نگارنده، پاریس، ۱۴ مارس ۱۹۹۹.

14. Edouard Sablier, *Iran. La Poudrière: Les Secrets de la Revolution Islamique* (Paris, 1980), 146.

۱۵. سابلیه، گفتگو.

۱۶. پیشین.

17. Sablier, *Iran*, 146.

18. AD Carton 24, 94.

19. Ibid., 287−88.

20. AD Carton 24, "Le Ministre des Affaires Etrangères à Monsieur le Préfet de Police," 2 Aout, 1945.

21. AD Carton 24, "Télégramme a l'Arrivée," 254−255. Documment 73.

22. AD Carton 24, "Le Préfet de Police à Monsieur le Ministre des Affaires Etrangères: Direction d'Asie-Oceanie," No. 6511−4.

23. Ibid., 2.

24. AD Carton 24, "Le Ministre des Affairs Etrangères à Monsieur le Préfet de Police," 2 August 1945.

25. Ibid., 3.

۲۶. احمد قریشی، گفتگو با نگارنده، ۱۵ فوریه ۱۹۹۸. فریدون هویدا نیز این ماجرا را تأیید کرد و اضافه کرد که، در این زمان، امیر عباس استعفا داد، که شاه نپذیرفت. فریدون هویدا، گفتگو با نگارنده، ۲۴ ژوئیه ۱۹۹۹.

۲۷. جمهوری اسلامی قسمت اعظم مکاتبات رسمی مابین مقامات ایرانی و سوئیسی و وکلای مدافع آن‌ها را منتشر کرده است. تصویری که از خلال این مکاتبات به‌دست می‌آید پای افراد زیادی از دو کشور را به میان می‌کشد. ر. ک. حسین کوچکیان فرد، «رسوایی در

سویس: اسنادی از دربار شاهنشاهی درباره‌ی قاچاق مواد مخدر»، فصلنامه‌ی تاریخ معاصر ایران، سال اول، شماره ۴، زمستان ۱۳۷۶، صص ۱۳۵ ـ ۲۰۸.

28. McFarland, "The Crisis in Iran," 159–60.

29. Ibid.

۳۰. خواندنیها، شماره ۲۰۷ (۱۲ شهریور ۱۳۲۵)، ص ۲ و شماره ۲۵۲ (۱۹ بهمن ۱۳۲۵) صص ۳-۲.

31. AD Carton 24, "Télégramme a l'Arrivée," 22–25. Document 129.

۳۲. فریدون هویدا، گفتگو با نگارنده، ۲۴ مه ۱۹۹۹.

33. AD Carton 24, "Télégramme 00135," 26 Juillet 1946

34. AD Carton 24, "Note pour le Cabinet du Ministre," 24 Juillet 1946.

همین اتهامات در دست کم دو تلگرام دیگر تکرار شده است.

35. AD Carton 24, "Télégramme a l'Arrivée," 00144. 9 Aout 1946.

36. AD Carton 24, "Note pour le Secrétaire Générale," 24 Juillet 1947.

۳۷. در تلگرامی از سفارت فرانسه در تهران، شارژ دافر سفارت اعلام کرد، «وجود شخصیتهای مرموزی به عنوان طراح و مغز متفکر توطئه برای ما آشکار است. آنان می‌دانند که دیگر در پاریس امکاناتی که زمانی از آن بهره‌مند بودند، دراختیار ندارند. آنان آشکارا میل دارند شخصی چون آقای رهنما که از شمّ لازم داد و ستد برخوردار است جانشین آقاس سپهبدی شود. منشأ واقعی فعالیت اخیر مطبوعات همین موضوع بوده است.»

AD. Carton 24, "Télégramme a l'Arrivée," 30 Janvire 1947. Ambassade de France en Iran. Document 128.

۳۸. صادق هدایت، نامه‌ها، گردآورنده محمد بهارلو، تهران، ۱۳۵۸، صص ۳۸۳-۳۸۴.

۳۹. پیشین، ص ۳۸۹.

۴۰. پیشین، ص ۳۹۰.

۴۱. هویدا، «یاد از ایام خدمت وظیفه»، ص ۳۷۵.

۴۲. آتش، ۲۶ اسفند ۱۳۲۵.

۴۳. فریدون هویدا، گفتگو با نگارنده، ۱۹ مه ۱۹۹۹.

فصل ششم: سالهای سرگردانی

۱. نصیر عصار، گفتگو با نگارنده، واشنگتن دی سی، ۱۲ مه ۱۹۹۹.

۲. اطلاعات من درباره‌ی روابط هویدا با انتظام عمدتاً از فریدون هویدا اخذ شده است. نصیر عصار نیز برخی جزئیات را در اختیارم نهاد. مراجع مربوط به روابط هویدا با انتظام را می‌توان در بسیاری کتابها و مقالات یافت. مثلاً، پرویز راجی، یکی از کسانی که سالها زیردست هویدا کار کرده، می‌نویسد که هویدا «دست پرورده‌ی سرشناسِ» انتظام بود. ر.ک. راجی، **در خدمت تخت طاووس**، ص ۴.

۳. امیر عباس هویدا، «یادداشت سردبیر» در **کاوش**، جلد ۱، شماره ۱، شهریور ۱۳۳۹.

۴. فریدون هویدا، گفتگو با نگارنده، ۱۲ مه ۱۹۹۹.

۵. قسمت اعظم اطلاعاتم درباره‌ی زندگی هویدا در ایام اقامتش در اشتوتگارت از نصیر عصار اخذ شده است. وی نیز که در آن هنگام دیپلماتی جوان بود مسئولیت کنسولگری ایران در آلمان را به عهده داشت. در خلال این دوران، وی با هویدا دوست شد و در بقیه‌ی عمر هویدا همکار و دوست وی باقی ماند. نصیر عصار، گفتگو با نگارنده، واشنگتن دی سی، ۱۵ فوریه ۱۹۹۹.

۶. سیروس غنی، گفتگو با نگارنده، ۹ ژوئن ۱۹۹۹.

۷. اسماعیل رائین، **فراموشخانه و فراماسونری در ایران**، جلد ۳، تهران، ۱۳۵۷، ص ۳۵۷. عضویت هویدا در لُژ را هم احمد قریشی و هم «مقام امنیتی عالی‌رتبه» تأیید کردند. احمد قریشی، گفتگو با نگارنده، ۲۸ فوریه ۱۹۹۷. «مقام امنیتی عالی‌رتبه»، گفتگو با نگارنده، ۲۳ نوامبر ۱۹۹۷.

۸. البته ایرانیان تنها مردمی نبوده‌اند که فراماسون‌ها را به دیده‌ی شک می‌نگریستند و آنان را بخشی از یک توطئه‌ی همه‌جانبه می‌دانستند. چنین سوءظنی در میان آمریکایی‌ها، به عنوان مثال، سخت رایج بود و یکی از مورخان پرآوازه‌ی این دیار، ریچارد هافستدر،

برای وصف این حالت به این گمان مفهوم «سبک بدگمانی بیمارگونه در سیاست آمریکا» را سکه زده است. به‌گمان او، منادیان این سبک، «در همه‌ی کارها میل به اغراق دارند، به همه چیز به‌دیده‌ی شک می‌نگرند و خیالات وهم‌انگیز می‌بافند.» به‌گفته‌ی هافستدر، در آمریکا، تا اواخر سده‌ی نوزدهم، فراماسون‌ها عاملین اصلی‌ی این دسیسه‌ها دانسته می‌شدند. پس از چندی کاتولیک‌ها، تنویرگرایان (Illuminati)، یهودیان و کمونیست‌ها جانشین ماسون‌ها شدند. برای بحث مفصل در این باره، ر.ک.:

Richard Hofstadter, The Paranoid style in American Polities and Other Essays, (Cambridge, 1996) 3–14.

۹. ساواک ظاهراً فعالیتهای ماسونها را از نزدیک تعقیب می‌کرد. بنابر اظهارات «مقام امنیتی عالی‌رتبه» هویدا هرگز پس از انتصابش به نخست وزیری در هیچ جلسه‌ای از فرماسونها شرکت نکرد. «مقام امنیتی عالی‌رتبه»، گفتگو با نگارنده، ۲۳ نوامبر ۱۹۹۷.

۱۰. برای دستیابی به شرحی از نقش ساواک در جمع‌آوری اطلاعات ر.ک.: سپهبد منوچهر هاشمی، داوری: **سخنی درباره‌ی کارنامه‌ی ساواک**، لندن، ۱۹۹۴، صص ۲۶۴ - ۲۶۱.

۱۱. «مقام امنیتی عالی‌رتبه»، گفتگو با نگارنده، ۲۰ مارس ۱۹۹۹.

۱۲. رائین، **فراموشخانه**، ص ۵۰۵، این کتاب ادعا می‌کند که انتظام استاد بزرگ «لژ بزرگ مستقل ایران» بود. در این کتاب اضافه می‌شود که وی «مرشد شاخه‌ی صفی علیشاهی دراویش» بود.

۱۳. ضیاء شادمان، گفتگو با نگارنده، مونترال، کانادا، ۳۰ مه ۱۹۹۹.

۱۴. رائین، فراموشخانه، ص ۶۷۴.

۱۵. برای بحثی درباره‌ی گرایش شاه به نظرات توطئه، ر.ک.:

Ahmad Ashraf, "The Appeal of Conspiracy Theories to Persians," in *Princeton Papers: Interdisciplinary Jornal of Middle Eeastern Studies*, vol. 5 (1996), 65–70.

16. U.S. Embassy, Tehran, Iran, "Discussion of Censorship and Former Prime Minister Ali Amini: Confidential Memorandum of Conversation," NSA, no. 710.

17. U.S. Embassy, Tehran, Iran, "Semi-annual Assessment of the Political Situation in Iran, February 20, 1969," NSA, no. 724, 19.

۱۸. احسان نراقی، که هر دو را به خوبی می‌شناخت، درباره‌ی این رابطه‌ی پدر - پسری صحبت کرد. احسان نراقی، گفتگو با نگارنده، پاریس، ۱۱ مارس ۱۹۹۹.

19. Kaplan, *The Arabists*, 202.

۲۰. نصیر عصار، گفتگو با نگارنده، ۱۲ مه ۱۹۹۹.

۲۱. پیشین.

۲۲. راجی، **در خدمت تخت طاووس**، ص ۴۰.

۲۳. لیلا امامی، گفتگو با نگارنده، پاریس، ۱۰ مارس ۱۹۹۹.

۲۴. استوارت راکول، گفتگو با نگارنده، ۲۳ مه ۱۹۹۹.

۲۵. فاطمه سودآور فرمانفرمائیان، گفتگو با نگارنده، ۱۲ مه ۱۹۹۹.

۲۶. فریدون هویدا، گفتگو با نگارنده، ۸ ژوئن ۱۹۹۹.

۲۷. پیشین.

۲۸. فریدون هویدا، گفتگو با نگارنده، ۱۰ مه ۱۹۹۹.

۲۹. بنا به اظهار فریدون هویدا، کاظمی عمدتاً به دو دلیل به امیر عباس علاقمند نبود. از سویی، کاظمی هویدا را از دست پروردگان سپهبدی می‌دانست و از سویی دیگر خود رقیب سپهبدی بود. به علاوه، کاظمی ظاهراً از پدر هویدا هم دل خوشی نداشت. فریدون هویدا، گفتگو با نگارنده، ۱۱ مه ۱۹۹۹.

۳۰. فاطمه‌ی سودآور فرمانفرمائیان، گفتگو با نگارنده، ۱۱ مه ۱۹۹۹.

۳۱. برای دستیابی به متن نامه، ر.ک. دلدم، **زندگی و خاطرات**، صص ۸۵ - ۸۴.

۳۲. پیشین، صص ۹۰ - ٦۴.

۳۳. فریدون هویدا، گفتگو با نگارنده، ۱۰ ژوئن ۱۹۹۹.

34. Cyrus Ghani, *Iran and the West* (London, 1987), 20.

۳۵. شرح روز اول کار هویدا در شرکت نفت را صادق چوبک در گفتگو با نگارنده، در ۲۲ نوامبر ۱۹۹۷، بیان کرد.

۳٦. صادق چوبک، گفتگو با نگارنده، ۱۵ فوریه ۱۹۹۸.

۳۷. صادق چوبک، گفتگو با نگارنده، ۱۵ نوامبر ۱۹۹۷.

۳۸. صادق چوبک، گفتگو با نگارنده، ۱۰ اکتبر ۱۹۹۷.

۳۹. راجی، **در خدمت تخت طاووس**، ص ٦.

۴۰. وجیهه معرفت، گفتگو با نگارنده، ۲۷ ژانویه ۱۹۹۸.

۴۱. «مقام عالی‌رتبه‌ی امنیتی»، گفتگو با نگارنده، ۵ ژانویه ۲۰۰۰.

۴۲. یکی از چنین مشاورانی ضیاء شادمان بود، گفتگو با نگارنده، مونترال، ۲۹ مه ۱۹۹۹.

۴۳. قدسی چوبک، گفتگو با نگارنده، ۲۷ مارس ۱۹۹۹.

44. U.S. Embassy in Tehran, "The Iranian Intellectual Community: Problems and Recommendations for U.S. Action, "Confidential Airgram, U.S. Embassy in Tehran, NSA, no. 494.

45. U.S. Embassy in Tehran, "The Iranian Intellectual Community," 8.

۴٦. احسان نراقی، **خاطرات**، صص ۳۳۰ - ۳۱۳.

۴۷. منوچهر پیروز، گفتگو با نگارنده، پاریس، ۱۴ مارس ۱۹۹۹.

48. U.S. Department of State, Bureau of Intelligence and Research, "Studies in Political Dynamics in Iran," NSA, no. 603

۴۹. عبدالله انتظام، "نامه"، **کاوش**، شماره ۱، شهریور ۱۳۳۹.

۵۰. امیر عباس هویدا، "پیشگفتار"، **کاوش**، شماره ۴، ۴.

۵۱. پیشین.

۵۲. لیلا امامی، گفتگو با نگارنده، پاریس، ۸ مارس ۱۹۹۹.

۵۳. برای دستیابی به شرح جامعی از کار برنامه‌ی اصل ۴ در ایران، ر.ک.:
William E. Warne, *Mission for Peace: Point 4 in Iran* (Bethesda, 1999).

۵۴. ژان بِکر، گفتگو با نگارنده، کالیفرنیا، ۲۱ مارس ۱۹۹۹.

۵۵. پیشین.

۵٦. لیلا امامی، گفتگو با نگارنده، پاریس، ۸ مارس ۱۹۹۹.

۵۷. پیشین.

۵۸. پیشین.

فصل هفتم: انقلاب سفید

1. CIA, "Stability of the Present Regime in Iran: Secret Special National Intelligence Estimate," 1958/08/25, NSA, no. 362; see also "The Outlook for Iran: Secret National Intelligence Estimate NIE 34-60," NSA, no. 385.

۲. باکمال تعجب قره‌نی را به سه سال زندان که رأی سبکی به شمار می‌آمد، محکوم کردند. بلافاصله پس از روی کار آمدن حکومت اسلامی، وی به‌عنوان رئیس ستاد نیروهای مسلح برگمارده شد، و فقط دو ماه بعد به دست تروریست‌ها کشته شد. برای دستیابی به شرح کوتاهی از تلاش قره‌نی برای کودتا، ر.ک. بیل، **عقاب و شیر**، صص ۱۲۷ - ۱۲۸.

۳. برای شرحی از ملاقات بهمن ماه در سفارت، و برای دستیابی به متنی از برخی مکاتبات رسمی مهم در این زمینه، ر.ک.:

Foreign Relations, 1958-1960, vol XII (Washington D.C., 1993), 537-543.

جیمز بیل، در کتاب **عقاب و شیر** اظهار می‌دارد که شایعات مربوط به برخورداری قره‌نی از حمایت امریکا تا حدودی کار انگلیسی‌ها بود، و مهمتر از آن «آشکارا خیالات» بود. ر. ک.: بیل، **عقاب و شیر**، ص ۱۲۸. اسناد سفارت نه تنها آشکارا نشان می‌دهند که بحثهایی جدّی با قره‌نی انجام شده، بلکه یکی از دستیاران وی، اسفندیار بزرگمهر، با ویلیام روندتری، معاون وزارت خارجه‌ی امریکا، در آتن دیدار کرده است. شاه از این دیدار مطلع شد و به مقامات امریکایی از این بابت شکوه کرد. دالس، وزیر خارجه، در تلگرامی به سفارت امریکا در تهران، نوشت که شاه را باید مطمئن کرد که روندتری از قبل چیزی راجع به این ملاقات نمی‌دانسته و بزرگمهر هم «از هیچ نقشه یا سازمانی یاد نکرده است». ر.ک.:

Foreign Relations, 542.

۴. برای شرحی جانبدارانه و یک طرفه از درون ساواک، ر.ک.: هاشمی، **داوری**.

۵. درباره‌ی این کودتا مطالب زیادی نوشته شده است. برای دستیابی به شرحی مختصر از آن، ر.ک.:

David Halberstam, *The Fifties* (New York, 1993), 366 – 367.

6. U.S. Department of State, "Top Secret: A Survey of U.S.-Iranian Relations, 1941–1979," NSA, no. 3556, 23.

۷. محمدرضا پهلوی، پاسخ به تاریخ، تهران.

8. "Stability of the Present Regime in Iran," August 26, 1958, *Foreign Relations*, vol. XII, 586.

9. CIA, "Intelligence Memorandum, "in *Foreien Relations of the United States, Iran, 1964–68*, vol. XXII (Washington, D.C. 1999), 247.

10. Ibid., 564.

۱۱. درباره‌ی این تصمیم و پیامدهایش برای سیاست ایران و آینده‌ی روابط مابین ایالات متحده و ایران، مطالب زیادی نوشته شده است. هنری پرشت، که در اوایل دهه‌ی هفتاد میلادی مسئولیت امور نظامی و فروش تسلیحات در سفارت امریکا در ایران را بر عهده داشت، در مورد اطلاعاتی که پیش از ترک واشنگتن به قصد ایران دریافت کرده بود، صحبت می‌کند. «به من گفته شد که ایران می‌تواند هر چیزی را که شاه بخواهد خریداری کند. در نتیجه، مخالفتی درباره‌ی فروش اسلحه از جانب ما در آن‌جا ابراز نشد. تنها اقدام برای محدود کردن فروش سلاح، از جانب ملوین لِرد، در وزارت دفاع به عمل آمد؛ وی می‌خواست تعداد مشاوران نظامی امریکایی را که می‌شد به ایران اعزام کرد، محدود کند؛ اما وی پیش از این که بتواند عملاً این سیاست را تحقق بخشد، از کارش کنار رفت.» هنری پرشت، گفتگو با نگارنده، ۱۲ ژانویه ۲۰۰۰.

12. U.S. Department of State, "The Evolution of the U.S.–Iranian Relationship," NSA, no.3556, 26.

13. "NSC Discussion of Our Policy Towards Iran, September 9, 1958," *Foreign Relations*, vol.XII, 588–89.

14. U.S. Department of State, "Top Secret: A Survey," *Foreign Relations*, vol. XII 29–30.

15. U.S. Embassy, Tehran, Iran, "Economic Assessment of Iran: November 1960," NSA 448, 3.

16. Abdol-Madjid Madjidi, interviewed in *Ideology, Process and Politics Iran's Development Planning*, ed. Gholam Reza Afkhami (Washington, D.C., 1999), 292.

17. CIA, "Research Study: Elites and the Distribution of Power in Iran," February 1976, facsimile reproduced in *Asnad-e Laneh-ye Jasusi* [Documents from the Den of Spies], vol. 7 (Tehran, n.d.), 37−40.

۱۸. فرخ نجم‌آبادی، گفتگو با نگارنده، واشنگتن دی سی، ۱۲ ژوئیه ۱۹۹۹.

۱۹. امیر عباس هویدا، «بحث روز»، کاوش، اسفند ۱۳۳۹.

۲۰. امیر عباس هویدا، «سالی که گذشت»، کاوش، نوروز ۱۳۴۲.

۲۱. پیشین.

۲۲. امیر عباس هویدا، یادداشتهای دست‌نویس. این یادداشتها به لطف فریدون هویدا در اختیارم قرار گرفت.

23. U.S. Department of State, "The Iranian Intellectual Community: Problems and Recommendations foe U.S. Action," 1963/12/21, NSA 494, 5.

۲۴. رونوشتی از گزارش ساواک در جستاری در تاریخ معاصر ایـران، جـلد ۲، تهران، ۱۳۷۰، پیوست آمده است. صفحات این پیوست فاقد شماره است.

۲۵. پیشین.

۲۶. خداداد فرمانفرمائیان، گفتگو با نگارنده، ۲۶ ژوئن ۱۹۹۹، فریدون هویدا نیز به تفصیل درباره‌ی این دعاوی منصور صحبت کرد.

27. Gratian Yatsevitch, "Interview," Foundation for Iranian Studies: Program of Oral History, Nov. 5, 1988, January 1989. 125−26.

۲۸. بـرای دسـتیابی بـه گـزارشهایی درخـصوص دیـدارهـای اولیـه، بـه گـفتگو و مصاحبه‌هایم با ضیاء شادمان و نصیر عصار تکیه کردم. ضیاء شادمان، گفتگو با نگارنده، مونترال، ۳۰ مه ۱۹۹۹. نصیر عصار، گفتگو با نگارنده، واشنگتن دی‌سی، ۱۲ مه ۱۹۹۹.

29. JFK Library, "A Review of the Problem in Iran and Recommend-ations for the National Security Council," May 15, 1961

30. T. Cutler Young, "Iran in Continuing Crisis," in *Foreign Affairs* (January 1962), 275 – 92.

برای شرح جامعی از این دوره و اوضاع روابط امریکا با ایران، نیز بنگرید به بیل، **عقاب و شیر**، صص ۹۸ ـ ۱۳۱.

۳۱. علم خاطر نشان می‌کند که در ۱۳۴۰، اردشیر زاهدی از پست سـفیر ایـران در امریکا از کار برکنار شد، زیرا کندی که به عنوان رئیس جمهور برگزیده شده بود، این امر را خواسته بود. کندی از دخالت بی‌جای زاهدی در انتخابات امریکا عصبانی و برآشفته بود. ر. ک. علم، **یادداشتهای علم**، جلد ۱، ص ۲۱۹. اردشیر زاهدی هرگونه دخالت در انتخابات از طریق کمک مالی به مبارزات انتخاباتی نیکسون را انکار مـی‌کند. اردشـیر زاهدی، گفتگو با نگارنده، ۳ اوت ۱۹۹۹.

۳۲. علم، **یادداشتهای علم**، جلد ۱، ص ۱۳۷.

۳۳. پیشین، ص ۴۱.

34. JFK Library, "Basic Facts in the Iranian Situation," n.d.

35. JFK Library, U.S. Embassy, Tehran, Iran, "Confidential Cable," May 10, 1961.

36. Ibid., 137.

37. Gratian Yatsevitch, Interviews in the Foundation for Iranian Studies: Program of Oral History, Nov. 1988, January 1989. 63–64.

38. U.S. Embassy, Tehran, Iran, "Economic Assessment for Iran, June 1961," NSA, no. 470, 13–14.

39. Ibid., 14.

۴۰. برای گزارشی در همان اوان از کار و ایده‌های این کمیته، ر. ک.:

"Report of the chairman, Iran Task Force," National Security Archives, doc. 428.

بحثی مختصر راجع به یافته‌های آن را می‌توان یافت در:

Iran: The Making of U.S. Policy, 1977–1980, vol. 1 (Washington, D.C. 1990), 241.

41. JFK Library, A Review of the Problem in Iran, 1–3.

42. JFK Library, "Memoradum for the President," 18 May 1961.

43. "Summary of Proceedings of a Meeting of the Iran Task Force," Washington, September 7, 1961, in *Foreign Relations*, 1961–63, 252.

۴۴. آرمین مه‌یر، گفتگو با نگارنده، ۵ اوت ۱۹۹۹.

45. JFK Library, "Position Paper on Iran," 24 February 1961.

هیچ کسی به عنوان نویسنده‌ی این گزارش معرفی نشده است. در یادداشتی پیوستِ این پرونده، خاطر نشان شده است که «منشأ... این گزارش شناخته نشد» اما ادامه می‌دهد «دیدگاههای عنوان شده با دیدگاههای فروشگاه دیک بیل هم‌نوایند.» از منابع دیگر در کتابخانه‌ی JFK می‌بینیم که «فروشگاه بیل» در واقع سیا است.

46. Memorandum from Robert W. Komer, Ibid., 428.

47. Memorandum for the President, 1961/10/19, NSA, no. 428, 1–2.

48. Ibid., 4–5.

49. JFK Library, National Security Council, 24 February 1961.

50. Memorandum from the State Department, *Foreign Relations*, 516.

51. JFK Library, U.S. Embassy, Tehran, Iran, "Confidential Cable," May 13, 1961.

52. NA, "Confidential Report, U.S. Embassy in Tehran," March 1964.

۵۳. بیل، عقاب و شیر، ۱۳۴.

۵۴. پیشین، ص ۱۳۴.

۵۵. پیشین، ص ۳۵.

۵٦. پیشین، ص ۳۷.

57. U.S. National Security Concil, "Memorandum from Robert W. Komer of the National Security Council Staff to President Johnson," in *Foreign Relations of the United States, 1984–1968*, vol. XXII (Washington, 1999), 139

58. Willian O. Douglas, *The Court Years: 1939–75* (New York, 1980), 303–4.

فصل هشتم: کانون مترقی

1. JFK Library, "Confidential Memorandum, Iran," 3 April 1961, 3.

2. *Foreign Relations*, 1961-63, Vol. XVII (Washington, D.C. 1994), 429.

۳. استوارت راکول، گفتگو با نگارنده، ۲۳ مه ۱۹۹۹.

۴. امیر عباس هویدا، «سخن کوتاه»، کاوش، شماره ۲، دوره‌ی جدید، ۱ ـ ۲.

5. NA, "Confidential Telegram: U.S. Embassy in Tehran," 31 October 1963.

6. NA, "Confidential with Hassan Ali Mansur," 31 October 1963.

۷. برای بحثی جامع در باب تاریخچه و نتایج اصلاحات ارضی در ایران، ر.ک.: Eric J. Hoogland, *Land and Revolution in Iran, 1960–1980* (Austin, 1982), 72.

۸. فیروز توفیق، ایران: حال و آینده، ۱۳۵۱، ص ۶۰.

9. Hoogland, *Land and Revolution*, 138.

10. Tofig, *Development in Iran*, 62.

11. Hoogland, *Land and Revolution*, 138–52.

۱۲. علم، یادداشتهای علم، جلد ۱، صص ۳۹ ـ ۳۸.

۱۳. برای دستیابی به نظر علم نسبت به دخالت امریکا، ر.ک.: علم، یادداشتهای علم، جلد ۲، ص ۶۹.

14. *Foreign Relations*, Vol. XVIII (Washington, D.C., 1995), 610–12.

15. Ibid., 602.

16. NA, "Confidential Telegram to the Secretary of State, "U.S. Embassy in Tehran, 25 October 1963.

17. Ibid., 2.

۱۸. ضیاء شادمان، گفتگو با نگارنده، مونترال، ۳۰ مه ۱۹۹۹.

۱۹. علینقی عالیخانی، مکاتبات شخصی، ۲۰ ژانویه ۲۰۰۰.

20. NA, "Confidential Cable, U.S. Embassy," Tehran, March 1964.

21. NA, "U.S. Department of Army: Confidential Message," February 1964.

۲۲. محمد باهری، گفتگو با نگارنده، واشنگتن دی سی، ۳۰ مه ۱۹۹۹.

۲۳. پیشین، ۱۵ فوریه ۱۹۹۹.

24. Letter no. 2157/229/18, dated 1342/11/25.

این نامه بر کاغذ رسمی وزارت امور خارجه نوشته شده. نسخه‌ی آن را به لطف محمد باهری دریافت کردم.

۲۵. باهری، گفتگو.

۲۶. باهری، گفتگو.

۲۷. مذاکرات مجلس سنا، جلسه‌ی ۶۷، شماره ۷۲۹/۱۳۴۲/۵/۳، صص ۲۳-۲۴.

نسخه‌های این مذاکرات به لطف محمد باهری به دستم رسید.

28. NA, "Confidential Report, Department of the Army," 13 October 1964.

۲۹. باهری، گفتگو.

30. NA, "Confidential Report, Department of the Army," 13 October 1964.

31. NA, "Confidential Report, Department of the Army," 5 November 1964.

32. NA, "Confidential Report, Department of the Army," 3 November 1964.

33. U.S. Embassy in Tehran, Iran, "Telegram from the Embassy to the Department of State," in *Foreign Relations*, Vol. XXII, 109–110.

۳۴. استوارت راکول، گفتگو با نگارنده، ۹ فوریه ۲۰۰۰.

۳۵. مذاکرات مجلس شورای ملی، ۱۲ مهر ۱۳۴۳، صص ۲۸ - ۳۳. نسخه‌های این مذاکرات را محمد باهری در اختیارم نهاد.

۳۶. آیت الله خمینی، اسلام و انقلاب: نوشته‌ها و اعلامیه‌های امام خمینی، تهران.

37. NA, "Confidential Report, Department of the Army," 5 November 1964.

۳۸. نصیر عصار،گفتگو با نگارنده، واشنگتن، ۳ فوریه ۱۹۹۸.

۳۹. سیّد فخرالدین شادمان، «سیاستنامه‌ی ایران»، خواندنیها، ۲۶ تیر ۱۳۴۴.

40. Jay Walz, "New Premier Gives Iranians Fresh Confidence" in *The New York Times*, Tuesday, April 7, 1964, 4.

41. U.S. Embassy in Tehran, Iran, "Memorandum of Conversation: Dr. Hossein Mahdavi and William o. Miller," NSA, no. 503, 1.

42. Ibid.

۴۳. جمشید قره‌چه‌داغی،گفتگو با نگارنده، برکلی، ۳۰ ژوئن ۱۹۹۹.

۴۴. عبدالمجید مجیدی، مصاحبه درباره‌ی ایـدئولوژی، فـرایـند و سـیاست در برنامه‌ریزی توسعه‌ی ایران، ویرایش غـلامرضا افـخمی (واشـنگتن دی سـی ۱۹۹۹)، صص ۹۳ ـ ۲۸۸.

45. NA, "Confidential Cable: U.S. Embassy in Tehran," January 1964.

۴۶. جمشید قره‌چه داغی،گفتگو با نگارنده، برکلی، ۳۰ ژوئن ۱۹۹۹.

۴۷. لیلا امامی،گفتگو با نگارنده، پاریس، ۱۲ مارس ۱۹۹۹.

48. U.S. Embassy in Tehran, Iran, "Bi-Weekly Economic Review: October 22-September 4, 1964," NSA, no. 45, 3.

49. Ibid., 2.

50. Ibid., 3.

51.U.S. Embassy in Tehran, Iran, "The Iranian One Party System," NSA, no. 975, 7.

52. U.S. Embassy in Tehran, Iran, "Quarterly Economic Summary for the Fourth Quarter: 6 March 1965," NSA, no. 67, 3.

53. U.S. Embassy in Tehran, Iran, "Shah and U.S.," NSA, no. 560, 1.

54. CIA, "National Intelligence Estimate, Iran," NSA, no. 520.

55. Director of Intelligence and Research, U.S. Department of State,

"Land Reform in Iran: Implications for the Shah's 'White Revolution,'" 8 February 1965, NSA, no. 548.

فصل نهم: زمستان ناخرسندی‌ها

1. "Premier of Iran Shot by Student," *New York Times*, 22 January 1965.

2. U.S. Embassy in Tehran, Iran, "Assassination Attempt on Iranian Prime Minister," Unclassified Cable #00762, 1/21/65. NSA, no. 545.

۳. برای دستیابی به بحثی پیرامون فدائیان اسلام و وفاداری آن به آیت‌الله خمینی، ر. ک.:

Amir H. Ferdows, "Khomeini and Fada'iyan's Society and Politics," *International Journal of Middle East Studies 15* (1983), 241.

۴. احمد کسروی، شیعی‌گری، تهران، ۱۳۵۷. کسروی در ۱۰ اردیبهشت ۱۳۲۴ کشته شد.

برای دستیابی به گزارشی مفصل درخصوص قتل وی ر. ک.: ناصر پاکدامن، قتل کسروی، اوپالا، ۱۹۹۹.

۵. برای دستیابی به شرحی درخصوص نقش هاشمی در این ماجرا، ر. ک.: هاشمی رفسنجانی: دوران مبارزه، تهران، ۱۳۷۶، صص ۳۳ ـ ۳۷.

۶. خواندنیها، ۲۹ خرداد ۱۳۴۴.

7. U.S. Embassy in Tehran, Iran, "Discussion of Various Topics Including the Mansur Assassination, the National Front, and Other Political Parties with Hedayatollah Matine-Daftary," NSA, no. 547.

8. Ibid.

۹. «مقام امنیتی عالی‌رتبه»، گفتگو با نگارنده، ۶ ژانویه‌ی ۲۰۰۰.

۱۰. پیشین، ۲۳ نوامبر ۱۹۹۷.

۱۱. پیشین.

۱۲. لیلا امامی، گفتگو با نگارنده، پاریس، ۸ مارس ۱۹۹۹.

13. "Premier of Iran Shot by Student," *New York Times*, 22 January 1965.

14. "Iran, The 18th Premier," *Time*, 20 March 1964, 36.

۱۵. لیلا امامی، گفتگو با نگارنده، پاریس، ۱۰ مارس ۱۹۹۹.

۱۶. برای دستیابی به اطلاعاتی درخصوص این دیدارها، من به گزارشهای آن زمان روزنامه‌ها و مجله‌های ایرانی، به‌خصوص کیهان و سپید و سیاه، و نیز حافظه‌ی دکتر ابوالحسن سمیعی، در گفتگو با نگارنده، ۷ فوریه ۱۹۹۸، تکیه کرده‌ام. برای بحث مختصری در باب روابط دکتر سمیعی و هویدا، به یادداشت شماره ۷ از فصل اول همین کتاب رجوع کنید.

۱۷. لیلا امامی، گفتگو با نگارنده، پاریس، ۱۲ مارس ۱۹۹۹.

18. U.S. Department of State, "Information Memorandum," in *Foreign Relations of the United States, 1964-1968*, Vol. XXII (Washington, 1999), 138.

۱۹. شرح من از ملاقات هویدا با شاه متکی بر مطالبی است که هویدا چندین بار برای دوستانش تعریف کرده بود. صادق چوبک، احمد قریشی، و فریدون هویدا، در گفتگوهای جداگانه ماجراهای مشابهی را درباره‌ی این ملاقات به من گفتند، و هر کدام از آنها این حکایت را از خود هویدا شنیده بودند. تنها اختلاف در این مورد نوع تأکیدی بود که هر یک بر عناصر حکایت خود می‌گذاشتند.

۲۰. عبدالمجید مجیدی، گفتگو با نگارنده، واشنگتن دی سی، ۱۵ فوریه ۱۹۹۹.

۲۱. برای دستیابی به شرحی درخصوص رفتار رضاشاه با وزیرانش، ر.ک.: عباسقلی گلشائیان، «خاطرات»، وحید، دسامبر ۱۹۹۷، صص ۲ ـ ۱۷.

۲۲. «مقام عالی‌رتبه‌ی امنیتی» گفتگو با نگارنده، ۶ ژانویه ۲۰۰۰.

۲۳. صادق چوبک، گفتگو با نگارنده، ۲۵ نوامبر ۱۹۹۷.

۲۴. به گفته‌ی مصطفی الموتی، هویدا تأکید داشت که به شاه گفته است که توان تحمل مسئولیتهای نخست‌وزیری را ندارد. ر.ک.: الموتی، ایران در عصر پهلوی، ص ۹۸.

۲۵. عبدالمجید مجیدی، گفتگو با نگارنده، ۱۵ فوریه ۱۹۹۹.

۲۶. خواندنیها، ۱۲ تیر ۱۳۴۴. همین مجله ادعا کرد که جمشید آموزگار نخست‌وزیر

آینده خواهد بود. آموزگار سرانجام به نخست‌وزیری گمارده شد، اما در مرداد ۱۳۵۶، دوازده سال بعد!

27. NA. U.S. Embassy, Tehran, Iran, "Short-Term Trends in the Political Situation in Iran," March 18, 1965, A-483.

۲۸. صادق چوبک، گفتگو با نگارنده، ۲۵ نوامبر ۱۹۹۷، احمد قریشی هم می‌گفت که از هویدا شنیده بود که شاه این کلمات را بر زبان آورده بود. احمد قریشی، گفتگو با نگارنده، ۱۴ اوت ۱۹۹۸. حرفهای شاه در حین حال شبیه گفتگویی بود که بعدها شاه با مهدی سمیعی داشت. زمانی این شایعه سخت بر سر زبان‌ها افتاد که سمیعی به زودی جانشین هویدا خواهد شد. سمیعی به دیدار شاه رفت. می‌خواست این نکته را تأکید کند که در شرایط فعلی، «آماده‌ی این کار» نیست. به‌علاوه، او خود را دوست هویدا می‌دانست. شاه در جواب گفته بود، «اگر ما بخواهیم کسی را نخست وزیر کنیم، این حرفها دیگر هیچکدام اهمیتی نخواهد داشت. تنها نکته‌ی مهم این است که ما چنین تصمیمی گرفته باشیم.» آن‌گاه شاه باریکه‌راهی را نشان داد که در کنار جویبار جاری در قصر امتداد داشت و به سمیعی گفت، «راه را می‌بینی؛ می‌بینی چقدر باریک است. نخست وزیر هم همین‌قدر استقلال دارد.» مهدی سمیعی، گفتگو با نگارنده، لس آنجلس، ۱۱ ژوئن ۱۹۹۸.

29. Bureau of Intelligence and Research, Department of State, "Studies in Political Dynamics in Iran," Secret Intelligence Report # 13 NSA, no. 603.

۳۰. برای دستیابی به بحثی پیرامون روابط شاهان و وزیران، ر.ک.:

Amanat, *The Pivot of the universe*.

31. Bureau of Intelligence and Research, "Studies in Political Dynamics of Iran," 14.

۳۲. سمیعی، گفتگو.

۳۳. پیشین.

۳۴. شاه، در بیانیه خشماگینش خطاب به مردم، و در اشاره‌ی غیرمستقیمش به نقش بریتانیا، تا حدودی هم جانب احتیاط را نگه‌داشت. اما، در خلوت ظاهراً به بریتانیا حمله و آن را متهم به دخالت می‌کرد. «مقام عالی‌رتبه‌ی امنیتی»، گفتگو با نگارنده، ۲۷ نوامبر ۱۹۹۹.

۳۵. من این ماجرا را از احمد قریشی و «مقام عالی‌رتبه‌ی امنیتی» شنیدم.

۳۶. «مقام عالی‌رتبه‌ی امنیتی»، گفتگو با نگارنده، ۱۲ ژانویه ۲۰۰۰.

۳۷. **بامشاد**، ۵ بهمن ۱۳۴۳.

38. *New York Times*, 28 January 1965, 6.

۳۹. ضیاء شادمان، گفتگو با نگارنده، مونترال، ۲۹ مه ۱۹۹۹.

۴۰. شادمان، گفتگو.

41. U.S. Embassy in Tehran, Iran, "Discussion of Various Topics, including the Mansur Assassination, the National Front, and Other Political Parties with Hedayatollah Matine-Daftary," NSA, no. 547, 4.

42. NA, U.S. Embassy in Tehran, Iran, "Confidential Cable," 25 March 1969.

۴۳. **خواندنیها**، ۵ آذر ۱۳۴۵.

۴۴. **خواندنیها**، ۱۱ بهمن ۱۳۴۵.

۴۵. لیلا امامی، گفتگو با نگارنده، پاریس، ۱۲ مارس ۱۹۹۹. متن قطعنامه در: الموتی، **ایران در عصر پهلوی**، ص ۱۰۳، آمده است.

۴۶. سفارت امریکا، طی تلگرافی محرمانه فهرستی «برگزیده، نه جامع» از «کمپانیهای مشهور امریکایی» که «بنابر اطلاعات قطعی سفارت، نفوذ اشخاص برشمرده را می‌خرد»، تهیه کرد. این فهرست از این قرار است: «جنرال الکتریک ـ فتح‌الله محوی؛ شرکت نورثروپ ـ فتح‌الله محوی؛ کمپانی هواپیمایی بوئینگ ـ فتح‌الله (ابوالفتح) محوی؛ سی‌تیز سرویس ـ خسرو اقبال؛ مک دانلد داگلاس کورپوریشن ـ فتح الله (ابوالفتح) محوی؛ رادیو کورپوریشن آو امریکا ـ رضا رزم‌آرا؛ مریل ـ پیرس ـ شاپور رپیورتر.» ر.ک.:

"American Companies and Influence Peddlers," Secret list (Document from U. S. Espionage Den. V,17–70), NSA, no. 701.

۴۷. برای شرحی از زندگی و نقش ریپورتر در ایران، ر.ک.:

"Iranian Affairs: Caught Reporter," *Private Eye*, 19 March 1976.

که به طور مختصر نقل شده در:

Cyrus Chani, *Iran and the West* (London, 1987), 877.

۴۸. لیلا امامی، گفتگو با نگارنده، پاریس، ۱۲ مارس ۱۹۹۹.

۴۹. پیشین.

۵۰. پیشین.

51. NA, U.S. Embassy in Tehran, Iran, "Confidential Cable," March 1965.

۵۲. **خواندنیها**، یکم مرداد ۱۳۴۵، ص ٦.

۵۳. پیشین، ص ۵۰.

۵۴. اسکندر دلدم، **زندگی و خاطرات امیر عباس هویدا**، تهران ۱۳۷۷، صص ٦٦-٦۳.

۵۵. لیلا امامی، گفتگو با نگارنده، پاریس، ۱۲ مارس ۱۹۹۹.

۵٦. لیلا امامی، گفتگو با نگارنده، پاریس، ۱۹ ژوئیه ۱۹۹۹.

۵۷. ادوارد سابلیه، گفتگو با نگارنده، پاریس، ۱۲ مارس ۱۹۹۹.

فصل دهم: یادداشتهای زمان جنگ

۱. هویدا، «یادداشتهای زمان جنگ»، ص ۳۳.

۲. در اوایل دهه‌ی ۱۹٦۰ میلادی، چندین نفر برای نوشتن و پیراستن مقالات فارسی به هویدا یاری رساندند. از جمله‌ی آنها می‌توان رئیس دفترش محمد صفا، دوستانش، صادق چوبک، انجوی شیرازی، و پرویز راجی را برشمرد؛ صفا، چوبک، و راجی، هر یک تأکید کردند که در ترجمه‌ی یادداشتهای روزانه نقشی نداشته‌اند. آنان همچنین نمی‌دانستند که چه کسی به ترجمه‌ی آن ها پرداخته و یا به کار این ترجمه کمک کرده است.

۳. دکتر فرشته انشاء، گفتگو با نگارنده، پاریس، ۱۱ مارس ۱۹۹۹.

۴. امیر عباس هویدا، «مراجعت به ایران»، تهران ۱۳۵۰، ص ۳۷٦.

۵. برای مروری کلّی به تاریخچه‌ی زندگی‌نامه‌نویسی و خاطرات در ایران، ر.ک.: احمد اشرف، «تاریخچه‌ی کوتاه خاطرات در نزد ایرانیان»، **ایران‌نامه**، جلد XX، شماره ۱، ۱۹۹۷.

٦. برای دستیابی به بحثی در باب ایده‌ی «دو پهلوگویی»، ر.ک.:

Austin Fagothey, *Right and Reason: Ethics in Theory and Practice* (St. Louis, 1953), 319 – 21.

۷. ایزاه برالین، **متفکران روس**، تهران، خوارزمی، ۱۳۶۵.

8. Walter Benjamin, *Charles Baudelaire: A Lyric Poet in the Era of High Capitalism*, tr. Harry Zohn (London, 1969), 36–40.

۹. رضا براهنی، گفتگو با نگارنده، ۱۲ ژوئن ۱۹۹۹.

۱۰. نقل شده در **بامشاد**، ۲۱ اسفند ۱۳۴۵.

۱۱. براهنی و ساعدی هر دو درخصوص کـلیّات ایـن بـحث هـمداسـتانند. ر.ک.: براهنی، **ظل الله**، صص ۱۴ ـ ۲۷؛ و غلامحسین ساعدی، پروژه‌ی تاریخ شفاهی ایران در دانشگاه هاروارد، **الفبا**، (پاریس)، شماره ۷، صص ۱۷۰ ـ ۱۳۹.

۱۲. در آن زمان، هویدا محمد صفا را برای اداره‌ی امور روزانه‌ی مجله برگزیده بود. صفا از پیروان خلیل ملکی از طرفداران مصدق بود. در پانوشت مصاحبه‌ای با علی امینی، نکته‌ای در تأیید مصدق اضافه کرده بود. به گفته‌ی صفا، علم نسخه‌ای از مصاحبه‌ها را به شاه نشان داد و شاه از اشاره به مصدق به خشم آمد و دستور توقیف مجله را صادر کرد. محمد صفا، گفتگو با نگارنده، ۱۲ نوامبر ۱۹۹۷.

۱۳. در ارتباط با اظهارات آل احمد، من به گفتگو و مصاحبه‌ای تکیه کردم که در ۱۲ ژوئن ۱۹۹۹ با رضا براهنی به عمل آوردم.

۱۴. ساعدی، **الفبا**، ص ۱۰۰.

۱۵. جلال آل احمد و پرویز داریوش، مائده‌های زمینی، تهران، ۱۳۴۴.

۱۶. رضا براهنی، گفتگو با نگارنده، ۱۲ ژوئن ۱۹۹۹.

۱۷. ر.ک. ابراهیم گلستان، **گفته‌ها**، نیوجرسی، ۱۹۹۹.

۱۸. ابراهیم گلستان رفت و آمدهای منظم خود به خانه‌ی فریدون هویدا در تهران، جایی که حلقه‌ی گسترده‌ای از روشنفکران گرد می‌آمدند، شرح می‌دهد. ابراهیم گلستان، فروغ فرخزاد، و صادق چوبک در میان این مهمانان همیشگی به چشم می‌خوردند. ابراهیم گلستان، گفتگو با نگارنده، ۱۵ سپتامبر ۱۹۹۹.

۱۹. رضا براهنی، در پیشگفتار چاپ فارسی اثرش، ظل‌الله، حال و هوای روشنفکری آن زمان را بازگو می‌کند. ر.ک. براهنی، **ظل الله**، صـص ۲۷ ـ ۱۴. بـرای دسـتیابی بـه

دیدگاه‌های آل احمد درباره‌ی برادران هویدا، ر.ک. آل احمد، کارنامه‌ی سـه سـاله، صص ۲۲۵ ـ ۲۲۳.

۲۰. خلیل ملکی، دو نامه، تهران، ۱۳۵۷، نامه‌های ملکی خطاب به مصدق نـوشته شده‌اند. در این نامه‌ها، ملکی از رهبران جبهه‌ی ملّی شِکوه می‌کند، که به گفته‌ی وی با روحانیون مرتجع متحد بسته‌اند.

به نظر ملکی، حتی شاه بر ملاها مرجح است. در مقابل، شاه و ساواک هم هرگز حاضر نشدند با مخالفان مذاکره‌ی جدی کنند. هر چه بر قدرت شاه افزوده می‌شد، تساهلش نسبت به مخالفان حتی میانه‌رو هم کاستی می‌گرفت.

۲۱. احسان نراقی، گفتگو با نگارنده، پاریس، ۱۲ مارس ۱۹۹۹.

۲۲. «کارنامه‌ی دولت هویدا»، سوسیالیسم، فروردین ۱۳۴۵، صص ۱ ـ ۱۶.

۲۳. محمد صفا، گفتگو با نگارنده، ۲۱ نوامبر ۱۹۹۷.

۲۴. صفا، گفتگو.

25. U.S. Embassy, Tehran, Iran, "Confidential Memorandum of Conversation: Prime Mister Hoveyda's Meeting with Nation of Iran Party Leader Foruhar," 1968/05/09, NSA, no. 664.

۲۶. امیر عباس هویدا، «یادداشتهای سخنرانی»، به لطف فریدون هویدا.

۲۷. پیشین.

۲۸. برای دستیابی به شرحی درخصوص نقش هویدا در مذاکرات مربوط به قانونی کردن حزب توده و بـازگشت رهبران آن حـزب بـه ایران، ر.ک.: ایـرج اسکـندری، خاطرات، تهران، ۱۳۶۲، ص ۴۱۷.

29. U.S. Embassy, Tehran, Iran, "Confidential Memorandum of Conversation," NSA, no. 835.

ولادیمیر ولاسف، دبیر اول سفارت شوروی در تهران، اظهار می‌دارد که «رهبران حزب مایل‌اند به ایران برگردند و در قالب یک حزب سیاسی قانونی به فعالیت علنی بپردازند، اما شاه این را نپذیرفت.»

30. U.S. Embassy, Tehran, Iran, "Discussion about Vienna Convention, Military Assistance, the Mansur Government and Land

Reform: Memorandum of Conversation," National Security Archive, doc. 542.

31. U.S. Embassy, Tehran, Iran, "Discussion with Shapour Bakhtiar about the National Front, the Shah, Communism and Prime Minister Hoveyda: Memorandum of Conversation," NSA, no. 552.

۳۲. سیف الدین وحید نیا، سردبیر مجله‌ای به نام وحید، که یکی از هواداران هویدا به شمار می‌آمد، گزارشی از این پرداختها منتشر کرده است. این شخص به کمک هویدا به نمایندگی مجلس رسید. وی نوشت، «غالباً اتفاق می‌افتاد که [هویدا] به اندیشمندان و روشنفکران این کشور که ناگزیر به خانه‌نشینی بودند کمک کند.... وقتی از گرفتاری آنها باخبر می‌شد، بدون هیچگونه تظاهر یا چشمداشتی [از سپاسگذاری] سعی می‌کرد مشکلات آنها را حل و فصل کند. اخیراً، شنیده‌ایم که او مقداری پول برای یکی از تواناترین شاعران که در اروپا سرگردان مانده بود، فرستاده بوده است.» ر.ک. وحید، آبان ۱۳۴۹، ص ٦۳٦. احمد قریشی، که در نیمه‌ی دهه‌ی ۱۹۷۰ به ریاست دانشگاه ملی منصوب شد، اظهار داشت که کمی پس از انتصابش، از جانب نخست وزیر فرا خوانده و به او گفته شد که کریم سنجابی، یکی از رهبران جبهه‌ی ملّی، را به عنوان مشاور در لیست حقوق بگیران دانشگاه قرار دهد. احمد قریشی، گفتگو با نگارنده، ۲۸ نوامبر ۱۹۹۷. در گزارش دیگری به سفارت امریکا، ادعا می‌شود که «سنجابی مدتها در فهرست حقوق بگیران شرکت ملی نفت با حقوق... معادل حدود ۳۲۲۰ دلار بوده است.»:

U. S. Embassy, "Secret Intelligence Report," NSA, no. 2142.

۳۳. مصطفی الموتی مدعی است که در روزگاری که در مجلس از نفوذ و قدرت فراوانی برخوردار بود به دیدن هویدا رفت و از بدنامی اسلامی‌نیا صحبت کرد و هشدار داد که این شهرت سوء برای هویدا هم گران تمام می‌تواند شد. هویدا پاسخ می‌دهد: «می‌دانم، من مرتباً گزارشهایی در این موارد دریافت می‌کنم... اما، اسلامی‌نیا به آیت‌الله احمد خوانساری بسیار نزدیک است... هر مشکلی که ما با روحانیت یا با بازاریان داشته باشیم، وی می‌تواند حل کند.» مصطفی الموتی، ایران در عصر پهلوی، لندن، ۱۹۹۲، صص ۱۱۷ ـ ۱۱۸.

۳۴. در دوم مرداد ۱۳۵٦، اسلامی‌نیا این پیام را، از طریق هویدا، برای شاه فرستاد که

او «دیگر با [آیت‌الله] خمینی همکاری نمی‌کند، زیرا وی بر علیه شاه است.»:

U. S. Embassy, Tehran, Iran, "Latest Developments on the Religious Front: Confidential Memorandum of Conversation," NSA, no. 1427.

۳۵. نصیر عصار، گفتگو با نگارنده، واشنگتن، ۱۵ فوریه ۱۹۹۹. البته این تصور در میان مردم رواج داشت که اموال اوقاف اغلب مورد حیف و میل قرار می‌گیرد.

۳۶. نصیر عصار، گفتگو.

۳۷. پیشین.

۳۸. داریوش همایون، گفتگو با نگارنده، کالیفرنیا، ۶ ژوئن ۱۹۹۹.

۳۹. به نقل از:

James A. Bill, *The Eagle and the Lion*: The Tragedy of American-Iranian Relations (New Haven, 1988), 166.

۴۰. فاطمه سودآور فرمانفرمائیان، سیروس غنی، و جهانگیر بهروز، هرکدام، ماجرایی با فحوای مشابهی اظهار داشتند.

۴۱. هویدا، «یادداشتهای زمان جنگ»، ص ۳۴.

۴۲. پیشین، ص ۳۸.

۴۳. پیشین، ص ۳۹.

۴۴. پیشین، ص ۵۳.

۴۵. پیشین.

۴۶. علم، شاه و من، ص ۱۳۳۴.

۴۷. پیشین، ص ۲۲۳.

۴۸. هویدا، «یادداشتهای زمان جنگ»، ص ۳۹.

۴۹. پیشین، ص ۵۳.

50. CIA Board of National Estimates, "Secret Special Memorandum, #9−68: The Shah's Increasing Assurance," NSA, no. 448.

51. Ibid., 1−3.

۵۲. در سالهای اول دهه‌ی نود، بارها در باره‌ی دوستی چوبک با هویدا با چوبک صحبت کردم. او بارها گفته بودکه هدایت، به اذعان خودش، در نوشتن البعثه... تحت

تأثیر **نینوچکا** بوده است. روشن نیست که آیا او واقعاً این فیلم را دیده است یا صرفاً در یکی از مجله‌های اروپایی که آنها را مشتاقانه می‌خواند، درباره‌ی این فیلم چیزهایی خوانده است. ابراهیم گلستان، مکاتبات شخصی، ۲۶ ژانویه‌ی ۲۰۰۰.

۵۳. هویدا، «یادداشتهای زمان جنگ»، ص ۳۴.

۵۴. لیلا امامی، گفتگو با نگارنده، پاریس، ۱۲ مارس، ۱۹۹۹.

۵۵. در کتاب اسکندر دلدم تمام این ادعاها و اتهامات بدون ارائه هیچگونه مدرکی بارها تکرار می‌شود. ر.ک.: دلدم، **زندگی و خاطرات**.

۵۶. مرکزی که عموماً به عنوان یکی از بازوهای آژانسهای اطلاعاتی جمهوری اسلامی نامبردار است، این اسناد را منتشر کرد. ر.ک. **جستارهایی در تاریخ معاصر ایران**، جلد ۲، تهران، ۱۳۷۰، صص ۳۹۷ - ۳۹۶. دلدم در کتاب خود این اتهام را تکرار می‌کند، ر.ک.: **زندگی و خاطرات**، صص ٦٨ - ٦٦.

۵۷. لیلا امامی، گفتگو با نگارنده.

۵۸. «مقام عالی‌رتبه‌ی امنیتی»، گفتگو با نگارنده، ۲۲ نوامبر ۱۹۹۷.

۵۹. هویدا، «یادداشتهای زمان جنگ»، ص ۴۷.

٦۰. محمدرضا پهلوی، **مأموریت برای وطنم**، تهران، ۱۳۴۰. در این کتاب اشارات فراوانی به تجربیات روحانی و خارق عادت سراغ می‌توان کرد. همان‌طور که شاه به اوریانا فالاچی‌ی سخت شکاک اظهار داشت، همه عمر احساس می‌کرد، «نوعی وحی، یا پیامهایی از فراسو»، دریافت می‌کند. ر.ک.: اوریانا فالاچی، **گفتگوها**، تهران، ۱۳۷۸، صص ۱۵۳ - ۱۴۱.

61. Quoted in *The Nation*, 7 october 1978, 329.

٦۲. امیر عباس هویدا، «آینده ایران»، **ایران، حال و آینده**:

Jane W. Jacps (New York, 1975), 448.

فصل یازدهم: سیاست در پمپئی‌ی نفت‌خیز

۱. لیلا امامی، گفتگو با نگارنده، پاریس، ۱۲ مارس ۱۹۹۹.

۲. ژان بکر، گفتگو با نگارنده، ناپا، کالیفرنیا، ۲۱ مارس ۱۹۹۹.

۳. عبدالمجید مجیدی، «مصاحبه با عبدالمجید مجیدی»، بنیاد مطالعات ایرانی:

برنامه‌ی تاریخ شفاهی، اوریل ـ اکتبر ۱۹۸۲، ص ۴۷.

۴. افسانه‌ی جهانبانی، گفتگو با نگارنده، پاریس، ۳ ژوئن ۱۹۹۸.

۵. محمد صفا، گفتگو با نگارنده، ۲۱ نوامبر ۱۹۹۷.

۶. وجیهه معرفت، گفتگو با نگارنده، ۲۷ ژانویه‌ی ۱۹۹۷.

7. NA, U.S. Embassy, Tehran, Iran, "Bi-Weekly Economic Review, December 25, 1965-January 7, 1966," A-462.

8. U.S. Embassy, Tehran, Iran, "Memorandum of Conversation," 1/21/78, NSA, no. 2142.

۹. فریدون هویدا، گفتگو با نگارنده، ۱ اوت ۱۹۹۹.

۱۰. وجیهه معرفت، گفتگو با نگارنده، ۲۷ ژانویه ۱۹۹۸.

۱۱. راجی، *در خدمت تخت طاووس*، ص ۲۳۶.

۱۲. رونوشت گزارش ساواک را می‌توان در *جستارهایی در تاریخ معاصر ایران*، تهران ۱۳۷۰، جلد ۲، یافت. این سند در قسمت آخر کتاب به عنوان قسمتی از پیوست آمده است. کلّ بخش پیوستها فاقد شماره‌ی صفحه‌اند.

۱۳. پیشین.

۱۴. خواندنیها، ۳ مهر ۱۳۴۳.

۱۵. لیلا امامی، گفتگو با نگارنده، پاریس، ۲۶ ژوئیه ۱۹۹۹.

۱۶. راجی، *در خدمت تخت طاووس*، ص ۸.

۱۷. احمد قریشی، گفتگو با نگارنده، ۲۴ نوامبر ۱۹۹۷.

۱۸. احمد قریشی، گفتگو.

۱۹. فریدون هویدا، گفتگو با نگارنده، ۶ دسامبر ۱۹۹۷.

20. LBJ Library, "Profile of the Prime Minister" in *Visit of the PM Hoveyda of Iran*, 12/5-6/68.

۲۱. جهانسوز بهرامی فرمانده‌ی گارد محافظ هویدا بود. بهرامی، گفتگو با نگارنده، لس آنجلس، کالیفرنیا، ۲۳ آوریل ۱۹۹۸.

۲۲. علم، *یادداشتهای علم*، جلد ۳.

23. U.S. Embassy, Tehran, Iran, "Washburn's Views and Thoughts on

Iran upon Leaving," August 11, 1973, NSA, no. 830.

۲۴. فریدون هویدا، گفتگو با نگارنده، ۲۳ ژوئیه‌ی ۱۹۹۹.

۲۵. محمد صفا، گفتگو با نگارنده، ۲۱ نوامبر ۱۹۹۷.

۲۶. علینقی عالیخانی، گفتگو با نگارنده، ۴ اوت ۱۹۹۹.

27. NA, U.S. Embassy, Tehran, Iran, "Bi-Weekly Economic Review, May 29-June 11, 1965," A-667.

28. U.S. Embassy, Tehran, Iran, "Bi-Weekly Economic Review, March 6-19, 1965," NSA, A-489.

29. NA, U.S. Embassy, Tehran, Iran, "Semi-Annual Assessment of the Political Situation in Iran," February 19, 1966, A-104, 2.

30. NA, U.S. Department of the Army, "Confidential Cable," March 1965.

۳۱. فریدون مهدوی، گفتگو با نگارنده، ۸ اوت ۱۹۹۹.

۳۲. مهدوی، گفتگو.

33. NA, "Confidential Cable, Department of the Army," February 1965.

34. NA, U.S. Embassy, Tehran, Iran, "Dead of Former Prime Minister Mohammad Mosaddeq," 9 March 1967, A—493.

فریدون هویدا داستان سفارت را تأیید می‌کند؛ فریدون اضافه می‌کند که غلامحسین، پسر مصدق، به نزد هویدا رفت و به عنوان دوست از وی برای اجازه‌ی مراسم خاکسپاری یاری خواست.

36. NA, U.S. Embassy, Tehran, Iran, "Aftermath of Mosaddeq Death," 8 March 1967.

37. NA, U.S. Embassy, Tehran, Iran, "Semi-Annual Assessment of the Political Situation in Iran," August 1965, A-105.

۳۸. مهدی پیراسته، گفتگو با نگارنده، ۸ اوت ۱۹۹۹.

۳۹. پیراسته، گفتگو.

40. U.S. Department of State, "Memoradum from the Director of the Bureau of Intelligence and Research (Hughes) to Secretary of State Rusk," in *Foreign Relations*, Vol. XXII, 127.

41. U.S. Embassy, Semi-Annual Assessment, 5.

۴۲. نقل شده در: محمود طلوعی، بازیگران عصر پهلوی، جلد ۱، تهران، ۱۳۷۲، صص ۵۱۶ ـ ۵۱۸.

برای ترجمه‌ی انگلیسی این نامه ر.ک. به:

Islam and Revolution: Writings and Declaration Imam Khomeini, tr. Hamid Algar (Berkeley, 1981), 189 – 193.

43. NA, American Consulate, Tabriz, Iran "Prime Minister Hoveyda Cracks the Whip," A-5, 31 August 1967.

۴۴. عبدالمجید مجیدی، گفتگو با نگارنده، واشنگتن دی سی، ۱۵ فوریه ۱۹۹۹.

۴۵. فریدون هویدا، گفتگو با نگارنده، ۶ دسامبر ۱۹۹۷.

۴۶. سازمان اطلاعاتی جمهوری اسلامی، ساواما، ادعا کرده که هویدا اندکی پس از بازگشتش به ایران به ساواک پیوست. این ادعا بر دو پایه استوار است. نخست سیاهه‌ای از اسامی کارمندان ساواک که گویا نام هویدا در آن یافتنی است. شاهد دوم گزارشی است که در آن از تعلق او به دایره‌ی معینی از ساواک سخن رفته. وقتی در این مورد از «مقام عالی‌رتبه امنیتی» پرسیدم، می‌گفت به چند دلیل این دعاوی بی‌اساس، و این اسناد جعلی‌اند. می‌گفت اداره‌ای که ظاهراً به آن تعلق داشت سالها پس از تاریخ نامه‌ای که در آن به تعلق او به این اداره اشاره شده تأسیس شد. «مقام عالی‌رتبه‌ی امنیتی»، گفتگو با نگارنده، ۲۳ نوامبر ۱۹۹۸. برای دستیابی به روایت جمهوری اسلامی در این مورد، ر. ک.: جستارهایی در تاریخ معاصر ایران، صص ۳۷۵ ـ ۳۷۲.

۴۷. «مقام عالی‌رتبه‌ی امنیتی»، گفتگو با نگارنده، ۲۴ نوامبر ۱۹۹۷. وی نمونه‌هایی از مواردی را نقل کرد که شاه شخصاً متن ابراز ندامت یکی از مخالفان رژیم را تأیید و تصویب کرد. مورد بهرام مولایی، یکی از اعضای بازداشت شده حزب توده، مصداق بارز دخالت‌های شاه در جزئیات کار ساواک بود.

۴۸. پهلوی، پاسخ به تاریخ، ص ۱۵۸.

۴۹. «مقام عالی‌رتبه‌ی امنیتی»، گفتگو.

۵۰. پیشین.

۵۱. پیشین.

۵۲. فرخ نجم‌آبادی، گفتگو با نگارنده، واشنگتن دی سی، ۱۲ ژوئیه ۱۹۹۹.

۵۳. همایون، گفتگو.

۵۴. جهانگیر بهروز، گفتگو با نگارنده، ۲ آوریل ۱۹۹۹. نکات اصلی این ماجرا مورد تأیید داریوش همایون نیز هستند. وقتی با همایون درباره‌ی انتقاد بهروز از انفعالش در آن هنگام صحبت کردم، در جواب گفت، «شاید حق با او باشد و مـن بـایـد از او حـمـایـت می‌کردم.»

55. NA, U. S. Embassy, Tehran, Iran, "Changes in Ministry of Information," 22 June 1971, A−178.

برخی ناظران مدعی‌اند برکناری منصور یکسره ناشی از مخالفت او با لایحه‌ای بودکه در آن سازمان رادیو و تلویزیون از استقلال کامل برخوردار می‌شد. ایرج آریان‌پور، مکاتبات شخصی، ۱۳ ژانویه‌ی ۲۰۰۰.

56. U.S. Embassy, Tehran, Iran, "Confidential," 1968/02/27, NSA, no. 649.

۵۷. همایون، گفتگو.

۵۸. پیشین.

59. U.S. Embassy, Tehran, Iran, "Traditional Iranian Politics," 10/25/78, NSA, no. 1617.

۶۰. مصطفی مصباح‌زاده، نامه به نگارنده، ۲۴ اوت ۱۹۹۸.

۶۱. علم، یادداشتهای علم، جلد ۳، صص ۳۱۶ ـ ۳۱۹.

۶۲. چنین دیدگاه‌هایی را می‌توان هم در میان دوستان و هم دشمنان هویدا یافت. از میان گروه دوم، هـوشنگ نهاوندی معتقد است کـه هـویـدا در دوران پایانی نـخست وزیری‌اش، بیشتر از شاه قدرت به هم زده بود، و شاه نسبت به این امر بسی نگران شده بود. جمشید قره‌چه داغی، تکنوکراتی کار کشته، اظهار می‌دارد که هویدا غالباً شاه را بـا مهارت تمام کنترل و اداره می‌کرد. به نظر وی، هویدا قدرت خود را به رخ نمی‌کشید بلکه

در واقع تلاش تمام می‌کرد تا به بی‌قدرتی تظاهر کند، و همین امر از کلیدهای موفقیتش به شمار می‌رفت.

63. U. S. Embassy, Tehran, Iran, "Ali Amini, 28 February 1968," NSA, no. 652.

بعد از ۱۳۴۴، وقتی شاه برای نخستین بار به امینی حمله کرد. سفارت ظاهراً از طریق یک واسطه با امینی ارتباط برقرار کرد. پیامهای امینی به سفارت، از جمله آن چه در اینجا نقل شده، همواره به وسیله‌ی رحمت‌الله مقدم مراغه‌ای به سفارت تحویل داده می‌شد. نیز ر. ك.:

NA, U.S. Embassy, Tehran, Iran, "The Pullic Attack on Former Prime Minister Ali Amini," 2 March 1968, A–465.

۶۴. ایرج امینی، گفتگو با نگارنده، ۴ اوت ۱۹۹۹.

٦۵. پیشین.

٦٦. علینقی عالیخانی، گفتگو با نگارنده، ۵ اوت ۱۹۹۹.

67. NA, U.S. Embassy, Tehran, Iran, "Prime Minister Hoveyda: Recommendation for an Official Visit to the United States," 14 December 1967, Airgram, A-332.

68. LBJ Library, Harold H. Saunders, "Memorandum for Walt Rostow," 13 November 1968.

69. LBJ Library, "Suggestions on Approaching Iranians and Topics of Conversation."

70. LBJ Library, Memorandum for the President, 4 December 1968.

71. LBJ Library, "Checklist of Talking Points," 4 December 1968.

72. LBJ Library, "Wife of the Prime Minister of Iran," 1–2.

73. LBJ Library, "Cyrus Ghani, Advisor to the Prime Minister."

۷۴. سیروس غنی، گفتگو با نگارنده، ۲۵ ژوئیه ۱۹۹۹.

۷۵. سیروس غنی، گفتگو با نگارنده، ۹ ژوئیه ۱۹۹۹.

76. LBJ Library, "Visit of PM Hoveyda, Gift Suggestions."

77. Ibid., 1.

78. Ibid., 2.

79. U.S. Embassy, Tehran, Iran, "Telegram from the Embassy in Iran to the Department of State," *Foreign Relations*, Vol. XXII, 190.

80. CIA, The Shah of Iran's Current Outlook, *Foregn Relations*, vol. XXII, 227.

81. CIA, Secret Special Memorandum #9-68, "The Shah's Increasing Assurance," 1968/05/07, NSA, no. 663.

۸۲. راجی، در خدمت تخت طاووس، ص ٦.

83. LBJ Library, Memorandum, 4.

84. U.S. State Department, "The Evolution of the U.S.-Iranian Relations," NSA, no. 3555, 20.

۸۵. راجی، در خدمت تخت طاووس، ص ۹۷.

۸٦. مجیدی، «مصاحبه با عبدالمجید مجیدی»، ص ۷.

87. NA, "Secret Cable, British and Iranian Relations in the Persian Gulf," June 1970.

88. NA, "Secret Cable, Iran-UK relations Re Gulf," July 1970.

89. NA, U.S. Embassy, Tehran, Iran, "Secret Cable, Possible Iran-British Crisis Brewing," June 1971.

90. NA, "Secret Cable, Oil-Consortium/GoI Negotiations," January 1973.

91. LBJ Library, Memorandum, 2.

92. LBJ Library, "Checklist of Talking Points."

93. Ibid., 6.

94. LBJ Library, "President's Toast."

95. NA, State Department, "Secret Cable to Mr. Rostow," 18 December 1968.

۹۶. من به صریح‌ترین لحنی این موضوع را از فرخ نجم‌آبادی شنیدم. نـجم‌آبادی، گفتگو. مجیدی، نیز، در «مصاحبه‌ی تاریخ شفاهی» خودش به همین نکته اشاره می‌کند.

۹۷. غنی، گفتگو.

۹۸. اکبر اعتماد، برنامه‌ی انرژی اتمی ایران: مأموریت، ساختارها، سیاست، به کوشش غلامرضا افخمی، بتسدا، ۱۹۹۷، ص ۱۵.

۹۹. پیشین، ص ۸۵.

۱۰۰. پیشین، ص ۶۵.

۱۰۱. پیشین.

۱۰۲. پیشین، ص ۲۹.

103. *New York Times*, 29 May 1976.

104. LBJ Library, Office of the White House Press Secretary, "Joint Statement," 5 December 1968.

105. NA, "State Department, Secret cable to Mr. Rostow," 18 December 1968.

به گفته‌ی فریدون هویدا، این تحقیر و بی‌اعتنایی دلایلی داشت. «از یک سو، نیکسون برای مبارزات انتخاباتی خود از شاه پول دریافت کرده بود و وی در ملاقات خودگمان می‌کرد این موضوع توجه اذهان را جلب خواهد کـرد.» از سـوی دیگـر، «بسیاری از مشاوران نیکسون به زاهدی نزدیک بودند، که زاهدی با دسیسه‌هایش، می‌توانست آنها را بـه بی‌اعتنایی به هویدا ترغیب کند.» فریدون هویدا، گفتگو با نگارنده، ۱۱ اکتبر ۱۹۹۹.

فصل دوازدهم: دره‌ی جنی

۱. از وی در یک فهرست نسبتاً شگفت، پیش و بعد انقلاب، از نخبگان سیاسی ایران یاد می‌شود؛ این فهرست را وزارت خارجه‌ی ایالات متحده با مشخصات: NSA, no. 3510، تهیه کرده است.

۲. علم، یادداشتهای علم، جلد ۱، ص ۳۷۸.

۳. بسیاری از این وزیران، از جمله فرخ نجم‌آبادی، عبدالمجید مجیدی، و مهناز افخمی، درباره‌ی این مسئله با من صحبت کردند. افخمی همچنین به من گفت که در روزی

که به عنوان وزیر امور زنان منصوب شد، هویدا به او گوشزد کرد که نباید سعی کند مستقیماً با شاه تماس برقرار کند. مهناز افخمی، گفتگو با نگارنده، سان‌فرانسیسکو، ۲۶ اکتبر ۱۹۹۷.

4. CIA, "Elites and the Distribution of Power in Iran," February 1976, NSA, no. 1012, 37.

۵. زاهدی، گفتگو.

۶. پیشین.

۷. پیشین.

8. NA, U.S. Embassy, Tehran, Iran, "The Style of the New Foreign Minister," 13 February 1967, A-431.

9. Ibid., 2.

۱۰. زاهدی، گفتگو.

۱۱. پیشین.

۱۲. برای دستیابی به شرحی درخصوص این جلسه، به صحبتهای عالیخانی (گفتگو با نگارنده، ۱۱ ژانویه ۲۰۰۰) تکیه کرده‌ام.

۱۳. برای دستیابی به مروری مختصر در باب تحولات بحرین، ر.ک.:

Rouhollah K. Ramazani, *Iran's Foreign Policy 1941 – 1973: A Study of Foreign Policy in Modernizing Nations* (Charlottesville, 1975), 410 – 23.

۱۴. فریدون هویدا، یکی از اعضای این کمیته بود. می‌گفت او نیز مانند دیگر اعضا، ساعتها به بحث و تبادل نظر در مورد مسأله‌ی بحرین پرداخت. وقتی شنیدند شاه در این زمینه به توافقی محرمانه رسیده و دریافتند که تلاشهاشان همه زاید بود، سخت حیرت‌زده شدند. به‌علاوه، او می‌گفت وقتی برادرش امیرعباس از وجود چنین توافقی خبردار شد، به شاه پیشنهاد کرد که در انظار عمومی نخست وزیر را مسئول این توافق‌ها معرفی کند. در این صورت، اگر جنجالی علیه قرارداد به راه می‌افتاد، دامن شاه آلوده نمی‌شد. شاه البته پیشنهاد هویدا را نپذیرفت. فریدون هویدا، گفتگو با نگارنده، ۶ دسامبر ۱۹۹۷.

۱۵. زاهدی، گفتگو.

۱۶. در گزارشهای متعددی از سوی سفارت امریکا، حزب پان ایرانیست به‌سان تشکیلاتی یاد شده که رهبری آن در دست خود دولت است. قبلاً، در یکی از این گزارشها

آمده که، «نمایندگان پان ایرانیست که به نمایندگی مجلس انتخاب شدند... انتظار می‌رود عمدتاً به عنوان ابزاری تبلیغاتی به کار گرفته شوند».

National Archive, "Confidential Airgram: Pan Iranist Party, August 30, 1967."

سفارت در گزارش دیگری تحت عنوان «نق زدن حزب پان ایرانیست در مجلس»، اظهار می‌دارد که «باید تأکید کرد که از نظر بسیاری از این افراد ـ بخصوص آنان که مسن‌ترند ـ عضویت در این حزب پاداشهای محسوسی به بار آورده است. این حزب، عمدتاً به علت روابط نزدیک با ساواک توانسته است امور اعضایش را پیش ببرد و سر و سامان دهد.»:

NA, "The Noisy Pan Iranist in Parliament, January, 27, 1968".

۱۷. زاهدی، گفتگو.

۱۸. علم، یادداشتهای علم، جلد ۲، ص ۸۸.

۱۹. پیشین، صص ۸۸ ـ ۸۹.

۲۰. زاهدی، گفتگو.

21. NA, U.S. Embassy, Tehran, Iran, "Confidential Cable, GoI Cabinet Changes," September 1971.

۲۲. زاهدی، گفتگو.

23. Sally Quinn, *The Party*: A Guide to Adventurous Entertaining (New York, 1997), 206.

۲۴. علم، یادداشتهای علم، جلد ۳، ص ۳۶۶.

۲۵. چند تن از وزیران، از جمله مجیدی و شادمان، درباره‌ی این ماجرا با من صحبت کردند. احمد کاشفیان، مسئول این بودجه‌ی محرمانه، جریان آن را برایم توضیح داد.

۲۶. لیلا امامی، گفتگو با نگارنده، پاریس، ۹ مارس ۱۹۹۹.

۲۷. پیشین، ۸ مارس ۱۹۹۹.

۲۸. پیشین.

۲۹. محمد صفا، گفتگو با نگارنده، ۲۱ نوامبر ۱۹۹۷.

۳۰. لیلا امامی، گفتگو با نگارنده، پاریس، ۲۶ ژوئیه ۱۹۹۹.

۳۱. پیشین.

۳۲. پیشین، ۱۱ مارس ۱۹۹۹.

۳۳. لیلا امامی، نامه به ژان برومت، ۲۲ آوریل ۱۹۷۱. برومت، بعد از ازدواجش، نام همسرش بِکرِ را برگزید. به این نامه به لطف ژان بکر دست یافتم.

۳۴. ژان کروکر به ژان برومت، مکاتبات خصوصی، دوشنبه، ۱۹۷۲.

۳۵. پرویز راجی، نامه به نگارنده، ۷ نوامبر ۱۹۹۷.

۳۶. عبدالمجید مجیدی، «مصاحبه با عبدالمجید مجیدی»، بنیاد مطالعات ایرانی: برنامه‌ی تاریخ شفاهی، آوریل - اکتبر ۱۹۸۲، ص ۴۹.

۳۷. پیشین.

۳۸. عباس توفیق، گفتگو با نگارنده، لس آنجلس، کالیفرنیا، ۱۴ اکتبر ۱۹۹۸.

۳۹. «مقام عالی‌رتبه‌ی امنیتی»، گفتگو با نگارنده، ۲۳ نوامبر ۱۹۹۸.

۴۰. ابراهیم گلستان، مکاتبات شخصی، ۲۰ ژانویه ۲۰۰۰.

۴۱. پیشین.

۴۲. پیشین.

۴۳. ابراهیم گلستان، **از روزگار رفته حکایت**، مدومه، تهران ۱۳۴۸، ص ۶۵.

۴۴. ابراهیم گلستان، گفتگو با نگارنده، ۱۲ سپتامبر ۱۹۹۹.

۴۵. ابراهیم گلستان، اسرار گنج دره‌ی جنی، تهران، ۱۳۵۳، ص ۱۵۴.

۴۶. پیشین، ص ۱۳۹.

۴۷. پیشین، صص ۱۱۴ - ۱۱۵.

۴۸. پیشین، ص ۱۵۸.

۴۹. ابراهیم گلستان، گفتگو با نگارنده، ۱۲ سپتامبر ۱۹۹۹.

۵۰. «مقام عالی‌رتبه‌ی امنیتی»، گفتگو با نگارنده، ۲۸ سپتامبر ۱۹۹۹.

۵۱. برای دستیابی به شرحی درباره‌ی این حادثه، به گفتگوهایم با فریدون هویدا و ابراهیم گلستان تکیه کردم. کلمات نقل شده از ابراهیم گلستان‌اند، مکاتبات شخصی، ۲۰ ژانویه ۲۰۰۰.

۵۲. پیشین.

۵۳. چند منبع، از جمله پرویز راجی و سیروس غنی، این مکالمه را نقل کردند. در اینجا من از ابراهیم گلستان نقل قول آوردم، مکاتبات شخصی، ۲۰ ژانویه ۲۰۰۰.

فصل سیزدهم: سقوط پمپئی

1. *New York Times*, 24 July 1999, 16

۲. علم، یادداشتهای علم، جلد ۳، ص ۶۱.

۳. سیروس غنی، گفتگو با نگارنده، نوادا، ۲۰ اوت ۱۹۹۹.

۴. برای دستیابی به شرحی پیرامون ایجاد و کار این گروه، به اطلاعات سیروس غنی و فریدون مهدوی توسل جستم. سیروس غنی، گفتگو. فریدون مهدوی، گفتگو با نگارنده، ۳ سپتامبر ۱۹۹۹.

۵. برای دستیابی به شرحی درباره‌ی این جلسات، به اطلاعات سیروس غنی و فریدون مهدوی توسل جستم.

۶. علم گزارش می‌دهد که در اواخر سال ۱۳۵۱ به شاه گفت که وی اطلاعاتی دریافت کرده است مبنی بر این که «نخست وزیر به کسانی که اطراف ملکه‌اند و سایر خدمتگزاران مبالغی پرداخت کرده است.» وی ادعا می‌کند که شاه دستور رسیدگی داد. ر.ک.: علم، یادداشتهای علم، جلد ۳، ص ۲۲.

۷. هوشنگ نهاوندی، گفتگو با شاهرخ مسکوب، ۲۹ مه ۱۹۸۵، پاریس، نوار شماره‌ی ۵، مجموعه‌ی تاریخ شفاهی ایران، دانشگاه هاروارد.

۸. فرخ نجم‌آبادی، مکاتبه‌ی شخصی با نگارنده، ۲۴ ژانویه ۲۰۰۰.

۹. غنی، گفتگو.

10. CIA, "Elites, and the Distribution of Power in Iran," NSA, no. 1012, 66.

۱۱. «مقام عالی‌رتبه امنیتی»، گفتگو با نگارنده، ۱۸ سپتامبر ۱۹۹۹.

12. U.S. Embassy, Tehran, Iran, "Representative List of Intermediaries and Influence Peddlers," NSA, no. 780

13. CIA, "Elites, and the Distribution of Power in Iran," NSA, no. 1012.

14. U.S. Embassy, Tehran, Iran, "Corruption in Iran," 15 December 1978, in *Documents from the U.S. Espionage Den*, vol. 13 (Tehran, n.d.), 12.

15. U.S. Embassy, Tehran, Iran, "Shah-Harriman Talk," in *Foreign Relations of the United States, 1964-1968*, Vol. XXII (Washington, 1999), 329.

16. Hossein Razavi and Firouz Vakil, *The Political Environment of Economic Planning in Iran, 1971-1983: From Monarchy to Islamic Republic* (Boulder, 1984), 67.

17. Ibid.

۱۸. افراد زیادی، از جمله فریدون هویدا، لیلا امامی، و عبدالمجید مجیدی، درباره‌ی واکنش هویدا در سفرش به چین، با من صحبت کردند.

۱۹. فریدون مهدوی، "گفتگو با نگارنده"، ۱۶ سپتامبر ۱۹۹۹.

۲۰. عبدالمجید مجیدی، گفتگو با نگارنده، واشنگتن، ۱۵ فوریه ۱۹۹۹.

۲۱. احمد اشرف، مکاتبه‌ی شخصی با نگارنده، ۱۴ فوریه ۲۰۰۰.

22. Razavi and Vakil, *The Political Environment*, 72.

23. Foreign Relations, 338.

۲۴. احمد اشرف، مکاتبه‌ی شخصی با نگارنده، ۱۴ فوریه ۲۰۰۰.

۲۵. پیشین.

26, Amir Abbas Hoveyda, "The Future of Iran," *in Iran: Present and Future*, ed. Jane W. Jacqs (New York, 1976), 440-50.

27. Farokh Najmabadi, "Strategies of Industrial Development in Iran," *In Iran: Past, Present and Future*, 105.

28. Firouz Tofig, "Development of Iran: A Statistical Note," *In Iran: Past, Present and Future*, 63.

29. Amir Abbas Hoveyda, "The Future of Iran," 444-50.

۳۰. عبدالمجید مجیدی، «مصاحبه با عبدالمجید مجیدی»، پروژه‌ی تاریخ شفاهی، بنیاد مطالعات ایران، مصاحبه به وسیله‌ی سیما دبیر آشتیانی در واشنگتن دی‌سی، ۲۱ آوریل ۱۹۸۲، و به وسیله‌ی دکتر اکبر اعتماد، در پاریس در دوازدهم اکتبر ۱۹۸۲، ص ۵۴.

31. U.S. State Department, "Visit of the Shah of Iran," 1967, NSA, no. 639.

32. U.S. Embassy, Tehran, Iran, "Telegram," *in Foreign Relations*, 10.

۳۳. برای بحثی پیرامون این اصلاحات، ر.ک. به:

U.S. Embassy, Tehran, Iran, "Movement toward a Welfare State," February 20, 1975, in *Documents From the U.S. Espionage Den*, vol. 61 (Tehran, n.d.), 12-22.

34. U.S. State Department, "Telegram from the Department of State to the Embassy in Iran" in *Foreign Relations*, 364.

35. U.S. State Department, "Visit of the Shah," 3.

۳۶. علم، یادداشتهای علم، جلد ۳، ص ۲۶۵.

37. "Telegram from Secretary of State Dulles," January 25, 1958, in *Foreign Relations of the United States*, 1958-60, vol. XII (Washington, D.C., 1993), 534.

38. U.S. Embassy, Tehran, Iran, "Summary of Shah's Current Concerns," NSA, no. 523.

39. N.A, "Memorandum for the President," August 15, 1967.

40. U.S., Department of State, Bureau of Intelligence and Research," Secret Report # 704," 1977/1/78, NSA, no. 1144.

41. U.S. Embassy, Tehran, Iran, "Decision-Making in Iran," n.d., NSA, n. 1066.

42. Ibid.

43. U.S. Embassy, Tehran, Iran, "Iran's Modernizing Monarchy: A Political Assessment," 1 January 1971, NSA, no. 1060, 5.

44. U.S. Embassy, Tehran, Iran, "The Recent Evolution of Power in Iran," April 15, 1975, NSA, no. 947, 3.

۴۵. برای دستیابی به ماجرای روزهای اوّلیهٔ تشکیل حزب ایران نوین و نفوذ شاه در

تعیین رهبری آن، ر.ک.:

U.S. Embassy, Tehran, Iran, "New Party Celebrates 5 Anniversary with a Party Purge," January 9, 1968.

۴۶. فریدون مهدوی، گفتگو با نگارنده، ۳ سپتامبر ۱۹۹۹.

47. Gholam Reza Afkhami, *The Iranian Revolution: Thanatos on a National Scale* (Washington, D.C., 1985), 70.

کوشیدم با غلامرضا افخمی درباره نقشش در شکل‌گیری فکر حزب رستاخیز گفتگو کنم. او از مصاحبه امتناع کرد و گفت حرف‌هایش را در این زمینه در کتابش زده است.

۴۸. احمد قریشی، گفتگو با نگارنده، ۲۲ سپتامبر ۱۹۹۹.

49. U.S. Embassy, "New Iran Party Celebrates," 3.

50. Afkhami, *The Iranian Revolution*, 70.

۵۱. امین عالیمرد، گفتگو با نگارنده، ۲۲ سپتامتبر ۱۹۹۹.

۵۲. عالیمرد، گفتگو.

۵۳. چندنفر، از جمله «مقام عالی‌رتبه امنیتی»، احمد قریشی و عبدالمجید مجیدی به اهمیت سادات در این زمینه اشاره کرده‌اند.

۵۴. مجیدی، برنامه‌ی تاریخ شفاهی، ص ۹. امین عالیمرد، گفتگو.

۵۵. مجلدهایی از **یادداشتهای علم** که به اعلام سیستم حزبی جدید می‌پردازد، هنوز منتشر نشده‌اند. ویراستار این کتابها، علینقی عالیخانی، از راه لطف تمام دست‌نوشته‌های مجلداتی را که در آینده منتشر خواهند شد، از نظر گذراند و از عدم اطلاع علم از این موضوع خبر داد. به‌علاوه، عالیخانی در گفتگوهایش با علم متوجه این نکته شده بود که علم قبل از سخنان شاه در مورد ایجاد حزب واحد ازاین مسأله هیچ اطلاعی نداشت. حدود شش ماه پیش از روزی که ایجاد حزب جدید اعلام شد، شاه در پاسخ به شِکوه‌ی علم، با لحن مرموزی به او گفت: «هفته‌ی بعد چیزهایی درباره‌ی حزب اکثریت خواهم گفت.» امّا، تا آنجاکه می‌دانیم، در خصوص این مبحث صحبت بیشتری ما بین آنها به میان نیامد.

۵۶. وقتی تشکیل کنفرانس مطبوعاتی اعلام شد، ارتشبد نصیری از ثابتی پرسید که آیا او از چند و چون این کنفرانس مطلع است. ثابتی هم در جواب گفته بود که هیچ اطلاعی در

این زمینه ندارد. «مقام عالی‌رتبه‌ی امنیتی»،گفتگو با نگارنده، ۲۳ نوامبر ۱۹۹۷.

۵۷. مجیدی، برنامه‌ی تاریخ شفاهی، ص ۹. امین عالیمرد،گفتگو.

58. Parviz C. Radji, "Amir Abbas Hoveyda," in http//WWW.Hoveyda. Org/radji/html, Hoveyda Web Site.

59. U.S. Embassy, Tehran, Iran, "The Iranian One-Party State," 10 July 1976, NSA, no. 975, 1.

60. Afkhami, *The Iranian Revolution*, 70.

۶۱. پرویز راجی،گفتگو با نگارنده، ۱۲ اکتبر ۱۹۹۹.

62. Afkhami, *The Iranian Revolution*, 55.

۶۳. پرویز راجی، در **خدمت تخت طاووس**، ص ۹۷.

64. U.S. Department of State, "Research Memorandum from the Director of the Bureau of Intelligence and Research (Hughes) to Secretary of State Rusk," in *Foreign Affairs*, Vol XXII, 492.

65. Mohsen Milani, *The Making of Iran's Islamic Revolution: From Monarchy to Islamic Republic* (Boulder, 1994), 97.

۶۶. ویلیام سولیوان، مأموریت در ایران، ص ۲۶.

۶۷. پیشین، ص ۵۹.

۶۸. پیشین، صص ۷۲-۷۱.

۶۹. علی‌اصغر حاج سیدجوادی، دونامه، تهران، ۱۳۵۷، صص ۱۴-۷.

۷۰. علی‌اصغر حاج سیّدجوادی،گفتگو با نگارنده، ۲ سپتامبر ۱۹۹۹.

۷۱. راجی، در **خدمت تخت طاووس**، ص ۶۹.

۷۲. عبدالمجید مجیدی،گفتگو با نگارنده، واشنگتن دی‌سی، ۱۵ فوریه‌ی ۱۹۹۹.

فصل چهاردهم: قربانی

۱. ادوارد سابلیه،گفتگو با نگارنده، پاریس، مارس ۱۹۹۹.

۲. راجی، در **خدمت تخت طاووس**، ص ۹۸.

۳. احمد قریشی،گفتگو با نگارنده، ۱۲ فوریه‌ی ۲۰۰۰.

4. CIA, Tehran, Iran, "New Political Activity: Making a Silk Purse out of Shah's Ear," Confidential Report # 77-046, NSA, no. 1213.

۵. یادداشتهای مربوط به این دوره‌ی هنوز انتشار نیافته‌اند. یک نسخه از دست‌نویس آنها، به لطف ویراستار خاطرات علم، علینقی عالیخانی، به دستم رسید.

۶. راجی، **در خدمت تخت طاووس**، ص ۹۳.

۷. من در مورد نظر آموزگار و پاسخ هویدا و ثابتی از دو منبع آگاه شدم. احمد قریشی نقش خودش را در این مورد با جزئیات تشریح کرد. «مقام عالی‌رتبه امنیتی» پاسخ ثابتی را تأیید کرد.

۸. «مقام عالی‌رتبه امنیتی»، گفتگو.

۹. داریوش همایون، گفتگو با نگارنده، بلمونت، کالیفرنیا، ۶ ژوئن ۱۹۹۹.

۱۰. همایون، گفتگو.

11. Joseph Kraft, "Letter form Tehran," *New Yorker*, 18 December 1978.

12. Ibid., 153-54.

13. General [Abbas] Gharabaghi, *Vérités sur les Crises Iraniene* (Paris, 1985), 20-27.

14. Ibid., 24.

15. U.S. Embassy, Tehran, Iran, "Memorandum of Conversation, Internal Politics, 1978/11/01." NSA, no. 1653.

۱۶. به زودی روزنامه‌های ایران پر شدند از حکایتهایی در خصوص نقش شـریف امامی در فراماسونری. در کتاب رائین راجع به فراماسونری در ایران، شریف امامی به نحو چشمگیری به عنوان استاد بزرگ جلوه می‌کند.

17. U.S. Embassy, Tehran, Iran, "Increased Religious Pressure on the Government," Secret Cable # 07890, 19/78/08, NSA, no. 1475.

18. U.S. Embassy, Tehran, Iran, "Ex-Prime Minister Reenters the Political Lists," 1978/08.03, NSA, no. 142.

۱۹. فریدون مهدوی، گفتگو با نگارنده، ۱۶ سپتامبر ۱۹۹۹.

۲۰. مهدوی، گفتگو.

21. Milani, *The Making of Iran's Islamic Revolution*, 117.

۲۲. علم، در یادداشتهایش، بارها ادعا کرده که می‌خواسته شاه را به تشکیل یک گروه مشاور کوچک متقاعد کند و شاه هرگز زیر بار نمی‌رفت. مثلاً، ر.ک. علم، یادداشتهای علم، جلد ۱، ص ۳۰۹.

۲۳. مهدی پیراسته، گفتگو با نگارنده، ۴ اوت ۱۹۹۹.

24. U.S. Embassy, Tehran, Iran, "Memorandum of Converseation: Mehdi Pirasteh," 11 October 1978, NSA, no. 1591.

پیچیدگی سیاست در ایران را از جمله می‌توان دراین واقعیت سراغ کرد که پیراسته از سویی معتقد بود انقلاب اسلامی را انگلستان به‌راه انداخت ـ می‌گفت: «نمی‌دانم شاه چه کرد که آنها را برآشفت، امّا مطمئنم که کار کار انگلیسی‌ها بود»، ـ و از سویی دیگر مأمور سفارت امریکا در تهران شرح مذاکرات خود با پیراسته را با ذکر این جمله به پایان می‌رساند که، «ضمناً، در میان کارمندان سفارت شایع است که پیراسته از عوامل انگلیس است.»

۲۵. احسان نراقی، گفتگو با نگارنده، پاریس، ۲۲ اکتبر ۱۹۹۸.

۲۶. راجی، در خدمت تخت طاووس، ص ۱۷۳.

۲۷. «مقام عالی‌رتبه‌ی امنیتی»، گفتگو.

۲۸. محمدرضا پهلوی، پاسخ به تاریخ، تهران.

29. U.S. Department of State, The Evolution of U.S. - Iranian Relationship, NSA, no. 3556, 65.

خاطرات سر آنتونی پارسونز، ظهور و سقوط، نیز موضع بریتانیا را روشن می‌کند. ر.ک.: Anthony Parsons, The Pride and the Fall (London, 1984).

سرانجام، شاه در کتاب خود، پاسخ به تاریخ، آشکارا به کم‌وکیف توصیه‌هایی که از دو متحد اصلی خود، آمریکا و انگلیس، دریافت می‌کرد اشاره می‌کند. وی درباره‌ی تلاش برای سازماندهی «نمایش عظیم نیرو و به نفع تاج و تخت» بعد از جمعه‌ی سیاه صحبت می‌کند، و این که فرستادگان انگلیس و امریکا «شانه بالا انداختند و گفتند چه فایده؟ روز بعد مخالفان دو برابر خواهند شد. این مسابقه‌ای است که شما در آن نمی‌توانید برنده شوید.» شاه می‌افزاید که والری ژیسکاردستن، رئیس جمهور فرانسه، «فرستاده‌ی شخصی

خود را به تهران گسیل داشت، کسی که به وی بسیار نزدیک بود. وی نیز طرفدار راه‌حل "سیاسی" بحران بود، حسن تدبیری برای سازش و امتناع از به کار بردن زور.» ر.ک. پهلوی، پاسخ به تاریخ، صص ۱۷۲، ۱۶۴. چیزی که در اظهارات شاه روشن نمی‌شود، این است که چرا وی به تأیید و تصویب، یا اجازه‌ی آن «دو فرستاده» برای سازماندهی «نمایش قدرت عظیم... به نفع تاج و تخت» نیاز داشت؟

30. U.S. Embassy, Tehran, Iran, "Why the Sudden Quiet," Confidential Cable # 05131, NSA, no. 1401.

۳۱. «مقام عالی‌رتبه امنیتی»، گفتگو.

۳۲. فریدون مهدوی، گفتگو با نگارنده، ۱۴ سپتامبر ۱۹۹۹.

33. Quoted in Mohsen Milani, *The Making of Iran's Islamic Revolution*, 123.

۳۴. پهلوی، پاسخ به تاریخ، ص ۱۶۶.

۳۵. لیلا امامی، گفتگو با نگارنده، پاریس، ۱۱ مارس ۱۹۹۸.

۳۶. کلود دوپیرون، گفتگو با نگارنده، پاریس، ۲۳ اکتبر ۱۹۹۸.

۳۷. کلود دوپیرون، گفتگو.

۳۸. برای شرحی راجع به این ملاقات، ر.ک.

Gharabaghi, Vérités Sur les Crises Iraniennes, 48-49.

سوای مضمون این کتاب، من جزئیات این جلسه را از دو منبع دیگر نیز شنیدم، در دهم مارس ۱۹۹۹ در پاریس با خود ارتشبد قره‌باغی گفتگو کردم. به‌علاوه، در روز ۲۴ آوریل ۱۹۹۹ در واشنگتن با محمد باهری صحبت کردم و او نیز روایت خود از جلسه را برایم بازگو کرد.

۳۹. شاهین آقایان، گفتگو با نگارنده، پاریس، ۱۲ ژانویه‌ی ۲۰۰۰.

۴۰. اردشیر زاهدی، گفتگو با نگارنده، ۱۲ ژانویه ۲۰۰۰.

۴۱. اردشیر زاهدی، گفتگو با نگارنده، ۱۲ ژانویه ۲۰۰۰.

42. U.S. Embassy, Tehran, Iran, "Iran, Situation," 9 November 1978, NSA, no. 1708.

۴۳. مهدی سمیعی، گفتگو با نگارنده، لس‌آنجلس، ۱۱ ژوئن ۱۹۹۸.

44. U.S. Embassy, Tehran, Iran, "The Political Middle Stripes," 1978/09/19, NSA, no. 1532.

۴۵. مهدی پیراسته، گفتگو با نگارنده، ۴ اوت ۱۹۹۹.

۴۶. مهدی پیراسته، گفتگو. شرحی داستان‌وار از این جلسه منتشر شده است. فاطمه پاکروان در خاطراتش و سعیده پاکروان در گزارش داستان‌وار خود از این جلسه اظهار می‌دارند که سرلشگر پاکروان مصرانه با اندیشه‌ی بازداشت هویدا مخالف بود. ر.ک. فاطمه پاکروان، **خاطرات**، ترجمه‌ی اسماعیل سالمی، تهران، ۱۳۷۸، صص ۹۸-۱۹۱. این کتاب درواقع ترجمه‌ای است از:

Memoires of Fatemeh Pakravan (Cambridge, 1998), ed. Habib Ladjevardi.

نیز، ر.ک:

Saeideh Pakravan, *The Arrest of Hoveyda*.

در این روایت، برخی از حاضران در آن جلسه مخالفتشان را با تصمیم بازداشت هویدا، اعلام می‌دارند.

47. Houshang Nahavandi, interviewed by Shahrokh Meskoob, 29 May 1958, Paris, France, tape no. 5, Iranian Oral History Collection, Harvard University.

48. Ibid.

۴۹. دکتر فرشته انشاء، گفتگو با نگارنده، ۳ سپتامبر ۱۹۹۹.

۵۰. چندین نفر، از جمله دکتر فرشته و مریم انشاء، و نیز احمدکاشفی درباره‌ی این گفتگو با من صحبت کردند. احمد کاشفی، گفتگو با نگارنده، ۳۱ اکتبر ۱۹۹۷.

۵۱. افراد مختلفی،از جمله مریم و دکتر فرشته انشاء و نیز جهانسوز بهرامی، مسئول حفظ جان هویدا، براین نکته تأکید کردند که هویدا، در چند هفته قبل از بازداشتش، عملاً در خانه زندانی بود. جهانسوز بهرامی، گفتگو با نگارنده، لس‌آنجلس، کالیفرنیا، ۳ آوریل ۱۹۹۸. بهرامی با علاقه خاصی از هویدا یاد می‌کرد. وی می‌گفت اگر من، یا سایر مأموران محافظ او، می‌دانستیم دولت قصد بازداشت هویدا را داشت، حتماً در صدد نجات او برمی‌آمدیم و حتی حاضر بودیم جانمان را هم در این راه به خطر بیندازیم.

۵۲. دکتر فرشته انشاء، گفتگو با نگارنده، لس‌آنجلس، ۱۵ فوریه ۱۹۹۸.

۵۳. دکتر فرشته انشاء، گفتگو با نگارنده، ۱۳ سپتامبر ۱۹۹۹.

۵۴. افراد زیادی، از جمله خود لیلا امامی، دربارهٔ این مذاکرات با من صحبت کرده‌اند.

۵۵. دکتر فرشته انشاء، گفتگو.

۵۶. دکتر فرشته انشاء، گفتگو با نگارنده، ۳ سپتامبر ۱۹۹۹.

۵۷. دکتر فرشته انشاء، گفتگو با نگارنده، ۱۳ مارس ۱۹۹۹.

58. U.S. Embassy, Tehran, Iran, "Israeli Operations in Iran," 2 April 1965. NSA, no. 549.

۵۹. افسانه جهانبانی، گفتگو با نگارنده، پاریس، ۳ ژوئن ۱۹۹۸.

۶۰. یوری لوبرانی، گفتگو با نگارنده، ۸ ژوئیهٔ ۱۹۹۹.

۶۱. دکتر فرشته انشاء، گفتگو با نگارنده، پاریس، ۳ سپتامبر ۱۹۹۹.

۶۲. دکتر فرشته انشاء، گفتگو با نویسنده پاریس، ۱۲ مارس ۱۹۹۹.

۶۳. دکتر فرشته انشاء، گفتگو با نویسنده پاریس، ۳ سپتامبر ۱۹۹۹.

64. U.S. Embassy, Tehran, Iran, "Recommendation for President to Shah Letter," 08/02/77. NSA, no. 1493.

65. U.S. Department of State, "The Evolution of the U.S.-Iranian Relationship," NSA, no 3356, 65.

66. Ibid., 68.

67. Ibid., 66.

68. U.S. Embassy, Tehran, Iran, "Understanding the Shiite Islamic Movement," NSA, no. 1298.

69. U.S. Embassy, Tehran, Iran, "Political Security Report, Feb. 12, 1979,: NSA, no. 2292.

ارتشبد قره‌باغی، که در چند کتاب و رساله‌ی خود تصمیم نیروهای مسلح در ابراز و اعلام بی‌طرفی را تبیین می‌کند، مصرّانه انکار می‌کند که پیش از نشست فرماندهان، تصمیمی گرفته شده بود. گزارش سفارت امریکا آشکارا با حرفهای وی تناقض دارد.

۷۰. سولیوان، **مأموریت در ایران**، ص ۳۴۲. سولیوان ادعا می‌کند که پاسخی

«روشن و رکیک» به آنها داده است.

۷۱. مطالب زیادی درباره مأموریت رابرت هویزر نوشته شده است. ر.ک:

Robert Huyser, *Mission to Tehran* (New York, 1986).

۷۲. دکتر فرشته انشاء، گفتگو با نگارنده، ۳ سپتامبر ۱۹۹۹.

۷۳. لیلا امامی، گفتگو.

۷۴. دکتر فرشته انشاء، گفتگو با نگارنده، پاریس، ۱۲ مارس ۱۹۹۹.

۷۵. انشاء، گفتگو.

فصل پانزدهم: قاضی انقلاب

۱. صادق خلخالی، «خاطرات»، سلام، ۸ مهر ۱۳۷۱، ص ۶.

۲. برای دستیابی به گزارشی از سخنرانی آیت‌الله خمینی، و فعالیتهای اوّلیه‌اش، ر.ک.
سیدحمید روحانی، بررسی و تحلیل نهضت امام خمینی، تهران، ۱۳۵۸، ص ۳۳۶.

۳. صادق خلخالی، کورش دروغین و جنایتکار، تهران، ۱۳۷۰.

۴. انشاء، گفتگو.

۵. کیهان، ۲۶ بهمن ۱۳۵۷، ص ۸.

۶. دکتر فرشته انشاء، گفتگو با نگارنده، پاریس، ۴ ژوئن ۱۹۹۸.

۷. کیهان، ۲۴ اسفند ۱۳۵۷، ص ۶.

۸. پیشین، ص ۶.

۹. پیشین، ص ۱.

۱۰. پیشین، ص ۶.

۱۱. پیشین.

۱۲. پیشین.

۱۳. علی‌اصغر حاج سیّدجوادی، گفتگو با نگارنده، ۲ سپتامبر ۱۹۹۹.

۱۴. نسخه‌ی دست‌نویس اصلی، با عنوان «اعلام جرم مردم ایران علیه آقای هـویدا،
نخست‌وزیر، و تمام وزیران گذشته و حال در کابینه‌ی ایشان»، به لطف علی‌اصغر حـاج
سیدجوادی، در اختیارم قرار گرفت.

۱۵. پیشین، ص ۹.

۱۶. راجی، **در خدمت تخت طاووس**، ص ۹۶.

۱۷. حاج سید جوادی، گفتگو.

۱۸. **کیهان**، ۲۳ بهمن ۱۳۵۷، ص ۸.

۱۹. **کیهان**، ۲۴ اسفند ۱۳۵۷، ص ۸.

۲۰. پیشین.

۲۱. پیشین.

۲۲. انشاء، گفتگو.

۲۳. **کیهان**، ۲۴ اسفند ۱۳۵۷، ص ۸.

۲۴. پیشین.

۲۵. خلخالی، «خاطرات»، ص ۷.

۲۶. **کیهان**، ۲۳ بهمن ۱۳۵۷، ص ۸.

۲۷. خسرو معتضد، **هویدا: سیاستمدارِ پیپ، عصا و اورکیده**، تهران، ۱۳۷۸، ص ۱۰۱۹.

۲۸. پیشین، ص ۱۰۱۹.

۲۹. پیشین، ص ۱۰۱۰.

۳۰. کیهان، ۲۴ اسفند ۱۳۵۷، ص ۸.

۳۱. پیشین.

۳۲. ادوارد سابلیه، گفتگو با نگارنده، پاریس، ۱۴ مارس ۱۹۹۸.

۳۳. راجی، **در خدمت تخت طاووس**، ص ۲۲۴.

۳۴. علینقی عالیخانی، از سر لطف، نسخه‌ای از این نامه را برایم تدارک کرد. علم از ماهیت مسأله تحلیلی ارائه نمی‌کند. در عوض، تأکید فراوانی بر کمبود برق در ایران می‌کند و از شاه می‌خواهد هرچه زودتر در صدد حل این مسأله بر آید.

۳۵. خسرو، برادر منوچهر اقبال، از محتوای این نامه به سفارت امریکا خبر داد. ر.ک. U.S. Embassy, Tehran, Iran, "Memorandum of Conversation, October 11, 1975," NSA. no. 1586.

۳۶. **کیهان**، ۲۴ اسفند ۱۳۵۷، ص ۸.

۳۷. پیشین، ص ۸.

۳۸. پیشین، ص ۸.

۳۹. پیشین، ص ۸.

فصل شانزدهم: دریاچه‌ی یخزده‌ی کاکیتوس

۱. خلخالی، «خاطرات»، سلام، ۷ مهر ۱۳۷۱، ص ۷.

۲. خلخالی، «خاطرات»، سلام، ۸ مهر ۱۳۷۱.

۳. پیشین، ۷ مهر ۱۳۷۱.

۴. پیشین.

۵. فریدون هویدا و دکتر فرشته انشاء در گفتگوهای متعددی با من در مورد چند و چون تلاش‌هایشان برای آزادی هویدا صحبت کردند. برای دستیابی به شرحی در خصوص درگیری کوزینسکی با مسئله‌ی هویدا، ر.ک.:

James Park Sloan, *Jerzy kosinski: A Biography* (New York: 1996), 317 & 363.

۶. دکتر فرشته انشاء، گفتگو با نگارنده، پاریس، ۲ ژوئن ۱۹۹۸.

۷. برای نخستین بار در گفتگویی با بنی‌صدر از وجود چنین یادداشتی، و نیز از مضمون آن خبردار شدم. محمود رفیع نیز که خود وی یکی از معتمدان مبشری بود،از وجود این یادداشت و مضمون آن خبر داشت. زمانی که من نوشتن این کتاب را آغاز کردم، مبشری درگذشته بود. محمود رفیع، گفتگو با نگارنده، ۱۷ اوت ۱۹۹۸.

۸. بنی‌صدر، گفتگو با نگارنده، ورسای، فرانسه، ۳ ژوئن ۱۹۹۸.

۹. پیشین.

۱۰. بنی‌صدر، گفتگو. توصیف بنی‌صدر، در تمام جزئیات، با شرح محمود رفیع، یکی از مخالفان سرشناس شاه، و در دوازده سال اخیر یکی از رهبران خستگی‌ناپذیر در امر حقوق بشر در ایران، انطباق دارد.

۱۱. بنی‌صدر، گفتگو.

12. John F. Burns, "Former Hanging Judge of Iran Upheaval Now Backs Reformers," *New York Times*, 23 October 1999.

۱۳. بنی‌صدر، گفتگو.

۱۴. بنی‌صدر، گفتگو. بنی‌صدر، در دو کتاب و مقالات متعددش، درباره‌ی این معامله‌ها نوشته است. و بر این اعتقاد هم هست که گروه انتخاباتی ریگان در واقع برای به تأخیر انداختن آزادی گروگانهای امریکایی تا بعد از انتخابات نوامبر ۱۹۸۰، با جمهوری اسلامی به توافقی محرمانه رسیده بود. برای دستیابی به دیدگاه‌های بنی‌صدر درباره‌ی «معجزه اکتبر» که در بسیاری از جزئیات مهمّ باگری‌سیک، یکی از مشاوران امنیت ملّی پرزیدنت کارتر همداستان است، ر.ک.:

Abol Hassan Banisadr, *My Turn to Speak: Iran, The Revolution and Secret Deals with the U.S.* (New York, 1991).

برای اطلاع از روایت گری‌سیک از رویدادها، ر.ک.:

Gary Sick, *The october Surprise* (New York, 1991).

۱۵. دکتر فرشته انشاء، گفتگو با نگارنده، لس آنجلس، کالیفرنیا، ۱۵ فوریه ۱۹۹۸.

۱۶. دکتر فرشته انشاء، گفتگو با نگارنده، پاریس، ۲ ژوئن ۱۹۹۸.

۱۷. خلخالی، «خاطرات»، ۸ مهر ۱۳۷۱. برای دستیابی به روایتی روزنامه‌ای از دادگاه، ر.ک.: کیهان، ۱۹ فروردین ۱۳۵۸.

۱۸. خلخالی، «خاطرات»، ۸ مهر ۱۳۷۱.

۱۹. هنری پرشت، گفتگو با نگارنده، ۱۰ ژانویه ۲۰۰۰.

۲۰. چارلز ناس، گفتگو با نگارنده، ۱۱ ژانویه ۲۰۰۰.

۲۱. پیشین.

۲۲. معتضد، هویدا، ص ۱۰۴۱.

۲۳. خلخالی، «خاطرات»، ۸ مهر ۱۳۷۱، ص ۷.

۲۴. معتضد، هویدا، ۱۰۴۱.

۲۵. کیهان، ۱۹ فروردین ۱۳۵۸.

۲۶. پیشین.

۲۷. معتضد، هویدا، ص ۱۰۴۲.

۲۸. احسان نراقی، گفتگو با نگارنده، پاریس، ۲ ژوئن ۱۹۹۸.

۲۹. کیهان، ۱۹ فروردین ۱۳۵۸، ص ۱.

۳۰. پیشین.

۳۱. پیشین، ص ۲.

۳۲. معتضد، هویدا، ص ۱۰۴۷.

۳۳. خلخالی، «خاطرات»، ۸ مهر ۱۳۷۱، ص ۷.

۳۴. خلخالی نه‌تنها از چند و چون شهرت خود خبر داشت، بلکه به‌آن فخر می‌کرد. ر.ک. «خاطرات»، ۹ مهر ۱۳۷۱.

۳۵. پیشین.

۳۶. هویدا در تدارک مدافعات خود در چنین دادگاهی از خانواده‌ی خـود کمـک طلبیده بود. از آنها خواسته بـود ارقـام و آمـاری در زمینـه‌هـای مـختلف ـ از تعداد دانش‌آموزان دبیرستان تا جمع تولید فولاد در کشور ـ برایش فراهم کنند. خانواده‌ی هویدا هم البته ارقام و آماری راکه وی خواسته بود گردآورد. امّا تلاش‌هایشان همه عبث از آب در آمد. دکتر فرشته انشاء، گفتگو با نگارنده، پاریس، ۴ ژوئن ۱۹۹۸.

۳۷. کیهان، ۱۹ فروردین ۱۳۵۸.

۳۸. خلخالی، «خاطرات»، ۸ مهر ۱۳۷۱.

۳۹. کیهان، ۱۹ فروردین ۱۳۵۸.

۴۰. خلخالی، «خاطرات»، ۸ مهر ۱۳۷۱.

۴۱. خلخالی، «خاطرات»، ۹ مهر ۱۳۷۱.

۴۲. فریدون هویدا، گفتگو با نگارنده، ۱۷ ژانویه ۱۹۹۹.

۴۳. کریمی این رویداد را برای احسان نراقی تعریف کرد. احسان نراقی، گـفتگو بـا نگارنده، پاریس، ۲ ژوئن ۱۹۹۸.

۴۴. این شرح از آخرین دقایق حیات هویدا راکریمی، کسی که تیر خلاص را شلیک کرد، نقل کرده است. وی درگفتگویی با احسان نراقی درباره‌ی نقش خویش صحبت کرده است. ظاهراً یک نوار ویدیویی از این اعدام محرمانه به وسیله‌ی روزنامه‌نگاری که اکنون ساکن فرانسه است، گرفته شده است. دکتر انشاء تلاش فراوانی کرده تا نسخه‌ای از آن را خریداری کند، امّا موفق نشده است. احسان نراقی، گفتگو با نگارنده، پاریس، ۳ ژوئن ۱۹۹۸. نیز، دکتر فرشته انشاء، گفتگو با نگارنده، پاریس، ۴ ژوئن ۱۹۹۸.

۴۵. دکتر فرشته انشاء، گفتگو با نگارنده، پاریس، ۴ ژوئن ۱۹۹۸.

46. V.S.Naipal, *Among the Believers: An Islamic Journey*(New

York:1981), 56.

۴۷. خلخالی، «خاطرات»، ۸ مهر ۱۳۷۱، ص ٦.

۴۸. برای بحثی پیرامون استفاده از "ماشین" در انقلاب فرانسه،ر.ک.به

Schama, *Citizens*, 619-22.

۴۹. دکتر فرشته انشاء، گفتگو با نگارنده، لس‌آنجلس، ۱۵ فوریه ۱۹۹۸.

۵۰. دکتر فرشته انشاء، گفتگو با نگارنده پاریس، ۴ ژوئن ۱۹۹۸.

۵۱. پیشین.

۵۲. پیشین.

۵۳. پیشین.

۵۴. دکتر فرشته انشاء، گفتگو با نگارنده، لس‌آنجلس، ۱۵ فوریه ۱۹۹۸.

۵۵. هُمر، اودیسه.

۵٦. پیشین.

۵۷. دکتر فرشته انشاء، گفتگو با نگارنده، پاریس، ۴ ژوئن ۱۹۹۸.

۵۸. دکتر فرشته انشاء، گفتگو.

۵۹. دکتر فرشته انشاء، گفتگو با نگارنده، ماجرای مربوط به نقش دکتر گرمان در این ماجرا از منابع دیگری هم تأیید شد.

٦۰. انشاء، گفتگو.

٦۱. خلخالی، «خاطرات»، ۸ مهر ۱۳۵۸.

٦۲. دکتر فرشته انشاء، گفتگو با نگارنده، پاریس، ۴ ژوئن ۱۹۹۸.

٦۳. دکتر فرشته انشاء، گفتگو با نگارنده، لس‌آنجلس، ۱۱ ژوئن ۱۹۹۸.

٦۴. پیشین.

65. William Shakespeare, *Romeo and Juliet, in The Collected Works of Shakespeare*, ed. David Bevington (New York, 1992), act 3, scene 1, 1000.

فهرست اعلام

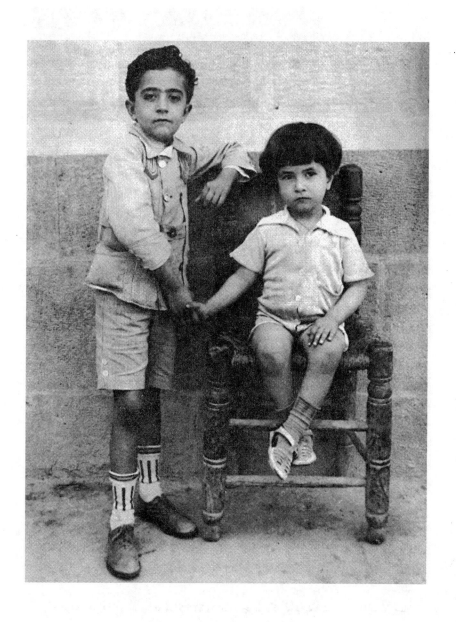

برادران هویدا در دمشق. سال ۱۹۲۷.

خانواده هویدا در بیروت، سال ۱۹۲۹. خانم جوانی که لباس سفید به تن دارد پرستار
بچه‌ها بوده و عذرا نام داشت.

مادر بزرگ مادری هویدا، که خود دختر عزت‌الدوله بود، در حال قرائت قران.

امیرعباس، لباس ملوانی به تن، در دفتر کنسولی ایران در بیروت در سال ۱۹۲۸. برادرش فریدون در سمت راست او ایستاده و پدرش عین‌الملک، چون همیشه، انگار به اضطراب، در لبه‌ی صندلی نشسته.

امیرعباس در کودکی، در کنار پدر، و در میان انبوهی از ساکنان شهر دمشق. همه در انتظار جسد محمدعلی شاه هستند که در اروپا درگذشته بود و برای تدفین به ایران می‌بردندش.

عین‌الملک در روزی که اعتبارنامه خود به عنوان وزیر مختار ایران در عربستان سعودی را تقدیم پادشاه آن کشور می‌کرد.

عین‌الملک پدر هویدا، نخستین مرد نشسته در سمت راست عکس است. او و دیگر کسانی که در عکس اند همه راهی مکه اند. خانمی که چادری سفید، با دایره‌هایی سیاه، به سر کرده کنتس داندرون است. از خانواده‌ای اشرافی و از جاسوسان پرآوازه‌ی فرانسه بود. برای سفر حج اسلام آورده بود.

امیرعباس، در لباس عربی، در کنار برادرش در بیروت در سال ۱۹۳۳، دو کودکی که در عکس اند به ترتیب پروین و فرهاد سپهبدی اند.

خانواده‌ی هویدا در بیروت، حدود سال ۱۹۳۵. عوارض بیماری و کهولت بر چهره عین‌الملک رخ نموده.

امیرعباس و فریدون در بالکن منزل مسکونی‌شان در بیروت. مادر هویدا، افسرالملوک نفر دوم از سمت راست، عین‌الملک هم نفر آخر.

اعضای خانواده‌ی هویدا، و نیز برخی از دوستان‌شان، در مراسم ختم مادر بزرگ مادری هویدا در بیروت در سال ۱۹۳۴. هویدا همان جوان ایستاده در سمت راست عکس است و مادر بزرگ پدری‌اش بانویی که در میان دو بانوی دیگر نشسته.

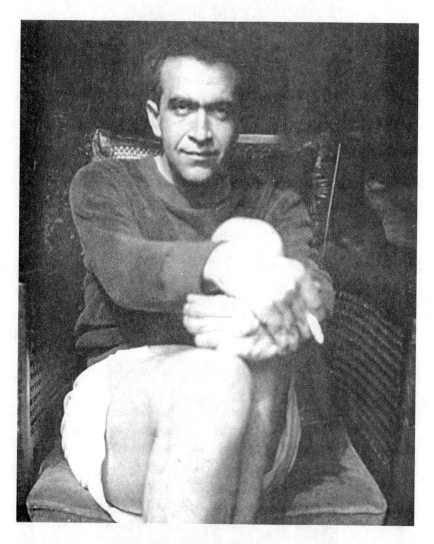

امیرعباس در بروکسل پس از اشغال آن توسط نازی‌ها در سال ۱۹۴۱، حال و هوایش در این تصویر نشانی از شخصیت‌های برخی از رمان‌های اگزیستانسیالیست آن روزگار دارد. چند سالی پس از روزی که این عکس گرفته شد، هویدا، بعد از غیبتی بیست ساله به ایران بازگشت.

هویدا در بیروت در سال ۱۹۴۲. تازه از دانشگاه فارغ‌التحصیل شده و راهی ایران بود.

جمال میری که با گروه پنجاه و سه نفر ارتباط داشت و توانست قبل از بازداشت به بیروت بگریزد همانجا با امیرعباس آشنا شد.

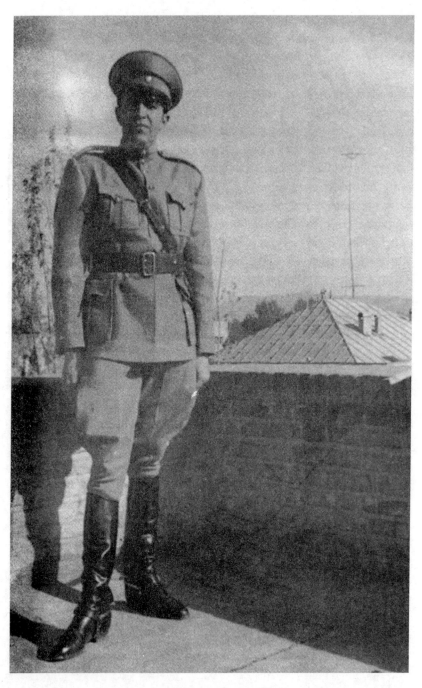

هویدا در لباس افسر وظیفه در سال ۱۹۴۳.

هویدا، نخستین کس از سمت راست، درکنارگروهی از افسران آمریکایی در ایران در سال ۱۹۴۳، هویدا مترجم و رابط این گروه بود.

هویدا در روز فارغ‌التحصیلی از دانشکده افسری در سال ۱۹۴۳. این نخستین دیدارش با شاه جوان بود که خود تازه به سلطنت رسیده بود.

هویدا پیشاپیش گروهی از دوستانش در بیروت در سال ۱۹۴۵. مجید رهنما در سمت چپ او هوشنگ شریفی در سمت راست او هستند.

هویدا به سال ۱۹۴۵، درست پیش از سفرش به پاریس به عنوان یک دیپلمات.

منصور، انتظام و هویدا در پاریس، اندکی پیش از سفرشان به آلمان در سال ۱۹۴۷ برای به راه‌اندازی دفتر نمایندگی ایران.

کمیته رهبری کانون مترقی. ردیف عقب، از چپ به راست، ضیاء شادمان، فتح الله ستوده، محمدعلی رشتی، غلامرضا نیک‌پی، گروه نشسته از چپ به راست: هادی هدایتی، منوچهر کلالی، هویدا، منصور، تقی سرلک، محسن خواجه نوری، منوچهر شاهقلی.

اعضای کابینه منصور در روزی که دولت جدید در مارس ۱۹۶۴ به شاه معرفی شد. امیرعباس هویدا، اولین نفر از سمت چپ.

فریده و لیلا امامی در سال ۱۹۳۸، دو عروس آینده برای دو نخست‌وزیر ایران. لیلا در سمت راست.

بعد از یک روز تعطیل در حیاط منزل پدر و مادر لیلا در سال ۱۹۶۷.

امیرعباس و لیلا در سال ۱۹۶۷.

امیرعباس و لیندون جانسون در دسامبر ۱۹۶۸ در کاخ سفید واشنگتن.

هویدا در حال گفتگو در دسامبر ۱۹۶۸.

لیندون جانسون و همسرش هدایایی به لیلا و امیر عباس تقدیم می‌کند.

هویدا در اوج تلاش در اوایل دهه هفتاد اغلب نسخه‌ای از همین عکس را امضاء می‌کرد و
بر سبیل هدیه به دوستان و اقوامش می‌داد.

شاه در اواخر دهه شصت ریاست جلسه‌ای از سران سیاسی و نظامی مملکت را به عهده گرفته. چند و چون نشستن او و حالات دیگران تمثیل گویایی از ساخت قدرت در آن روزگار است. از چپ به راست، هویدا، منصور روحانی، تیمسار اسماعیل ریاحی، ضیاء شادمان، تیمسار سمیعی (ایستاده) تیمسار حسن پاکروان، تیمسار سجادی (ایستاده). جلسه در قزوین تشکیل شده بود.

برادران هویدا در لباس رسمی، آماده شرفیابی. هویدا نخست وزیر و برادرش سفیر ایران در سازمان ملل بود.

برادران هویدا در کنار مادرشان در مهتابی حیاط منزل مادر هویدا.

هویدا در کنار برخی از وزرا و مشاورانش در حال بازدید از یکی از محله‌های تهران. ضیاء شادمان اولین نفر از سمت چپ است و در کنارش، عبدالله شهبازی.

هویدا و شاه، در حالی که عینکی دودی بر چشم دارد. علم نظاره‌گر ماجرا است.

هویدا، خنده بر لب، در مراسم بزرگداشت انقلاب سفید. در کنارش، به ترتیب، جعفر شریف امامی، عبدالله ریاضی، جمشید آموزگار و مهرداد پهلبد ایستاده‌اند.

واپسین سفر هویدا با لیلا. به جزیره کیش رفته بودند. سه ماه پس از شبی که این تصویر گرفته شد هویدا به دستور شاه بازداشت شد.

"Gemir, pleurer, prier est egalement lâche
Fais energiquement ta longue et lourde tâche
Dans la voie où le sort a voulu t'appeller
Puis après, comme moi souffre et meurs
sans parler."

à R.F.M. en souvenir d'une
année de classe en Anglais

5 mai 37 Hoveyda

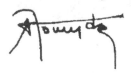

قطعه شعری که هویدا به خط خود برای رنه دومان فرستاده بود.

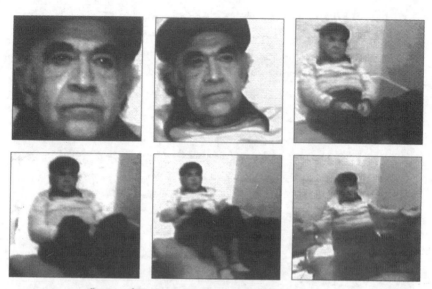

هویدا در زندان، اندکی پیش از دادگاه دوم. برگرفته از ویدئو.

هویدا در دادگاه.

(1) I have added a paragraph to my note (in red) requesting to receive as soon as possible a typed text on MOHAREBEH and BOUTAN giving the necessary explanations for the court and the name of the Koran sourats (سوره ها). I will also appreciate to receive the list of the religious books which might be of interest for my defense. I could ask people here to buy them for me

(2) I will try to see as soon as possible the دادستان to talk about the future and get a copy of the prosecution کیفرخواست.

(3) I think you should think about a panel of lawyers adapted for this kind of defense. Angel has talked to someone — it's better you contact her.

(4) Ask our friend who has contacts in bazar and religious circles if we could get also (added to other lawyers) an expert on religious matters. Does he think that FALSAFI will be ready to do something about it (in court; if this's not possible outside court?) (TV- prog?)

(5) There are few ideas I wish to explain here: why have I been arrested "Wednesday 17 Aban. There was a plot under Zahedi (which started with Sharif-Emami and Amini) and as my people to bring the Shah to accept that I had to put all the blames about everything which has taken place in this country during the last 15 years on me. The Shah would say he didn't know about anything, and how he got the news a from the people — Hoveyda. افراد افرازه بدانید این این "This was a stupid idea and

people would not accept this as a
convention. Don't forget how the press
and m.p. in majlers started their attacks
after my resignation. Zahedi and his group
wanted to make a ganbani (؟؟) out of
me and the shah did give in. (Amouzegar helped)

(6) Why and when did I presented my
resignation from the court ministry?
Saturday 18 sharivar: it means the day
after the black Friday where so many people
were killed. This was not a resignation I told
the shah I slept four days, later when
I moved now my residence and he got
a court minister I was against what they did.
I think these two injunctions issued in
court is well speaking and my friend
of the bazaar and religious issues.

(8) Too many people have been arrested — ministers.
army people — officials.... it will take ages
before a trial is set for anyone. Really
the past regime should be judged and this
would include over two million people.

(9) I think we should find when the court
will get in session — and what to do about
the lawyers — in this connection get in
touch with Angel.

(10) What was the result of foreign
personalities demarches? I think we can
use the shiite of lebanon and other moslem
through former lebanon P.M. TAKieddine
Solh — to get a delegation here — I think
Angel knew about it and she should be
contacted. I don't know when she will be back

(11) In your notes give me a gist of
what is happening — I am really out of
everything.

(12) As far as it concerns the channel
please ask Angel to do what is necessary.

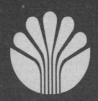